TRASCRIZIONI FONOLOGICHE

In questa grammatica si fa uso, se necessario, di trascrizioni fonologiche basate sull'alfabeto dell'Associazione Fonetica Internazionale. Ecco un quadro dei simboli impiegati, con esempi in grafia ordinaria e in trascrizione. L'accento è indicato con il segno /ˈ/ prima della sillaba accentata: *vado* /ˈvado/, *andremo* /anˈdremo/. Il segno /:/ indica una vocale lunga, nelle trascrizioni di parole straniere: ingl. *week* /wi:k/ 'settimana'.

I fonemi dell'italiano

Vocali

/a/	**cane**	/ˈkane/
/e/	**bevi**	/ˈbevi/
/ɛ/	**era**	/ˈɛra/
/i/	**vita**	/ˈvita/
/o/	**sole**	/ˈsole/
/ɔ/	**modo**	/ˈmɔdo/
/u/	**uva**	/ˈuva/

Semiconsonanti

/j/	**piede**	/ˈpjɛde/
/w/	**ruota**	/ˈrwɔta/

Consonanti

/p/	**palla**	/ˈpalla/
/b/	**bene**	/ˈbɛne/
/m/	**mare**	/ˈmare/
/t/	**tela**	/ˈtela/
/d/	**dono**	/ˈdono/
/n/	**nero**	/ˈnero/
/ɲ/	**gnomo**	/ˈɲɔmo/
/k/	**casa**	/ˈkasa/
	chilo	/ˈkilo/
	quadro	/ˈkwadro/
/g/	**gatto**	/ˈgatto/
	ghiro	/ˈgiro/
/ts/	**zio**	/ˈtsio/
/dz/	**zero**	/ˈdzɛro/
/tʃ/	**cera**	/ˈtʃera/
	ciocca	/ˈtʃɔkka/
/dʒ/	**giro**	/ˈdʒiro/
	giacca	/ˈdʒakka/
/f/	**fare**	/ˈfare/
/v/	**vedo**	/ˈvedo/
/s/	**sera**	/ˈsera/
/z/	**smonto**	/ˈzmonto/
/ʃ/	**scena**	/ˈʃɛna/
	sciame	/ˈʃame/
/r/	**rana**	/ˈrana/
/l/	**luna**	/ˈluna/
/ʎ/	**gli**	/ʎi/
	taglio	/ˈtaʎʎo/

Fonemi del francese e dell'inglese

/ã/	*fr.* **langue**	/lãg/	'lingua'
/ʌ/	*ingl.* **cup**	/kʌp/	'tazza'
/æ/	*ingl.* **cat**	/kæt/	'gatto'
/ɛ̃/	*fr.* **vin**	/vɛ̃/	'vino'
/ə/	*fr.* **le**	/lə/	'il, lo'
/ɔ̃/	*fr.* **monde**	/mɔ̃d/	'mondo'
/ø/	*fr.* **feu**	/fø/	'fuoco'
/œ/	*fr.* **neuf**	/nœf/	'nuovo'
/ɥ/	*fr.* **huile**	/ɥil/	'olio'
/y/	*fr.* **mur**	/myʀ/	'muro'
/ʒ/	*fr.* **jour**	/ʒuʀ/	'giorno'
/ð/	*ingl.* **them**	/ðɛm/	'loro'
/θ/	*ingl.* **thin**	/θin/	'sottile'
/ŋ/	*ingl.* **song**	/sɔŋ/	'canzone'
/ʀ/	*fr.* **faire**	/fɛʀ/	'fare'

Altri segni grafici

\> Indica il passaggio da una forma latina alla corrispondente forma di una lingua neolatina (italiano, francese, spagnolo ecc.); per es.: lat. FĪRMU(M) > it. *fermo*.

→ Indica un processo di derivazione all'interno della stessa lingua; per es.: *forno → fornaio*, *ideale → idealizzare*.

* Precede forme non attestate, ricostruite per via congetturale: lat. volgare *COMIN(I)TIARE > it. *cominciare*. Si antepone anche a parole o espressioni non grammaticali: **correggizione*, **il vecchio amici*.

MAURIZIO DARDANO
PIETRO TRIFONE

LA LINGUA ITALIANA

- *Morfologia* • *Sintassi* • *Fonologia*
- *Formazione delle parole* • *Lessico*
- *Nozioni di linguistica e sociolinguistica*

ZANICHELLI

Gli autori ringraziano Isa Dardano Basso che ha collaborato alla realizzazione di questa grammatica mediante la raccolta di materiale documentario.

Impostazione grafica e copertina: *Anna Maria Zamboni*
Cartine: *Roberto Marchetti*
Redazione: *Maddalena Mutti*

Prima edizione, ottobre 1985

Ristampe

12 13 14 1994 1995 1996

Stampato a Bologna
dalla Grafica Ragno, via Piemonte 12
Tolara di Sotto - Ozzano E. (Bologna)
per conto della N. Zanichelli Editore S.p.A.,
via Irnerio 34, 40126 Bologna

Indice

2. La frase semplice

3. L'articolo

4. Il nome

5. L'aggettivo

6. Il pronome

7. Il verbo

8. L'avverbio

9. La preposizione

10. La congiunzione e l'interiezione

11. La sintassi della frase complessa

12. La formazione delle parole

13. Il lessico

14. Fonologia

APPENDICI

Appendice I La retorica

Appendice II Poesia e metrica

Presentazione

Questo libro è al tempo stesso una grammatica per persone colte e una guida ai principali problemi di linguistica teorica, di linguistica storica e di sociolinguistica che riguardano l'italiano.

Le strutture grammaticali della nostra lingua sono oggetto di una descrizione chiara e analitica, che comprende anche settori per lo più trascurati in opere di questo genere: per es. la formazione delle parole, la frase nominale, i rapporti grammatica-lessico.

Una particolare attenzione viene dedicata allo studio dei neologismi, dei forestierismi e dei linguaggi settoriali.

Gli «inserti» linguistici interagiscono con la descrizione grammaticale, proponendo altre prospettive di analisi, confronti con lingue straniere, riflessioni sugli usi sociali e stilistici della lingua.

L'ordine dei capitoli e dei paragrafi nonché l'ampio indice finale assicurano una facile consultabilità di tutte le parti del volume.

GLI AUTORI

0. PREMESSA

0.1. COME CAMBIA LA LINGUA

La lingua italiana è mutata negli ultimi cento anni: soprattutto a partire dall'ultimo dopoguerra. Sono nate nuove parole e nuovi modi di dire; altre parole hanno acquistato nuovi significati accanto a quelli già esistenti. Qualche mutamento si può notare anche nei campi della morfologia e della sintassi: le parole composte sono usate più frequentemente; i periodi, nella lingua scritta, sono più brevi e meno complessi.

Possiamo dire che la lingua ha seguito l'evoluzione della società e delle conoscenze adeguandosi in parte a situazioni e contenuti nuovi. Non dobbiamo credere che la lingua si sviluppi in modo del tutto parallelo al progresso sociale e tecnico-scientifico. La lingua si muove più lentamente rispetto al mutare delle idee e dei costumi: ciò nonostante non rimane indietro. Infatti la lingua ha una propria strategia che le permette di usare ciò che già possiede per nuovi fini e per nuovi significati. Spesso accade che contenuti nuovi possano essere comunicati mediante parole consuete e che, al contrario, parole nuovissime siano usate con riferimento a idee vecchie e superate. Dunque parlando della nostra, come di qualsiasi altra lingua moderna, è necessario essere prudenti, è necessario fare molte distinzioni evitando di arrivare precipitosamente a conclusioni troppo semplici e perfino banali.

La lingua italiana è un sistema di comunicazione orale e scritta: un sistema complesso come lo sono tutte le lingue storico-naturali. La nostra lingua è formata di parole, di espressioni e di regole grammaticali. Si tratta di un sistema di forme che è a nostra disposizione per vari usi: il parlare di ogni giorno, il parlare tra specialisti su argomenti particolari, lo scrivere una serie di appunti per uso personale, il comporre un romanzo o una poesia ecc. ecc. Far coincidere uno di questi usi particolari con la lingua nel suo complesso è un errore che si commette spesso. Sbagliano per esempio coloro che parlano di «morte dell'italiano»; queste persone affermano: «L'italiano non esiste più; al suo posto ci sono più lingue: dei politici, degli imprenditori, degli scienziati, dei burocrati, dei giornalisti, dei sindacati, dei giovani». L'errore consiste nell'esaltare le differenze, gli elementi particolari che sono propri di ciascuna di tali varietà d'italiano dimenticando al tempo stesso la base comune, che è più grande di quanto questi pessimisti non credano. Ovviamente la base cambia molto meno dei piani superiori. Fuori di metafora: i suoni della nostra lingua, i suoi vocaboli fondamentali, la sua grammatica mutano poco e in tempi piuttosto lunghi; invece i vocaboli legati a conoscenze particolari o riguardanti l'organizzazione della società e i costumi cambiano periodicamente e talvolta piuttosto in fretta.

0.2. L'ITALIANIZZAZIONE DEI DIALETTI

Un mutamento molto importante avvenuto negli ultimi decenni è quello che riguarda l'uso dei dialetti e della lingua. Alla fine della seconda guerra mondiale la maggioranza degli Italiani si serviva dei dialetti per la comunicazione di ogni giorno; oggi invece si calcola che circa il 90% degli Italiani comunicano tra loro servendosi prevalentemente della lingua comune. Conviene soffermarsi più particolarmente su questo fenomeno, che riflette la trasformazione della nostra società, ricordando per sommi capi i risultati di due sondaggi. Un'inchiesta DOXA del 1974 mostrava l'inarrestabile caduta dei dialetti rispetto alla situazione presente nel 1951. Un'inchiesta più recente dell'ISTAT ha messo in evidenza la grande trasformazione avvenuta nel mondo del lavoro. All'inizio degli anni Cinquanta il 42,2% della popolazione attiva lavorava nelle campagne e nelle miniere; il 32,1% lavorava nelle industrie; il 25,7 era addetto ai servizi. Dopo oltre trent'anni, nel novembre 1981, i dati dell'ISTAT presentano una situazione del tutto diversa: agricoltura 13%, industria 36,8%, servizi 50,2%. Ciò dimostra che siamo passati da un'economia prevalentemente agricola ad un'economia prevalentemente industriale, nella quale inoltre gli addetti ai servizi hanno conquistato la maggioranza. Proprio questo grande sviluppo del terziario (e del terziario avanzato: v. 1.6.8.) pone l'Italia sullo stesso piano dei Paesi più moderni d'Europa e del mondo. Le migrazioni interne, lo sviluppo dei centri urbani grandi e medi sono due aspetti rilevanti di questa trasformazione. A partire dalla metà degli anni Cinquanta la televisione diffonde la lingua comune anche nei luoghi più sperduti della Penisola. Anche la radio e il cinema danno un contributo determinante in questa direzione. Insomma, i mezzi di comunicazione di massa fanno progredire rapidamente la conoscenza dell'italiano presso i cittadini di ogni età e di ogni classe. Al tempo stesso l'affermarsi di nuove forme di socializzazione legate alla vita sindacale, le attività comuni svolte nel tempo libero, l'affermarsi del consumismo e delle nuove tecniche di distribuzione delle merci, il successo dei nuovi stili di comportamento ripresi dal mondo anglosassone hanno modificato le abitudini e i costumi di ampi settori della comunità italiana. A causa di tali innovazioni l'uso dei dialetti regredisce e l'italiano si diffonde progressivamente (v. 1.4.7.).

1. STRUTTURA, EVOLUZIONE E USI DELLA LINGUA

1.0. Prima di vedere come funziona una lingua, prima di analizzarne gli elementi che la compongono, è necessario chiarirsi le idee su alcuni problemi di carattere generale. A tal fine è stato scritto il capitolo iniziale, il quale si divide in cinque sezioni:

la prima (1.1.) tratta di alcuni aspetti dello studio scientifico del linguaggio e delle lingue (**linguistica generale**);

la seconda (1.2.) tratta del significato (**semantica**);

la terza (1.3.) spiega l'evoluzione dal latino volgare all'italiano (**linguistica storica**);

la quarta (1.4.) tratta della lingua e dei dialetti in Italia (**dialettologia**);

la quinta (1.5.) mostra alcuni aspetti del rapporto lingua-società (**sociolinguistica**).

1.1. NOZIONI DI LINGUISTICA

1.1.1. Linguaggio e lingua

Il **linguaggio** è l'insieme dei fenomeni di comunicazione e di espressione che si manifestano sia nel mondo umano sia al di fuori di esso. Oltre al linguaggio verbale dell'uomo esistono infatti linguaggi artificiali creati dall'uomo stesso (v. 1.1.2.) e **linguaggi degli animali**.

Per quanto riguarda questi ultimi ne ricordiamo soltanto alcuni, tra i più notevoli e i più curiosi. Gli uccelli comunicano tra loro per mezzo di vocalizzazioni, che in alcune specie appaiono variamente modulate. Le api "parlano" tra loro mediante una sorta di danza. Le scimmie si servono di gesti e di articolazioni vocali. Varie specie animali comunicano fra loro atteggiando in vari modi i loro corpi. Si comunica perfino emettendo particolari sostanze chimiche (come è provato per alcune specie di pesci). Gli studiosi riconoscono la superiorità del linguaggio articolato con suoni: questo infatti si trasmette a distanza, supera ostacoli fisici; può essere usato anche al buio; in genere, rispetto agli altri linguaggi presenta una maggiore varietà di realizzazioni; è insegnato forse con maggiori difficoltà, ma senza dubbio con più grande profitto (i giochi della ripetizione imitativa eseguiti dai piccoli hanno una grande importanza educativa fin dai primi mesi di vita).

I linguaggi animali hanno finalità piuttosto elementari: comprendono i cosiddetti segnali di territorio (avvertimenti ad altri animali di non varcare certi confini), di allarme, di richiamo, di corteggiamento, di gioco. Fino a qualche anno fa i linguisti erano convinti che ci fosse un confine molto netto fra il **linguaggio dell'uomo** e i linguaggi degli animali. Ora invece si tende a vedere una serie di rapporti e una continuità fra i due domìni: varie caratteristiche ritenute in passato esclusive del linguaggio umano si ritrovano in realtà, sia pure con forme e modalità diverse, anche nei linguaggi animali e in quelli artificiali (v. 1.1.2.).

Al tempo stesso bisogna ricordare che l'uomo, accanto a un linguaggio verbale complesso, ricco e "potente" (spiegheremo tra poco il significato di questo aggettivo: v. 1.1.3.) possiede anche **linguaggi non verbali**:

- i gesti, i movimenti del corpo, le espressioni della faccia, l'atteggiamento generale delle persone rappresentano i cosiddetti comportamenti cinetici (dal greco *kinētikós* 'che si muove');
- la tonalità della voce, le interruzioni, i sospiri, il pianto, gli sbadigli costituiscono il **paralinguaggio**, un insieme di atteggiamenti che da soli o insieme al linguaggio vero e proprio servono ad esprimere ciò che si sente;
- l'uso dello spazio e il rapporto spaziale tra gli individui (per esempio: ad una persona autorevole si dà una stanza di lavoro, una scrivania, uno spazio " pubblico " più grandi; il rispetto tiene a distanza, invece si sta vicini ad una persona con cui si è in confidenza);
- l'uso di artefatti, come abiti e cosmetici (il colore di un vestito, un certo tipo di cravatta, un profumo particolare " parlano ", in certe occasioni, molto più delle parole).

In senso proprio il linguaggio si distingue dalla lingua. La **lingua** è il modo concreto e storicamente determinato in cui si manifesta la facoltà del linguaggio. L'italiano, il francese, l'inglese, tutte le lingue del mondo, si chiamano **lingue storico-naturali**. Si dicono storiche perché hanno una storia, nella quale intervengono i parlanti di tali lingue. Si dicono naturali in contrapposizione ai linguaggi artificiali: la segnaletica stradale, l'alfabeto Morse, il linguaggio della logica, quello della matematica, quello dei calcolatori ecc. Rispetto ai linguaggi artificiali le lingue storico-naturali dimostrano maggiore complessità, ricchezza e " potenza " (v. 1.1.3.).

1.1.2. I segni e il codice

Il **segno** è un " qualcosa " che sta al posto di un " altro qualcosa ". Una colonna di fumo è il segno di un incendio; un buon odorino che viene dalla cucina è il segno di un arrosto o di un sugo; la luce rossa del semaforo è un segno che impone di fermarsi; una formula composta di numeri e lettere è il segno di un teorema; la parola *bue* è il segno di un significato 'bue'. La scienza che studia i segni è la **semiologia** (dal greco *sēmêion* 'segno').

Una prima distinzione da fare è quella tra **segni naturali** (detti anche indici) e **segni artificiali**. I segni naturali sono strettamente legati ai loro rispettivi significati: una colonna di fumo indica un incendio, così come vergogna e imbarazzo sono indicati dal rossore del volto. Invece i segni artificiali sono **arbitrari**: per indicare l'alt mediante il semaforo si sarebbe potuto scegliere un colore diverso dal rosso; per indicare le lettere dell'alfabeto si sarebbero potuti scegliere segni diversi. I segni arbitrari sono dunque convenzionali e, pertanto, a differenza dei segni naturali, devono essere imparati: non dobbiamo imparare ad arrossire o a starnutire per indicare che proviamo vergogna o che siamo raffreddati, ma certo dobbiamo imparare la segnaletica stradale, l'alfabeto Morse; a suo tempo abbiamo dovuto imparare sia l'uso parlato sia l'uso scritto della nostra lingua. Precisiamo dunque: il linguaggio umano (e quindi le lingue storico-naturali) è un mezzo di comunicazione non istintivo: è un **prodotto della cultura**, non della natura. Un bambino nato a Milano e un bambino nato a Tokyo cammineranno e masticheranno allo stesso modo, ma il primo parlerà italiano, il secondo giapponese.

I segni arbitrari combinati con altri segni dello stesso tipo costituiscono un sistema di segni o **codice**. Vi sono codici elementari e codici complessi. Uno dei più semplici è quello costituito dalla luce rossa che segnala la mancanza della benzina; tale spia, posta nel cruscotto di un autoveicolo, funziona così:

/luce rossa accesa/ = 'la benzina manca'
/luce rossa spenta/ = 'c'è la benzina'

Un altro codice elementare è il semaforo che normalmente comprende tre segni:

/luce verde/ = 'avanti!'
/luce gialla/ = 'attenzione!'
/luce rossa/ = 'alt!'

Talvolta il semaforo comprende uno o due segni in più: /luce rossa + freccia verde a destra/ = 'alt per chi va dritto e per chi volta a sinistra; avanti per chi volta a destra'; /luce rossa + freccia verde dritta + freccia verde a destra/ = 'alt per chi volta a sinistra; avanti per chi va dritto e per chi volta a destra'.

Riflettiamo per un momento su questi linguaggi artificiali molto semplici: la spia rossa accesa nel cruscotto, la luce rossa del semaforo sono **segni globali**, cioè non possono essere analizzati in costituenti, a differenza di quanto accade nell'alfabeto Morse, dove troviamo per esempio:

/ ._ / = 'A'
/ _... / = 'B'.

Qui abbiamo a che fare con segni analizzabili; possiamo dire che 'A' è rappresentato da un punto seguito da una linea e che 'B' è rappresentato da una linea seguita da tre punti. Nell'alfabeto Morse la linea e il punto sono i due costituenti di base i quali, combinandosi tra loro in vario numero e con varia disposizione, riescono a rappresentare tutte le lettere del nostro alfabeto.
Profondamente diverso è il caso della luce rossa (della spia e del semaforo); la luce rossa non si può scomporre in costituenti, vale a dire non c'è un secondo livello di analisi (vedremo tra poco che l'esistenza di più livelli di analisi permette il funzionamento di codici molto complessi come le lingue storico-naturali). Nella combinazione /luce rossa/ + /freccia verde a destra/ del semaforo, abbiamo due segni globali accostati, non due componenti (il punto e la linea) di un unico segno.

Ecco ora una regola fondamentale, inderogabile, per il funzionamento di un codice: i segni (ciascuno dei quali è portatore di un significato) una volta che sono attribuiti a un codice, non possono essere più mutati, a meno che non muti la convenzione che regola il funzionamento dei codici; per esempio nel semaforo a tre luci non può accadere che il rosso significhi talvolta 'alt' talvolta 'avanti' (vi immaginate quanti incidenti?), né può accadere che vi siano due rossi oppure che ai tre colori ne sia aggiunto un altro (l'azzurro per esempio). Si possono introdurre modifiche (per esempio aggiungere l'azzurro), ma allora deve mutare la convenzione che regola il funzionamento del semaforo, vale a dire deve mutare il codice del semaforo. Nel codice del semaforo attualmente in vigore l'opposizione fra i tre colori è fondamentale: diciamo che i tre colori sono caratteri distintivi (o, con espressione tecnica, **tratti pertinenti**) del codice semaforo. Invece altri eventuali caratteri non sono distintivi (sono **tratti non pertinenti**); per esempio: le tre luci possono avere varia grandezza e diversa forma (quadrata invece che tonda), il semaforo può essere composto di quattro elementi ciascuno situato ad un angolo d'incrocio oppure può essere unico al centro dell'incrocio e in tal caso sarà installato su un palo o appeso a un filo. Queste varianti non sono pertinenti: il semaforo a tre luci non muta il suo codice, funziona sempre secondo la stessa regola.

1.1.3. La " potenza " del linguaggio umano

Non è stata una divagazione. Quanto si è detto finora sulla spia rossa del cruscotto, sul semaforo, sull'alfabeto Morse e su altro ancora rappresenta un'utile introduzione per comprendere meglio come funziona il linguaggio verbale. I codici elementari aiutano a capire come funziona un codice complesso, ricco e " potente " come è appunto il linguaggio verbale. Ma che cosa vuol dire **potente** in questo contesto? Vuol dire che con il linguaggio umano, articolato in suoni, si può parlare di tutto, mentre con il linguaggio degli animali e con i linguaggi artificiali (dalla spia rossa del cruscotto alla segnalazione con bandierine a mano, dal semaforo alla segnaletica stradale, dal linguaggio della matematica a quello della logica) si può parlare soltanto di alcune cose. La spia rossa dice soltanto due cose. Il semaforo a tre luci ne dice tre. Il linguaggio della matematica ne dice molte, ma tutte appartenenti allo stesso settore, cioè alla matematica; con il linguaggio della matematica non posso dire: « *Ho fame; vorrei una bistecca* », non posso dare ordini, manifestare i miei sentimenti, descrivere un paesaggio. Invece con il linguaggio umano posso esprimere tutto quello che è espresso dai linguaggi artificiali e tante tantissime cose in più. Con il linguaggio umano posso esprimere praticamente tutto. Questo sì che si chiama potenza!

È venuto il momento di esporre alcuni concetti fondamentali elaborati dalla linguistica moderna. Si tratta di concetti che ci serviranno a capire meglio come funzionano i linguaggi e, in particolare, come funziona il linguaggio umano.

1.1.4. La comunicazione

Che cosa avviene quando parliamo a qualcuno? Quando comunichiamo qualcosa a qualcuno (d'ora innanzi ricorreremo frequentemente al verbo *comunicare* perché esso comprende più modi di manifestare il nostro pensiero: con la voce, con la scrittura, con i gesti ecc.) facciamo, senza accorgercene, tre operazioni:

1. troviamo un contenuto cercando di chiarirlo almeno a noi stessi;

2. troviamo l'espressione che è capace di comunicare tale contenuto;

3. dopo aver trovato l'espressione con la quale manifestare tale contenuto, eseguiamo un controllo per verificare se l'espressione scelta è capace di comunicare in modo adeguato il contenuto.

Questo processo, qui distinto in tre operazioni, avviene per lo più in modo automatico, rapidissimo; potremmo quasi dire " rapido come il parlare " se non ascoltassimo talvolta discorsi lunghi e noiosi... In alcuni casi però tale processo occupa un tempo più lungo perché siamo incerti su quello che si deve dire, perché non abbiamo ben capito la domanda che ci è stata rivolta ecc. Il processo che abbiamo descritto va dall'interno (della nostra mente) all'esterno (mediante i suoni prodotti dal nostro apparato di fonazione: v. 14.1.). Chi ci ascolta segue l'itinerario inverso, dall'esterno all'interno: mediante il proprio apparato uditivo "prende" l'espressione che noi abbiamo prodotto e assegna a tale espressione un contenuto. Nella maggior parte dei casi il contenuto prodotto e trasmesso dal **locutore** (dal latino *locutor* 'colui che parla') e il contenuto ricevuto e interpretato dall'ascoltatore coincidono: altrimenti, poveri noi, sarebbe una vera babele! Ma accade anche che il nostro ascoltatore interpreti quanto abbiamo detto in modo diverso dalle nostre intenzioni (perché egli non è stato attento, perché ha malamente collegato quanto abbiamo detto con la situazione, perché noi abbiamo parlato in modo oscuro). È inutile dire che anche il percorso dell'itinerario inverso (ricevere con l'orecchio l'espressione, analizzarla e attribuirle un contenuto) avviene, normalmente, in tempi brevissimi.

Ed ora due termini tecnici. Abbiamo già visto (1.1.2.) che cosa è, in linguistica, il codice. Ora diciamo che quando colui che parla attribuisce ad un contenuto di pensiero un'espressione compie una **codificazione**, cioè attribuisce il codice "lingua italiana" (o, se si tratta di un francese, di un inglese, il codice "lingua francese", il codice "lingua inglese") al proprio contenuto di pensiero. Invece l'ascoltatore, colui che compie l'itinerario inverso, compie una **decodificazione**, cioè passa dalla espressione data in codice al contenuto di pensiero. Ovviamente si può codificare in una lingua e decodificare da una lingua che si conosce; altrimenti detto: non parlo né comprendo il turco se non lo conosco (se non possiedo il codice "lingua turca").

1.1.5. La lingua non è una nomenclatura

Questo principio è sostenuto con vigore nel *Corso di linguistica generale* di Ferdinand de Saussure (1857-1913), un testo fondamentale apparso nel 1916 e che possiamo considerare l'atto di nascita della linguistica moderna, più precisamente di quella corrente della linguistica moderna che va sotto il nome di **strutturalismo**. Nei paragrafi 1.1.5.-1.1.10. illustreremo alcuni princìpi fondamentali dello strutturalismo.

Secondo una concezione semplicistica e sbagliata una lingua sarebbe una lista, una nomenclatura, dove ciascuna parola corrisponderebbe ad una cosa, ad un'azione, ad un'idea. Se il lessico dell'italiano si potesse ridurre a una serie di etichette *uomo*, *cane*, *bue*, *tavolo*, *scala*, *legno*, *lingua*, *andare*, *cantare*, ciascuna apposta alla cosa, all'azione, all'idea corrispondenti, imparare una lingua straniera equivarrebbe a sostituire queste etichette con altre: *homme*, *chien*, *boef*, *table*, *escalier*, *bois*, *langue*, *aller*, *chanter* per il francese; *man*, *dog*, *ox*, *table*, *stair*, *wood*, *tongue*, *to go*, *to sing* per l'inglese. Ma le cose non vanno affatto così: soltanto in settori limitati del lessico (per esempio le denominazioni scientifiche di animali e di piante) vi è una corrispondenza esatta da etichetta ad etichetta. Già nel nostro breve elenco tale corrispondenza manca in più di un caso: all'unico vocabolo italiano *scala* ne corrispondono in francese due: *escalier* 'scala fissa, di pietra o altro materiale' ed *échelle* 'attrezzo mobile di legno, ferro o altro materiale' e anche 'scala delle carte geografiche'; corrispondentemente l'inglese ha *stair* (o al plurale *stairs*) e *staircase* per 'la scala fissa', *ladder* per 'l'attrezzo mobile'; in più rispetto al francese, ha *scale* 'la scala delle carte geografiche'. Si osservi poi il francese *bois*: un solo vocabolo corrisponde ad almeno quattro diversi vocaboli italiani: *legno*, *legna*, *legname*, *bosco*; a *lingua* corrisponde in inglese *tongue* 'organo del gusto' e *language*; a *tempo* corrispondono *time* 'il succedersi dei momenti' e *weather* 'il tempo atmosferico'. Cerchiamo di visualizzare con una figura un paio di queste non corrispondenze tra due lingue:

ITALIANO	*legno*	*legna*	*legname*	*bosco*
FRANCESE	*bois*			

ITALIANO	*scala*		
INGLESE	*stair(s)*	*ladder*	*scale*

Questi fatti (e molti altri se ne potrebbero ricordare) dimostrano che le parole (e le espressioni) di una determinata lingua sono delle convenzioni proprie ad una determinata comunità linguistica. Inoltre i vocaboli di un certo settore hanno tra di loro dei rapporti che variano da lingua a lingua. Ciascuna lingua ha un suo modo di descrivere, di interpretare il mondo che ci circonda. Ciascuna lingua rappresenta una particolare cultura, un proprio modo di vedere la realtà, una mentalità distinta.

1.1.6. Il significante e il significato

Consideriamo un segno linguistico. Questo può essere una frase come *Carlo cantava una bella canzone* oppure una parte di essa: *Carlo cantava* o *una bella canzone* o *canzone*. Ciascun segno linguistico possiede due facce: l'immagine acustica, cioè la successione di suoni linguistici che lo compongono, e il concetto che esso esprime; a queste due facce del segno linguistico si dà il nome di **significante** e di **significato**.

Nella frase ora citata il significato può essere descritto in questi termini: c'è una persona, di nome Carlo; questa persona compie ora una determinata attività; tale attività consiste nel cantare una bella canzone; mentre il significante è la successione dei suoni linguistici con cui è prodotta la frase o, dal punto di vista dell'ascoltatore, l'insieme degli effetti acustici che rappresentano la frase; il significante si può rappresentare mediante una trascrizione fonetica (v. 14.2.), e precisamente così:

/'Karlo kan'tava una 'bɛlla kan'tsone/.

Possiamo dire che il segno linguistico risulta da una somma:

segno linguistico = significante + significato

Il legame che unisce il significato al significante è **arbitrario**: infatti non c'è alcun motivo logico per il quale il significato 'canzone' debba unirsi al significante /kan'tsone/, tant'è vero che in altre lingue tale significato si unisce ad altri significanti: /ʃã'sɔ̃/ francese *chanson*, /sɔŋ/ inglese *song*. Il legame tra il significato e il significante ha una motivazione storica (cioè si ritrova nella storia della lingua); per il parlante comune, che nulla sa della storia della propria lingua, tale legame è una convenzione accolta da tutta la comunità linguistica alla quale egli appartiene.

Un segno linguistico si può paragonare ad una banconota. Il significante è quel rettangolo di carta di una certa dimensione, con certi disegni e con certi colori ecc.; il significato è il valore (in oro o in merci) che è attribuito a tale rettangolo di carta. Il legame tra il rettangolo di carta e un determinato valore è arbitrario: cioè non ha una motivazione logica, ma dipende da una convenzione.
Per far intendere il concetto di **arbitrarietà del segno linguistico** ci serviremo di un altro argomento. Il fatto che espressioni idiomatiche come per esempio *prendere cappello* e *mi fai un baffo* valgano 'offendersi' e 'non mi fai niente' mostra che il significato complessivo invece di essere per così dire la "somma" dei significati dei rispettivi componenti, è tutt'altra cosa, è arbitrario dal punto di vista della logica; dipende da una convenzione che esiste nella comunità linguistica italiana. Ovviamente tali espressioni non si possono tradurre, parola per parola, in un'altra lingua.

1.1.7. La lingua è un sistema

La lingua è composta da un insieme di elementi tra loro interdipendenti; ciascun elemento ha un valore e un funzionamento in rapporto al valore e al funzionamento degli elementi che gli sono vicini.

Per esempio *legno* ha un valore diverso rispetto a *bois* perché accanto a *legno* ci sono *legna*, *legname* e *bosco*, parole che in un certo senso pongono dei limiti al valore di *legno*; mentre, la situazione di *bois* è ben diversa: *bois* porta, per così dire, il carico di più significati. Nella frase *Carlo cantava una bella canzone* il valore della forma verbale *cantava* si definisce in rapporto alle forme che indicano un'azione passata *ha cantato*, *cantò*. Infatti in italiano vi sono tre tempi del passato: imperfetto, passato prossimo e passato remoto; il valore di ciascuno di questi tempi è definito anche dalla presenza degli altri due. Diversa è la situazione di altre lingue (per esempio il tedesco) che hanno soltanto un passato prossimo e un altro passato che ha in sé i due valori di imperfetto e passato remoto.

Secondo lo strutturalismo la lingua è un sistema costituito da più sistemi tra loro correlati; nelle linee essenziali abbiamo:

	SISTEMA FONOLOGICO	costituito dai **fonemi**
SISTEMA DELLA LINGUA	SISTEMA MORFOLOGICO-SINTATTICO	costituito dai **morfemi** (o monemi grammaticali) e dalle strutture sintattiche
	SISTEMA LESSICALE	costituito dai **lessemi** (o monemi lessicali)

Questi sistemi tra loro correlati rappresentano altrettanti livelli di analisi. Le unità presenti in un livello si possono scomporre in unità definite e minime (cioè tali che non si possono analizzare ulteriormente senza passare a un livello successivo). Per es. la frase:

Carlo cantava una bella canzone

è un segno complesso nel quale si individuano cinque segni che possono essere usati in altre combinazioni: per esempio *canzone* può apparire nella frase: *quella canzone non mi è piaciuta affatto*. Nell'opinione comune i segni semplici sono detti **parole** e sono considerati come unità, ma a un'attenta analisi si scopre che alcune parole comprendono in sé più di un segno; per esempio *cantava* si può analizzare così:

cantava	*cant-*	: indica un certo tipo di azione
	-AVA	: indica una certa prospettiva nel tempo (cioè continuità nel passato)

Per indicare il segno più piccolo, l'unità-segno, si è preferito di conseguenza usare il termine **monema** (dal greco *mónos* unico + il suffisso *-ema* di *fonema*) in luogo di 'parola'. Si dirà dunque che la parola

*cant*AVA

contiene due monemi. Si distinguerà in particolare fra

monema lessicale (o lessema): *cant-*
e
monema grammaticale (o morfema): -AVA.

I monemi lessicali sono autonomi e indicano un significato di base, mentre i monemi grammaticali dipendono dai primi e sono funzionali, cioè servono ad indicare la funzione dei monemi lessicali; monemi grammaticali sono le desinenze, gli articoli, le preposizioni, le congiunzioni ecc.

Ciascun monema comprende beninteso un significante (che mettiamo tra sbarrette oblique e che diamo in trascrizione fonologica) e un significato (che mettiamo tra virgolette). Due esempi:

MONEMA	SIGNIFICANTE	SIGNIFICATO
caccia	/ˈkattʃa/	'caccia'
gennaio	/dʒeˈnnajo/	'gennaio'

Passiamo ora al livello di analisi successivo. Ciascun monema della frase *Carlo cantava una bella canzone* si può scomporre in **fonemi** (v. 14.2).
Per esempio *canzone* si scompone in sette fonemi:

canzone /kanˈtsone/ = /k/ + /a/ + /n/ + /ts/ + /o/ + /n/ + /e/.

A sua volta ciascun fonema si analizza in tratti distintivi; per esempio:

/n/ = /consonante/ + /nasale/ + /dentale/.

In una lingua sia i fonemi sia i tratti distintivi sono di numero finito (in italiano vi sono 31 fonemi composti da tratti distintivi). Mediante determinati procedimenti combinatori (per lo più diversi da lingua a lingua) le unità minime di un livello si combinano fra loro per formare le unità del livello superiore. I tratti distintivi combinandosi fra loro danno i fonemi; i fonemi combinandosi fra loro danno i monemi; i monemi combinandosi fra loro danno la frase; le frasi combinandosi fra loro costruiscono il testo.

1.1.8. Varianti e invarianti. *Langue* e *parole*

Una qualsiasi parola, per esempio *guerra*, può essere pronunciata in tanti modi diversi quante sono le persone che la pronunciano: si riconosce una persona dalla sua voce particolare (cioè dal timbro e dall'intonazione), senza dire che la stessa persona può pronunciare la stessa parola in modi diversi a seconda dello stato d'animo e della situazione. Al tempo stesso la parola *guerra* può assumere diverse sfumature di significato ed addirittura può essere considerata da alcuni negativamente (da coloro che hanno sofferto a causa della guerra) da altri positivamente (dai militaristi e dai profittatori). Queste varie differenze di pronuncia e di significato non impediranno tuttavia alla comunità linguistica italiana di identificare sempre la parola *guerra* come un significante determinato e un significato determinato. Infatti dietro le differenze rimane un'identità funzionale sia del significante /ˈgwɛrra/ sia del significato guerra. Bisogna dunque distinguere tra ciò che varia e ciò che non varia in una lingua: tra **varianti** e **invarianti**.

Un'altra distinzione importante è quella tra **langue** e **parole** (francese /lãg/ e /paˈʀɔl/; è necessario conservare i vocaboli francesi perché traducendoli con gli italiani **lingua** e **parola** si potrebbe incorrere in qualche equivoco).

- La **langue** è il sistema di segni di una qualsiasi lingua, sistema considerato astrattamente; è un sapere collettivo; è — come dice Saussure — « la somma di impronte depositate in ciascun cervello »; è un prodotto sociale che ciascun individuo registra passivamente. La *langue* appare « esterna all'individuo », il quale non può né crearla né modificarla.

- La **parole** invece è, in un certo senso, il contrario della *langue*: la *parole* è l'aspetto individuale e creativo del linguaggio; è ciò che dipende dalle variazioni attuate da ciascun parlante (per esempio le pronunce e le diverse sfumature di significato che varie persone attribuiscono alla parola *guerra*); la *parole* è esecuzione personale, è « atto di volontà e di intelligenza ».

Questa opposizione dialettica fra *langue* e *parole* serve a spiegare il funzionamento complesso della lingua.

1.1.9. Presente e passato della lingua

Papà è passato dal meccanico per far controllare il livello dell'olio.

Questa frase (come le altre innumerevoli frasi che usiamo ogni giorno) può essere esaminata in due modi diversi: secondo la prospettiva del presente e secondo quella del passato. Da una parte possiamo analizzare le parole e gli insiemi di parole, i loro significati e usi attuali, le possibili sostituzioni con altre parole di significato simile o diverso, i rapporti che intercorrono fra le parole contenute nella frase in questione.

Si possono fare, tra l'altro, le seguenti osservazioni: invece di *papà* si potrebbe usare *mio padre* oppure *il babbo*; invece di *per*, *al fine di*; conseguentemente ci si potrebbe interrogare sul valore di questi mutamenti. Altre considerazioni: *meccanico* qui vuol dire 'operaio specializzato nella riparazione di autoveicoli', pertanto ha un significato e una funzione diversi rispetto al significato e alla funzione che appaiono in *congegno meccanico*, *impianto meccanico*. L'*olio* di cui si parla è ovviamente 'l'olio del motore', non l'olio di oliva o di semi.

D'altra parte possiamo analizzare l'origine e la storia di ciascuna parola; possiamo confrontare gli aspetti morfologici e sintattici di questa frase con gli aspetti morfologici e sintattici di una frase simile pronunciata da un italiano qualche secolo fa.

Per esempio: *meccanico* è una parola di origine greca giunta a noi attraverso il latino (v. 1.3.6.); *meccanico* possedeva nel Seicento un significato oggi scomparso 'persona rozza e volgare' (cfr. *I Promessi Sposi*, capitolo IV); *papà* e *controllare* sono due parole che vengono dal francese; *dello* proviene dalla fusione di una preposizione e di un pronome dimostrativo latini: DE + ILLU > *dello* (v. 1.3.4.). Se Boccaccio avesse scritto questa frase avrebbe forse usato un diverso ordine delle parole. Però Boccaccio non avrebbe potuto scrivere questa frase perché ai suoi tempi non esisteva l'automobile. E, a dire il vero, ancora all'inizio del nostro secolo (quando circolavano le prime automobili) si sarebbe usata l'espressione "completa": *il livello dell'olio del motore dell'automobile.*

L'analisi del primo tipo è detta **sincronica**, l'analisi del secondo tipo è detta **diacronica** (rispettivamente dal greco *sýn* 'insieme' e *dià* 'attraverso' + *khrónos*). Si chiama **sincronia** lo stato di una lingua considerata nel suo funzionamento in un certo tempo (per es. l'italiano di oggi, il fiorentino del tempo di Dante). Si chiama **diacronia** l'insieme dei fenomeni di evoluzione nel tempo riguardanti una data lingua (per esempio il passaggio dal latino volgare all'italiano: v. 1.3.). Il parlante comune ha una competenza soltanto sincronica della lingua; mentre la prospettiva diacronica è conosciuta dallo studioso della lingua.

1.1.10. Rapporti sintagmatici e rapporti paradigmatici

Nella concezione dello strutturalismo i segni linguistici si definiscono non tanto per le loro qualità positive, quanto per le loro qualità negative, cioè per le **differenze** e i **rapporti** che intercorrono tra i vari segni. Gli uni e le altre si possono meglio analizzare secondo due dimensioni:

- la dimensione lineare o **sintagmatica** (dal greco *sýntagma* 'composizione', e vedi 2.1.3.) per la quale ogni segno linguistico di una frase è in rapporto con i segni che gli sono vicini; per es. nella frase:

mangio una mela matura

si vedono certi rapporti tra i quattro elementi, rapporti per i quali appare opportuno dividere la frase in *mangio — una mela matura* piuttosto che in *mangio una — mela matura* oppure *mangio una mela — matura;*

- la dimensione associativa o **paradigmatica** (dal gr. *parádeigma* 'esempio, modello') la quale riguarda i rapporti tra ciascun segno linguistico della frase e i segni che potrebbero essere al suo posto, ferma restando la grammaticalità, cioè la regolarità grammaticale, dell'insieme; nell'esempio già citato potremmo immaginare tra l'altro le seguenti sostituzioni:

mangio { *una* / *la* / *questa* } *mela matura*

mangio una mela { *matura* / *acerba* / *rossa* / *gialla* / ecc.

Ovviamente si possono immaginare altre sostituzioni: *divoro*, *assaporo*, *mordo*, *inghiotto* in luogo di *mangio*; *ciliegia*, *pera*, *arancia* ecc. in luogo di *mela*; queste sostituzioni fanno capire meglio il significato dei singoli segni linguistici: *divoro* vuol dire *mangio*, ma in un modo particolare; *matura* è il contrario di *acerba* (sui contrari v. 5.4.5.) ecc.

Per quanto riguarda *struttura* e *strutturalismo*, si ricorderà che Saussure non ha usato questi termini, egli ha parlato di *sistema*: « la lingua è un sistema che conosce soltanto l'ordine che gli è proprio »; « la lingua, sistema di segni arbitrari »; « la lingua è un sistema di cui tutte le parti debbono essere considerate nella loro solidarietà sincronica ».

Saussure e la scuola strutturalistica che deriva dal suo insegnamento si preoccupano soprattutto di descrivere i componenti della lingua e di mostrare come tali componenti funzionino all'interno del sistema della stessa lingua. Vediamo ora un'altra corrente della linguistica moderna che ha proposto un nuovo ed importante punto di vista.

1.1.11. La creatività linguistica

Negli anni Cinquanta il linguista americano Noam Chomsky (nato a Filadelfia nel 1928) ha fondato la cosiddetta **grammatica generativo-trasformazionale** (detta anche **trasformazionalismo**). La nuova teoria ha preso l'avvio da questa considerazione: per comprendere come una lingua funziona non basta descriverne i componenti e i rapporti che intercorrono tra i componenti. Analizzare, classificare i vari elementi, scoprire infine la struttura di una lingua (tutte operazioni compiute dallo strutturalismo) non basta. Secondo Chomsky allo strutturalismo sfugge un problema fondamentale: la creatività del linguaggio. Lo strutturalismo non sa rispondere alla seguente domanda:

> come avviene che i parlanti nativi di una lingua sono in grado di produrre e di comprendere un numero indefinito di frasi che non hanno mai udito prima o che addirittura possono non essere mai state pronunciate prima da qualcuno?

Chomsky, rispondendo, afferma che nella mente del parlante esiste un certo numero di regole, applicando le quali si possono generare un numero illimitato di frasi. Esiste una **creatività** governata da regole, creatività per la quale **si generano** di continuo nuove frasi.

Qui il verbo *generare* è preso in prestito dalla matematica; in questa disciplina si dice, per esempio, che una formula come $x = 2a - b$, a partire dai valori che si possono attribuire ad a e b, genera un numero illimitato di valori di x.

La capacità linguistica che ciascun parlante possiede non consiste in un repertorio di parole, espressioni, frasi; è invece un insieme di principi e di regole. La grammatica è una **competenza** mentale posseduta dal parlante, una competenza che permette al parlante di formare una frase, infinite frasi. La mente dell'uomo possiede una **conoscenza innata** dei principi universali che regolano la creazione del linguaggio. Pertanto la teoria di Chomsky afferma l'innatismo del linguaggio e nega che quest'ultimo possa essere fondato sull'esperienza del parlante e sul mondo esterno.

Chomsky vuole andare oltre la superficie del linguaggio, vuole esaminarne l'interno, le **strutture profonde**; soltanto queste danno il significato vero di ciò che appare esternamente. Per togliere ambiguità ad alcune frasi non è sufficiente analizzare le **strutture superficiali**, bisogna individuare le strutture profonde.

Per esempio l'espressione l'*amore dei figli* significa tanto 'i figli amano (i genitori)' quanto 'i figli sono amati (dai genitori)'; soltanto il ricorso all'una o all'altra di queste due frasi sottostanti permette di arrivare al significato vero di questa espressione.

La competenza del parlante permette di trasformare le frasi (ecco l'origine dell'aggettivo *trasformazionale*). Il significato della frase "trasformata" è uguale a quello della frase di partenza. Vediamo, per esempio, la **trasformazione passiva** (una frase attiva diventa passiva):

il ragazzo mangia la mela diventa *la mela è mangiata dal ragazzo*

Questa trasformazione (molto semplice) si fonda su alcune regole: il soggetto della 1ª frase diventa il complemento d'agente della 2ª, il complemento oggetto della 1ª frase diventa il soggetto della 2ª, il verbo si muta da attivo in passivo.

Consideriamo anche la **trasformazione nominale**, per la quale una frase verbale si trasforma in una frase nominale:

le automobili circolano diventa *la circolazione delle automobili*

Secondo questa trasformazione il verbo della 1ª frase diventa nella 2ª un nome, il soggetto della 1ª frase diventa nella 2ª un complemento.

Queste sono alcune regole che fanno parte della competenza del parlante. Secondo Chomsky la competenza è il sistema di regole che sono nella mente del parlante e che costituiscono il suo sapere linguistico.

La **competenza**, concetto della grammatica generativo-trasformazionale, si può confrontare con il concetto di *langue*, elaborato dallo strutturalismo. Alla competenza si oppone l'**esecuzione**, che è la manifestazione esterna della competenza del parlante, ciò che appare nei suoi discorsi. Il concetto di esecuzione si può confrontare con quello di *parole*:

STRUTTURALISMO	TRASFORMAZIONALISMO
langue	competenza
parole	esecuzione

1.1.12. Il paradosso della lingua

Da una parte si dice che la lingua è un sistema chiuso, fermo, dove tutto "si tiene", dall'altra sappiamo che la lingua muta nel tempo e che il mutamento è la condizione del suo esistere (una lingua che non muta è una lingua morta). Come possono coesistere queste due situazioni opposte? Non è forse questo un paradosso? Molti studiosi ne hanno a lungo discusso.

Il dilemma fra **immobilità** e **mobilità** della lingua si risolve se pensiamo che essa è il luogo di incontro di due necessità contraddittorie. La realtà che ci circonda è molteplice, mutevole, sempre sul punto di arricchirsi di nuove esperienze che richiedono nuove parole ed espressioni. Al tempo stesso la lingua è un sistema di segni destinato a comunicare fra individui diversi, attraverso luoghi e tempi diversi. La lingua deve essere stabile per assicurare la continuità dell'informazione, per conservare le strutture sociali. Questa opposizione dialettica fra mutabilità e immutabilità costituisce la vita della lingua.

1.1.13. Il testo

Tradizionalmente la frase è considerata come il livello di analisi più alto. Della frase si esaminano i componenti; di questi si studiano i reciproci rapporti. Analizzeremo fra poco la frase semplice (capitolo 2.); più avanti analizzeremo la frase complessa (capitolo 11.). Ma ora è necessario fare una premessa.

La linguistica moderna (più precisamente quella corrente della linguistica moderna che si chiama grammatica generativo-trasformazionale: 1.1.11.) ha definito la competenza del parlante nativo (cioè di un individuo che ha come lingua madre, per es., l'italiano) come capacità:

- di riconoscere se una determinata frase appartiene o no alla sua lingua (cioè se una frase è italiana oppure no);
- di riconoscere se una frase è grammaticale oppure no (per es. *Mario mangia la mela* è una frase grammaticale, a differenza di *Mario mangiano gli mele* e *mela la Mario mangia*, che sono frasi non grammaticali);
- di produrre e interpretare un numero infinito di frasi;
- di parafrasare o riassumere una frase.

Tuttavia ci sono dei fatti che non si possono spiegare se rimaniamo al livello della frase. La nostra attività linguistica consiste non di frasi isolate, ma di insiemi di frasi, le quali sono connesse tra loro per il significato e per determinati aspetti formali. Inoltre in un discorso anche breve ci sono dei presupposti che non si possono studiare se rimaniamo al livello della frase.

<u>Per descrivere i fenomeni che sono al di là (o per meglio dire al di sopra) della frase è necessario prendere in considerazione un'unità superiore alla frase: il testo.</u>

Il **testo** è l'unità fondamentale della nostra attività linguistica: un'unità che corrisponde ad una determinata intenzione comunicativa e che si distingue dalla frase non tanto quantitativamente quanto piuttosto qualitativamente. Il testo è un insieme di frasi (ma può consistere anche di una sola frase). Il testo presenta i seguenti caratteri:

- ha un tema coerente;
- ha una funzione comunicativa che si riconosce chiaramente;
- si pone non in uno spazio vuoto, ma all'interno di un'azione comunicativa concreta, vale a dire in rapporto a una situazione e a dei presupposti concreti.

Rispetto alla competenza grammaticale (v. sopra) la **competenza testuale** possiede alcuni elementi in più: riguarda la capacità di ricostruire l'unità di un testo, di parafrasarlo, di riassumerlo, di assegnargli un titolo, di riconoscere se è completo oppure se gli manca qualcosa, di classificarlo. Si tratta di un discorsetto sul tempo? della lezione di un professore? di una poesia? di una ricetta medica? di una lettera d'amore? di una nota di spese? o di altro ancora? La competenza testuale permette di distinguere, fin dalle prime parole ascoltate o fin dalle prime righe lette, di quale tipo di testo si tratti.

Il testo, che può essere sia parlato sia scritto e che si può presentare sotto vari aspetti, si distingue per una sua **coerenza interna**. Le frasi di cui si compone sono collegate fra loro con vari mezzi: con i pronomi e con altri strumenti di collegamento (v. 6.7.1.).

Spesso la coerenza di un testo dipende dalla ripetizione della stessa parola in più frasi che si susseguono:

Luigi ha preso in prestito un libro dalla biblioteca scolastica. È un libro di storia romana sul quale egli deve preparare una ricerca. In effetti Mario possiede lo stesso libro ma non ha voluto prestarlo a Luigi.

Tuttavia la ripresa della stessa parola non è una condizione sufficiente per poter parlare di coerenza testuale; si legga per esempio:

Il libro di Giovanni è nella libreria. Mio cugino ha perduto il suo libro. Non credo che abbiano ancora stampato il libro. Perché le hai regalato il libro più economico?

Nonostante che la parola *libro* sia ripetuta in ogni frase, qui ci troviamo di fronte a un testo incoerente. La ripresa della stessa parola in frasi che si susseguono può anche mancare e tuttavia nessuno può negare la coerenza del testo seguente:

Ho comperato i libri scolastici di mia figlia. La bolletta del telefono è arrivata questa mattina. Mia moglie dice che ci sono i saldi. Domani ritirerò la macchina dal carrozziere. Mio figlio ha rotto un vetro del vicino. Le spese non finiscono mai!

Qui le relazioni fra le frasi sono ottenute per mezzo di una frase finale che le collega mediante il comune denominatore «spese». Inoltre è evidente che la comprensione di alcune frasi dipende non dal loro significato linguistico, ma dalla conoscenza che noi abbiamo del mondo (cioè delle abitudini, delle convenzioni sociali): dire « ci sono i saldi » può essere un invito a spendere; « si ritira la macchina dal carrozziere » perché questi l'ha riparata: ciò comporta una spesa.

La linguistica testuale, cioè quel settore della lingua che studia i testi, la loro organizzazione, i presupposti sui quali si fondano, si è sviluppata soprattutto negli ultimi venti anni. Essa studia in particolare i rapporti tra le frasi che compongono un testo, il loro ordinamento secondo una gerarchia (nell'ultimo passo citato la frase finale *Le spese non finiscono mai!* è la chiave che ci fa capire il significato dell'insieme). La linguistica testuale studia anche quei presupposti che sono esterni al testo, ma che appaiono indispensabili per interpretarlo correttamente.

1.2. LO STUDIO DEL SIGNIFICATO

La **semantica** (dal greco *sēmaînō* 'significare', derivato a sua volta da *sêma* 'segno') è la parte della linguistica che studia il significato delle parole, degli insiemi di parole, delle frasi e dei testi.

La semantica è una tipica scienza di frontiera, perché si trova in rapporto (talvolta assai stretto) con altre discipline, come la semiologia (v. 1.1.2.), la logica, la psicologia, la teoria delle comunicazioni, la stilistica e la critica letteraria.

Nell'ambito di una teoria generale dei segni la posizione della semantica si chiarisce nel confronto con la pragmatica e la sintassi;

- la **pragmatica** (dal greco *prâgma* 'azione') studia il linguaggio in rapporto all'agire del parlante (v. anche 1.6.5.);

- la **semantica** considera il rapporto tra l'espressione e la realtà extralinguistica;
- la **sintassi** studia le relazioni che intercorrono tra gli elementi dell'espressione.

Lo studio dei significati pone molte difficoltà ai linguisti. Tanto per cominciare questi ultimi non sono affatto d'accordo su che cosa si debba intendere per significato. Qualcuno ha contato ben ventitré definizioni del significato!

1.2.1. Due distinzioni

Nel campo degli studi di semantica si possono fare *grosso modo* due distinzioni.

■ Prima distinzione: tra semantica **diacronica** e semantica **sincronica**. In un primo periodo, che va dalla fine dell'Ottocento agli anni Quaranta del nostro secolo, gli studiosi di semantica dimostrano un interesse quasi esclusivo per il cambiamento di significato visto in una prospettiva storica. Si stabiliscono delle leggi semantiche che regolano tale cambiamento; inoltre si classificano con un certo rigore i vari tipi di cambiamento. In un secondo tempo, soprattutto a partire dagli anni Cinquanta, si sviluppa lo studio sincronico dei significati i quali vengono scomposti nei loro costituenti, vengono analizzati con metodi formali che si ispirano allo strutturalismo e ad altre correnti della linguistica moderna.

■ Seconda distinzione: fra coloro che studiano il significato in sé, con metodi formali rigorosi, ma non tenendo conto del rapporto tra i significati stessi e il mondo dei parlanti, e coloro che studiano il significato in rapporto alla **situazione** e al **contesto**. Così mentre alcuni scompongono il significato [bambino] nei costituenti [umano] [infantile] [maschio] (v. 1.2.3.), il filosofo austriaco Ludwig J. Wittgenstein (1889-1951) afferma che « il significato di una parola è l'uso che di tale parola si fa in una lingua ».

1.2.2. Una rete di associazioni

Bisogna riconoscere che alcune delle idee fondamentali della semantica moderna risalgono al famoso autore del *Corso di linguistica generale*. Secondo Saussure il significato non è qualcosa di oggettivo e di esterno alla lingua (e quindi da studiare mediante le varie discipline e scienze: la filosofia, la fisica, la chimica, la medicina ecc.), non è neppure un qualcosa che sta dentro la mente dell'uomo: il significato si trova nella lingua e si può definire all'interno di essa. Questa affermazione si basa su due principi:

1. il carattere arbitrario del significato (v. 1.1.6.);
2. il fatto che ciascun significato si definisce in rapporto ad altri significati e perciò nell'ambito di un sistema.

In una lingua ogni parola non può essere considerata isolatamente, perché si trova al centro di una rete di associazioni. Per esempio la parola *insegnamento* è associata a:

insegnare, *insegno*, *insegniamo*, *insegneranno* ecc. per la base comune;

avvenimento, *avviamento*, *cambiamento* ecc. per il suffisso in comune;

studio, *istruzione*, *ammaestramento*, *scuola*, *allievo*, *scolaro* ecc. per l'analogia dei significati;

mento, *momento*, *rammento* per il fatto di avere in comune un insieme di fonemi.

Charles Bally (1865-1947), un discepolo di Saussure, ha sviluppato gli insegnamenti del maestro giungendo al concetto di **campo associativo** di parole. Di che cosa si tratta? In una lingua si costituiscono degli insiemi di parole e di espressioni collegati fra loro per i significati (innanzi tutto) e per le forme. È soprattutto in una stessa sfera concettuale — e particolarmente in certe sfere concettuali — che è possibile vedere i rapporti associativi colleganti i vari segni linguistici. Così, per esempio, i vocaboli e le espressioni che indicano le parti del corpo umano costituiscono un campo associativo. Altrettanto si deve dire per i vocaboli che, in una determinata lingua, indicano i colori, i rapporti di parentela, talune azioni della vita quotidiana. Si parla allora di sistema dei colori, dei nomi di parentela, ma sempre con riferimento ad una determinata lingua. Infatti tali sistemi mutano da una comunità linguistica all'altra.

Per quanto riguarda i colori, noi italiani siamo convinti che esistano il rosso, l'arancione, il giallo, il verde, l'azzurro, l'indaco, il violetto. Ma questa suddivisione dei colori dell'arcobaleno è piuttosto una questione di nomi. Tutti gli uomini del mondo (se non sono daltonici) vedono i colori allo stesso modo, ma li distinguono a seconda del sistema dei nomi di colori presenti nella propria lingua. Per esempio è stato provato mediante esperimenti che i giapponesi distinguono con due nomi diversi quello che per noi occidentali è il rosso. La lingua giapponese dunque evidenzia un confine dove per noi occidentali c'è un trapasso fra diverse gradazioni dello stesso colore. Al contrario la lingua giapponese "vede" un unico colore dove le lingue occidentali ne "vedono" due: l'indaco e il violetto. Ricordiamo ancora, a proposito dei nomi di parentela, che mentre noi abbiamo l'unico *zio* e l'unica *zia*... i Latini distinguevano tra lo zio paterno *patruus* e quello materno *avunculus*, tra la zia paterna *amita* e quella materna *matertera*. Anche questi fatti confermano che la lingua non è una nomenclatura (vedi 1.1.5.).

In una determinata comunità linguistica esistono sfere concettuali stabili con le loro denominazioni stabili (per es. i colori, i rapporti di parentela); ma esistono anche sfere concettuali che si modificano — più o meno rapidamente — a causa del progresso e dell'evolversi delle idee: la moda, i mezzi di trasporto, le tecniche, le ideologie, le istituzioni politiche e sociali; conseguentemente mutano anche le rispettive denominazioni.

Vero è che esiste anche il fenomeno inverso: l'oggetto, la tecnica muta, ma il nome rimane lo stesso: la penna d'oca è stata da tempo sostituita dal pennino di acciaio, dalla penna stilografica e poi dalla penna a sfera e dal pennarello, tuttavia il nome originario continua a vivere. Adattando il vecchio nome a nuovi usi e quindi conferendogli nuovi significati, la lingua attua un principio di economia che appare essenziale per il suo funzionamento: ciò risulta chiaro anche nella formazione di nuovi linguaggi settoriali (v. 13.4.).

1.2.3. Un triangolo e un campo

Il tentativo di dare un fondamento certo allo studio del significato è stato compiuto da più parti e in più direzioni. Alcuni studiosi si sono serviti di concetti filosofici per definire il significato. Nel cosiddetto "triangolo di Ogden e Richards" (dal nome dei due studiosi che lo hanno ideato)

la linea tratteggiata in basso vuol dire che il rapporto fra il significante (la parola *tavolo*, per esempio) e il **referente**, cioè l'elemento non linguistico (l'oggetto "tavolo") non è diretto ma è mediato dal significato (la nozione di tavolo). Il significato è l'immagine che a noi perviene del referente (sia esso reale o immaginario) attraverso la cultura e l'ideologia del nostro tempo.

Un referente può restare inalterato nella realtà, ma il significato del suo nome può cambiare per noi in seguito alle nuove scoperte della scienza: la nostra *elettricità* non è più quella di Volta e di Franklin; l'*atomo* è sempre lo stesso dai tempi di Pitagora ai nostri giorni, ma noi sappiamo che non è il più piccolo elemento della materia e che non è indivisibile, contrariamente a quanto risulterebbe dall'etimologia (dal greco *átomos* 'indivisibile'). E, infine, dopo la rivoluzione copernicana, continuiamo a dire che il sole *sorge* e *tramonta*.

Altri studiosi si sono preoccupati di studiare i significati nei loro rapporti reciproci. La concezione del **campo linguistico** è stata sviluppata dal tedesco Jos Trier, autore del saggio (apparso nel 1931) *Il lessico tedesco dell'ambito dell'intelletto*.

Secondo lo studioso i vocaboli che nell'antico tedesco si riferiscono al mondo del pensiero (in primo luogo *intelligenza*, *intelletto*, *spirito*) costituiscono un insieme unitario, un campo, all'interno del quale il significato di ciascun vocabolo dipende dai significati dei vocaboli presenti nel campo. Un mutamento in un punto del campo (la perdita, l'acquisto di un vocabolo, l'evolversi del suo significato) si ripercuote in tutto il campo, perché quest'ultimo riflette una gerarchia di valori. Nel corso della storia il significato e l'uso dei vocaboli concernenti le qualità intellettive dell'uomo mutano in rapporto all'evolversi dell'ideologia e della cultura.

Abbiamo già visto che all'unico vocabolo francese *bois* ne corrispondono in italiano quattro: *legno*, *legna*, *legname*, *bosco* (v. 1.1.5.). Abbiamo visto anche che le lingue del mondo pongono confini diversi tra i colori dell'arcobaleno. Le lingue insomma analizzano in modo diverso il reale imponendo a quest'ultimo diverse griglie interpretative. Opportunamente il linguista danese Louis Hjelmslev (1899-1965) ha parlato di **forma del contenuto**, una forma individuale e arbitraria che ciascuna lingua impone al reale.

Un indirizzo importante degli studi moderni di semantica è la cosiddetta **analisi semica** (o componenziale, cioè dei componenti del significato). Usando un metodo analogo a quello adottato nella fonologia (v. 14.1.), tale analisi scompone il significato di una parola in elementi minimi. Come i fonemi sono analizzabili in tratti distintivi:

[consonante]	[orale]	[labiale]	[sorda]	/p/
[consonante]	[orale]	[labiale]	[sonora]	/b/
[consonante]	[nasale]	[labiale]	[sonora]	/m/
[consonante]	[orale]	[dentale]	[sorda]	/t/
[consonante]	[orale]	[dentale]	[sonora]	/d/

così una parola può essere analizzata nei suoi tratti semantici o **sèmi**:

[animale]	[ovino]	[maschio]	/montone/
[animale]	[ovino]	[femmina]	/pecora/
[animale]	[equino]	[maschio]	/stallone/
[animale]	[equino]	[femmina]	/giumenta/
[umano]	[adulto]	[maschio]	/uomo/

[umano]	[adulto]	[femmina]	/donna/
[umano]	[infantile]	[maschio]	/bambino/
[umano]	[infantile]	[femmina]	/bambina/

Questo tipo di analisi "logica" del significato in costituenti è stato applicato soprattutto ai piccoli gruppi di parole che sono tra loro imparentate dal punto di vista dei significati.

1.2.4. Il cambiamento di significato

Mentre una forma nuova fa dimenticare quella vecchia (per esempio, *pélo* ha sostituito il latino PĬLUS), accade spesso che un nuovo significato non comporti la scomparsa del vecchio. Così, per esempio, *tavola* significa: 'un legno segato lungo il fusto dell'albero, un mobile, la mensa, una pittura su tavola, un'illustrazione (o cartina) che occupi un'intera pagina di un volume, un prospetto (*tavola sinottica, statistica, pitagorica* ecc.)'. Tale fenomeno si chiama **polisemia** (v. 4.5.3.).

Fin dall'antichità i mutamenti di significato sono stati descritti sulla base di **figure retoriche**, quali per esempio la metafora, la metonimia, la sineddoche (v. Appendice I). Questa interpretazione è stata ripresa dalla linguistica moderna:

- la **metafora** è alla base del mutamento semantico che avviene per la similarità dei significati: la *gamba* del tavolo, il *braccio* del lampadario vengono dalla *gamba* e dal *braccio* dell'uomo);

- la **metonimia** è alla base del mutamento che avviene per contiguità dei significati: la variazione di significato dal latino COXA 'anca' all'italiano *coscia* si spiega con il fatto che l'anca e la coscia sono due parti del corpo vicine tra loro;

- la **sineddoche** ('la parte per il tutto') è alla base dell'uso di *focolare* in luogo di *casa*; il *focolare* era infatti una parte (molto importante!) della *casa*.

Si parla ancora di **restringimento** e di **allargamento del significato** nel corso dell'evoluzione storica. Il primo di questi due fenomeni si può esemplificare con il lat. CUBARE 'giacere' divenuto l'it. *covare*: da un verbo 'generico' si è passati a un verbo 'tecnico'. Il secondo fenomeno è presente nel passaggio dal lat. CAUSA 'processo' all'it. *cosa*: da un termine 'tecnico' si è passati a una parola 'generica' (per questo fenomeno v. ancora l'evoluzione semantica di CABALLUS e di ADRIPARE: 1.3.6.).

Vi sono anche evoluzioni semantiche in **senso peggiorativo** e in senso **migliorativo**. Il lat. CAPTĪVUS 'prigioniero', per l'influsso della locuzione CAPTIVUS DIABOLI 'prigioniero del demonio', è diventato l'it. *cattivo* (chi è prigioniero del demonio è certo cattivo). Al contrario *ministro* (una carica prestigiosa ai giorni nostri) deriva dal lat. MINĬSTER 'attendente, servo'.

Per quanto riguarda le cause del cambiamento di significato, i linguisti distinguono fra **cause linguistiche** (per esempio il significato di una parola può essere trasferito ad un'altra parola se entrambe ricorrono insieme in molti contesti: è il caso della particella negativa francese *pas* tratta dal lat. PASSUS 'passo': v. 8.5.3.), **cause storiche**, **sociali** (quando una parola passa dalla lingua comune ad un linguaggio tecnico si specializza: v. 13.4.), **cause psicologiche** (fattori emotivi, tabù), l'**influsso straniero**.

Temi di semantica ricorrono in altri capitoli del presente manuale; oltre alla già citata "polisemia" (4.5.4.), vedi: gli omonimi (5.4.3.), i contrari (5.4.4.) e varie parti del capitolo 13 dedicato al lessico.

1.3. DAL LATINO ALL'ITALIANO

1.3.1. Il latino è una lingua indoeuropea

La famiglia indoeuropea comprende molte lingue che sono usate (o furono usate in passato) nell'Europa e in parte dell'Asia. Tali lingue si dividono in alcune sottofamiglie. Procedendo da occidente ad oriente abbiamo:

- in Europa: le lingue celtiche (gallico, scomparso; irlandese, bretone, gallese); il latino (da cui sono nate le lingue romanze); le lingue italiche (venetico, osco, umbro ecc., tutte scomparse); le lingue germaniche (le più importanti sono: inglese, tedesco, danese, svedese, norvegese; le ultime tre formano il gruppo delle lingue nordiche; ricordiamo ancora il gotico, lingua estinta); il greco (che si svolge dal II millennio a.C. ai nostri giorni); l'albanese; le lingue baltiche (antico prussiano, scomparso; lituano, lettone); le lingue slave (sloveno, ceco, polacco, russo ecc.);

- nell'Asia Minore: l'armeno; il frigio, scomparso; le lingue anatoliche (tra le quali va ricordato l'ittito) tutte scomparse; il lidio, il licio;

- nell'Asia centrale: le lingue indoiraniche, che dalle prime attestazioni scritte (il Veda, tra il XX e il VI sec. a.C.) giungono fino ai nostri giorni; il tocario, scomparso.

Le lingue indoeuropee presentano tra loro una serie compatta di **corrispondenze grammaticali e lessicali**, le quali si possono giustificare soltanto se si ammette l'esistenza di una lingua madre comune: l'indoeuropeo.

Pertanto l'indoeuropeo si può definire così: è una lingua non attestata, della quale si deve ammettere l'esistenza per spiegare le concordanze, numerose e rigorose, che collegano tra loro la maggior parte delle lingue europee e molte lingue dell'Asia.

1.3.2. Il latino classico e il latino volgare

Il latino, presente dapprima in una zona circoscritta del Lazio, si estese poi enormemente nel mondo antico in seguito alle conquiste dei Romani. L'uso del latino come lingua viva comincia probabilmente nell'VIII sec. a.C. (un'ampia documentazione scritta si ha a partire dal III sec. a.C.) e termina nel periodo compreso tra il 600 e l'800 d.C. quando si affermano le lingue romanze. Queste ultime non sono altro che il risultato di un lungo processo di evoluzione e di differenziazione del latino.

All'origine delle lingue romanze non c'è il **latino classico**, lingua della letteratura e della scuola, lingua intenta a riprodurre nel corso dei secoli le stesse forme grammaticali, lessicali e stilistiche; all'origine delle lingue romanze (e quindi anche dell'italiano) c'è il **latino volgare**. Questo aggettivo può forse provocare qualche malinteso: sarebbe forse meglio parlare di latino parlato o di latino comune: infatti non si tratta soltanto della lingua parlata dagli strati più bassi della popolazione, ma della lingua parlata da tutti, s'intende con molte diversità e sfumature a seconda della provenienza e della classe sociale dei parlanti. Una lingua dunque, a differenza del latino classico, soggetta a mutare nel tempo e nello spazio insieme allo sviluppo della società che la parla.

Tra latino classico e latino volgare esistono differenze che riguardano la fonologia, la morfologia, la sintassi e il lessico; ma non si tratta di due lingue: sono due aspetti della stessa lingua. Le differenze che corrono tra l'italiano letterario e l'italiano parlato oggi sono forse minori, ma in una certa misura confrontabili con quelle che distinguono il latino classico dal latino volgare.

1.3.3. Le lingue romanze

Estendendosi nello spazio e nel tempo il latino parlato dai soldati e dai coloni che conquistavano sempre nuovi territori tendeva ad evolversi e a differenziarsi localmente per il concorrere di varie cause:

- il fatto che i conquistatori provenissero da diverse regioni d'Italia comportava una diversità di partenza del loro latino parlato;

- a seconda dell'epoca in cui era avvenuta la conquista, la lingua importata (il latino volgare) presentava qualche diversità;

- il contatto con le lingue dei popoli sottomessi era causa di nuovi mutamenti: la lingua abbandonata dai vinti (per esempio, l'osco, l'etrusco, il celtico, l'iberico, l'illirico) in favore del latino influenzava quest'ultimo conferendogli pronunce particolari e, talvolta, attribuendogli vocaboli regionali.

Nuovi fattori di differenziazione si affermano più tardi: **la diffusione del cristianesimo**, con i suoi contenuti di fede, con la sua origine ebraica, con le prime comunità di credenti di lingua greca, influì sull'evoluzione del latino volgare. Successivamente si ebbero **le invasioni dei barbari**: il territorio che per secoli era stato unito sotto il dominio di Roma si frantumò in più regni dominati da varie stirpi di Germani (Franchi, Burgundi, Vandali, Visigoti, Longobardi); i particolarismi linguistici delle varie zone della Romània (era questo il nome popolare con cui si designava l'impero) si svilupparono maggiormente sia per le condizioni di isolamento sia per l'influsso delle lingue germaniche (v. 13.9.2.). I regni barbarici prefigurano alla lontana gli stati dell'Europa moderna: per esempio la Spagna, la Francia, l'Italia.

In seguito alle invasioni che sconvolsero il vastissimo territorio in cui si parlava il latino, questa lingua scomparve da alcune regioni (dall'Africa, dall'Europa centrale al di là delle Alpi, dall'Inghilterra, da gran parte dei Balcani). In altre regioni si differenziò in una grande varietà di parlate che si possono raggruppare in undici rami principali; da oriente a occidente abbiamo:

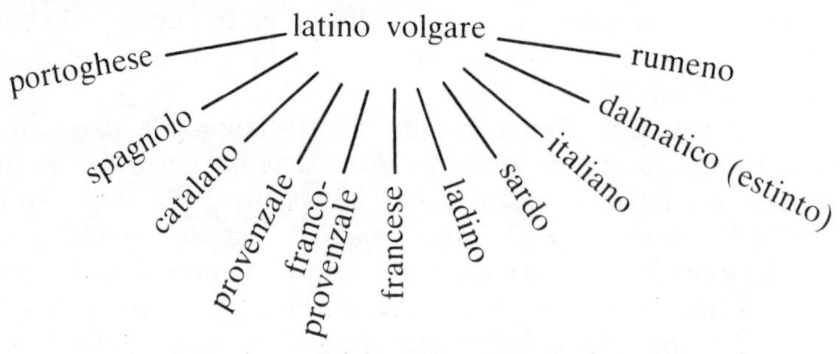

Il nostro schema semplifica una situazione molto complessa: basterà ricordare che sotto l'etichetta "italiano" si nascondono i molteplici dialetti della nostra Penisola (li possiamo distinguere almeno in due grandi suddivisioni: dialetti settentrionali e dialetti centro-meridionali: v. 1.4.3.). In altri rami si distinguono più varietà: quattro nel rumeno, due nel sardo, tre nel ladino. Sotto le etichette « portoghese », « spagnolo », « francese » ci sono in realtà i dialetti del Portogallo, della Spagna e della Francia.

Esaminiamo ora alcuni caratteri fondamentali del latino volgare: riguardano la fonologia, la morfologia, la sintassi e il lessico e sono all'origine della fonologia, morfologia, sintassi e lessico dell'italiano. Confrontiamo tali caratteri con quelli corrispondenti del latino classico al fine di far risaltare le diversità e le tendenze evolutive della lingua popolare.

1.3.4. La fonologia del latino volgare

Nel latino classico aveva grande importanza la quantità delle vocali, le quali si dividevano in due serie: le **vocali brevi** Ĭ Ĕ Ă Ŏ Ŭ e le **vocali lunghe** Ī Ē Ā Ō Ū. Queste ultime avevano una durata doppia rispetto alle prime, per esempio: Ā = ĂĂ. L'alternanza di una vocale breve con una vocale lunga bastava da sola a distinguere i significati di due parole, per esempio:

VĔNIT 'egli viene' ma VĒNIT 'egli venne'
PŎPŬLUS 'popolo' ma PŌPŬLUS 'pioppo'.

• Una regola importante:
era la quantità della **penultima sillaba** che nel latino classico determinava la posizione dell'accento; in una parola di tre o più sillabe se si voleva sapere la posizione dell'accento si doveva considerare la penultima sillaba; c'erano due possibilità:

1. la penultima sillaba terminava con consonante e conseguentemente la sillaba era chiusa? allora tale sillaba veniva considerata lunga (anche se la sua vocale era "per natura" breve) e come sillaba lunga riceveva l'accento:

CON-DŬC-TUS CONDŬ́CTUS

2. la penultima sillaba terminava con vocale e conseguentemente la sillaba era aperta? allora si avevano due casi: se la vocale di questa sillaba era breve anche la sillaba lo era e pertanto l'accento cadeva sulla sillaba precedente; se la vocale della penultima sillaba era lunga anche la sillaba lo era e riceveva pertanto l'accento:

LE-GĔ-RE LÉGĔRE
DO-CĒ-RE DOCḖRE

Nel latino parlato la differenza tra vocali brevi e vocali lunghe fu sostituita da un'altra differenza: le brevi furono pronunciate **aperte**, le lunghe **chiuse**. La differenza di quantità fu sostituita con una differenza di apertura, cioè di timbro. Questo fenomeno e, al tempo stesso, la fusione di alcune coppie di vocali che avevano acquistato un timbro quasi uguale determinarono la nascita di un nuovo sistema vocalico che è alla base del sistema vocalico italiano.

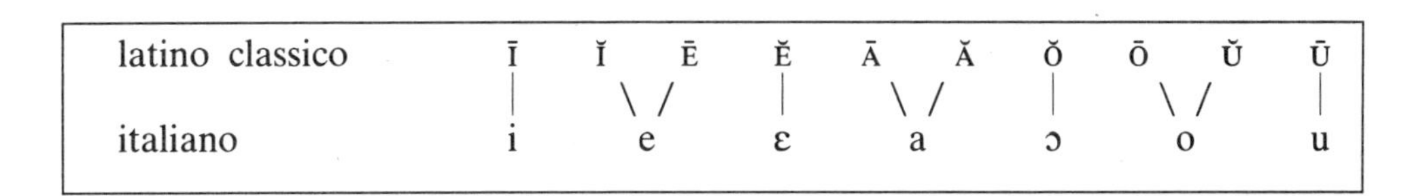

latino classico	Ī	Ĭ Ē	Ĕ	Ā Ă	Ŏ	Ō Ŭ	Ū
italiano	i	e	ɛ	a	ɔ	o	u

Lo schema, che vale soltanto per le vocali toniche, riporta nella seconda riga le sette vocali toniche dell'italiano; queste dunque provengono da un mutamento che è avvenuto nel latino volgare. Vediamo qualche esempio: PĬLU(M) > *pélo*, TĒLA(M) > *téla*, CRŬCE(M) > *cróce*, FLŌRE(M) > *fióre*.

Nota bene: le parole del latino volgare (e quindi dell'italiano) hanno come punto di partenza l'accusativo; è tale caso (non il nominativo) che va preso in considerazione nella prospettiva dell'italiano; la -M dell'accusativo è messa da noi tra parentesi perché non era pronunciata nel latino parlato.

Un altro aspetto importante del vocalismo è la riduzione dei dittonghi AE e AU che diventano *e* ed *o*, per esempio ROSAE > *rose*, AURU(M) > *oro*.

Per quanto riguarda le consonanti uno dei fenomeni di maggior rilievo è la **palatalizzazione**, la nascita cioè di consonanti palatali che non esistevano nel latino classico; davanti alle vocali *i* e *e* le consonanti velari del latino classico /k/ e /g/ si palatalizzano e finiscono per diventare le affricate /tʃ/ e /dʒ/:

CERA(M)	>	*cera*	GĔLU	>	*gelo*
/'kera/		/'tʃera/	/'gɛlu/		/'dʒɛlo/

Allo stesso modo il nesso latino -TI- (I è qui semiconsonante) subisce la palatalizzazione e diventerà in italiano l'affricata dentale /ts/; i nessi latini -LI- (I semiconsonante) e -GN- sono all'origine della laterale palatale /ʎ/ e, rispettivamente, della nasale palatale /ɲ/ dell'italiano.

VĬTIU(M)	>	*vezzo*	FĪLĬU(M)	>	*figlio*	LĬGNU(M)	>	*legno*
/'vitiu/		/'vettso/	/filiu/		/'fiʎʎo/	/lignu/		/'leɲɲo/[1]

Oltre alla -M finale, cadono anche la -S e la -T finali. Vi sono differenze tra le varie regioni della Romània. Per esempio, ad occidente la -S finale si mantiene: sopravvive infatti nel francese e nello spagnolo come segno del plurale.

Altri fenomeni importanti che riguardano le consonanti:

- la -B- intervocalica diventa *v*: HABĒRE > *avere*;
- il nesso -CT- diventa *-tt-*: OCTO > *otto*;
- il nesso -PT- diventa *-tt-*: SEPTE(M) > *sette*;
- i nessi consonante + L mutano sviluppando la semivocale /j/: FLŌRE(M) > *fiore*; PLANU(M) > *piano*; CLAVE(M) > *chiave*.

1.3.5. La morfologia del latino volgare

Si procede rapidamente verso una morfologia semplificata e di tipo analitico. Scompaiono il genere neutro (v. 4.5.1.) e le declinazioni; scompaiono i verbi irregolari (per es. FERRE è sostituito da PORTARE, LOQUI 'parlare' da PARABOLARE).

Collegato ai fenomeni fonetici della scomparsa della quantità vocalica e della caduta delle consonanti finali (v. 1.3.4.) è il collasso del sistema delle declinazioni. Si semplifica in base all'analogia: i sostantivi della quinta declinazione passano alla prima: FACIES > *FACIA > *faccia*; quelli della quarta alla seconda: FRUCTUS, nominativo plurale, diventa *FRUCTI > *frutti*; anche il nominativo plurale della terza declinazione in -ES segue la stessa via: CANES > *CANI > *cani*; sempre nella terza declinazione da GLANS (genitivo GLANDIS) si ha *GLANDA > *ghianda*, da LAC

1. Nota bene: in posizione intervocalica le due consonanti /ɲ/ e /ʎ/ sono di grado intenso (v. 14.2.2.).

(genitivo LACTIS) si ha *LACTE > *latte*. I casi scompaiono e le funzioni espresse dai casi sono interpretate mediante l'uso delle preposizioni e mediante l'ordine fisso delle parole (v. 9.10.1.). Vediamo la seguente tabella:

LATINO CLASSICO	LATINO VOLGARE	ITALIANO
declinazione (sistema dei casi) ROSA, ROSAE, ROSAE, ROSAM, ROSA, ROSA ROSAE, ROSARUM, ROSIS, ROSAS, ROSAE, ROSIS	scomparsa dei casi ROSA ROSE	come nel latino volgare *rosa* *rose*
costruzione sintetica ROSA MATRIS	costruzione analitica ILLA ROSA DE ILLA MATRE	come nel latino volgare *la rosa* *della madre*
ordine libero delle parole PAULUM PETRUS AMAT, AMAT PAULUM PETRUS, PETRUS PAULUM AMAT, ecc.	ordine fisso delle parole PETRU AMA PAULU	come nel latino volgare *Pietro ama Paolo*

Alle forme e alle costruzioni sintetiche del latino classico si sostituiscono nel latino volgare forme e costruzioni analitiche. Vediamo altri aspetti di questa evoluzione, che rappresenta uno dei caratteri fondamentali del latino volgare:

- dal dimostrativo ILLE (ILLU) nasce l'articolo determinativo: si veda l'esempio cit. ILLA ROSA DE ILLA MATRE *la rosa della madre*; dal numero UNU(M) nasce l'articolo indeterminativo (v. 3.6.1.);

- il comparativo organico del latino classico è sostituito con una costruzione analitica: in luogo di ALTIOR -ORIS si afferma PLUS ALTU(M) > *più alto*:

- il passivo organico è sostituito con quello analitico: in luogo di ÀMOR, AMÀRIS, AMÀTUR si ha AMATUS SUM, AMATUS ES, AMATUS EST; da queste forme derivano: *sono amato*, *sei amato*, *è amato* ecc.;

- il futuro organico è sostituito con un futuro perifrastico formato dall'infinito del verbo + HABEO, HABES, HABET ecc., per esempio: in luogo di CANTABO si afferma CANTARE + *AO (forma popolare in luogo di HABEO) > *canterò*; sul modello di questo futuro nasce il condizionale, formato dall'infinito del verbo + il perfetto di HABERE, per esempio: CANTARE + *HEBUI (forma popolare in luogo di HABUI) > *canterei*;

■ accanto al perfetto CANTAVI > *cantai* si afferma un perfetto analitico, da cui nascerà il nostro passato prossimo: HABEO CANTATUS > *ho cantato*.

Un'altra tendenza assai sviluppata nel latino volgare è il rafforzamento di una parola mediante la fusione con un altro elemento. I pronomi dimostrativi romanzi nascono da forme rafforzate, come *ECCU + ISTU(M) > *questo* (per altri pronomi dimostrativi v. 6.7.3.). In alcuni verbi si ha più di un prefisso, per esempio: AD-IMPLERE > *adempiere*, CIRCUM-INSPICERE (cfr. *circospetto*). Di tale tendenza daremo altri particolari parlando del lessico del latino volgare (v. 1.3.7.).

1.3.6. La sintassi del latino volgare

Nel latino classico era normale il seguente ordine dei componenti della frase:

soggetto	complementi indiretti	oggetto	predicato
MILES	GLADIO	HOSTEM	NECAT
il soldato	*con la spada*	*il nemico*	*uccide*

il latino volgare invece preferiva l'ordine diretto:

soggetto	predicato	oggetto	complementi indiretti
MILES	NECAT	HOSTEM	GLADIO
il soldato	*uccide*	*il nemico*	*con la spada*

Mentre il latino classico faceva un largo uso della subordinazione, il latino volgare preferiva la coordinazione.

La coordinazione predomina anche in quegli scrittori e in quelle opere della latinità classica che imitano i modi del parlato: per esempio nelle commedie di Plauto. Quando scrive i trattati e le orazioni, Cicerone ricorre ampiamente alla subordinazione, ma nelle lettere a familiari ed amici preferisce la coordinazione. Questa prevale nella maggior parte degli scrittori cristiani, soprattutto per l'influsso delle Sacre Scritture. È da ricordare che la lingua letteraria italiana ritornerà ad un uso ampio della subordinazione soltanto a partire dal XIV secolo per imitazione dei classici latini.

In luogo dell'**accusativo con infinito** si sviluppa nel latino volgare la subordinata introdotta da *quod*; per maggiori particolari su questo fenomeno v. 11.5.2.; ecco intanto un esempio:

latino classico	latino volgare	italiano
DICO AMICUM	DICO QUOD ILLU	*dico che l'amico*
SINCERUM ESSE	AMICUM EST SINCERU	*è sincero*

In questa frase in latino volgare osserva, oltre alla costruzione con *quod*, l'ordine delle parole e la presenza dell'articolo.

Nel latino volgare nascono nuove preposizioni subordinative (v. 9.10.3.).

1.3.7. Il lessico del latino volgare

Tra latino classico e latino volgare vi erano notevoli differenze nell'uso di vocaboli e di espressioni. Ciò dipendeva da fattori sociali, etnici e psichici.

Era naturale che il cittadino medio non avesse una conoscenza approfondita dei vocaboli letterari, dei sinonimi raffinati, dei procedimenti stilistici e retorici usati dagli scrittori. Se due parole esprimevano all'incirca lo stesso significato la scelta doveva cadere sulla parola più popolare, più espressiva, più "efficace".

Al tempo stesso il latino volgare veniva incontro ai bisogni e alla mentalità di una massa di piccoli commercianti, di artigiani, di soldati, di semiliberi, di schiavi addetti ai lavori più diversi. Caratteri propri del lessico del latino volgare sono: concretezza, specificità, immediatezza espressiva e corposità fonetica. Inoltre in tale lessico si riflette la stratificazione etnica di una società nella quale gli specialisti e i tecnici (il medico, il veterinario, il cuoco) sono per lo più greci; per questo motivo parole greche entrano nel latino volgare. Abbiamo già accennato all'influsso del Cristianesimo, una fede che rivaluta la lingua parlata dal popolo, una religione che si serve largamente di parole e significati nuovi (talvolta ripresi dal greco).

I fenomeni che modificano il lessico appartengono a due ordini:

1. cambiamento del fondo lessicale (cioè perdite o acquisti di parole);

2. cambiamento di significato di parole già esistenti (mutamento semantico).

Consideriamo innanzi tutto alcune perdite. Di una coppia di sinonimi si conserva il vocabolo più comune e popolare:

latino classico	**latino volgare**	**italiano**
TERRA - TELLUS	TERRA	*terra*
STELLA - SIDUS	STELLA	*stella*
CAMPUS - AGER	CAMPU	*campo*

Le parole 'consumate', di significato generico, brevi nella forma sono sostituite con parole di significato 'forte', di alta espressività, di forma più ampia. I sostituti sono spesso vocaboli che già esistevano con un significato particolare accanto al vocabolo generico:

prima fase	**seconda fase**	**italiano**
il vocabolo del lat. classico (c) e quello del lat. volgare (v) coesistono; ciascuno con un suo significato	c è sostituito da v che ha preso il significato di c	riproduce la seconda fase
ESSE, EDERE / MANDUCARE 'mangiare' / 'rimpinzarsi'	MANDUCARE 'mangiare'	*manicare*, poi sostituito con *mangiare*, forma francesizzante
FLERE / PLANGERE 'piangere' / 'battersi il petto'	PLANGERE 'piangere'	*piangere*
EQUUS / CABALLUS 'cavallo' / 'cavallo da tiro'	CABALLU 'cavallo'	*cavallo*
OS / BUCCA 'bocca' / 'guancia'	BUCCA 'bocca'	*bocca*
LOQUI / PARABOLARE 'parlare' / 'dire parabole'	PARABOLARE 'parlare'	*parlare*

DOMUS / CASA 'casa' / 'capanna'		CASA 'casa'	*casa*

La ricerca di parole più corpose e dotate di maggiore espressività spinge a preferire in molti casi il diminutivo in luogo del nome semplice:

prima fase		**seconda fase**	**italiano**
nome semplice	diminutivo del nome	nome semplice derivato dall'originario diminutivo	riproduce la seconda fase
AURIS 'orecchia'	AURICULA 'piccola orecchia'	AURICLA, ORICLA 'orecchia	*orecchia*
FRATER 'fratello'	FRATELLUS 'fratellino'	FRATELLU 'fratello'	*fratello*
GENU 'ginocchio'	GENUCULUS 'piccolo ginocchio'	GENUCULU 'ginocchio'	*ginocchio*

Per motivi analoghi al verbo semplice si preferisce talvolta il verbo iterativo (cioè quello che esprime la ripetizione dell'azione):

prima fase		**seconda fase**	**italiano**
SALIRE 'saltare'	SALTARE 'continuare a saltare'	SALTARE 'saltare'	*saltare*
PINSERE 'pestare'	PISTARE 'continuare a pestare'	PISTARE 'pestare'	*pestare*

Mediante suffissi e prefissi si formano nuovi verbi:

latino classico		**latino volgare**	**italiano**
ALT-US 'alto'	+ -IARE	ALTIARE	*alzare*
CAPT-US 'preso'	+ -IARE	CAPTIARE	*cacciare*
MORT(U)-US 'morto'	+ EX- e -IARE	EXMORTIARE	*smorzare*
MORS-US 'morso'	+ -ICARE	MORSICARE	*morsicare*
BEAT-US 'beato'	+ -IFICARE	BEATIFICARE	*beatificare*

I nuovi verbi sostituiscono i verbi del latino classico; per es. MORSICARE sostituisce MORDĒRE. L'italiano ha le due forme: *morsicare* (verbo più popolare) e *mòrdere*, tratto da MORDĒRE con scambio di coniugazione.

Abbiamo già ricordato (v. 1.3.5.) che i pronomi e gli avverbi sono "rinforzati"; per esempio: invece di ISTU(M) si usa ECCU + ISTU(M) > *questo*; invece di INTRO si usa DE + INTRO > *dentro* (per maggiori particolari v. 6.7.3. e 8.5.1.).

Le parole semplici sono talvolta sostituite con perifrasi:

latino classico	**latino volgare**	**italiano**
VERE 'in primavera'	PRIMO VERE, PRIMA VERA	*primavera*
MANE 'mattina'	(HORA) MATUTINA	*mattina*

Un settore importante è quello dei **mutamenti di significato**. Abbiamo già visto alcuni ampliamenti di significato (MANDUCARE da 'rimpinzarsi' a 'mangiare'; CABALLU da 'cavallo da tiro' a 'cavallo'). Ricordiamo ancora: AD-RIPARE significava in origine 'giungere alla riva' (lat. RIPA), poi significò genericamente 'giungere in qualsiasi luogo', cioè *arrivare*. Ma si ha anche il fenomeno inverso: da un significato generico si va ad un significato specifico, per esempio COGNATUS da 'parente' a 'fratello della moglie', cioè *cognato*; NECARE da 'uccidere' a 'uccidere nell'acqua' (AD-NECARE > *annegare*).

Vi sono poi mutamenti di significato che dipendono da un uso metaforico del vocabolo: per esempio CAPUT 'testa' è sostituito appunto da TESTA, che in origine significava 'vaso di coccio'; PAPĬLIO (PAPILIŌNEM) 'farfalla' prende il significato di 'tenda di un accampamento', cioè *padiglione* (le tende dell'accampamento con i loro colori e forme facevano pensare a grandi farfalle).

Per i contatti che Roma ebbe con la Grecia fin dai primi tempi, molti **grecismi** erano entrati già nel latino classico, per esempio: SCHOLA 'scuola', CATHĔDRA 'cattedra', CALĂMUS 'penna per scrivere', CAMĔRA 'soffitto fatto a volta', BASILĬCA 'complesso di edifici con varie destinazioni pubbliche'. Con il Cristianesimo entrarono dei nuovi grecismi, per esempio: ECCLESIA > *chiesa*, EPISCOPUS > *vescovo*, ANGELUS > *angelo*, MARTYR > *martire*. La nuova religione adattò a nuovi significati antichi grecismi (per es. BASILICA prese il significato attuale). Un mutamento di significato avvenuto in ambienti cristiani è all'origine di *parola* e *parlare*: il grecismo PARABOLA (dal greco *parabolḗ* 'comparazione, similitudine') era usato dai traduttori latini delle Sacre Scritture per indicare le brevi storie, gli esempi allegorici citati da Gesù nelle sue prediche; il termine indicò poi la 'parola' di Gesù, la parola di Dio, e quindi, con un'estensione del significato, la 'parola' in generale; a questo punto il termine del latino classico VERBUM 'parola' cadde dall'uso; da PARABOLA si sviluppò PARABOLARE > *parlare*.

Qualcuno potrebbe obiettare che nell'italiano di oggi esiste la parola *verbo*, come esistono (almeno nella lingua colta) *tellurico*, *sidereo*, l'elemento *agri-* (cfr. *agricoltura*, *agrimensura*), *equino*, tutte forme che — come appare a prima vista — discendono dai vocaboli latini "scomparsi" TELLUS, SIDUS, AGER, EQUUS. Sono scomparsi o no questi vocaboli? La risposta è semplice: *verbo*, *tellurico*, *sidereo*, *agri-*, *equino* (e tanti altri vocaboli di cui parleremo più ampiamente: v. 13.9.5.) sono dei **latinismi**, cioè sono parole dotte, parole che sono state riprese da testi latini e introdotte nella nostra lingua ad opera di persone colte vissute in vari

secoli dell'era volgare. Si tratta di scrittori, scienziati, filosofi che avevano bisogno di nuovi termini per una finalità artistica o scientifica.
Le parole popolari (come, per es. *terra*, *stella*, *campo*, *cavallo*) sono state sempre usate: dal latino fino ai nostri giorni, senza alcuna interruzione. Invece i latinismi hanno una storia "interrotta": a un certo punto della storia hanno cessato di vivere. La crisi politica dell'impero romano fu al tempo stesso una crisi culturale; le scuole cessarono di esistere; la lingua classica divenne un ricordo lontano (soltanto pochi dotti la conoscevano); molte parole (soprattutto quelle dei poeti e degli scrittori) furono dimenticate; continuarono la loro vita soltanto nei libri custoditi nelle biblioteche. E dai libri tali parole furono riprese, dopo un periodo più o meno lungo, ad opera di persone colte che le usarono facendole risorgere a nuova vita.
Poiché passano direttamente dal latino scritto all'italiano, i latinismi conservano quasi integra la loro forma originaria, a differenza delle parole popolari che cambiano d'aspetto nel corso della loro vita ininterrotta. Vediamo un esempio: *edicola* è un latinismo: proviene da AEDĬCULA(M) ed entra in italiano nel Quattrocento; se tale parola fosse stata sempre usata dal popolo avrebbe certo un'altra forma: **edécchia*. Così il lat. VĬTIUM continua in italiano nella parola colta *vizio* e nella parola popolare *vezzo*.
In alcuni dizionari l'etimologia delle parole popolari è indicata con la dizione « lat. », l'etimologia dei latinismi è invece indicata con la dizione « dal lat. » oppure « voce dotta, lat. »; per esempio:

parola popolare	*occhio*	lat. ŎCULU(M)
latinismo	*edicola*	dal lat. AEDĬCULA(M) oppure voce dotta, lat. AEDĬCULA(M)

1.3.8. Le testimonianze del latino volgare

Non possediamo testi scritti interamente in latino volgare; abbiamo testi in cui si ritrovano tratti (più o meno numerosi, più o meno marcati) di tale varietà di lingua. Non raramente sono tratti che si erano già manifestati nel latino arcaico (per esempio in Plauto, circa 250-184 a.C.), ma che furono poi respinti dalla lingua letteraria "classica" del periodo successivo. Tra i documenti del latino volgare ricorderemo:

- il *Satyricon* di Petronio (I sec. d.C.) opera nella quale l'autore fa parlare al nuovo ricco Trimalcione una lingua piena di volgarismi;
- le iscrizioni e i graffiti di Pompei (saluti, imprecazioni, trivialità, propaganda elettorale), conservatisi a causa dell'eruzione del Vesuvio del 79 d.C. che seppellì la città sotto uno strato di ceneri;
- molte opere di autori cristiani che si servivano volutamente di una lingua vicina a quella parlata dal popolo;
- varie testimonianze di grammatici che riprendono gli errori commessi da persone di scarsa cultura;
- molte lapidi scritte da scalpellini di scarsa cultura.

Infine va ricordato che molti caratteri del latino volgare si ricostruiscono in base alla comparazione delle lingue romanze.

1.3.9. Un confronto

Conoscere gli aspetti fondamentali del latino volgare è un presupposto necessario per comprendere i caratteri fonetici, morfologici, sintattici e lessicali della nostra lingua. Mediante il confronto tra l'italiano e il latino volgare si dà una spiegazione storica di tali caratteri. Bisogna tuttavia ricordare che esiste anche un altro tipo di spiegazione dei fatti linguistici fondata non sulla storia, ma sulla funzionalità della lingua.

Da un certo punto di vista l'evoluzione del latino volgare si può confrontare con quella dell'indoeuropeo. In entrambi i casi una lingua comune dapprima si differenzia a seconda dei luoghi, poi per un evento critico (rottura dell'unità politica, nel caso del latino, dispersione geografica della comunità, nel caso dell'indoeuropeo) avviene una scissione e nascono nuove lingue. Questo ciclo si è sviluppato anche in altre famiglie linguistiche ed è destinato a ripetersi in futuro nella storia delle lingue del mondo.

1.4. LINGUA E DIALETTI IN ITALIA

Dovremmo correggere il grafico disegnato in 1.3.2. sostituendo la dizione “italiano” con la dizione “dialetti italiani”; analogamente dovremmo sostituire “spagnolo” con “dialetti spagnoli”, “portoghese” con “dialetti portoghesi” e così via. In tutto il mondo romanzo o neolatino (la cosiddetta Romània) il latino volgare si è frantumato in una molteplicità di dialetti che si possono suddividere in gruppi in base a caratteri linguistici (soprattutto fonologici, ma anche lessicali, morfologici e sintattici).

Successivamente, in vari periodi, lo svolgersi degli eventi ha fatto sì che in varie zone della Romània singoli dialetti emergessero e s'imponessero su altri dialetti diventando i contrassegni di comunità nazionali, diventando cioè lingue. Così in Italia il dialetto fiorentino del Trecento è diventato la lingua italiana; in Francia il dialetto dell'Île-de-France (il franciano) è diventato la lingua francese; in Spagna il dialetto castigliano è diventato la lingua spagnola.

1.4.1. Le differenze tra dialetto e lingua

Cominciamo col dire che tali differenze sono meno numerose e meno importanti di quanto comunemente si crede. Entrambi derivati dal latino, entrambi sistemi linguistici complessi e variamente articolati, la lingua italiana e uno qualsiasi dei tanti dialetti parlati nella Penisola sono egualmente legittimi per nascita e per sviluppo, sono egualmente funzionali nel loro uso. Come l'italiano, i nostri dialetti riflettono tradizioni e culture nobili; possiedono un lessico e una grammatica: sono a tutti gli effetti delle “lingue”. Vi sono in ogni modo delle differenze.

In genere il dialetto è usato in un'area più circoscritta rispetto alla lingua, la quale invece appare diffusa in un'area più vasta. I motivi di tale maggiore espansione sono culturali in Italia, politici in Francia e in Spagna. Le opere di Dante, Petrarca e Boccaccio diedero un grande prestigio al **fiorentino del Trecento**: questo dialetto, divenuto lingua d'arte attraverso l'elaborazione dei tre grandi scrittori, fu in seguito adottato dalle persone colte e dai centri di potere della Penisola. In Francia e in Spagna fu invece il potere monarchico ad imporre e diffondere il dialetto usato dalla corte: nacque così una lingua dello stato e dell'amministrazione riconosciuta dai sudditi come simbolo dell'unità nazionale.

La diversa espansione di una parlata su un'area geografica comporta in genere differenze di sviluppo al livello del lessico: la lingua estende e perfeziona il vocabolario intellettuale (scrittori e scienziati scrivono di solito in lingua), il dialetto arricchisce soprattutto le terminologie che si riferiscono al mondo rurale.

Altre distinzioni di carattere sociale sono:

1. la lingua subisce una **codificazione** (v. 1.1.4.), la quale manca al dialetto o perlomeno non avviene in esso in egual misura;

2. la lingua possiede un **uso scritto**, che manca per lo più ai dialetti;

3. la lingua gode di un **prestigio sociale** superiore a quello dei dialetti;

4. la lingua ha acquistato una **dignità culturale** superiore a quella dei dialetti.

Queste distinzioni non sono sempre e ovunque presenti. Ciò è vero tanto più per l'Italia, dove troviamo dialetti, quali per esempio il veneto e il napoletano, che hanno subito una codificazione, possiedono un uso scritto e una grande dignità culturale (si pensi all'opera del Goldoni e del Basile). Tanto che si deve concludere così: l'unico criterio sicuro per distinguere la lingua dal dialetto è la minore estensione geografica di quest'ultimo.

Propriamente il termine *dialetto* (dal greco *diálektos* 'lingua', derivato dal verbo *dialégomai* 'parlo') indica due diverse realtà:

1. un sistema linguistico autonomo rispetto alla lingua nazionale, quindi un sistema che ha caratteri strutturali e una storia distinti rispetto a quelli della lingua nazionale (per es. i dialetti italiani, spagnoli);

2. una varietà parlata della lingua nazionale, cioè una varietà dello stesso sistema (per es. i *dialects* dell'anglo-americano sono varietà parlate dell'inglese degli Stati Uniti: ovviamente tali "dialetti" hanno gli stessi caratteri strutturali e la stessa storia della lingua nazionale).

Con l'espressione **lingua nazionale** s'intende il sistema linguistico (o la varietà di un sistema linguistico) adottato da una comunità, costituente una nazione, come contrassegno del proprio carattere etnico e come strumento dell'amministrazione, della scuola, degli usi ufficiali e scritti.

1.4.2. Bilinguismo e varietà regionali in Italia

In Italia la maggior parte delle persone che parlano un dialetto hanno la capacità di passare alla lingua (o, in molti casi, a una varietà intermedia fra lingua e dialetto). Tale capacità è detta **bilinguismo**, termine che più in generale si può definire come compresenza di due o più lingue diverse nel repertorio linguistico (v. 1.5.6.). Il passaggio dal dialetto alla lingua e da questa al dialetto dipende dalla situazione: in famiglia, con individui dello stesso paese si parla in dialetto; con estranei, con individui di altre regioni d'Italia si tende a parlare l'italiano (o una varietà regionale di italiano). Rispetto al dialetto la lingua è più adatta per trattare argomenti ufficiali e/o legati al progresso sociale e tecnico del nostro tempo: rapporti con l'amministrazione e con il datore di lavoro, vita sindacale, politica, sport, manutenzione di macchinari ecc.

A dire il vero, l'immagine del dialetto contrapposto alla lingua è, soprattutto ai giorni nostri, un'immagine fuorviante. Infatti il processo di **italianizzazione dei dialetti** (cioè il progressivo assorbimento di questi ultimi nella lingua comune) spiega perché sia necessario parlare — almeno per buona parte dell'Italia — di quattro varietà linguistiche:

ITALIANO COMUNE
ITALIANO REGIONALE
DIALETTO REGIONALE
DIALETTO

Avendo definito i due termini estremi da questo schema cerchiamo di definire quelli intermedi. L'**italiano regionale** è una varietà di italiano che possiede delle particolarità regionali, avvertibili soprattutto nella pronuncia.

Tutti coloro che parlano italiano e che provengono da diverse regioni della Penisola si capiscono fra loro senza difficoltà, tuttavia avvertono chiaramente delle differenze: l'italiano parlato da un settentrionale è riconosciuto subito, per esempio da un romano, soprattutto per alcuni caratteri dell'intonazione e della pronuncia. Altrettanto si dirà per l'italiano parlato da un meridionale e per l'italiano parlato da un toscano.

Vediamo la prima frase della *Parabola del Figliol Prodigo* resa nelle quattro varietà che abbiamo ora distinto; il dialetto è della provincia di Belluno:

ITALIANO COMUNE

Un u̯ǫ́mo avẹ́va duẹ fil̃i. Il pi̯ù ǧǧǫ́vane dísse al pádre.

ITALIANO REGIONALE (VENETO)

Uṇ u̯ǫ́mo avẹ́va dúe fíl'i. Uṇ ġǫ́rno il pi̯ù pík(k)olo a dẹ́t(t)o al suo papá.

DIALETTO REGIONALE (VENETO) *con elementi del bellunese cittadino*

'N ǫmo el gavẹ́va dọ fi̯ọ́i. Un dí (ζǫ́rno) ẹl pi̯ú ζọ́ven gẹ a díto al sọ papá.

DIALETTO (*Provincia di Belluno*)

An ǫm l a(v)ẹ́a dói̯ fiói̯. An dít, ẹl pi δọ́ven ẹl gẹ a dít a sọ pare[1].

In Italia si distinguono quattro varietà regionali principali:

- **settentrionale**
- **toscana**
- **romana**
- **meridionale**.

Vi sono poi varietà regionali minori (la più importante è quella sarda). L'esistenza delle varietà regionali di italiano dipende dall'italianizzazione dei dialetti che è cominciata per lo più dopo l'unità d'Italia e si è sviluppata sensibilmente a partire dall'ultimo dopoguerra per la diffusione delle comunicazioni di massa (la televisione in primo luogo). Le varietà regionali si distinguono anche per alcune caratteristiche lessicali (v. 13.5.). Proprio perché possiede tali varietà regionali, la nostra lingua appare più diversificata geograficamente rispetto ad altre lingue europee.

Il **dialetto regionale** è una varietà del dialetto che ha subito l'influsso dell'italiano regionale su uno o più livelli: fonologico, lessicale, morfologico e sintattico.

Ricordiamo infine che la conoscenza di una varietà linguistica può essere attiva (capacità di comprendere e di produrre frasi) o soltanto passiva (capacità di comprendere).

---

1. L'esempio è tratto da G. B. Pellegrini, *Saggi di linguistica italiana*, Torino, Boringhieri, 1975, pp. 41-45. Il tipo di trascrizione fonetica, diverso da quello usato nel presente manuale, rende sia le più minute sfumature di pronuncia sia fonemi particolari di quel dialetto, come l'interdentale sonora δ (cfr. l'inglese *them*) e quella sorda ζ (cfr. l'inglese *thin*).

1.4.3. I dialetti italiani

Riassumendo e integrando quanto si è detto, ricordiamo che i dialetti italiani:

- sono le «lingue» particolari delle varie zone della Penisola;
- un tempo erano parlati da tutti gli abitanti, mentre oggi (a causa della diffusione dell'italiano) sono parlati soltanto da una parte di essi;
- derivano tutti dal latino volgare (come l'italiano che, alle origini, era anch'esso un dialetto, il fiorentino);
- non sono affatto «rozzi» e «primitivi»: come la lingua italiana, ciascuno di essi ha una grammatica e un lessico.

Il latino volgare si divise dunque in una serie numerosa di parlate più o meno diverse fra loro: sono i dialetti piemontese, ligure, lombardo, emiliano, toscano, romano, campano, ecc. Alcune di queste parlate, come il sardo, il ladino e il friulano, vissero più isolate e acquistarono pertanto caratteri più particolari.

Nel corso del Medioevo entrarono in Italia altri gruppi etnici (Germani, Slavi, Albanesi): conseguentemente altre lingue si aggiunsero a quelle parlate dalle popolazioni di origine latina. Questa situazione, caratterizzata da un notevole frazionamento, si è conservata nell'Italia di oggi. Vediamola più da vicino, servendoci della cartina di pag. 35.

I dialetti italiani si dividono in due grandi gruppi:

SE i **dialetti italiani settentrionali**, divisi a loro volta in:

- dialetti gallo-italici (nell'Italia settentrionale abitarono anticamente i Galli);
- dialetti veneti;
- dialetti istriani.

CM i **dialetti italiani centro-meridionali**, divisi a loro volta in:

- dialetti toscani;
- dialetti mediani (stanno nel «mezzo» dell'Italia);
- dialetti meridionali intermedi;
- dialetti meridionali estremi.

Tra i dialetti settentrionali e centro-meridionali ci sono notevoli differenze, tanto che si possono dividere con una linea che va da La Spezia a Rimini. La «linea La Spezia-Rimini» rappresenta il più importante confine esistente tra i dialetti italiani.

Hanno caratteristiche proprie il **sardo** e il **ladino**, idiomi romanzi che si possono considerare vicini al tipo italiano e che a loro volta si distinguono in alcune varietà.

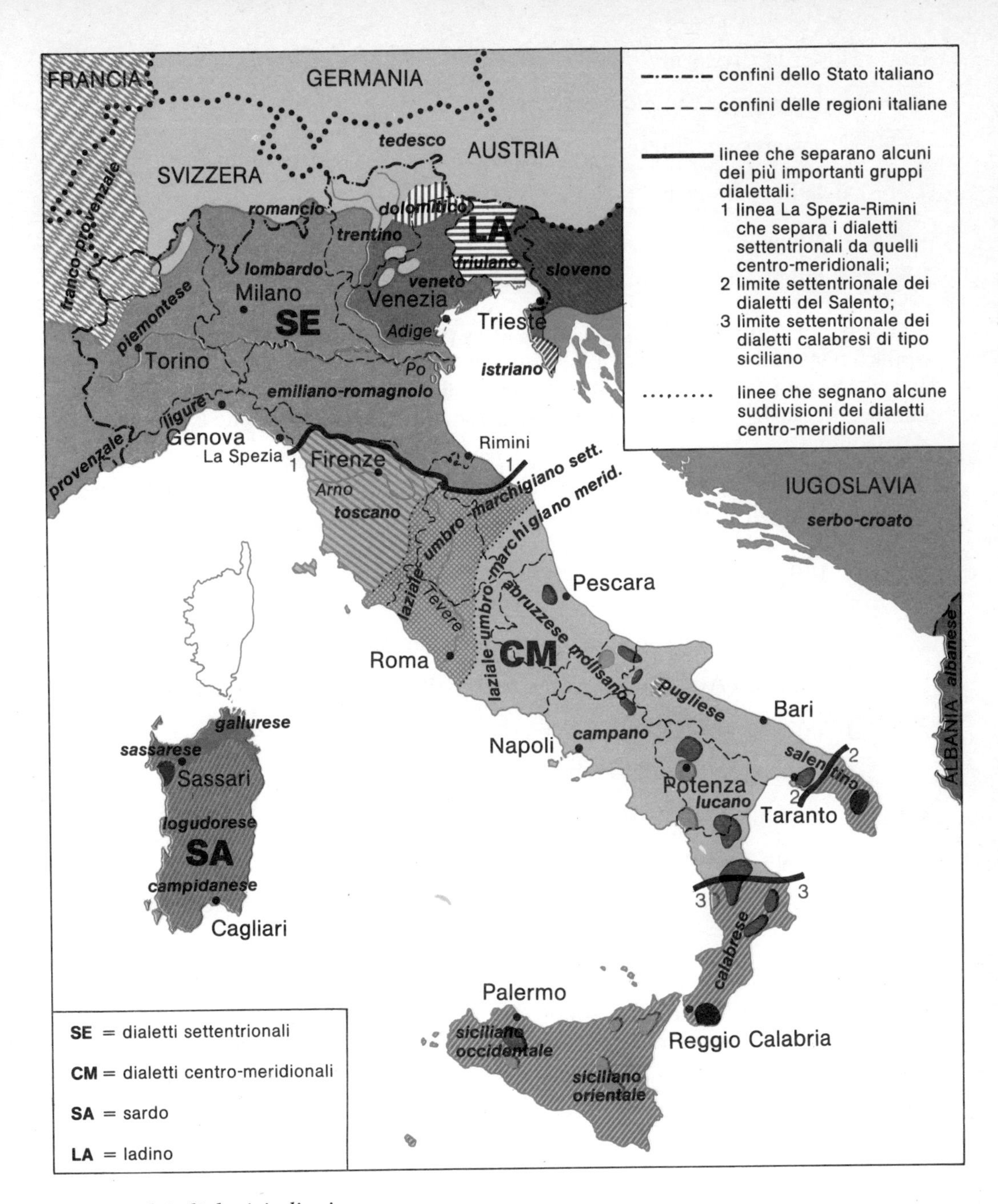

Cartina dei dialetti italiani.

SA il **sardo** diviso in:

logudorese-campidanese;

sassarese-gallurese.

LA il **ladino** diviso in:

friulano

ladino dolomitico.

Fuori dei confini dello Stato italiano si parlano dialetti italiani: in Corsica, appartenente alla Francia dal 1769 (i **dialetti corsi** rientrano nel gruppo CM); in Istria, che ora fa parte della Iugoslavia (**dialetti istriani**: v. il gruppo SE). Nel cantone dei Grigioni (Svizzera) si parla il **romancio** o grigionese che è una varietà del ladino.

All'interno dei confini politici d'Italia vivono gruppi etnici di varia consistenza numerica, i quali parlano otto lingue (o varietà di lingua) diverse dall'italiano:

provenzale (Alpi piemontesi: Torre Pellice; Calabria: Guardia Piemontese);

franco-provenzale (Valle d'Aosta; due comuni di Foggia);

tedesco (Alto Adige; varie zone delle Alpi e delle Prealpi);

sloveno (Alpi Giulie);

serbo-croato (tre comuni del Molise);

catalano (Sardegna: Alghero);

albanese (vari comuni del Meridione e della Sicilia);

greco (alcune parti meridionali estreme della Calabria e del Salento).

Nella cartina sono presenti soltanto i principali gruppi di dialetti italiani. S'intende che sotto l'etichetta «piemontese» ci sono i vari dialetti piemontesi; sotto l'etichetta «lombardo» ci sono i vari dialetti lombardi ecc. Vediamo più da vicino che cosa si trova sotto l'etichetta «toscano». I dialetti toscani si distinguono in sei varietà:

TOSCANO
1. fiorentino
2. senese
3. toscano-occidentale
   - pisano-livornese-elbano
   - pistoiese
   - lucchese
4. aretino-chianaiolo
5. grossetano e amiatino
6. apuano

Come appare, all'interno della varietà n. 3 si distinguono alcune sottovarietà. Si potrebbero fare ancora distinzioni e sottodistinzioni: per esempio, tra i dialetti delle città e i dialetti delle campagne, ecc.; inoltre vi sono dialetti di transizione: il dialetto amiatino funge da ponte tra i dialetti toscani e quelli centrali; il dialetto apuano è il tramite fra i dialetti toscani e quelli settentrionali.

I dialetti italiani sono molto diversi tra loro; spesso non c'è comprensibilità neppure tra dialetti vicini. I dialettofoni (coloro che parlano i dialetti) appartenenti a diverse regioni possono comunicare tra loro mediante dialetti regionali o mediante l'italiano regionale.

Vediamo ora qualche differenza tra i dialetti settentrionali e il fiorentino (che è sostanzialmente l'italiano); poiché tutti i dialetti derivano dal latino, prenderemo come punto di riferimento quest'ultima lingua.

1.4.4. Confronto tra i dialetti settentrionali e il fiorentino

Dal lat. CABALLU(M) il fiorentino ha ricavato *cavallo*, invece il veneto ha ricavato *cavalo*: la consonante doppia posta tra due vocali è diventata semplice. Il fenomeno della semplificazione delle consonanti doppie è diffuso in tutti i dialetti settentrionali:

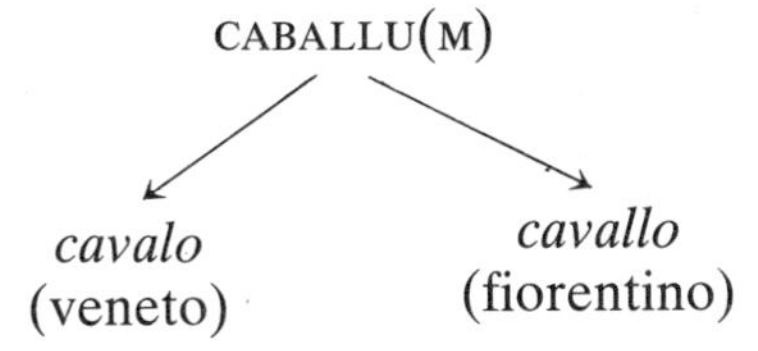

Dal lat. MARITU(M) il fiorentino ha ricavato *marito*, invece il lombardo ha ricavato *marido*: La -T-, posta tra due vocali, è conservata nel fiorentino, si trasforma invece in *-d-* nel lombardo e in molti dialetti settentrionali:

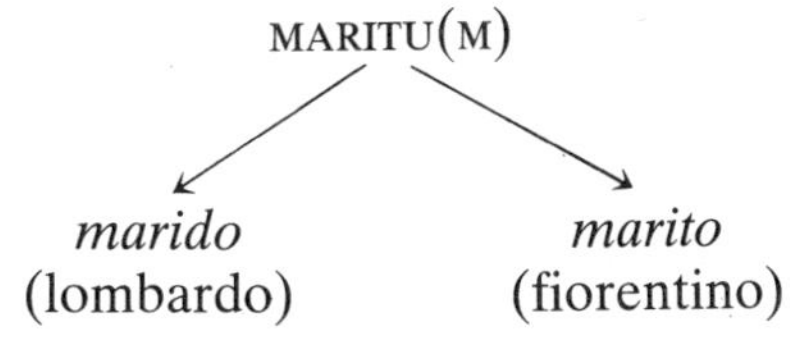

Il latino SALE rimane tale e quale nel fiorentino; si trasforma invece in *säl* (con *e* molto aperta) nel bolognese; qui si osservano due fenomeni: la modificazione della -A- accentata in una vocale particolare (detta *vocale turbata*); la caduta della -E- finale:

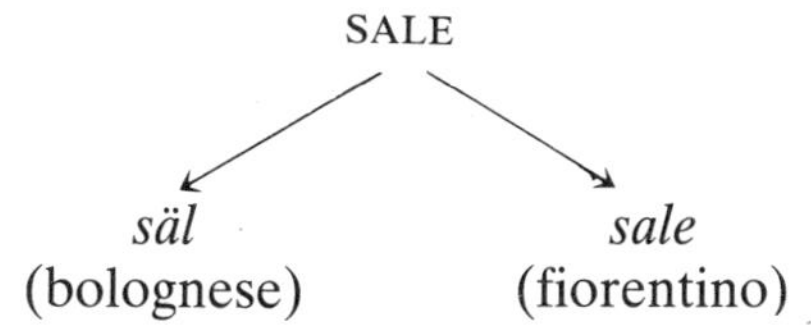

Le vocali turbate sono frequenti nei dialetti settentrionali: in milanese abbiamo *öć* invece di *occhio*: entrambi vengono dal latino OCULU(M) (la *ö* è una rappresentazione grafica della vocale turbata /ø/, come per es. nel francese *feu* 'fuoco'); in milanese abbiamo anche *lüna* invece di *luna*: entrambi vengono dal latino LUNA(M) (la *ü* rappresenta la vocale turbata /y/, come per es. nel francese *mur* 'muro').

Nei dialetti settentrionali si trovano dunque i seguenti fenomeni:

1. la semplificazione della consonante doppia tra vocali;
2. il passaggio di -T- a *-d-* tra vocali;
3. alcune vocali accentate diventano vocali turbate;
4. le vocali finali di parola spesso cadono.

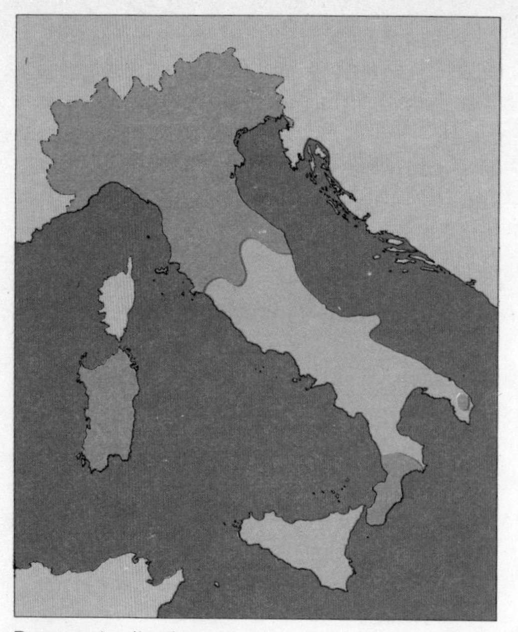

Passaggio di *nd* a *nn* nell'Italia centro-meridionale

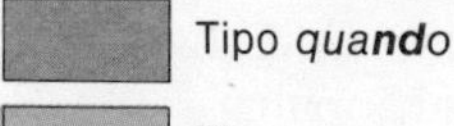

Tipo *quan**d**o*

Tipo *quan**n**o*

Mancanza delle consonanti doppie nell'Italia settentrionale

Tipo *cava**ll**o*

Tipo *cava**l**o*

1.4.5. Confronto tra i dialetti centro-meridionali e il fiorentino

Vediamo ora alcune differenze tra il fiorentino e i dialetti centro-meridionali.

Il lat. QUANDO è conservato tale e quale nel fiorentino *quando*; si trasforma invece in *quanno* in molti dialetti centro-meridionali; la trasformazione -ND- in *-nn-* si chiama assimilazione, perché la seconda consonante diventa «simile» alla prima:

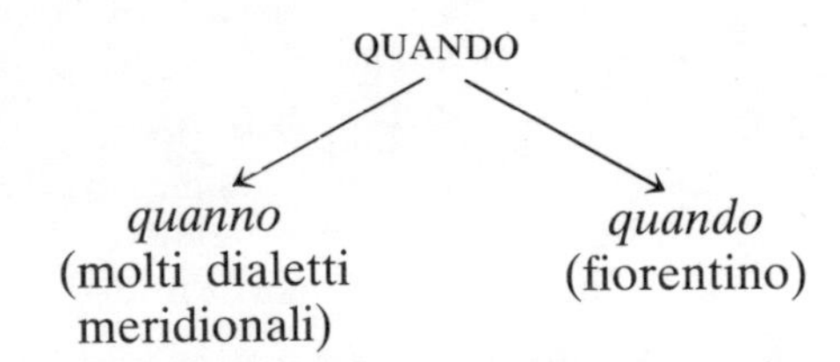

Dal lat. ACETU(M) il fiorentino ha ricava *aceto*, invece vari dialetti centro-meridionali hanno ricavato *acitu*: qui si osservano due fenomeni: la conservazione di -U- finale; il passaggo della -E- accentata ad *-i*.

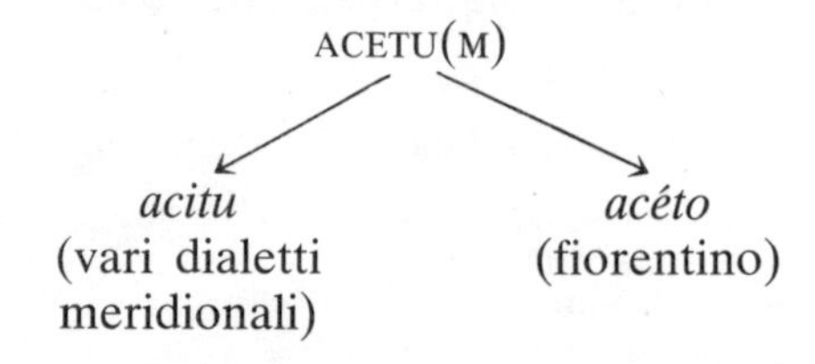

Dal lat. PLUS il fiorentino ha ricavato *più*, invece il napoletano ha ricavato *chiù*: il gruppo formato dalle due consonanti PL si è trasformato in /pj/ (scritto *pi*) nel fiorentino, in /kj/ (scritto *chi*) nel napoletano.

Nei dialetti centro-meridionali si trovano i seguenti fenomeni:

1. il passaggio di ND a *nn*;
2. la conservazione di U finale;
3. il passaggio di PL a *chi*.

1.4.6. I caratteri del fiorentino

Come si vede dagli esempi che abbiamo citato ora, il fiorentino (e quindi la lingua italiana) si distingue per molti aspetti dai vari dialetti della Penisola. Per esempio il fiorentino conserva le consonanti doppie tra due vocali (*cavallo, tutto, donna*), mentre i dialetti settentrionali trasformano tali consonanti doppie in semplici (*cavalo, tuto, dona*). A differenza dei dialetti centro-meridionali che hanno spesso la *-u* finale, il fiorentino ha sempre in tale posizione la vocale *-o: acitu-aceto*. Consideriamo altri tre caratteri del fiorentino:

[1] *piede, tiene, buono, nuovo*, come tutte le parole con i dittonghi accentati *iè* e *uò*, sono forme tratte dal fiorentino; tali dittonghi mancano in molti dialetti italiani: *pede, tene, bono, novo*.

[2] il fiorentino dice *notaio* e *sellaio*; altri dialetti hanno *notaro* e *sellaro*; al suffisso *-aio* si oppone il suffisso *-aro*.

[3] il fiorentino ha la desinenza *-iamo* in tutte le coniugazioni: *andiamo, vediamo, partiamo*; gli altri dialetti hanno desinenze diverse; per esempio, l'umbro: *annamo, vedemo, partimo*; veneto *andemo*, milanese *andèm*, piemontese *andùma*.

1.4.7. I dialetti si avvicinano all'italiano

Nei secoli passati i dialetti italiani si conservavano maggiormente nel tempo, mutavano con grande lentezza perché mancavano occasioni di scambio tra gli abitanti delle diverse regioni d'Italia. Soltanto pochi privilegiati avevano occasione di spostarsi da un paese all'altro per conoscere parlate diverse dalla propria. Nel Medioevo, per esempio, viaggiavano soprattutto i commercianti e coloro che occupavano un posto alto nella scala sociale (i podestà, gli ambasciatori, i professori e gli studenti delle università, i prelati, i nobili). Quindi non esistevano molte occasioni per modificare il proprio modo di parlare quotidiano: cioè il proprio dialetto. Se i dialetti rimanevano immobili, diversa invece era la situazione del fiorentino scritto che, dopo il successo delle opere di Dante, Petrarca e Boccaccio, cominciò a diffondersi presso gli uomini colti della Penisola, a partire dalla seconda metà del Trecento.

Il fiorentino si diffondeva presso i letterati e i centri di potere, soprattutto come lingua scritta. La stragrande maggioranza degli abitanti della Penisola continuava ad usare i dialetti. Questa situazione perdurò, con pochi mutamenti, fino alla seconda metà dell'Ottocento. In questo periodo avvenne un avvenimento storico e politico che ebbe grandi conseguenze sullo sviluppo della lingua italiana e dei dialetti parlati in Italia. L'unità d'Italia (raggiunta nel 1870 con la conquista di Roma) fece sì che l'italiano, lingua parlata soltanto in Toscana e dalle persone colte del resto della Penisola, cominciasse a diffondersi presso l'intera popolazione italiana. Ciò era dovuto ai seguenti motivi:

1. l'insegnamento scolastico divenuto presto obbligatorio;
2. le emigrazioni interne (alla ricerca di lavoro gli Italiani cominciarono a spostarsi da un capo all'altro della Penisola);
3. lo sviluppo delle grandi città, che richiamava la gente dalle campagne;
4. lo sviluppo delle industrie (soprattutto nel Settentrione) che richiamava emigranti da ogni parte d'Italia;
5. il servizio militare che costringeva i giovani di leva a spostarsi da una regione all'altra;
6. la necessità di comprendere le disposizioni impartite dal nuovo Stato e dall'amministrazione.

Da questo momento al progresso della lingua italiana si accompagna l'arretramento dei dialetti. Per i motivi che abbiamo esposto molti elementi della lingua italiana (particolarità della fonetica e della grammatica italiana, parole italiane) entrano nei dialetti. I dialetti puri tendono ad essere sostituiti con dialetti regionali, cioè con forme miste, a metà strada tra il dialetto e la lingua (v. 1.4.2.).

La penetrazione di elementi della lingua italiana nei dialetti si chiama italianizzazione dei dialetti. Si tratta di un fenomeno che ha continuato a svilupparsi nel corso del Novecento: lentamente, ma irresistibilmente, i dialetti regionali sono sostituiti dall'italiano regionale, del quale come si è detto si distinguono quattro varietà principali (settentrionale, toscana, romana, meridionale). Si sono avuti dunque i seguenti passaggi:

L'italianizzazione dei dialetti ha compiuto rapidi passi a partire dall'ultimo dopoguerra per la diffusione della televisione in ogni luogo della Penisola. In questo modo la lingua italiana è arrivata anche nei paesi più isolati e presso le persone di ogni età e di ogni classe sociale, contribuendo in modo efficace alla italianizzazione dei dialetti. Accanto alla televisione dobbiamo ricordare anche il diffondersi di altri mezzi di comunicazione di massa (la radio, il cinema, il giornale quotidiano e il settimanale), i quali hanno giovato alla diffusione dell'italiano. A questo fine hanno contribuito anche altri fattori: lo sviluppo del turismo interno (gli Italiani viaggiano di più), il grande progresso delle scienze e delle tecniche, lo sviluppo degli scambi sociali (per es. le attività del tempo libero, la vita sindacale, varie forme di partecipazione del pubblico al costituirsi dell'informazione). Infatti appare quasi impossibile ricorrere al dialetto per trattare di certi argomenti: l'uso della propria automobile, i problemi della salute in relazione alle nuove scoperte della medicina, i rapporti con l'amministrazione ecc. In tutte queste circostanze la lingua ci dà parole ed espressioni più adatte di quelle che ci possono dare i vari dialetti.

1.5. LA LINGUA E LA SOCIETÀ

Le considerazioni e le analisi svolte nei paragrafi precedenti hanno in comune un carattere di fondo: l'interesse è concentrato sulla lingua, sui meccanismi che la tengono unita e che la fanno mutare nel tempo. Ma degli uomini che parlano la lingua si è detto poco.

È venuto ora il momento di cambiare il punto di vista. È necessario esaminare la lingua in situazioni concrete: non più frasi isolate, ma frasi collegate fra loro nel dialogo; non più affermazioni, esempi staccati dal contesto, ma scambio di battute, di informazioni fra individui che parlano di cose concrete in situazioni concrete. In altri termini è venuto il momento di esaminare i rapporti fra la lingua e la comunità dei parlanti o, in senso più ampio, fra la lingua e le strutture sociali.

Oggi questo compito è svolto soprattutto dalla **sociolinguistica**, una disciplina di recente formazione. La sociolinguistica studia particolarmente le diversità e le varietà della lingua, quali si manifestano in rapporto alle differenze (culturali, sociali, economiche) degli individui e in rapporto alle differenze delle situazioni in cui avviene la comunicazione.

Più precisamente la sociolinguistica prende in esame vari aspetti della comunicazione linguistica chiedendosi:

1. chi parla;
2. quale lingua usa;
3. quale varietà di lingua usa;
4. quando si parla;
5. a proposito di che;
6. con quali interlocutori;
7. come (cioè con quale stile);
8. perché (cioè con quali fini);
9. dove (cioè in quale situazione, in quale ambiente).

È evidente che soltanto astrattamente si può considerare ciascuno di questi aspetti in sé, staccato dagli altri: se qualcuno parla lo fa usando una certa lingua (o, per meglio dire, una varietà di una certa lingua), in un certo tempo, a proposito di qualcosa, rivolto a qualcuno ecc.

1.5.1. Tra due viaggiatori

Immaginiamoci una situazione concreta. Due viaggiatori, seduti di fronte nello stesso scompartimento di un treno cominciano a parlare:

I

PRIMO VIAGGIATORE:	— Fa tanto caldo, non trova? —	1A
SECONDO VIAGGIATORE:	— Sì, certamente. —	1B
PRIMO VIAGGIATORE:	— Questo treno è sempre molto caldo. —	1C
SECONDO VIAGGIATORE:	— Il riscaldamento non funziona bene. —	1D
PRIMO VIAGGIATORE:	— Nei treni il riscaldamento non funziona mai bene. —	1E

Anche a proposito di un dialogo così banale ci sono molte cose da osservare. Innanzi tutto si tratta di un **dialogo**, cioè di una forma discorsiva che si oppone al discorso eseguito da una sola persona: per esempio la lezione di un insegnante, il comizio di un uomo politico, il discorso per celebrare una festa. In questi tre casi qualcuno parla, altri ascoltano e in genere non intervengono. Nel dialogo invece l'intervento dell'altro è la norma e il susseguirsi delle battute ha una conseguenza importante: costringe ciascuno degli interlocutori a "regolarsi" su quello che è detto dall'altro. Per esempio, invece di 1B potrebbe esserci: — Ma non è vero affatto, io sento freddo —. Il diverso parere del secondo viaggiatore comporterebbe con ogni probabilità un diverso proseguimento del dialogo.

I invece è un dialogo in cui gli interlocutori concordano: le risposte sono delle conferme: 1B conferma 1A; 1E conferma 1D; mentre 1D giustifica, spiega 1C. Nel complesso il contenuto del dialogo si potrebbe riassumere così: "In un treno qualcuno dice che fa caldo; un altro risponde concordando e spiega perché fa caldo; il primo concorda con la spiegazione e la generalizza". Questo è il contenuto del dialogo; vediamone adesso la forma.

Dalla pronuncia e dall'intonazione dei due interlocutori (immaginiamoci per un attimo di ascoltare le loro voci) si riconosce un italiano medio, privo di caratteristiche regionali. Se invece di 1A sentissimo: *Fa tanto haldo, non trova?* riconosceremmo un toscano; se sentissimo: *Fa tando callo, non drova?* riconosceremmo un'accentuata pronuncia centro-meridionale. Che il dialogo avvenga in un treno risulta dall'affermazione contenuta in 1C. Dall'insieme delle battute ricaviamo che i due stanno trattando un argomento (piuttosto futile), cui potremmo dare questo titolo: "il cattivo funzionamento del riscaldamento nei treni". È anche chiaro che i due compagni di viaggio non sono in rapporti confidenziali (v. l'uso del *lei*). Se vogliamo definire lo stile e il fine del dialogo, dobbiamo fare qualche considerazione in più. Cominciamo con l'immaginare che il dialogo avvenga in un altro modo e con altre forme:

II

PRIMO VIAGGIATORE:	— Caldo, no? —	2A
SECONDO VIAGGIATORE:	— Ci hai ragione. —	2B
PRIMO VIAGGIATORE:	— È proprio un forno! —	2C
SECONDO VIAGGIATORE:	— Il riscaldamento non va. —	2D
PRIMO VIAGGIATORE:	— Ci fosse una volta che trovo un treno col riscaldamento che va. Beh, apri il finestrino! —	2E

Le differenze rispetto a **I** appaiono evidenti. I due interlocutori sono in rapporto confidenziale, come risulta dal fatto che si danno del *tu*. Lo stile di **II** è diverso: meno formale, più "colorito" rispetto a **I**; questo effetto è raggiunto con l'uso di: espressioni più brevi (2A non ha verbi rispetto a 1A), espressioni tipiche del parlato (2B, la prima parte di 2E), un paragone (2C significa 'questo treno è caldo come un forno'), un verbo più generico (*non va* di 2D rispetto a *non funziona* di 1D). Notiamo ancora l'uso di *ci hai* invece di *hai*, al tempo stesso un tratto parlato e regionale.

Ma la differenza più notevole rispetto a **I** consiste in questo: 2E contiene un ordine esplicito, che è assente invece in 1E. Tuttavia non possiamo certo escludere che il fine del primo viaggiatore di **I** sia proprio quello di far aprire il finestrino. Quante volte l'esperienza ci insegna che, quando non si ha il coraggio di dire una cosa chiaramente, si fanno lunghi discorsi, si prendono le cose alla larga? Quante volte ci accorgiamo che una frase significa una cosa diversa da quella che potrebbe sembrare all'apparenza?

Per esempio si può domandare « *che ora è?* » non per sapere l'ora, ma per far capire che è tardi e che bisogna andar via, sospendere un lavoro; si esclama « *che bella giornata!* » non soltanto per constatare che il tempo è bello, ma per attaccare discorso con una persona; si dà un ordine non perché sia eseguito, ma per saggiare lo stato d'animo dell'interlocutore.

Può darsi dunque che in **I** l'invito ad aprire il finestrino sia **implicito** e che addirittura l'esecuzione di tale atto sia il vero motivo che induce il primo viaggiatore ad attaccare discorso con il secondo. Ammettendo dunque che in **I** sia presente tale fine implicito (per esserne sicuri dovremmo avere altri elementi di giudizio e dovremmo disporre di un brano più esteso di dialogo), possiamo intanto tirare le somme circa le differenze che distinguono **I** da **II**.

	I	II
VARIETÀ DI LINGUA	**italiano medio**	**italiano parlato**
ATTEGGIAMENTO VERSO L'INTERLOCUTORE	deferenza	confidenza
FINE	implicito	esplicito

Mediante il confronto di testi che hanno lo stesso contenuto, ma si presentano con aspetti diversi, l'analisi sociolinguistica ci aiuta a vedere meglio il concreto articolarsi della comunicazione linguistica.

Inoltre dal confronto dei due testi cominciamo a capire che:

- quando si parla si segue un certo progetto;
- quando si parla si fa qualcosa (per es. si convince l'interlocutore);
- esistono più varietà della stessa lingua.

1.5.2. Il progetto

Devo raggiungere la casa di un mio amico che si trova nello stesso quartiere a circa due chilometri. Per arrivare da Carlo posso scegliere tra diverse possibilità. Posso prendere i mezzi pubblici: un autobus fino a piazza delle Rose, poi ancora un altro autobus. E se prendessi il vecchio tram? Dovrei fare un tratto a piedi, ma sarebbe piacevole. Naturalmente potrei scegliere di fare una bella passeggiata. Anche in questo caso ci sarebbero almeno due possibilità: percorrere per intero il viale dei Garofani e poi imboccare via delle Margherite, poi piazza delle Azalee e poi sempre dritto. Questo sarebbe il percorso più diretto. Ma quanto traffico di automobili, quanta gente, quanti semafori! Quasi quasi prendo la circonvallazione. Farò un giro più lungo, ma sarò più tranquillo.

Alfredo, bibliotecario capo della biblioteca comunale di T., deve ordinare circa cinquemila nuovi libri negli scaffali arrivati da poco. Comincia a fare dei progetti: seguire il criterio dell'ordine alfabetico dei nomi degli autori? In un certo senso è la soluzione più comoda; però che mescolanza! Manzoni vicino a un trattato di ecologia; un poeta russo stretto tra un manuale di chimica e una guida turistica; Dante guardato a vista dal codice della strada! Ordinare secondo gli argomenti? Sì, potrebbe andare, ma quando arriveranno nuovi libri bisognerà inserirli scompigliando l'ordine costituito. E poi ci sono certi argomenti nuovi sui quali Alfredo non ha le idee chiare: sarà sociologia? sarà filosofia? sarà antropologia? o magari un po' di tutte e tre? Ordinare secondo le collane? Ordinare secondo il formato dei libri? Ordinare tenendo conto dei libri che sono più richiesti dal pubblico? Ordinare secondo l'anno in cui i libri sono pervenuti alla biblioteca? Adottare un criterio misto: cioè un po' secondo gli argomenti, un po' secondo il formato... tanto c'è il catalogo. C'è poi un problema di fondo: adottare un criterio già sperimentato da altri oppure innovare tutto? innovare parzialmente?

Scegliere il mezzo e la via per arrivare in un punto della città, scegliere il criterio per ordinare i libri di una biblioteca sono due operazioni diverse che hanno in comune un carattere: si fondano su una serie di scelte; presuppongono un piano (forse più semplice nel primo caso, forse più complicato nel secondo).

Le nostre azioni presuppongono sempre un piano. Anche parlando e scrivendo facciamo continuamente dei piani, dei progetti. Quel "primo viaggiatore" di cui abbiamo riferito poco fa (v. 1.4.1.) faceva dei piani. Per indurre il suo compagno di viaggio ad aprire il finestrino avrebbe potuto dirgli espressamente di aprirlo. Ma fatta questa prima scelta, avrebbe dovuto scegliere il modo, "la forma": « *Per favore, potrebbe aprire il finestrino?*», « *Le dispiacerebbe...?* », « *Cosa ne direbbe di...?* », « *Sarebbe contrario a...?* », « *Disturbo se le chiedo di...?* » e così via. « *Ma se la richiesta fosse respinta?* » avrà pensato rapidamente il nostro uomo. Meglio allora prendere le cose alla larga: parlare prima del caldo, poi del riscaldamento... Benissimo, la cosa funziona. L'altro viaggiatore condivide le sue idee sul caldo e sui treni. La cosa è quasi fatta. Si prosegua su questa via!

Anche nel descrivere un paesaggio, nel riferire ad un amico lo svolgimento di una partita, nell'inventare una favola per il fratellino più piccolo, nel pregare qualcuno di farci un piacere, nel promettere qualcosa, nel rimproverare, nel minacciare, nel manifestare sentimenti di amicizia e di amore si segue sempre un piano. Tutto ciò può avvenire in modo più o meno cosciente; con modi nuovi o — come accade più frequentemente — con modi consueti, ripetitivi. Si ripetono le frasi, le intonazioni, i gesti, i vari procedimenti già sentiti, già sperimentati. Tutto ciò fa parte del linguaggio o, per meglio dire, della **dimensione sociale** del linguaggio. Mentre si parla, si controlla la reazione che il nostro discorso suscita nell'interlocutore: se questi aggrotta le ciglia, può darsi che ci convenga cambiare un po' le nostre parole, modificare il percorso già intrapreso, correggere il tiro, come si dice. L'atteggiamento del nostro interlocutore ci può suggerire un argomento nuovo o un nuovo modo di presentare le nostre ragioni.

In ogni caso il parlare (come lo scrivere) comporta un **progetto**. Questo può essere modificato (e lo è di fatto nella maggior parte dei casi) nel corso dell'esecuzione. Perché il linguaggio è anche **controllo** delle reazioni dell'interlocutore e di se stessi, autocontrollo. C'è insomma una strategia nel disporre gli argomenti, le frasi: i linguisti usano l'espressione tecnica **strategia discorsiva**.

1.5.3. Le funzioni del linguaggio

Da quanto si è detto finora appare chiaro che il linguaggio ha una pluralità di funzioni.

- Innanzi tutto il linguaggio serve per comunicare qualcosa agli altri. Ma serve anche per comunicare con noi stessi; il soliloquio, il compitare, l'esporre a voce i dati e le operazioni di un problema di matematica mentre si cerca di risolverlo: sono tutti modi che aiutano il ragionamento.

- Il linguaggio serve per descrivere il mondo esterno: un paesaggio, l'aspetto di una persona, la disposizione degli oggetti in una stanza.

- Il linguaggio serve anche per inventare qualcosa che non esiste: per esempio una storia, un racconto che tenga buono un bambino irrequieto o avvinca un gruppo di ascoltatori.

■ Il linguaggio serve per svolgere un ragionamento, per mettere in rapporto fra loro delle idee e quindi per far nascere nuove idee, nuovi punti di vista. Serve quindi per aiutare il pensiero a svolgersi, a progredire; e serve a far nascere nuovi pensieri. Sì, il linguaggio è fonte di pensieri e di immagini.

■ Il linguaggio serve per affermare i rapporti che intercorrono tra i diversi individui che lo usano: tra chi parla e chi ascolta. Il linguaggio evidenzia la posizione che gli individui occupano l'uno rispetto agli altri e rispetto alla società (v. 1.5.7.). Il linguaggio è uno dei testimoni più importanti della cultura, della mentalità, della classe (o gruppo) sociale di un individuo.

■ Il linguaggio serve per convincere gli altri a fare qualcosa, per ordinare, per ottenere qualcosa dagli altri (ma anche da noi stessi): per suscitare emozioni, sentimenti, reazioni.

■ Il linguaggio è talvolta azione, nel senso che certe frasi come « *Lo prometto* », « *Lo giuro* », « *Io ti do il nome di Giovanni* » sono delle vere e proprie azioni: una promessa, un giuramento, un battesimo (v. 1.6.4.).

■ Il linguaggio può anche parlare di se stesso: è linguaggio sopra il linguaggio o, come si dice con un termine tecnico, è **metalinguaggio**; per esempio posso analizzare quello che sta dicendo il mio interlocutore così:

> « *Conviene parlare chiaramente* » « *Cosa intendi dire con "chiaramente"?* »;
> « *Potrei anche fare il bravo* » « *Questo "potrei" non mi piace* ».

Queste e molte altre funzioni possiede il linguaggio umano: anche questo è un aspetto della sua "potenza", del suo predominio assoluto rispetto agli altri linguaggi. Gli studiosi hanno tentato di classificare in vario modo le funzioni del linguaggio (v. 1.6.3.).

1.5.4. Si parla in molti modi

Italiano comune, italiano regionale, dialetto regionale, dialetto sono le principali varietà linguistiche parlate in Italia (v. 1.4.2.). Ogni regione possiede, oltre a questi quattro tipi principali, delle sottovarietà intermedie che non è facile classificare: per esempio il dialetto può essere più o meno toccato da regionalismi e da italianismi; l'italiano regionale può essere più o meno vicino alla lingua comune. Questa situazione complessa e differenziata è segno di un notevole dinamismo sociale e preannuncia la scomparsa dei dialetti.

Ma, lasciando per un momento da parte le differenze che dipendono dalla diversità dei luoghi, fermiamoci a considerare le differenze che dipendono dalla situazione. Si può dire che parliamo diversamente a seconda di tre fattori:

1. il nostro interlocutore;
2. l'argomento di cui si parla;
3. il fine che ci si propone.

È inutile dire che anche in questa circostanza esaminiamo separatamente dei fattori che nell'uso concreto della lingua si realizzano contemporaneamente: quando si parla c'è sempre un interlocutore, un argomento e un fine.

L'**interlocutore** può essere una persona conosciuta o non conosciuta, una persona che trattiamo con confidenza o con riguardo (ed è ben noto che ci sono diverse gradazioni di confidenza e di riguardo). Queste differenze condizionano una serie di scelte linguistiche; il conoscere una persona, il trattarla confidenzialmente comporta l'uso del *tu*, di formule di appello sbrigative (*senti un po'*, *dimmi*, *che dici?*), di parole e di espressioni comuni, popolari, proprie del parlato, di strutture sintattiche semplici e lineari. La confidenza permette di parlare di argomenti confidenziali, intimi, trattati con parole semplici. Invece il rispetto impone l'uso del *Lei*, di formule di appello come *se permette*, *mi scusi*, *se posso rivolgerle una domanda* ecc., di parole castigate, eleganti (se si vuol fare bella figura), e, eventualmente, di frasi più lunghe e ben costruite. Il rispetto consiglia di solito di evitare argomenti intimi e scabrosi.

L'**argomento** di cui si parla può essere noto oppure sconosciuto all'interlocutore; può essere un fatto della vita di ogni giorno oppure un tema particolare (per esempio, un argomento scientifico, tecnico). Di una cosa nota e quotidiana si parla di solito con parole comuni e con frasi semplici; per trattare un tema specialistico si fa uso di termini tecnici, di espressioni particolari, si ricorre a spiegazioni e chiarimenti (che interrompono la linea del discorso).

Il **fine** per il quale si parla condiziona la scelta delle parole, delle espressioni, del tipo di frase e di sintassi; dare un'informazione, richiederla, raccontare una storia, descrivere un paesaggio, chiedere un favore, dare un ordine, spiegare un teorema di geometria sono tutti tipi di discorso normalmente diversi tra loro.

L'**interlocutore**, l'**argomento** e il **fine** rappresentano i tre fattori principali della situazione in cui si svolge il discorso. Potremmo ricordarne altri: lo stato d'animo di chi parla, l'ambiente in cui si svolge il discorso (per esempio, a tu per tu con l'interlocutore o alla presenza di altre persone; in un luogo chiuso o aperto; in una circostanza quotidiana o in una cerimonia ufficiale ecc.).

La situazione condiziona il tipo di lingua che si usa. La lingua può essere elegante, accurata oppure alla buona, sciatta; può essere comune oppure particolare (tecnica, scientifica), può indicare un rapporto di parità tra locutore e interlocutore oppure un rapporto di non parità (v. 1.5.7.).

Cerchiamo ora di chiarire in modo più adeguato queste nozioni servendoci di alcuni concetti elaborati dalla moderna sociolinguistica.

1.5.5. Il repertorio linguistico

È l'insieme delle varietà linguistiche possedute da un parlante o da una comunità di parlanti. Il repertorio comprende almeno una lingua e le sue varietà, ma ci possono essere situazioni più complesse.

Per esempio il repertorio linguistico della comunità parlante di Roma comprenderà almeno: l'italiano comune (o standard); la varietà romana di italiano (v. 1.4.2.), che si distingue per alcune particolarità fonetiche e per alcune scelte lessicali; il dialetto romanesco borghese. Supponiamo però che una famiglia di Roma abbia tra i suoi componenti i nonni calabresi e che tale famiglia abbia abitato per un periodo abbastanza lungo a Milano. Allora alle tre varietà già elencate dovremmo aggiungere: una o più varietà di calabrese (dialetto e una varietà semidialettale, per esempio), una o più varietà di milanese (dialetto, una varietà semidialettale, l'italiano regionale di Lombardia). Di queste ultime cinque varietà non tutti i membri della famiglia avranno lo stesso tipo e grado di conoscenza. Per esempio, del dialetto calabrese soltanto i nonni avranno una conoscenza attiva (cioè la capacità di comprendere frasi e di produrle), gli altri membri della famiglia avranno soltanto una conoscenza passiva (cioè la sola capacità di comprendere). Invece del dialetto milanese i più giovani avranno una conoscenza attiva, i nonni una conoscenza passiva; i genitori si porranno probabilmente a metà strada.

1.5.6. I sottocodici

In rapporto alla funzione che deve svolgere e alla situazione in cui si realizza, la lingua compie delle scelte, le quali si distinguono in due varietà: i sottocodici e i registri.

I **sottocodici** sono delle varietà del codice (v. 1.1.2.) e presentano questo carattere particolare: ai dati di base del codice aggiungono dei dati particolari che si riferiscono a un determinato settore di attività culturale e sociale.

Per esempio, il sottocodice politico della lingua italiana comprende una base di parole e di espressioni che sono comuni con il codice "lingua italiana" + un insieme di parole ed espressioni che servono per rappresentare le istituzioni, le ideologie, le esperienze della vita politica italiana: *parlamento*, *presidente del consiglio*, *partito politico*, *socialismo*, *potere esecutivo*, *decreto*, *decreto-legge*, *opposizione* ecc.
Tra i sottocodici più importanti e più noti ricordiamo: il s. burocratico, il s. politico, il s. economico-finanziario, il s. dello sport, il s. della medicina, il s. marinaresco.

Ciascun sottocodice può arricchirsi di parole ed espressioni nuove adattando a nuovi significati e contesti parole ed espressioni che già esistono nel codice.

Il sottocodice della medicina possiede termini ed espressioni in esclusiva (*colangite*, *discinesia*, *immunologia*, *stetoscopio* ecc.), ma possiede anche vocaboli ripresi dal codice "lingua italiana" e opportunamente adattati alle esigenze della scienza medica: dalle parole comuni *canale* e *vaso* si sono formate le espressioni tecniche *canale atrio-ventricolare* e *vaso sanguigno*. Il sottocodice sportivo possiede termini ed espressioni particolari, ma ha ripreso dal codice "lingua italiana" parole come *portiere* e *ala* dando loro significati particolari.

Ciascun sottocodice si può suddividere in successive partizioni, i **sottosottocodici**, che corrispondono alla suddivisione e specializzazione dei vari campi del sapere.

Nell'ambito del sottocodice della medicina si distinguono i sottosottocodici della chirurgia, della radiologia, della odontoiatria, della dermatologia, della urologia ecc.

Sottocodice equivale a « linguaggio settoriale » (v. 13.4.); però la prima denominazione sottolinea il rapporto di subordinazione fra il sottocodice e il codice.

1.5.7. I registri e gli stili del discorso

Si chiamano **registri** quelle varietà del codice che dipendono dalla situazione e che si realizzano non aggiungendo qualcosa al codice, ma piuttosto scegliendo tra le diverse possibilità offerte dal codice stesso. I registri scelgono soprattutto fra diverse possibilità di pronunce, fra diverse possibilità sintattiche e lessicali.

Per esempio, tra queste due frasi:

eseguo questo lavoro durante tutti i giorni della settimana
faccio sto lavoro tutti i santi giorni della settimana

c'è una differenza di registro formale/informale, la quale si fonda su una serie di scelte: *eseguo/faccio*, *questo/sto*, *durante/∅*, *tutti i giorni/tutti i santi giorni*.

I registri si dispongono in una successione che si può definire con i seguenti aggettivi:

registro aulico (o ricercato)
colto
formale (o ufficiale)
medio
colloquiale
informale
popolare
familiare.

Un mutamento di registro consiste in quello che comunemente si dice *cambiar tono*. Mediante i registri si ottengono i cosiddetti **stili di discorso**, che possono riguardare ciascun sottocodice; per esempio:

è consentita l'integrazione della documentazione già prodotta
è possibile completare la documentazione già presentata

sono due frasi che appartengono, rispettivamente, al sottocodice burocratico registro formale e al sottocodice burocratico registro informale del codice lingua italiana.

Nella nostra lingua lo studio dei registri presenta particolari difficoltà, perché non si possono stabilire confini netti fra registri, varietà geografiche (regionalismi) e varietà sociali.

1.5.8. Le relazioni di ruolo

Si chiamano **relazioni di ruolo** quegli insiemi di diritti e di doveri reciproci che sono riconosciuti in modo implicito da tutti i componenti di una determinata comunità linguistica. All'interno di quest'ultima, ogni coppia di interlocutori deve rendersi conto delle relazioni di ruolo che intercorre fra loro; questa consapevolezza deve essere viva in ogni momento del rapporto comunicativo.

Padre-figlio, marito-moglie, insegnante-allievo, datore di lavoro-dipendente, amico-amico sono alcuni esempi di relazioni di ruolo possibili nella nostra società. Queste e altre relazioni di ruolo comportano certe regole di comportamento sociolinguistico che devono essere rispettate nel corso della comunicazione.

Si pensi, innanzi tutto, all'uso dei **pronomi personali**:

- il *tu* reciproco indica **relazione paritaria** fra i due interlocutori;
- il *tu* non reciproco (per esempio, l'insegnante usa il *tu*, l'allievo risponde con il *lei*) indica **relazione non paritaria**.

Questa scelta linguistica serve ad affermare il proprio ruolo rispetto all'interlocutore e nell'ambito di una determinata comunità linguistica.

Mutamenti delle relazioni di ruolo sono indizio di dinamismo sociale. Tali mutamenti possono avvenire nel tempo e a seconda della situazione.

Cento anni fa in Italia i genitori usavano fra di loro il *voi* e lo stesso pronome era usato dai figli nei riguardi dei genitori, i quali invece li ricambiavano con il *tu*. Ai giorni nostri c'è invece un uso generalizzato del *tu* nell'ambito della famiglia.

Un altro esempio di mutamento di relazione di ruolo nel tempo si può osservare nel fatto che

oggi i giovani (fino ai 20-25 anni) si danno in genere del *tu* anche se non si conoscono, diversamente da quanto accadeva prima della seconda guerra mondiale.
Un esempio di mutamento a seconda della situazione. Due uomini politici sono amici: nei rapporti privati e quotidiani si danno del *tu* e si trattano confidenzialmente. Supponiamo che entrambi occupino delle cariche pubbliche: che l'uno sia Presidente della Camera e che l'altro sia ministro. Quando, in tale veste, avranno rapporti ufficiali useranno probabilmente il *lei* reciproco.

Quando mutano le circostanze mutano i rapporti. Conseguentemente mutano certi usi linguistici (pronomi personali, formule per rivolgere la parola, per richiamare l'attenzione, per proporre un argomento). Ma mutano anche le cose che si possono dire, gli argomenti che si possono toccare e il modo in cui gli stessi argomenti possono essere trattati.

Conoscere una lingua vuol dire conoscerne non soltanto la grammatica e il lessico, ma anche gli usi e le regole sociali.

1.5.9. Lingua parlata e lingua scritta

La lingua parlata e la lingua scritta si svolgono in situazioni diverse, si fondano su presupposti e su contesti diversi; non meraviglia perciò il fatto che presentino caratteri diversi.

Quando parlo con qualcuno in un luogo e in un tempo determinati, sono, per così dire, immerso in una situazione: le mie parole sono in stretto rapporto con l'intonazione della mia voce, con i gesti che compio, con l'atteggiamento che assumo mentre parlo; al tempo stesso ho la possibilità di autocorreggermi di continuo, di modificare il mio discorso in relazione al fluire del mio pensiero, conseguentemente al mutare del mio giudizio e dell'atteggiamento del mio interlocutore.

Tutti sono disposti a tollerare, anzi ad approvare la mobilità del discorso parlato: le frasi brevi, talvolta brevissime, talvolta lasciate a mezzo, quel rapido spostarsi da un argomento all'altro, l'uso di un lessico più povero, di frequenti ripetizioni, di riprese. Tutto ciò è sostenuto dall'intonazione della mia voce, dalle mie capacità mimiche: un gesto, uno sguardo scelti opportunamente dicono spesso più di molte parole; un'espressione comune ripetuta con forza e con il giusto tono può dire molto di più di un discorso accurato ed elegante.

Invece nella lingua scritta mancano tutti quei sostegni che rendono immediatamente comprensibile ed efficace la lingua parlata: l'intonazione, gli atteggiamenti, i gesti. La situazione non è sempre presente e chiara: pertanto deve essere presentata, chiarita. Manca il rapporto faccia a faccia con l'interlocutore, che è uno degli elementi dinamici della conversazione. Conseguentemente la lingua scritta deve procedere in modo diverso: maggiore attenzione nella scelta dei vocaboli; maggiore cura nel costruire le frasi e nel disporle le une dopo le altre secondo uno svolgimento e un progetto preordinati. Le interruzioni, le ripetizioni, i cambiamenti della linea discorsiva che tanta efficacia possono dare al nostro parlare, appaiono per lo più irrimediabilmente « brutti » nella lingua scritta. Ecco, per esempio, un ragazzo che racconta ad un amico l'ultimo film visto:

Insomma ieri sera sono uscito, beh saranno state le sette, cioè diciamo le sette e un quarto: sai col mio orologio non ci si capisce mai niente. Insomma sono uscito e... paf! vedo il cartello di un film di avventure, sai di quelli in cui c'è uno che viaggia, va qui, va là, incontra tipi strani, tipe... hai capito? Allora ci sono andato. Beh, ti dirò, non è proprio bello, però interessante: spionaggio, microfoni nascosti, armi sofisticate, messaggi in codice, insomma tutta sta roba qui; e poi... sti paesaggi dell'Oriente; poi le corse con le macchine: si sfasciano; fanno un macello. Poi c'è lui, cioè il protagonista, che è un agente segreto, no? Allora ci aveva una pistola lunga così e sparava da matto. A Nicola gli è piaciuto un sacco; sai

Nicola? Quello... Sì, proprio quello che sta nella terza B con tuo fratello. Stava proprio una fila avanti a me e s'è messo a strillare quando quello, insomma l'agente segreto, gli dà un pugno a un tipo con una faccia che non ti dico...

A questo brano di discorso parlato si è aggiunta soltanto la punteggiatura. Per il resto si tratta di una trascrizione fedele di quanto è stato effettivamente detto. Notiamo le ripetizioni, le interruzioni, le frasi lasciate a mezzo, tutte quelle paroline di appoggio (*insomma, beh, allora*) che ricorrono frequentemente nella lingua parlata. Per quanto riguarda il lessico, notiamo, tra l'altro: *beh* 'bene', *tipi* e *tipe*, *un macello* 'un disastro', *sparava da matto* 'moltissimo', *gli è piaciuto un sacco* 'molto', *sti* 'questi', *paf* (voce onomatopeica che imita il rumore di uno schiaffo; è usata anche per indicare il presentarsi improvviso di un fatto, come dire: 'all'improvviso', 'di colpo', 'ecco' e simili). La situazione sociolinguistica fa sì che nella lingua parlata intervengano nella maggior parte dei casi caratteri locali (cioè regionalismi e dialettalismi: 1.4.2. e 13.5.): vedi *sti*, *ci aveva*.

Immaginiamo ora che lo stesso fatto debba essere narrato per iscritto. Il ragazzo comincerebbe probabilmente così:

Ieri sera sono uscito tra le sette e le sette e un quarto. Non posso dirti l'ora precisa perché il mio orologio non funziona bene. D'un tratto ho visto la pubblicità di un film di avventure ecc. ecc.

Accade spesso che parole, locuzioni, modi di dire della lingua parlata siano ripresi nella lingua scritta per dare a quest'ultima una maggiore espressività. Il fenomeno è comune nella letteratura, dalle origini ai nostri giorni. Ma anche il linguaggio delle comunicazioni di massa ricorre sovente al « parlato ». Ecco, per esempio, alcune espressioni tratte dal linguaggio del giornalismo sportivo: *farsele suonare*, *rimetterci le penne*, *mandare in bambola gli avversari*, *perdere la tramontana*.

1.6. INSERTI

1.6.1. Che cosa studia la linguistica

La linguistica si può definire la scienza del linguaggio e delle lingue.

Come in ogni scienza moderna, nella linguistica si distinguono più campi di ricerca, i quali corrispondono a modi di suddividere l'analisi linguistica.

Lo studio delle unità distintive minime della lingua, i fonemi, è compiuto dalla **fonologia**. Secondo la grammatica tradizionale, la **morfologia** studia la forma delle parole (cioè la flessione e la derivazione); secondo la linguistica moderna, studia la struttura della parola e descrive le varie forme che le parole assumono a seconda delle categorie di numero, di genere, di modo, di tempo, di persona. La **sintassi** studia le regole in base alle quali le parole si combinano fra loro e formano delle frasi. La **semantica** è lo studio dei significati.

A seconda del punto di vista adottato e dei fini che si propone, la linguistica si distingue in varie specializzazioni: la **linguistica interna** studia il funzionamento e l'evolversi della lingua, considerata come un sistema, cioè indipendentemente dalla società e dalla storia. Invece la **linguistica esterna** studia l'influsso del mondo esterno (cioè della società e della storia) sulla lingua.

Ricordando l'opposizione sincronia/diacronia (v. 1.1.9.) diremo che la **linguistica sincronica** considera un certo momento, un certo stato della lingua (per esempio, l'italiano di oggi, il fiorentino del tempo di Dante), prescindendo dall'evoluzione nel tempo; quest'ultima invece è presa in considerazione dalla **linguistica diacronica**, la quale si occupa, per esempio, dello studio dell'evoluzione dell'italiano dalla fine dell'Ottocento ai giorni nostri o dell'italiano antico dalle origini fino al Cinquecento.

La **linguistica generale** (o teorica) analizza il linguaggio per accertare i modi generali della sua organizzazione, le sue funzioni, la sua posizione rispetto ad altre facoltà dell'uomo.

La **linguistica applicata** considera l'applicazione dei principi della linguistica a varie discipline e tecniche particolari: l'insegnamento delle lingue vive (o glottodidattica), la traduzione, l'uso dei calcolatori ecc.

La **linguistica storica** si propone di ricostruire le fasi antiche di una o più lingue. Quando si vogliono mettere in luce i rapporti fra lingue che appartengono alla stessa famiglia (per esempio la famiglia indoeuropea: v. 1.3.1.) si fa uno studio di **linguistica comparata**. Prima di Saussure la linguistica comparata ha costituito quasi l'intero arco delle ricerche linguistiche svolte nel corso dell'Ottocento.

La **sociolinguistica** studia i rapporti fra lingua e strutture sociali (v. 1.5.), mentre la **psicolinguistica** considera i rapporti fra la lingua e il pensiero, analizzando, tra l'altro, i problemi della comprensione del linguaggio, della memoria e dell'apprendimento linguistico da parte del bambino.

La linguistica ha stretti rapporti con lo studio dei testi letterari; a tale proposito ricordiamo la **stilistica**, che analizza lo stile di un autore, di un'epoca, di una scuola.

Per diventare una scienza, cioè per affermare la propria autonomia rispetto ad altre discipline come la filologia, la grammatica normativa, la filosofia, la linguistica moderna ha dovuto seguire due direttive.

- Si è procurata propri strumenti di indagine.

Pensiamo innanzi tutto all'individuazione nel flusso continuo del parlato di vari livelli di articolazione: lessemi - morfemi - fonemi (v. 1.1.7.); con ciò la lingua non è stata più considerata come un insieme confuso di parti, ma come una struttura articolata, nella quale gli elementi minori si organizzano in livelli superiori e questi, combinandosi fra loro, formano insiemi più ampi e più complessi.

- Ha imboccato nuove vie di ricerca.

Per lo strutturalismo il punto di partenza è l'analisi di un insieme determinato di frasi, di parole raccolte nel corso di un'indagine preliminare. Il trasformazionalismo invece procede secondo una diversa prospettiva: in primo luogo tiene conto della competenza del parlante e dei giudizi che questi dà circa le varie realizzazioni linguistiche. Nuovi orizzonti appaiono con la sociolinguistica, che considera i rapporti fra gli individui che comunicano, la situazione in cui si comunica, i condizionamenti imposti dalle strutture sociali ecc.

1.6.2. I vari significati della parola « grammatica »

La *grammatica* è una disciplina che ha per oggetto la conoscenza sistematica delle regole che governano il funzionamento di una lingua.

A seconda del punto di vista e delle finalità che si assumono, la grammatica può accentuare un carattere didattico o sviluppare un intento scientifico.

La prima di queste due vie è tradizionale e finalizzata all'insegnamento: la grammatica è vista come l'insieme delle norme che regolano l'uso di una lingua; il suo scopo consiste nel fornire elenchi di forme, nel disegnare paradigmi, nel dettare regole ed emendare errori. In un senso più vulgato e popolare, la grammatica è l'arte di parlare e di scrivere senza errori.

Dati gli scopi pratici ed elementari della disciplina, non meraviglia che il vocabolo abbia assunto sia il significato concreto di manuale, libro, trattato che racchiude le norme di una lingua (o di un dialetto), sia il significato più generale di insieme di nozioni elementari che sono alla base di un'arte, di una scienza: *grammatica del disegno*, *grammatica filmica*; e c'è perfino una *grammatica della fantasia*.

Questa che abbiamo descritto è propriamente la **grammatica normativa**: una grammatica, cioè, che espone una serie di « norme » fondate essenzialmente sul modello di lingua proposto dalle persone colte e dalla scuola.

Oltre alla grammatica normativa, per il linguista esistono altre « grammatiche ».

La **grammatica descrittiva** descrive uno stato della lingua (o di un dialetto) in un determinato momento: per es. *la grammatica dell'italiano di oggi*, *la grammatica del fiorentino del Trecento*, *la grammatica del dialetto napoletano*. Attenendosi soltanto alla descrizione dei fatti linguistici, la grammatica descrittiva si astiene da ogni giudizio di valore (pertanto si oppone alla grammatica normativa); al tempo stesso non considera gli aspetti evolutivi della lingua (pertanto si oppone alla **grammatica storica**).

Quest'ultima studia l'origine e la storia dei fatti di una lingua. Vari temi di grammatica storica dell'italiano sono contenuti negli intertesti di questo manuale.

La **grammatica comparata** è una scienza che, sulla base di una serie di corrispondenze rigorose fra più lingue, stabilisce fra queste dei rapporti genealogici: per es. la *grammatica comparata delle lingue indoeuropee* (v. 1.3.1.).

La **grammatica generale**, cerca di stabilire delle leggi generali che siano comuni a tutte le lingue (cfr. soprattutto la scuola logico grammaticale di Port-Royal e i suoi sviluppi successivi: 2.8.1.).

Negli ultimi decenni la linguistica moderna ha fondato nuove « grammatiche ».

Fondata sui principi dello strutturalismo è la **grammatica strutturale**. Per il linguista americano Chomsky la grammatica di una lingua è la descrizione idealizzata (una descrizione che non tiene conto dei fatti contingenti) della competenza linguistica dei parlanti nativi di quella lingua: si parla di **grammatica generativa** perché si spiega come le frasi usate dai parlanti siano "generate", mediante trasformazioni, da frasi minime (v. 1.1.11.).

Nella linguistica moderna il termine grammatica è usato per indicare la descrizione di una lingua. A seconda delle varie scuole di linguisti la grammatica comprende la fonologia, la sintassi, la lessicologia, la semantica; oppure esclude da questa serie la fonologia; oppure esclude sia la fonologia sia la lessicologia.

La stessa etimologia del vocabolo sembrerebbe confermare che la grammatica, come disciplina che descrive la lingua, si è affermata soprattutto dopo la nascita della scrittura: il latino *grammatica* riproduce il greco *grammatikḕ (téchnē)*, dall'aggettivo *grammatikós*, « che concerne l'arte del leggere e dello scrivere », da *grámma, grámmatos* « lettera della scrittura », a sua volta tratto dal verbo *gráphein* « scrivere ».

1.6.3. Tre linguisti

Ferdinand de Saussure (1857-1913)

Nato a Ginevra, compì i suoi studi in questa città e nelle università di Lipsia e di Berlino. Insegnò per vent'anni (1881-1901) all'università di Parigi; dal 1901 passò all'università di Ginevra. Viene considerato il fondatore della linguistica moderna, in particolare di quella generalmente conosciuta con il nome di *strutturalismo*. La sua fama è legata principalmente al *Corso di linguistica generale*, pubblicato nel 1913 a cura di due insigni allievi, C. Bally e A. Sechehaye, i quali cercarono di ordinare gli appunti dei corsi universitari tenuti da Saussure a Ginevra tra il 1906 e il 1911. I concetti fondamentali della linguistica contemporanea (diacronia/sincronia, *langue/parole*, sistema, segno, arbitrarietà ecc.) hanno avuto la loro prima impostazione e definizione nell'opera geniale di Saussure.

Roman Jakobson (1896-1982)

Studiò nelle università di Mosca — sua città natale — e di Praga. Ha insegnato linguistica, filologia, letteratura presso importanti università straniere (Copenhagen, Oslo, Uppsala). Dal 1941 in poi ha esercitato la sua attività negli Stati Uniti d'America. Al suo nome è legata la fondazione dei Circoli linguistici di Mosca (1915) e di Praga (1926), che hanno avuto un ruolo fondamentale nello sviluppo di moderni indirizzi critici, linguistici, artistici (quali il formalismo russo, lo strutturalismo, il futurismo). Ha compiuto studi sui problemi della comunicazione linguistica (v. 1.6.4.) e, particolarmente, sul linguaggio della poesia, con risultati esemplari sia sul piano della metodologia sia sul piano dell'interpretazione. I *Saggi di linguistica generale* sono la sua opera più nota.

Noam Chomsky (1928)

Nasce a Filadelfia, negli Stati Uniti d'America. Allievo del linguista Z. S. Harris, studia anche filosofia e matematica, acquistando cognizioni che metterà a frutto nelle sue opere. Dal 1955 insegna linguistica in un'università del Massachusetts. Chomsky è il fondatore del trasformazionalismo, indirizzo che ha una notevole influenza sulla linguistica moderna. I suoi scritti principali sono *Le strutture della sintassi* (1957), che rappresentano una prima versione della teoria trasformazionale, e *Aspetti della teoria della sintassi* (1965), dove tale teoria ha una seconda e più matura formulazione (in particolare viene introdotto il concetto di « struttura profonda »). Sui principi fondamentali del trasformazionalismo v. 1.1.11. Chomsky è noto anche per le sue prese di posizione politiche, in senso libertario e antimilitaristico.

1.6.4. Sei funzioni

Il grande linguista Roman Jakobson (v. 1.6.3.) distingue sei aspetti della comunicazione verbale. Il **mittente** (o locutore o parlante) invia al **destinatario** (o interlocutore) un **messaggio**, il quale si riferisce a un **contesto**. Per compiere tale operazione sono necessari un **codice** (v. 1.1.2.), comune sia al mittente sia al destinatario, e un **contatto**. Quest'ultimo è al tempo stesso un canale fisico e una connessione psicologica fra il mittente e il destinatario che consente loro di stabilire la comunicazione e di mantenerla. Abbiamo così sei fattori della comunicazione che compongono il seguente schema:

CONTESTO

MITTENTE MESSAGGIO DESTINATARIO

....

CONTATTO

CODICE

Certo è importante soprattutto ciò di cui si parla: la **funzione referenziale** (da *referente*: v. 1.2.3. e 6.7.1.). Ma nella comunicazione verbale appaiono vari orientamenti tendenti ad evidenziare l'uno o l'altro dei sei fattori dello schema che abbiamo ora visto.

Ci si può orientare innanzi tutto sul mittente: questi cerca di manifestare nel messaggio il proprio stato d'animo (per esempio, mostrando allegria, soddisfazione, pienezza di sé, entusiasmo, fastidio, ira, sdegno, volontà di sopraffazione ecc.). Si evidenzia così la **funzione emotiva**, la quale si serve di vari mezzi: elevazione e particolare modulazione del tono della voce, allungamento delle vocali toniche, alterazione del cosiddetto ordine normale delle parole, scelta di parole ed espressioni "forti" ecc.

L'orientamento riguarda invece il destinatario quando il mittente si propone di influire su di esso: si ha allora la **funzione conativa** (dal lat. *conari* 'intraprendere, tentare'), la quale si manifesta, tra l'altro, mediante l'uso del vocativo e dell'imperativo.

Queste sono le tre funzioni fondamentali del linguaggio: referenziale, emotiva e conativa. Anche altri studiosi ne avevano parlato prima di Jakobson, il quale però afferma che esistono altre funzioni.

Ci si può orientare verso il canale attraverso il quale passa il messaggio: « *pronto?* », « *mi senti?* », « *prova microfoni, attenzione!* ». Ecco alcuni modi che usiamo comunemente per richiamare l'attenzione del nostro ascoltatore sul canale comunicativo: qui abbiamo la **funzione fàtica** del linguaggio (dal lat. *fari* 'pronunziare, parlare').

Il linguaggio, lo abbiamo già visto (v. 1.5.3.), può parlare di se stesso:

« *Conviene parlare chiaramente* » « *Cosa intendi dire con quel "chiaramente"* »?; « *Carlo è stato gentile con noi* » « *"Gentile" non mi sembra l'aggettivo più indicato* ». Questi sono esempi di **metalinguaggio**.

Infine ci si può orientare verso il messaggio, ponendo al centro della nostra attenzione l'aspetto fonico delle parole (le rispondenze e gradazioni fra i suoni), il parallelismo fra le frasi e le parti di frasi che compongono un testo, la scelta dei vocaboli e delle costruzioni. Consideriamo allora la **funzione poetica** del linguaggio, la quale — si badi bene — non riguarda soltanto i testi poetici e letterari, ma anche tutte quelle occasioni in cui chi parla si concentra sulla forma, gioca con essa. La funzione poetica appare anche nella lingua di ogni giorno, nel linguaggio infantile, in quello della pubblicità.

Dunque, secondo Jakobson, ai sei fattori della comunicazione verbale corrispondono sei funzioni:

	REFERENZIALE	
EMOTIVA	POETICA	CONATIVA
	FÀTICA	
	METALINGUISTICA	

È quasi superfluo dire che tali funzioni non appaiono quasi mai isolatamente nei concreti atti linguistici del parlante. Accade spesso che un messaggio sia al tempo stesso emotivo e conativo oppure poetico ed emotivo.

Altri linguisti hanno formulato diverse proposte circa le funzioni del linguaggio. Partendo dal principio che « la natura del linguaggio è in stretta relazione con le funzioni a cui deve servire », il linguista inglese M.A.K. Halliday individua tre funzioni nel linguaggio dell'adulto:

- **funzione ideativa**: serve per esprimere il "contenuto", vale a dire l'esperienza che il parlante ha del mondo reale, compreso il mondo interiore della propria coscienza;

- **funzione interpersonale**: serve per definire le relazioni intercorrenti fra il parlante e l'interlocutore; cioè permette l'interazione fra gli uomini; bisogna ricordare che la lingua stessa definisce i ruoli (v. 1.5.) che gli uomini possono adottare quando comunicano fra loro (affermare, fare domande, dare ordini, esprimere dubbi ecc.);

- **funzione testuale**: serve per formare testi ben costruiti e adatti alla situazione cui si riferiscono.

Queste tre funzioni considerano aspetti diversi del fenomeno complesso e inesauribile che è il linguaggio umano. In particolare la funzione testuale è una funzione puramente linguistica, la quale permette alle altre due di manifestarsi.

1.6.5. Parlare è agire?

La **linguistica pragmatica**, affermatasi (soprattutto negli ultimi anni) in Germania e nei Paesi anglosassoni, ritiene che il parlare sia un'azione (greco *prágma*) e che gli uomini, quando parlano, compiano degli atti linguistici. Bisogna descrivere e interpretare tali atti linguistici, mostrando al tempo stesso le intenzioni e il contesto che li accompagnano.

Come la sociolinguistica, la linguistica pragmatica nasce per una sorta di reazione allo strutturalismo (v. 1.1.5.) e al trasformazionalismo (v. 1.1.11.). Infatti sia Saussure sia Chomsky hanno rivolto l'attenzione agli aspetti sistematici della lingua, ponendo in secondo piano la vita concreta della lingua, il fatto che gli uomini, quando comunicano fra loro, si confrontano, interagiscono, in situazioni e in contesti ben determinati.

Tra i suoi obiettivi principali la linguistica pragmatica si propone lo studio del **dialogo**. Di questo si devono innanzi tutto distinguere vari tipi: comunicazione, domanda, risposta, preghiera, saluto, ingiunzione, convincimento, esortazione, allusione, offesa, minaccia ecc. Bisogna poi distinguere tra ciò che è detto effettivamente nel discorso e ciò che è sottinteso: cioè tra ciò che è **esplicito** e ciò che è **implicito**. Abbiamo già visto (1.5.1.) che il fine nascosto di un discorso è un fattore molto importante che orienta e determina il discorso stesso. Sono importanti gli atti linguistici indiretti: per esempio le chiacchiere sul tempo (bello o brutto che sia) servono non per comunicare ma per stabilire un contatto con un interlocutore che non si conosce, per saggiare le sue intenzioni.

Il filosofo inglese J. L. Austin (1911-1960) nel saggio *Come far cose con le parole*, pubblicato postumo nel 1961, affermò che, oltre alle frasi affermative e descrittive, esistono anche delle frasi-azioni: vale a dire delle frasi che, quando sono pronunciate, costituiscono per se stesse delle azioni. Tale teoria è stata sviluppata dallo statunitense J. R. Searle nel saggio *Atti linguistici*, apparso nel 1969.

Se io dico: « *battezzo questa nave con il nome di "Invincibile"* »; « *giuro di dire la verità* »; « *ti prometto di venire alle sette* »; « *benvenuti a casa mia* », pronunciando queste frasi io compio di fatto delle azioni che si chiamano rispettivamente: battesimo, giuramento, promessa, saluto.

Allora si può distinguere fra:

ATTO LOCUTIVO	che consiste soltanto nel dire qualcosa, per esempio: *Mario mangia la mela*; *questa camera è ampia e assolata;*
ATTO ILLOCUTIVO	che consiste nel fare un'azione dicendo qualcosa (v. gli esempi del battesimo, della promessa e del saluto);
ATTO PERLOCUTIVO	che è tale da provocare un effetto sull'ascoltatore; per esempio, le frasi che servono a convincere, a minacciare, a incoraggiare ecc.

La **linguistica pragmatica**, che ha molti temi ed obiettivi in comune con la sociolinguistica (v. 1.5.), cerca di studiare in un quadro unitario vari problemi che sono stati esaminati da singole discipline (linguistica, filosofia, psicologia, sociologia).

1.6.6. La lingua standard

Quella che abbiamo definito la lingua nazionale (v. 1.4.1.) è detta spesso, con diverse denominazioni, **lingua standard** o lingua comune. Per es. in Europa il francese, l'inglese e il tedesco sono per lo più considerate lingue standard. Le tre denominazioni lingua nazionale, lingua standard e lingua comune non sono propriamenti coincidenti. Se la lingua nazionale è piuttosto un contrassegno etnico, la lingua standard è quella varietà linguistica che riscuote il maggior consenso sociale: per es. il francese standard è quello insegnato nella scuola, è quello usato nei discorsi formalmente curati e soprattutto nello scrivere.

Standard è un vocabolo inglese tratto dall'antico francese *estandard*, che era per l'appunto lo stendardo o insegna tenuta in alto per essere vista da tutti i componenti di una schiera o di un esercito, come simbolo di unità. Analogamente la lingua standard è quella che è proposta come esempio e modello a coloro che fanno parte di una comunità.

La denominazione di lingua standard comprende in sé un'idea di unità e uniformità che appare più compiutamente realizzata in lingue come il francese, l'inglese e il tedesco, meno compiutamente nell'italiano. Infatti la lingua parlata in Italia dalle persone colte riflette ancora alcuni caratteri regionali, avvertibili soprattutto nella pronuncia e nella scelta di alcune parole; tali caratteri mutano da regione a regione. Soltanto l'italiano letterario scritto e quello che viene insegnato nella scuola tradizionale possono aspirare all'etichetta di italiano standard. Date le sue varianti regionali, la lingua parlata dalle persone colte può essere detta **lingua comune**: in tal modo si vuole sottolineare il fatto che si tratta di una varietà meno uniforme della lingua standard.

Le differenze regionali che si avvertono nell'italiano comune sono destinate ad attenuarsi e a scomparire nei prossimi decenni. Come la Francia, l'Inghilterra e la Germania, anche l'Italia avrà una lingua standard, come effetto di un più prolungato scambio di rapporti tra le varie zone della Penisola. Un preannuncio dell'italiano standard si può osservare già nell'italiano diffuso dalla televisione e dalla radio. L'italiano dei mezzi di comunicazione di massa, nonostante talune incoerenze, rappresenta l'italiano standard del futuro assai più dell'italiano letterario, una varietà che negli ultimi decenni ha perduto una parte del suo prestigio.

1.6.7. Una valutazione positiva della lingua parlata

Abbiamo visto che l'uso effettivo della lingua italiana come strumento del comunicare di ogni giorno si è esteso (nel corso del Novecento e soprattutto negli ultimi decenni) a scapito dei dialetti. Questo fenomeno ha avuto una conseguenza importante: l'italiano, diffondendosi presso varie categorie di parlanti, ha attenuato il suo carattere letterario, ha reso più omogenei alcuni settori del lessico, ha semplificato talune strutture morfologiche e sintattiche. Si tratta di un nuovo sviluppo dell'italiano, nel quale intervengono due fattori: l'influsso dell'inglese (sensibile soprattutto nella formazione di alcuni vocabolari tecnico-scientifici) e la rivalutazione della componente parlata e popolare della nostra lingua. Occupiamoci ora di questo secondo aspetto.

Vocaboli e modi di dire, caratteri morfologici e strutture sintattiche che un tempo erano considerati propri della lingua parlata "media" appaiono oggi nella stampa quotidiana e periodica, si ascoltano alla radio e alla televisione; sempre più spesso ricorrono nei discorsi delle persone colte. Tali vocaboli e tali caratteri sono ora valutati positivamente in molti ambienti. Accanto ad un uso formale dell'italiano si riconosce la legittimità di un uso meno formale, più libero e disinvolto. Insomma, accanto a una lingua standard "alta" (l'italiano letterario e insegnato nella scuola) appare giustificata la presenza di una lingua standard "media" che anticipa la futura evoluzione dell'italiano. Quest'ultimo, al tempo stesso, vedrà attenuarsi progressivamente i suoi caratteri regionali. Nel complesso si delinea un movimento evolutivo di non lieve entità. Come il linguista sa bene, ciò che oggi è considerato un "errore" preannuncia i futuri svolgimenti della lingua (cfr. 9.10.4.).

Quali sono gli aspetti di questa lingua standard "media" aperta agli influssi del parlato? Ricordiamone alcuni: il pronome *gli* usato con i valori di 'a lui', 'a lei', 'a loro'; le forme pronominali *lui, lei, loro* in luogo di *egli, ella, essa, essi, esse*; le forme pronominali rafforzate *noialtri, voialtri, questo qui, quello lì, quello là* (cfr. anche *questo libro qui, quella ragazza là*); l'uso di *ci* davanti al verbo *avere*: *ci hai il giornale? ce l'ho* (cfr. anche *ce l'hai il giornale?*: l'uso formale prevede: *hai il giornale? l'ho*); costrutti che comportano un'anticipazione e una ripresa: *quella persona, non la voglio più vedere!*; l'uso dell'indicativo in luogo del congiuntivo in vari costrutti: *credo che basta* (*credo che basti*), *non so se è venuto* (*non so se sia venuto*), *se venivi lo vedevi* (*se fossi venuto lo avresti visto*). Altri aspetti del parlato presenti nell'italiano standard medio saranno trattati nei capitoli e negli inserti del nostro manuale.

Il registrare questi e altri aspetti del parlato non sottintende un'incondizionata valutazione positiva da parte nostra. Si vuole dare al lettore la possibilità di vedere "in profondità" l'italiano di oggi. La scelta tra lingua "alta" e lingua "media" dipende dalle situazioni nelle quali avviene la comunicazione sia orale sia scritta.

1.6.8. «Terziario» e «terziarizzazione»

La storia delle parole ci mostra come i significati mutino e si arricchiscano nel tempo. Il vocabolo *terziario* che ricorre spesso nei giornali di oggi, soprattutto nelle pagine dedicate all'economia, viene dal francese *tertiaire*; altrettanto si deve dire del derivato *terziarizzazione*, che corrisponde a *tertiarisation*. L'uso di *terziario*, come vocabolo economico, è recente; invece è antico il significato religioso: *terziario* 'colui che appartiene al terzo ordine di una regola di frati'; l'*era terziaria* o semplicemente il *terziario* sono altre denominazioni (nate in Francia nell'Ottocento) dell'era cenozoica.

A parte il significato religioso e geologico, il *Dizionario Zingarelli*, edizione 1970, registrava *terziario* soltanto come aggettivo: «detto del settore o dell'attività che produce o fornisce servizi». Invece l'ultima edizione di questo *Dizionario* (1983) introduce *terziario* anche come sostantivo, «settore che produce o fornisce servizi»; inoltre illustra una specificazione attuale e importante: *terziario avanzato* «quello in cui i servizi hanno un alto contenuto di innovazione dei processi produttivi, come la ricerca scientifica e tecnica, l'engineering, l'informatica, la consulenza di organizzazione industriale e simili».

Il progresso rende necessarie sempre nuove terminologie. Distinguere tra *produzione primaria* (l'agricoltura, la pastorizia e la pesca), *produzione secondaria* (industria manifatturiera, edilizia, miniere, produzione di energia, opere pubbliche) e *produzione terziaria* (i servizi) non è più sufficiente da qualche anno a questa parte. Negli anni Settanta il vocabolo *terziario* appare troppo generico perché riguarda attività tra loro differenziate. In un primo tempo si pensa di proporre l'aggettivo e il sostantivo *quaternario*, ma poi si preferisce l'espressione *terziario avanzato*.

Come vocabolo economico, *tertiaire* è attestato in francese nel 1964; *tertiarisation* appare invece nel 1971. È da ricordare che l'inglese non conosce l'esatto corrispondente del *terziario* economico: per indicare tale concetto si serve dell'espressione *services sector*.

2. LA FRASE SEMPLICE

2.0. In questo capitolo e nel capitolo 11. si esaminano rispettivamente le categorie sintattiche della frase semplice e la sintassi della frase complessa. Sono due capitoli di analisi logica e sintattica che incorniciano l'analisi grammaticale delle parti del discorso (capitoli 3-10.).

L'**analisi logica** consiste nell'identificare le categorie sintattiche presenti nella frase semplice (cioè il soggetto, il predicato, i complementi, l'attributo, l'apposizione). Fin dalle origini della filosofia occidentale, logica e riflessione sulla lingua appaiono fra loro mescolate (v. 2.8.1.). Ecco perché ancora oggi ci serviamo di concetti logici per spiegare che cosa sono il soggetto, il predicato, i complementi ecc.

L'**analisi grammaticale** consiste nell'identificare le categorie grammaticali o parti del discorso (che sono tradizionalmente nove: articolo, nome, aggettivo, pronome, verbo, avverbio, preposizione, congiunzione, interiezione) e nel descriverle accuratamente secondo certi criteri distinguendone specie e sottospecie.

Delle nove parti del discorso, cinque si dicono **variabili** perché possono mutare le loro terminazioni: articolo, nome, aggettivo, pronome, verbo; quattro si dicono **invariabili** perché non possono mutare le loro terminazioni: avverbio, preposizione, congiunzione, interiezione.
Per chiarire il concetto di variabilità è opportuno fare alcune brevi osservazioni sulla struttura della parola. Consideriamo i vocaboli *bello*, *bella*, *belli*, *belle*; in essi notiamo che una parte rimane immutabile (il lessema *bell-*: v. 1.1.7.), mentre l'altra subisce delle variazioni (i morfemi *-o*, *-a*, *-i*, *-e*: v. 1.1.7.).
La parte immutabile si chiama anche **radice**, quella variabile **desinenza**. Oltre alla radice e alla desinenza, altri elementi possono concorrere a formare una parola, come ad esempio i prefissi e i suffissi (v. FORMAZIONE DELLE PAROLE, 12.).

L'**analisi sintattica** della frase complessa consiste nell'identificare le varie specie di proposizioni che compongono la frase complessa (proposizione principale, coordinata, subordinata ecc.).

Si tratta di tre tipi di analisi che ci forniscono indicazioni utili per lo studio della lingua italiana.

Accanto all'analisi logica, all'analisi grammaticale e all'analisi sintattica, alcuni principi della **linguistica moderna** ci aiutano a capire meglio come una lingua vive e si sviluppa.

Nella sua realtà concreta la lingua non si presenta in parti isolate (cioè in frasi, proposizioni, parole); una lingua si presenta in testi.

Un **testo** si può definire come un atto comunicativo che appare orientato verso un certo tema e che dimostra di possedere un'intenzione e una finalità chiaramente definite. Un testo può avere varia estensione e vario carattere; può essere scritto oppure orale (v. 1.1.13.).

Nel testo si distinguono le **frasi**, che sono delle unità di senso compiuto (v. 11.5.1.). Una frase può essere composta di più **proposizioni** o di una sola proposizione (si chiama proposizione ogni segmento della frase fornito di un predicato):

quando Mario uscì di casa / incontrò Giovanni / il quale gli raccontò / che cosa era avvenuto il giorno prima

è una frase composta di quattro proposizioni: è una **frase complessa** (v. 2.7.); invece:

Mario uscì di casa

è una frase composta di una sola proposizione: è una **frase semplice**.

Esamineremo ora i componenti della frase semplice secondo la prospettiva dell'analisi logica.

Intanto dobbiamo fare una distinzione tra **frase verbale**, cioè provvista di verbo:

Mario uscì di casa;
l'uomo vive;
Giovanni mangia la mela;

e **frase nominale**, cioè priva di verbo:

qui tutto bene;
oggi niente giornali;
Antonio, qui subito! (ordine);
a buon intenditor poche parole (proverbio);
tasse: nuovi aumenti (titolo di un articolo di giornale).

Anche se le frasi nominali sono di uso corrente soprattutto nella lingua parlata (v. 7.14.1.), le lasceremo per ora da parte. Ci occuperemo invece della frase semplice provvista di verbo.

2.1. IL SOGGETTO E IL PREDICATO

1. *L'uomo* *vive*
2. *L'uomo* *è contento*

In una frase verbale sono presenti almeno due elementi: il soggetto e il predicato, che appaiono collegati fra loro mediante l'accordo della persona e del numero (**1**) o della persona, del numero e del genere (**2**).

Il **soggetto** (*l'uomo*) è ciò di cui parla il predicato; il **predicato** (*vive*, *è contento*) è l'elemento che dice qualcosa del soggetto.

Soggetto e predicato sono considerati i due componenti indispensabili della frase.

Il soggetto è costituito da un nome (o da un gruppo nominale); il predicato è costituito dal verbo (o dal gruppo verbale). Il verbo è considerato il centro della frase.

Per riconoscere il soggetto e il predicato (così come gli altri componenti della frase: il complemento oggetto, i complementi, l'attributo, l'apposizione) si fa uso in genere dell'analisi logica. Come abbiamo detto, si tratta di un'analisi tradizionale fondata su argomenti logici piuttosto che sulla considerazione degli aspetti formali dei vari elementi che compongono la frase.

2.1.1. Il soggetto

Il **soggetto** (dal lat. *subjectum* 'ciò che sta sotto, ciò che è alla base') è ciò di cui parla il predicato:

l'uomo vive; *il cane è bello*; *la pioggia cade*; *la gentilezza conquista il prossimo*;

in queste frasi l'*uomo*, *il cane*, *la pioggia*, *la gentilezza* sono soggetti.

Qualunque parte del discorso può fare da soggetto: il nome (v. gli esempi finora citati), il pronome, l'aggettivo, il verbo:

tu (pronome) *lavori*; *l'onesto* (aggettivo sostantivato) *ha prevalso sull'utile*; *errare* (verbo) *è umano*.

Anche l'articolo, la preposizione, la congiunzione, l'avverbio, l'interiezione possono fare da soggetto quando la lingua parla di se stessa (metalinguaggio: v. 1.6.4.):

« il » è un articolo; *« di » appare venti volte in questo brano*; *quel « ma » non mi piace affatto*; *« velocemente » è un avverbio*; *« ahi » indica dolore*.

Anche un'intera proposizione può fare da soggetto (v. PROPOSIZIONI SOGGETTIVE, 11.2.3.):

è evidente che vi siete sbagliati; *mi piace andare a zonzo per le strade*.

Il soggetto non occupa sempre il primo posto nella frase:

finalmente Gioacchino arrivò; *domani Piero ha gli esami*.

Generalmente il soggetto precede il verbo; tuttavia può anche seguirlo, soprattutto se si vuol dare ad esso un particolare rilievo: *non parla mai il nostro amico*; *l'ho detto io*.

Il soggetto può essere sottinteso in varie circostanze, per esempio:

1. quando risulta chiaro dal contesto precedente:

arrivò alle cinque e si trattenne con noi per un'ora;

2. nella risposta a una frase già provvista di verbo:

viene Mario? viene;

3. in una serie di proposizioni che hanno tutte lo stesso soggetto (questo di solito appare soltanto davanti alla prima proposizione):

Giacomo arrivò al portone, lo aprì, salì di corsa le scale, in un baleno entrò nel suo appartamento, corse al telefono.

Si ricordi che il pronome soggetto è sovente omesso:

se resto, restate; andiamo tutti in piazza, dove ci incontrerete.

Tradizionalmente si distingue fra soggetto grammaticale e soggetto logico. Il **soggetto grammaticale** è il soggetto sintattico e morfologico che conferisce al verbo i propri contrassegni (persona e numero). Il **soggetto logico** (detto anche soggetto reale) indica l'agente dell'azione nella realtà extralinguistica. Soggetto logico e soggetto grammaticale possono coincidere oppure no. Coincidono, per esempio, nella frase attiva *Mario colpisce Giovanni*, dove *Mario* è al tempo stesso soggetto grammaticale e soggetto logico della frase. Invece nella frase passiva corrispondente *Giovanni è colpito da Mario* il soggetto grammaticale *Giovanni* non coincide con il soggetto logico *Mario*.

La linguistica moderna cerca di definire il soggetto in base a criteri formali, cercando di evitare il più possibile delle definizioni nozionali del tipo: « il soggetto è l'elemento della frase che fa l'azione ».

Questa definizione, insieme a quella corrispondente del complemento oggetto (che sarebbe l'elemento della frase che riceve, o subisce, l'azione), si rivela in molti casi fallace. Infatti se tale definizione può avere una sua validità nel caso di frasi come *Mario colpisce Giovanni*, *il cane corre*, appare priva di fondamento nel caso in cui il verbo sia *essere* oppure nel caso in cui il verbo esprima uno stato (*stare*, *trovarsi*, *giacere*, *dormire* ecc.); per esempio: *il suo vestito è rosa*; *il libro sta sul tavolo*; *Ada dorme*.

I criteri formali che individuano il soggetto in molte lingue sono essenzialmente tre:

- la posizione: nella frase *Mario colpisce Giovanni* il soggetto è individuato dalla posizione all'inizio della frase;
- il caso: nelle lingue che possiedono le declinazioni il soggetto si mette quasi sempre al nominativo; pertanto il latino *Livia amat* 'Livia ama' si distingue da *Liviam amat* '(qualcuno) ama Livia';
- l'intonazione della frase: per esempio *Maria ama Paolo*, frase pronunciata senza pausa fra i tre elementi, mostra che il soggetto è *Maria*; invece *Maria / ama Paolo*, frase pronunciata con una pausa dopo *Maria*, significa 'è Maria che Paolo ama', cioè *Paolo* è il soggetto.

Nel latino volgare la scomparsa dei casi e quindi la scomparsa di una differenza formale fra il nominativo (caso del soggetto) e l'accusativo (caso del complemento oggetto) ha fatto sì che le lingue romanze scegliessero l'ordine diretto delle parole per distinguere il soggetto dal complemento oggetto (v. 1.3.5.).
Si noti la differenza tra *Gino scrive*, con il soggetto in prima posizione, e *scrive Gino*, con il soggetto in seconda posizione. *Gino scrive* potrebbe essere una risposta alla domanda *che fa Gino?* In questo caso *Gino* è l'elemento che si presuppone noto, mentre *scrive* è l'informazione nuova. In *scrive Gino*, invece, l'elemento noto è *scrive*, quello nuovo *Gino*: la frase potrebbe essere una risposta alla domanda *chi scrive?*

2.1.2. Il predicato

Il **predicato** (dal lat. *praedicatum* 'ciò che viene affermato') è ciò che viene detto a proposito del soggetto. Il predicato si distingue in due specie: nominale e verbale.

Il **predicato nominale** è quello costituito dall'insieme "verbo *essere* + un aggettivo o un nome". La voce del verbo *essere* si dice **copula** 'legame'. L'aggettivo o il nome unito al verbo *essere* si dice **parte nominale del predicato** o anche **nome del predicato** o anche, ma solo nel caso sia un aggettivo, **aggettivo predicativo**.

SOGGETTO	PREDICATO NOMINALE	
	COPULA	PARTE NOMINALE
il vestito	è	bianco
Milano	è	una città

Il verbo *essere* si chiama copula 'legame' perché lega il soggetto alla parte nominale. Nel fare l'analisi logica si può dire:

il vestito (soggetto) *è bianco* (predicato nominale);

oppure, più analiticamente:

il vestito (soggetto) *è* (copula) *bianco* (parte nominale).

Come abbiamo detto, la **parte nominale** può anche essere chiamata **nome del predicato**: *una città* (nell'esempio citato prima) è parte nominale o nome del predicato; *bianco* è parte nominale o nome del predicato (o anche **aggettivo predicativo**: v. 5.0.). In ogni modo è sconsigliabile chiamare la parte nominale "attributo", come pure fanno alcuni autori.

La copula si accorda con il soggetto in numero e persona; per quanto riguarda invece la parte nominale, bisogna distinguere due casi:
1. se la parte nominale è un sostantivo che non cambia di genere, si accorda con il soggetto soltanto nel numero: *il faggio è una pianta*; *i faggi sono piante*;
2. se la parte nominale è un sostantivo che cambia di genere o un aggettivo, si accorda con il soggetto nel genere e nel numero: *Alberto Moravia è uno scrittore*; *Natalia Ginzburg è una scrittrice*; *la torta è buona*; *le torte sono buone*.

Il **predicato verbale** è costituito da un verbo predicativo. I **verbi predicativi** sono quelli che hanno un significato compiuto e possono essere usati anche da soli:

Giovanna	*passeggia*
soggetto	predicato verbale
il tenore	*canta*
soggetto	predicato verbale

Il predicato verbale si accorda con il soggetto in numero e persona: *io canto*, *noi cantiamo*, *Marco e Claudio cantano*. Quando il predicato verbale è rappresentato da una voce composta (ausiliare *avere* o *essere* + participio passato), il participio passato rimane invariato se l'ausiliare è *avere*, mentre concorda in genere e in numero con il soggetto se l'ausiliare è *essere* (per ulteriori particolarità v. 7.13.8.): *Maria ha studiato*, *Carla e Maria hanno studiato*; *Maria è partita*, *Carla e Maria sono partite*.

Il verbo *essere* quando significa 'esistere, stare, rimanere, abitare, risiedere, vivere, trovarsi, appartenere' costituisce un vero e proprio predicato verbale: *Dio c'è*; *c'è qualcuno nella stanza*; *il signor Rossi è al numero otto*; *questa auto è di mio fratello*.

I verbi passivi si devono considerare predicati verbali, perché il verbo *essere* ha in tal caso funzione di ausiliare (v. 7.7.): *il libro è stato letto*; *l'orologio sarà riparato*. Il verbo *essere* ha funzione di ausiliare anche nei tempi composti di numerosi verbi intransitivi: *siete arrivati in ritardo*; *il dottore è venuto*.

I verbi servili come *dovere*, *potere*, *volere*, e i verbi fraseologici come *cominciare a*, *stare per*, *smettere di* (per gli uni e gli altri v. 7.9.) formano con il verbo da essi retto un tutto unico, per cui si analizzano come un solo predicato:

Mario (soggetto) *vuole partire* (predicato verbale);
Piero (soggetto) *cominciò a parlare* (predicato verbale).

Verbi come *parere*, *sembrare*, *stare*, *rimanere*, *diventare*, *riuscire*, *risultare*, *nascere*, *vivere*, *morire* e qualche altro sono detti **copulativi** (da *copula* 'legame') perché servono a collegare il soggetto a un nome o a un aggettivo; essi, pur avendo un proprio significato, debbono in alcune circostanze completarlo mediante un **complemento predicativo** (v. 2.2.2.). Per esempio:

Mario riesce simpatico;
la situazione rimane tranquilla.

Come si può vedere, *simpatico* serve a completare il senso di *riuscire*, così come *tranquilla* serve a completare il senso di *rimanere*; *simpatico* e *tranquilla* si dicono complementi predicativi perché « completano » il predicato. I verbi *riuscire* e *rimanere* hanno in questo caso un valore simile a quello della copula, in quanto legano il soggetto (*Mario*, *la situazione*) al complemento predicativo (*simpatico*, *tranquilla*); in altri casi, invece, sono verbi predicativi: *non è riuscito nell'impresa*; *rimango a casa*.

Il predicato con verbo copulativo sta, per così dire, a metà strada fra il predicato nominale e il predicato verbale; nel fare l'analisi logica si dirà:

Mario (soggetto) *riesce* (predicato con verbo copulativo) *simpatico* (complemento predicativo).

Accanto ai verbi copulativi, vi sono altri verbi che si possono costruire con il complemento predicativo: i cosiddetti verbi appellativi, elettivi, estimativi, effettivi (*soprannominare*, *eleggere*, *ritenere*, *rendere* ecc.; v. 2.2.2.).

2.1.3. Il sintagma

Riprendiamo con qualche modifica una frase che abbiamo già citato. Invece di *il tenore canta* scriviamo *il celebre tenore canta una romanza*. Che cosa abbiamo fatto? Abbiamo sostituito *il tenore* con *il celebre tenore*, *canta* con *canta una romanza*. Questi nuovi gruppi di parole presentano una caratteristica essenziale: sono formati da elementi in così stretto rapporto fra loro da costituire un tutto unico, un'unità. *Il celebre tenore* e *canta una romanza* sono due unità che, sostituendo rispettivamente *il tenore* e *canta*, non alterano la struttura della frase; la stessa cosa accade se scriviamo *il celebre tenore dell'Opera* e *canta una romanza molto bella*: anche in questo caso abbiamo due insiemi unitari che sostituiscono *il tenore* e *canta* senza che la struttura della frase ne risulti alterata. Questi insiemi unitari sono dei sintagmi.

Si chiama **sintagma** (dal greco *sýntagma* 'composizione') un gruppo di elementi linguistici che formano un'unità in una frase.

La nozione di sintagma è molto utile nell'analisi logica perché permette di porre sullo stesso piano elementi singoli ed insiemi di elementi che hanno la medesima funzione dal punto di vista della sintassi: è evidente che *il celebre tenore dell'Opera* ha la stessa funzione di *il tenore*, così come *canta una romanza molto bella* ha la stessa funzione di *canta*.

I due fondamentali tipi di sintagmi sono il **sintagma nominale** e il **sintagma verbale**; il primo è costituito da un nome accompagnato da un determinante (articolo, aggettivo, complemento); il secondo è costituito da un verbo seguito da altri elementi. Le frasi che abbiamo prima visto sono formate da un sintagma nominale e un sintagma verbale:

SINTAGMA NOMINALE	SINTAGMA VERBALE
il celebre tenore	*canta una romanza*
il celebre tenore dell'Opera	*canta una romanza molto bella*

Oltre al sintagma nominale e a quello verbale, vi sono altri tipi di sintagmi, come il **sintagma preposizionale**, che è costituito da una preposizione seguita da un nome, e il **sintagma aggettivale**, che è costituito da un aggettivo accompagnato da altri elementi. Nella frase *il celebre tenore dell'Opera canta una romanza molto bella*, troviamo sia un sintagma preposizionale (*dell'Opera*) sia un sintagma aggettivale (*molto bella*).

Appare chiaro che un sintagma può comprenderne altri. Il sintagma nominale *il celebre tenore dell'Opera* è formato da un sintagma nominale (*il celebre tenore*) e da un sintagma preposizionale (*dell'Opera*). Il sintagma verbale *canta una romanza molto bella* è formato da un verbo (*canta*) e da un sintagma nominale (*una romanza molto bella*); a sua volta il sintagma nominale *una romanza molto bella* è formato da un sintagma nominale (*una romanza*) e un sintagma aggettivale (*molto bella*). Abbiamo così individuato tutti i sintagmi che costituiscono la frase *il celebre tenore dell'Opera canta una romanza molto bella*; ognuno di questi sintagmi è formato da un insieme di elementi: per esempio, il sintagma aggettivale *molto bella* è formato da un avverbio (*molto*) e da un aggettivo (*bella*); il sintagma nominale *una romanza* è formato da un articolo (*una*) e da un nome (*romanza*).

Il processo di scomposizione che abbiamo compiuto, per cui dalla frase siamo giunti ai sintagmi e dai sintagmi ai singoli elementi, prende il nome di **analisi in costituenti immediati**. Come si può notare osservando gli esempi, essa si effettua dividendo dapprima la frase in due parti: un sintagma nominale e un sintagma verbale (queste due parti sono i costituenti immediati della frase); successivamente, ciascuna delle due parti viene scissa in altri due costituenti, e così di seguito fino ad arrivare agli elementi singoli, le parole. L'analisi in costituenti immediati può essere rappresentata graficamente mediante un diagramma, che viene chiamato **albero** perché la sua forma ricorda quella dei rami di un albero.

Vediamo ora l'« albero » di una frase come *il tenore canta una romanza* (per brevità useremo i simboli F = frase, SN = sintagma nominale, SV = sintagma verbale, N = nome, V = verbo, Art = articolo):

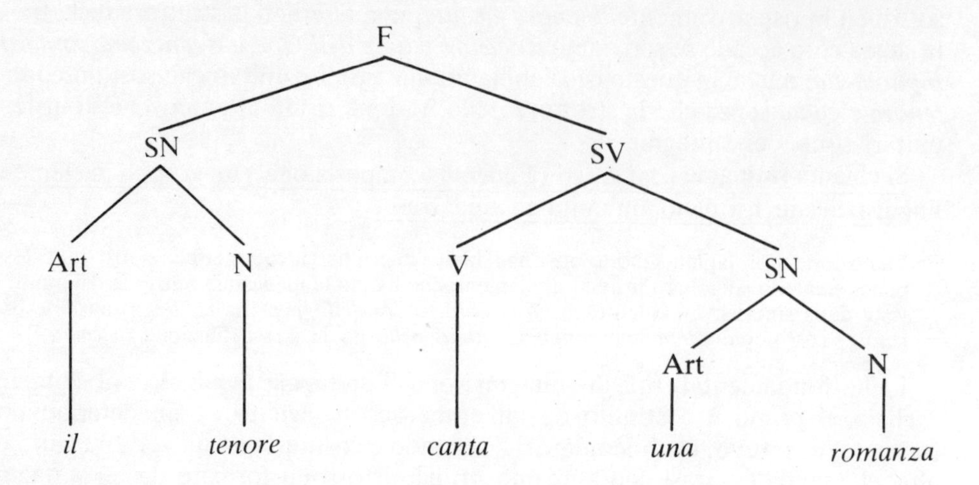

Dal diagramma ricaviamo che:
1. la frase *il tenore canta una romanza* è formata da un sintagma nominale (*il tenore*) e da un sintagma verbale (*canta una romanza*); *il tenore* e *canta una romanza* sono i costituenti immediati della frase;
2. il sintagma nominale *il tenore* è formato da un articolo (*il*) e da un nome (*tenore*); *il* e *tenore* sono i costituenti immediati del sintagma nominale *il tenore*;
3. il sintagma verbale *canta una romanza* è formato da un verbo (*canta*) e da un sintagma nominale (*una romanza*); *canta* e *una romanza* sono i costituenti immediati del sintagma verbale *canta una romanza*;
4. il sintagma nominale *una romanza* è formato da un articolo (*una*) e da un nome (*romanza*); *una* e *romanza* sono i costituenti immediati del sintagma nominale *una romanza*.

Ogni frase quindi è costituita da sintagmi, i quali a loro volta sono costituiti da parole. Si viene in tal modo delineando l'immagine di una lingua strutturata secondo vari **livelli** successivi, gerarchicamente subordinati gli uni agli altri: il livello della frase è superiore a quello del sintagma; il livello del sintagma è superiore a quello della parola. Il sintagma è perciò un'unità linguistica di livello intermedio.

2.2. I COMPLEMENTI

Si è già detto che soggetto e predicato sono i due componenti essenziali della frase; tuttavia quest'ultima può essere completata mediante altri componenti che rappresentano varie funzioni. Una frase come *Giovanni mangia* può essere completata così: *Giovanni mangia una mela con appetito*; una frase come *Luisa è arrivata* può essere completata così: *Luisa è arrivata alla stazione all'ora prevista*. *Una mela*, *con appetito*, *alla stazione*, *all'ora prevista* sono dei complementi.

Si chiamano **complementi** i vari componenti della frase che hanno la funzione di completare quanto è espresso dai due componenti fondamentali, soggetto e predicato. Il complemento si trova in una situazione di dipendenza rispetto ad altri elementi della frase. Per esempio nella frase *Giovanni mangia una mela con appetito* i complementi *una mela* e *con appetito* dipendono dal verbo *mangia*; così nella frase *Luisa è arrivata alla stazione all'ora prevista* i complementi *alla stazione* e *all'ora prevista* dipendono dal verbo *è arrivata*.

Il complemento si divide in due specie: diretto e indiretto.

Il **complemento diretto** è quello che dipende da un verbo transitivo attivo e che è costruito senza preposizione: *Giovanni mangia* una mela; *il comandante dà* un ordine; *il cane segue* il padrone; *l'onestà appaga* l'animo.

I **complementi indiretti** esprimono varie funzioni e sono costruiti per lo più con una preposizione semplice o articolata. Ricordiamo soltanto il complemento di termine: *l'insegnante dà un libro* alla ragazza; il complemento di mezzo: *il cacciatore uccise il cinghiale* con il fucile; il complemento di modo: *partirono* in gran fretta; il complemento di stato in luogo: *l'auto sosta* nel parcheggio; il complemento di tempo: *Giulia dormì* tutta la notte. Per un'analisi più ampia dei complementi indiretti v. 2.5.

2.2.1. Il complemento oggetto o diretto

Dire complemento diretto equivale a dire complemento oggetto. Nelle frasi citate sopra, i complementi diretti *una mela*, *un ordine*, *il padrone*, *l'animo* sono dei complementi oggetti.

Il **complemento oggetto** è un sostantivo o una qualsiasi altra parte del discorso che determina l'« oggetto » dell'azione espressa dal verbo, unendosi ad esso direttamente, cioè senza alcuna preposizione.

Si deve notare tuttavia che l'assenza della preposizione non è un carattere esclusivo del complemento oggetto; anche il soggetto e altri complementi (per esempio, quello di tempo: *ho dormito tutta la notte*) sono privi di preposizione. D'altra parte, nel caso del partitivo il complemento oggetto è introdotto dalla preposizione *di*: *comperare del pane*, *bere del vino*. Pertanto, dal punto di vista formale, nel definire il complemento oggetto bisogna tener conto anche di altri criteri.

Il carattere distintivo del complemento oggetto rispetto al soggetto è dato dall'ordine delle parole: *Luisa ama Paolo* e *Paolo ama Luisa* sono due frasi diverse; soltanto in base all'ordine delle parole possiamo dire che *Luisa* è soggetto nella prima frase, è complemento oggetto nella seconda.

L'ordine delle parole distingue il soggetto dal complemento oggetto in italiano e in altre lingue, come il francese e l'inglese. Nelle lingue che possiedono i casi (come il latino) l'ordine delle parole può essere — entro certi limiti — libero. Infatti in latino il soggetto si distingue perché è al nominativo, il complemento oggetto si distingue perché è all'accusativo: *Tullium Livia amat*; anche se *Tullium* occupa la prima posizione, la sua desinenza di accusativo ci dice che si tratta del complemento oggetto.

Secondo una concezione tradizionale il complemento oggetto è ciò verso cui si dirige, "transita" l'azione del verbo compiuta dal soggetto. In effetti la nozione di complemento oggetto è legata a quella di verbo transitivo (v. 7.2.).

Si considerano transitivi tutti quei verbi che possono avere un complemento oggetto *leggere*, *studiare*, *amare*, *lodare* ecc.; si considerano intransitivi tutti gli altri: *arrivare*, *partire*, *uscire*, *impallidire* ecc.

Il complemento oggetto del verbo transitivo attivo può diventare il soggetto dello stesso verbo al passivo (v. 7.3.):

Luisa ama Paolo   *Paolo è amato da Luisa*

Questo criterio permette di distinguere costruzioni formalmente identiche come per esempio: *ho dedicato tutto il giorno alla lettura* e *ho lavorato tutto il giorno*; la prima frase (verbo transitivo attivo) può essere volta al passivo: *tutto il giorno è stato da me dedicato alla lettura*; mentre la seconda frase (verbo intransitivo) non può essere volta al passivo: non possiamo infatti dire *tutto il giorno è stato lavorato da me*.

Si è detto che il complemento oggetto si trova soltanto con i verbi transitivi attivi; tuttavia alcuni verbi intransitivi possono avere un complemento oggetto rappresentato da un sostantivo che ha la stessa base del verbo o presenta un significato affine a quello del verbo. In tal caso si parla di **complemento dell'oggetto interno**:

vivere una vita felice; *morire una morte gloriosa*; *sognare sogni di gloria*; *piangere lacrime amare*; *dormire sonni tranquilli.*

Dal punto di vista del significato si dice comunemente che il complemento oggetto è ciò che "subisce l'azione" del verbo. Questa definizione può essere accolta in molti casi, ma non in tutti. Per esempio in *Luisa ama Paolo, il cacciatore uccide il cervo*, *il sole riscalda la terra*, si può dire che i complementi oggetti *Paolo*, *il cervo*, *la terra* "subiscono l'azione" dei rispettivi verbi. Ma in frasi come *Giacomo ha ricevuto un messaggio*; *il prigioniero ha subito maltrattamenti* non si può certo affermare che i complementi oggetti *messaggio* e *maltrattamenti* "subiscono" l'azione dei rispettivi verbi; è vero anzi il contrario: sono i soggetti *Giacomo* e *il prigioniero* che "subiscono" l'azione espressa del verbo!

Conviene dunque partire sempre da una **definizione grammaticale** del complemento oggetto (così come degli altri componenti della frase) e considerare soltanto in un secondo momento una definizione fondata sul significato. Quest'ultima può essere utile per distinguere il cosiddetto "oggetto interno" che, come abbiamo visto, riprende un significato contenuto nel verbo.
Sempre in base al significato si può distinguere fra un oggetto esterno stabile: *mangiare un dolce*, *guidare un auto*, e un oggetto risultante da un'operazione: *confezionare un dolce*, *costruire un'auto* (il *dolce* esiste soltanto dopo che l'ho confezionato, e altrettanto vale per l'*auto*).
La considerazione del significato è importante soprattutto per definire la frase riflessiva (il complemento oggetto è identico al soggetto: *Mario si lava*) e la frase reciproca (in cui due o più soggetti interagiscono: *Luisa e Paolo si guardano*, cioè *Luisa guarda Paolo* e *Paolo guarda Luisa*). Per maggiori particolari v. 7.4.

Il complemento oggetto, oltre che da un sostantivo, può essere rappresentato da qualsiasi altra parte del discorso (pronome, verbo, avverbio, congiunzione ecc.) che assuma la funzione di complemento oggetto:

tu lodi questo *e io lodo* quello; *Maria ama* leggere; *Luigi preferisce* il poco; *non capisco* il perché *del suo atteggiamento*.

La proposizione oggettiva (v. 11.2.2.) si pone sullo stesso piano del complemento oggetto, del quale si può considerare una forma ampliata, un'**espansione**; infatti in vari casi un complemento oggetto può essere sostituito con una proposizione oggettiva:

vedo il vostro abbattimento → *vedo che siete abbattuti*

Per maggiori particolari su tale sostituzione v. 11.2.19.

Un confronto

Consideriamo due frasi ciascuna con tre varianti:

1. *il pastore* { *precede* / *segue* / *accompagna* } *il gregge*

2. *il pastore cammina* { *davanti a* / *dietro* / *accanto a* } *il gregge*

Nelle due frasi, che hanno lo stesso significato, il sostantivo *il gregge* si riferisce al verbo: è il complemento del verbo; vale a dire serve a stabilire un punto di riferimento per il camminare del pastore. In base al solo significato non possiamo distinguere il complemento indiretto di **2** (costruito con una preposizione: *davanti a*, *dietro*, *accanto a*) dal complemento diretto di **1** (costruito senza preposizione).

Osserviamo che in **1** il significato del verbo comprende anche la relazione del luogo, mentre in **2** il verbo non comprende la relazione di luogo che è espressa a parte, mediante la preposizione.

Come appare, ci sono due modi di rappresentare la stessa realtà, due modi che comportano delle differenze: il verbo *camminare* (più generico perché privo della determinazione di luogo) può stare facilmente da solo:

il pastore cammina,

mentre il verbo *precedere* (più particolare perché ha in sé la determinazione di luogo) più difficilmente si può trovare da solo:

il pastore precede

Verbi come *precedere*, *seguire*, *accompagnare* sono meno autonomi rispetto a un verbo generico come *camminare*: pertanto hanno bisogno di essere "completati" mediante il complemento oggetto.

2.2.2. Il complemento predicativo

Il **complemento predicativo** è un aggettivo o un sostantivo che si riferisce grammaticalmente al soggetto o al complemento oggetto, ma completa il significato del verbo. Per esempio, confrontando la frase *il giovane cresce* con la frase *il giovane cresce sano* ci si accorge che l'aggettivo *sano*, accordato grammaticalmente (per il genere e per il numero) con il soggetto, completa il significato del verbo.

Allo stesso modo se confrontiamo la frase *i deputati elessero l'onorevole Bianchi* con la frase *i deputati elessero presidente l'onorevole Bianchi*, notiamo che *presidente*, accordato grammaticalmente con il complemento oggetto, completa il significato del verbo.

Nel primo caso (*sano*) abbiamo un complemento predicativo del soggetto, nel secondo caso (*presidente*) un complemento predicativo dell'oggetto.

Il **complemento predicativo del soggetto** è dunque un aggettivo o un sostantivo riferito grammaticalmente al soggetto, ma tale da completare il significato del verbo. Lo si incontra principalmente insieme con:

- i cosiddetti verbi **copulativi** (v. 2.1.2.), come *sembrare*, *parere*, *diventare*, *apparire*, *rimanere*, *riuscire*, *risultare*, *nascere*, *vivere*, *morire*, ecc.:

  quel ragazzo sembra intelligente; *il cielo diventa nuvoloso*; *Carla appariva felice*; *il suo comportamento ci risultò strano*;

- vari verbi passivi, che si distinguono in **appellativi** (*essere chiamato*, *essere detto*, *essere soprannominato* ecc.), **elettivi** (*essere eletto*, *essere nominato*, *essere* *proclamato* ecc.), **estimativi** (*essere stimato, essere giudicato, essere ritenuto*), **effettivi** (*essere fatto, essere reso* ecc.):

Garibaldi fu soprannominato l'eroe dei due mondi; Cicerone fu eletto console; Gennaro è ritenuto saggio; il giovane è reso maturò dall'esperienza.

Il **complemento predicativo dell'oggetto** è un aggettivo o un sostantivo riferito grammaticalmente al complemento oggetto, ma tale da completare il significato del verbo. Gli stessi verbi che al passivo reggono il complemento predicativo del soggetto all'attivo reggono il complemento predicativo dell'oggetto; vale a dire verbi **appellativi** (*chiamare, dire, soprannominare* ecc.), **elettivi** (*eleggere, nominare, proclamare* ecc.), **estimativi** (*stimare, ritenere, giudicare, credere, reputare* ecc.), **effettivi** (*fare, rendere*, ecc.):

gli amici lo soprannominarono la Volpe; nominò il figlio suo erede universale; ritengo Lucio un amico; il lungo lavoro mi ha reso nervoso.

I complementi predicativi del soggetto e dell'oggetto dipendono direttamente dal verbo, ma spesso sono introdotti da preposizioni, avverbi o locuzioni preposizionali: *a, da, in, per, come, quale, in qualità di, in conto di* ecc. Per esempio:

è stato preso a modello da tutti; fu dato per disperso; Nerone ebbe come maestro Seneca; lo assunse in qualità di segretario.

2.3. L'ATTRIBUTO

L'**attributo** (dal lat. *attributum* 'ciò che è attribuito') è un aggettivo che serve a qualificare, determinare, caratterizzare un sostantivo dal quale dipende sintatticamente.

L'attributo può essere riferito al soggetto, al complemento oggetto, a un qualsiasi complemento indiretto, alla parte nominale del predicato nominale; non può essere riferito al predicato verbale.

Per esempio: *un uomo intelligente risolve problemi difficili* è una frase nella quale *intelligente* è l'attributo del soggetto (*un uomo*), *difficili* è l'attributo del complemento oggetto (*problemi*).

Luisa è arrivata alla stazione centrale all'ora prevista è una frase in cui *centrale* è l'attributo del complemento di moto a luogo (*alla stazione*: v. 2.5.3.), *prevista* è l'attributo del complemento di tempo (*all'ora*: v. 2.5.7.);

Paola è una ragazza simpatica è una frase in cui *simpatica* è l'attributo della parte nominale (*una ragazza*: v. 2.1.2.).

L'attributo può essere costituito da un qualsiasi aggettivo (qualificativo, possessivo, dimostrativo, indefinito, interrogativo ecc.) e anche da un participio usato con valore di aggettivo: *quella giovane è mia sorella* (*mia* è attributo della parte nominale); *scegli un oggetto qualsiasi* (*qualsiasi* è attributo del complemento oggetto); *ho letto un libro entusiasmante* (*entusiasmante* è attributo del complemento oggetto).

L'attributo può essere qualcosa di accessorio che si aggiunge ad un elemento fondamentale della frase oppure può essere parte integrante dell'elemento cui si riferisce. Per esempio, *il celebre tenore cantò una bella romanza* manterrebbe un senso (sia pure meno preciso) se fossero eliminati i due attributi *celebre* e *bella*.

Invece la frase *con la luce spenta non vedo nulla* diventerebbe priva di senso se l'attributo *spenta* fosse eliminato.

Per comprendere il valore dell'attributo dobbiamo confrontarlo sia con il complemento di specificazione (v. 2.5.1.) sia con il predicato nominale. Consideriamo per esempio:

la casa paterna	*la casa del padre*	*la casa è paterna*
attributo	complemento di specificazione	predicato nominale

Tra *del padre* e *paterna* c'è un rapporto di derivazione (da un nome ad un aggettivo: v. 12.1.6.); si tratta di due determinanti che non differiscono molto fra loro per le caratteristiche sintattiche e per il significato. Invece fra il sintagma nominale *la casa paterna* e la frase con predicato nominale *la casa è paterna* c'è una differenza sintattica: la presenza del verbo *essere*.

È necessario distinguere fra attributo, parte nominale e complemento predicativo del soggetto. Si confrontino queste tre frasi: *il ricco signore passeggia*, *il signore è ricco*, *il signore ritorna ricco*; nella prima abbiamo un attributo: infatti l'aggettivo è riferito direttamente al nome; nella seconda abbiamo una parte nominale: l'aggettivo è collegato al soggetto per mezzo della copula *essere*; nella terza abbiamo un complemento predicativo del soggetto: l'aggettivo è riferito sì al soggetto, ma completa il senso del verbo.

La funzione fondamentale dell'attributo è quella di determinare il sostantivo cui si riferisce. Ma tale funzione può essere svolta nella frase anche da altri elementi: per esempio se confrontiamo *un famoso cantante* con *un cantante di grido* ci accorgiamo che l'aggettivo *famoso* e il sintagma *di grido* hanno la stessa funzione di attributo (di sintagmi di questo tipo ne esistono parecchi in italiano: *un romanzo d'avanguardia*, *un appartamento di lusso*, *uno spettacolo di massa*, *un cavallo di razza*, *materiali di recupero*, *oggetti di scarto* ecc.); per un discorso più ampio sull'argomento v. 5.4.2.

Vi sono poi proposizioni relative (v. 11.2.13.) che hanno la stessa funzione di un attributo: nella frase *il giovane che lavora è degno di stima* la proposizione *che lavora* equivale a "lavorante", cioè a un attributo.

Le funzioni dell'attributo

Volendo distinguere più in particolare le funzioni dell'attributo, se ne possono ricordare tre fondamentali:

■ L'attributo può quantificare (**funzione quantificatrice**): *i quattro giovani*, *il terzo piano*, *i numerosi visitatori*, *le poche automobili*.

■ L'attributo può caratterizzare il sostantivo (**funzione caratterizzante**), vale a dire può individuare una più ristretta categoria di referenti fra quelli indicati dal sostantivo e può attribuire a tale categoria un carattere particolare: *i ragazzi sportivi*, cioè non tutti ma soltanto quelli a cui si applica il carattere di "sportivo".

Gli attributi di questo tipo corrispondono alle cosiddette proposizioni relative determinative (o limitative): *i ragazzi che praticano uno sport godono di una buona salute* (v. 11.2.13.).

■ L'attributo può svolgere una **funzione esornativa** (dal lat. *exornare* 'adornare'), cioè può esprimere una qualità che è implicita nella definizione stessa del sostantivo cui l'attributo si riferisce: *la bianca neve*, *l'oscura notte*, *il dolce miele*.

Appartengono a questo tipo gli epiteti (dal greco *epítheton* 'ciò che è aggiunto') esornativi che ricorrono nel linguaggio poetico tradizionale: *il piè veloce Achille*.

2.4. L'APPOSIZIONE

L'**apposizione** (dal lat. *appositio -onis* 'ciò che si appone') è un sostantivo che si mette vicino ad un altro per caratterizzarlo o definirlo meglio.

Come l'attributo, l'apposizione si può riferire al soggetto o ad un qualsiasi complemento. Per esempio nelle frasi *il console Cicerone si oppose a Catilina*, *il signor Bianchi ama la musica*, i sostantivi *il console* e *il signor* sono apposizioni dei soggetti *Cicerone* e *Bianchi*. Nella frase *sono andato da Giulio, il meccanico*, il sostantivo *il meccanico* è l'apposizione del complemento *da Giulio*.

Come appare, l'apposizione può precedere il termine cui si riferisce (*il console Cicerone*, *il signor Bianchi*) oppure può seguirlo (*Giulio, il meccanico*). Quando l'apposizione segue può avere ulteriori determinazioni: *Cicerone, il famoso oratore dell'antichità*; *Bianchi, l'inquilino del piano di sotto*; *Giorgio, l'amico fedele e discreto*.

L'apposizione può essere introdotta da preposizioni, avverbi o locuzioni preposizionali: *mio fratello, da giovane, viveva a Roma*; *il direttore, come responsabile dell'azienda, prenderà una decisione*; *nella sua qualità di ministro, Cavour pronunciò un discorso*. In queste frasi le apposizioni sono costituite dagli insiemi: *da giovane*, *come responsabile dell'azienda*, *nella sua qualità di ministro*.

Soprattutto nella lingua parlata ricorrono espressioni come: *quel bel tipo di Luigi*, *quel tesoro di bambino*, *quel birbone del mio vicino*: qui *tipo*, *tesoro*, *birbone* sono apposizioni (determinate mediante *quel* ed, eventualmente, mediante un aggettivo *bel*, *gran* ecc.), le quali si riferiscono ai sostantivi *Luigi*, *bambino*, e *vicino*. Questi ultimi sono gli elementi più importanti delle suddette espressioni.

2.5. I COMPLEMENTI INDIRETTI

I principali **complementi indiretti** sono: il complemento di **specificazione**, il complemento di **termine**, il complemento di **luogo**, il complemento di **tempo**, il complemento di **mezzo**, il complemento di **modo**, il complemento di **causa**, il complemento di **compagnia**, il complemento d'**agente**.

Tradizionalmente si distinguono numerosi altri complementi (fine, vantaggio, materia, qualità, argomento, limitazione, misura, colpa ecc.), che si fondano per lo più su criteri empirici e di classificazione pratica.

La nozione di complemento ha una sua utilità didattica, ma è molto discussa dalla linguistica moderna; si rivolgono critiche, in particolare, all'inesauribile moltiplicazione dei complementi "minori", che creano spesso divisioni artificiose e arbitrarie.

2.5.1. Specificazione

Il complemento di **specificazione** serve appunto a specificare il significato del termine cui si riferisce; ha un impiego molto vasto e risponde alle domande *di chi?*, *di che cosa?*:

i re di Francia, *il cane* del mio amico, *il profumo* della rosa, *la vista* del panorama, *la pianta* del pesco, *il « Decameron »* del Boccaccio.

Il complemento di specificazione è retto dalla preposizione **di** e dipende sempre da un nome: così, per esempio, in *piangere di gioia* e *duro d'orecchi* non si hanno complementi di specificazione ma, rispettivamente, di causa e di limitazione.

I complementi di specificazione retti da nomi come *timore*, *amore*, *desiderio*, *difesa* ecc. possono dare luogo ad ambiguità di significato: *il timore di Anna* può valere sia 'Anna teme qualcuno' sia 'qualcuno teme Anna'. Il significato cambia secondo che Anna sia il soggetto o l'oggetto del temere: per questo si parla di **specificazione soggettiva** (*il timore di Anna* = Anna teme qualcuno) e di **specificazione oggettiva** (*il timore di Anna* = qualcuno teme Anna). Il sintagma *la descrizione del Paradiso di Dante* contiene un complemento di specificazione soggettiva (*di Dante*) e un complemento di specificazione oggettiva (*del Paradiso*); anche in questo caso, per riconoscerli è necessario trasformare il sintagma nella frase corrispondente: *Dante* (soggetto) *descrive* (predicato) *il Paradiso* (oggetto).

2.5.2. Termine

Il complemento di **termine** indica l'essere o la cosa su cui "termina l'azione"; risponde alle domande *a chi?*, *a che cosa?*:

la lettera fu recapitata al destinatario, *ho fatto un regalo* a Giorgio, *questo vestito non* mi *piace*, *non* le *ho ancora parlato*.

Attenzione a non confondere le particelle pronominali *mi*, *ti* ecc. complemento oggetto e complemento di termine (v. 6.1.2.):

ti ho visto (*ti* = 'te', complemento oggetto);
ti ho scritto (*ti* = 'a te', complemento di termine).

Il complemento di termine è retto dalla preposizione **a**.

2.5.3. Luogo

Il complemento di **luogo** esprime le diverse collocazioni nello spazio di un essere o di una cosa.

Vi sono quattro tipi fondamentali di complementi di luogo:

- **stato in luogo**, che indica il luogo in cui ci si trova o avviene un'azione; risponde alle domande *dove?*, *in quale luogo?*:

abito a Roma, *resto* in casa, *è* sulla tavola, *dorme* da noi, *stava sdraiato* per terra, *la presenza* in ufficio; *spero di essere* nel giusto, *ho fiducia* in te.

In questi ultimi due esempi *nel giusto* e *in te* sono complementi di stato in luogo "figurato", in quanto non si riferiscono a luoghi concreti e reali, ma a concetti o persone considerati come se fossero luoghi.

Il complemento di stato in luogo è retto dalle preposizioni **in**, **su**, **a**, **da**, **tra**, **per**, **sopra**, **sotto**, **dentro**, **fuori**, o dalle locuzioni preposizionali **accanto a**, **vicino a**, **nei pressi di**, **nelle vicinanze di** ecc.

- **moto a luogo**, che indica il luogo verso cui ci si muove o è diretta un'azione; risponde alle domande *dove?*, *verso dove?*:

vado a Palermo, *vengo* in città, *torno* da te, *parto* per il mare, *mi dirigo* verso casa, *sali* sulla scala, *l'arrivo* a Lisbona; *giunse* alla disperazione (moto a luogo figurato).

Il complemento di moto a luogo è retto dalle preposizioni **a**, **da**, **in**, **verso**, **sopra**, **sotto**, **vicino**, **dentro**, o dalle locuzioni preposizionali **dalle parti di**, **nei pressi di** ecc.

- **moto da luogo**, che indica il luogo da cui ci si muove o si diparte un'azione; risponde alle domande *da dove?*, *da quale luogo?*:

vengo da Napoli, *sono uscito* di casa *alle nove*, *al tuo ritorno* dall'estero, *l'esodo* dalla città *verso i luoghi di villeggiatura*; *sono reduce* da una brutta esperienza (moto da luogo figurato).

Il complemento di moto da luogo è retto dalle preposizioni **da** e **di**.

■ **moto per luogo**, che indica il luogo attraverso cui ci si muove o si effettua un'azione; risponde alle domande *per dove?*, *attraverso quale luogo?*:

non passare per questa strada, *i rumori ci giungono* attraverso l'orecchio, *entro* dall'ingresso secondario, *un passaggio* in mezzo ai monti; *quanti ricordi mi passano* nella mente (moto per luogo figurato).

Il complemento di moto per luogo è retto dalle preposizioni **per**, **da**, **attraverso**, **in**, o dalla locuzione preposizionale **in mezzo a**.

Preposizioni come **in**, **a**, **da**, **per** possono avere diversi significati e diverse funzioni (v. LA PREPOSIZIONE, 9.); bisogna quindi fare una particolare attenzione per non confondere tra loro i complementi di luogo retti da queste preposizioni:

IN	*resto in casa*	STATO IN LUOGO
	vado in città	MOTO A LUOGO
	corro nei campi	MOTO PER LUOGO
A	*vivo a Roma*	STATO IN LUOGO
	vado a Roma	MOTO A LUOGO
DA	*dorme da noi*	STATO IN LUOGO
	torno da te	MOTO A LUOGO
	parto da Napoli	MOTO DA LUOGO
	entro dalla porta	MOTO PER LUOGO
PER	*il treno per Pisa*	MOTO A LUOGO
	passo per Pisa	MOTO PER LUOGO
	era seduto per terra	STATO IN LUOGO

2.5.4. Tempo

Il complemento di **tempo** esprime le diverse circostanze di tempo dell'azione o della condizione indicata dal verbo.

Vi sono due tipi fondamentali di complementi di tempo:

■ **tempo determinato**, che indica il momento in cui si verifica l'azione o la circostanza espressa dal verbo; risponde alle domande *quando?*, *per quando?*, *a quando?*, *in quale momento* o *periodo?*:

arrivò alle sei, *ci vediamo* questa sera, *gli ho scritto* domenica, *mi svegliai* a notte inoltrata, *l'ho conosciuto* durante la guerra, *ho preso un appuntamento* per il mese prossimo, *rinviamo* a domani.

Il complemento di tempo determinato è retto dalle preposizioni e locuzioni preposizionali **in**, **a**, **di**, **per**, **su**, **durante**, **al tempo di** ecc.; si trova spesso senza preposizione.

■ **tempo continuato**, che indica per quanto tempo dura l'azione o la circostanza espressa dal verbo; risponde alle domande *quanto?*, *per quanto tempo?*, *in quanto tempo?*, *da quanto tempo?*:

rimango qui per due settimane, *lo conosco* da molti anni, *piovve* tutto il giorno, *ti aspetto* fino alle dieci, *finirò* in pochi giorni.

Il complemento di tempo continuato è retto dalle preposizioni e locuzioni preposizionali **per**, **in**, **da**, **durante**, **fino a** ecc.; si trova spesso senza preposizione.

2.5.5. Mezzo o strumento

Il complemento di **mezzo** o **strumento** indica l'essere o la cosa per mezzo di cui si fa o avviene qualcosa; risponde alle domande *per mezzo di chi?*, *per mezzo di che cosa?*:

con il tuo aiuto *spero di risolvere la questione*, *vengo* con l'aereo, *si nutrono* di erbe, *scrivo* a macchina, *andiamo* in bicicletta, *spedizione* per mezzo di un corriere.

Il complemento di mezzo o strumento è retto dalle preposizioni **con**, **per**, **a**, **in**, **di**, **mediante**, o dalle locuzioni preposizionali **per mezzo di**, **per opera di**, **grazie a** ecc.

2.5.6. Modo o maniera

Il complemento di **modo** o **maniera** indica il modo, la maniera in cui si fa o avviene qualcosa; risponde alle domande *come?*, *in che modo?*, *in che maniera?*:

il vento soffiava con forza, *mio figlio studia* con diligenza, *parlava* in fretta, *un lavoro eseguito* alla perfezione, *lo faccio* di malavoglia.

Il complemento di modo è in genere sostituibile con un avverbio di modo: *con forza = fortemente*, *con diligenza = diligentemente*, *in fretta = frettolosamente*. È retto dalle preposizioni **con**, **a**, **in**, **per**, **di**, o dalle locuzioni preposizionali **alla maniera di**, **a guisa di** ecc.

2.5.7. Causa

Il complemento di **causa** indica il motivo, la causa per cui si fa o avviene qualcosa; risponde alle domande *per quale motivo?*, *per quale causa?*:

non esco per il maltempo, *sto morendo* di fame, *piangeva* dalla gioia, a causa dell'influenza *dovette rinviare l'appuntamento*, *una promozione* per meriti di servizio.

Il complemento di causa è retto dalle preposizioni **per**, **di**, **da**, o dalle locuzioni preposizionali **a causa di**, **per motivo di**, **in conseguenza di** ecc.

2.5.8. Compagnia o unione

Il complemento di **compagnia** o **unione** indica l'essere animato (compagnia) o inanimato (unione) con cui si è o con cui si fa qualcosa; risponde alle domande *con chi?*, *in compagnia di chi?*, *unitamente a che cosa?*:

Il maestro si fermò a parlare con gli scolari, *mi trovo* con gli zii, *eravamo* in compagnia di amici (o anche: *eravamo* tra amici), *parte* insieme con noi;

sono uscito con l'ombrello, *arrivò* con un mazzo *di rose*, *un risotto* con i funghi.

Il complemento di compagnia o unione è retto dalla preposizione **con**, o dalle locuzioni preposizionali **in compagnia di**, **insieme con** (anche **insieme a**) ecc.

2.5.9. Agente o causa efficiente

Il complemento di **agente** o **causa efficiente** indica l'essere animato (agente) o inanimato (causa efficiente) da cui è compiuta un'azione espressa da un verbo passivo; risponde alle domande *da chi?*, *da che cosa?*:

i Cartaginesi furono sconfitti dai Romani, *il rapinatore è stato catturato* dalla polizia, *il progetto fu apprezzato* da parte di tutti;

i pesci furono uccisi dall'inquinamento, *il bosco è stato gravemente danneggiato* dall'incendio, *alla fine fu vinto* dal sonno.

Trasformando la frase passiva in attiva, il complemento di agente o di causa efficiente diventa soggetto, mentre il soggetto diventa oggetto: *i Cartaginesi furono sconfitti dai Romani* = *i Romani sconfissero i Cartaginesi*; *i pesci furono uccisi dall'inquinamento* = *l'inquinamento uccise i pesci*.

Il complemento d'agente è retto dalla preposizione **da** o dalla locuzione preposizionale **da parte di**; il complemento di causa efficiente è retto dalla preposizione **da**.

2.5.10. Altri complementi

■ **Abbondanza** e **privazione** (*di chi?*, *di che cosa?*): indicano ciò che si ha in abbondanza o di cui si è privi:

un articolo ricco di spunti critici;
una congettura priva di qualsiasi attendibilità.

Sono retti dalla preposizione **di**.

■ **Allontanamento** o **separazione**, **origine** o **provenienza** (*da chi?*, *da che cosa?*, *da dove?*): simili al complemento di moto da luogo, indicano ciò da cui qualcuno o qualcosa si allontana, si separa, ha origine, proviene:

mi trovavo lontano di casa;
ha dovuto distaccarsi dagli amici;
è nato da una famiglia agiata;
la presunzione deriva spesso dall'ignoranza.

Sono retti dalle preposizioni **da**, **di**.

■ **Argomento** (*di chi, di che cosa?*, *intorno a chi, intorno a che cosa?*): indica ciò di cui qualcuno o qualcosa parla:

discutere della situazione politica; *un trattato* sulle malattie nervose.

È retto da **di**, **su**, **intorno a**, **a proposito di**.

■ **Colpa** e **pena** (colpa: *di che cosa?*, *per che cosa?*; pena: *a che cosa?*, *con che cosa?*): indicano, rispettivamente, la colpa di cui qualcuno è accusato e la pena cui qualcuno è condannato:

reo di omicidio (colpa); *fu condannato* all'ergastolo (pena).

Il complemento di colpa è retto dalle preposizioni **per**, **di**; quello di pena dalle preposizioni **a**, **di**.

■ **Concessivo** (*nonostante chi, che cosa?*): indica qualcuno o qualcosa nonostante cui avviene un fatto:

nonostante la sua promessa *di restare, se ne andò*.

È retto da **nonostante**, **malgrado**, **a dispetto di**.

■ **Denominazione** (*di chi?, di che cosa?, di quale nome?*): è un tipo di specificazione, in quanto specifica il nome proprio del nome generico che lo precede:

la città di Bari; *il mese* di agosto; *il nome* di Carlo (o *il nome Carlo*, dove *nome* ha valore di apposizione).

È retto dalla preposizione **di**.

■ **Distanza** (*quanto?, a che distanza?*): indica la distanza da un punto di riferimento:

la città dista da qui cinque chilometri; *si mise* a pochi passi *da me*.

È retto dalla preposizione **a**; spesso si trova senza preposizione.

■ **Distributivo** (*ogni quanto, ogni quanti?, in quale proporzione* o *distribuzione?*): indica la proporzione o la distribuzione di qualcuno o di qualcosa:

camminate in fila per tre; *la benzina è aumentata del quindici* per cento; *costa cinquemila lire* al metro (o il metro).

È retto dalle preposizioni **per**, **a**, **di**; spesso si trova senza preposizione.

■ **Esclusione** (*senza chi, senza che cosa?, eccetto chi, eccetto che cosa?*): indica ciò che rimane escluso:

sono arrivati tutti, tranne Maria; *siamo usciti* senza ombrello.

È retto da **senza**, **fuorché**, **eccetto**, **tranne**, **meno**, **salvo**, **all'infuori di**, **ad eccezione di**.

■ **Età** (*a quanti anni?, di quanti anni?*): indica l'età:

un uomo di circa trent'anni; *morì* a settantadue anni.

È retto dalle preposizioni **di**, **a**.

■ **Fine** o **scopo** (*per quale fine?, per quale scopo?*): indica il fine o lo scopo per cui si fa o avviene qualcosa:

lottiamo per la vittoria; *un cane* da guardia; *ti mando un libro* in dono; *lo ha fatto* a fin di bene.

È retto da **a**, **per**, **da**, **in**, **a fin di**, **a scopo di** ecc.

■ **Limitazione** (*per che cosa?*, *limitatamente a che cosa?*): indica il limite, l'ambito entro cui vale ciò che si dice:

per intelligenza *non ha rivali*; quanto ad altruismo, *lascia molto a desiderare*.

È retto da **di**, **in**, **da**, **a**, **per**, **rispetto a**, **quanto a**, **limitatamente a**.

■ **Materia** (*fatto di che cosa?*, *di quale materia?*): indica la materia di cui è fatta una cosa:

un vaso di coccio; *un cancello* in ferro battuto.

È retto dalle preposizioni **di**, **in**.

■ **Paragone** (*di chi, di che cosa?*, *quanto chi, quanto che cosa?*, *come chi, come che cosa?*): indica il secondo termine di un confronto:

Eugenio è più bravo di Antonio; *Giorgio è più intelligente* che volenteroso; *la mia casa è grande* come (quanto) la tua.

È retto da **di**, **che**, **come**, **quanto**.

■ **Partitivo** (*tra chi?*, *tra che cosa?*): indica un tutto di cui si considera solo una parte:

chi di voi *lo conosce?*; *nella sua materia, è uno* tra i migliori specialisti.

È retto dalle preposizioni **tra** **(fra)**, **di**.

■ **Qualità** (*di che qualità?*, *come?*): indica una qualità o una caratteristica di qualcuno o di qualcosa:

una persona di grande prestigio; *un quadro* di valore; *un vecchio* dalla barba bianca.

È retto dalle preposizioni **di**, **da**, **a**, **con**.

■ **Quantità** o **misura** (*quanto?*, *di quanto?*, *per quanto?*): indica una quantità, una misura:

pesa dieci chili; *una bottiglia* di un litro; *la pianura si stendeva* per molti chilometri.

È retto dalle preposizioni **per**, **di**; spesso si trova senza preposizione.

■ **Rapporto** o **relazione** (*tra chi?*, *tra quali cose?*): indica un rapporto, una relazione:

c'è stato un battibecco tra loro; tra l'uno e l'altro *c'è poca differenza*; *sono in buoni rapporti* con il direttore.

È retto dalle preposizioni **tra** **(fra)**, **con**.

■ **Sostituzione** o **scambio** (*al posto di chi, di che cosa?*, *invece di chi, di che cosa?*): indica qualcuno o qualcosa che è al posto di altro:

prendere lucciole per lanterne; invece dell'aereo *prendo il treno*.

È retto da **per**, **al posto di**, **invece di**, **in cambio di**, **in luogo di**.

■ **Stima** e **prezzo** (*quanto?*, *a quanto?*): indicano quanto un essere o una cosa sono stimati o quanto costano:

un quadro valutato cento milioni; *lo compro* per (a) diecimila lire.

È retto dalle preposizioni **a**, **di**, **per**; spesso si trova senza preposizione.

■ **Vantaggio** e **svantaggio** (*per chi, per che cosa?*, *a vantaggio* o *a danno di chi, di che cosa?*): indicano per chi o per che cosa si fa o avviene qualcosa:

il soldato combatte per la patria; *il fumo è pericoloso* per la salute.

Il complemento di vantaggio è retto da **per**, **a**, **verso**, **a vantaggio di**, **in favore di**; quello di svantaggio da **per**, **contro**, **a danno di**.

■ **Vocazione**: serve per invocare, chiamare, rivolgere la parola; non ha legami di dipendenza con altri elementi della frase, da cui è isolato per mezzo della virgola; si può trovare anche da solo (in questo caso costituisce esso stesso una frase):

Andrea!; signori, *vi prego di fare attenzione*; *mi appello*, o giudici, *alla vostra clemenza*.

Può essere preceduto dalla particella vocativa **o**.

2.6. TIPI DI FRASE SEMPLICE

Abbiamo fin qui considerato la **struttura** della frase semplice, soffermandoci sulla natura e sulle funzioni dei suoi elementi costitutivi: il soggetto, il predicato, i complementi ecc. Abbiamo anche detto che la frase semplice è costituita da una sola proposizione; questa proposizione è chiamata **indipendente** perché ha una propria autonomia, cioè non dipende da nessun'altra proposizione.

È venuto ora il momento di fornire una classificazione dei vari tipi di frasi semplici (o proposizioni indipendenti) partendo da un diverso punto di vista: l'intento generale del messaggio.

Distinguiamo allora quattro tipi principali di frasi semplici: le **enunciative**, le **volitive**, le **interrogative** e le **esclamative**.

2.6.1. Le enunciative

Le frasi **enunciative** contengono una semplice enunciazione, cioè una dichiarazione, un'esposizione, una descrizione di qualcosa. Si suddividono in:

■ **affermative** (o positive): *piove*; *questo albergo è caro*; *tutti si addormentarono* (o *si addormentarono tutti*);

■ **negative**: *non piove*; *questo albergo non è caro*; *nessuno si addormentò* (o *non si addormentò nessuno*).

Frasi affermative come *tutti si addormentarono* o come *lo vedo sempre* possono essere trasformate in:
- **negative totali**: *nessuno si addormentò*; *non lo vedo mai*;
- **negative parziali**: *non tutti si addormentarono* (qualcuno si addormentò); *non lo vedo sempre* (talvolta lo vedo).

2.6.2. Le volitive

Le frasi **volitive** esprimono un comando (*imperative*), un desiderio (*desiderative*), un'esortazione (*esortative*), una concessione (*concessive*):

andate via di qui!; *non perdere altro tempo* (comando);
(che) Dio te ne renda merito! (desiderio);
ci pensino bene (esortazione);
parla pure; *si comporti pure così* (concessione).

Naturalmente il comando, il desiderio, l'esortazione o la concessione possono anche essere espressi con mezzi lessicali, cioè ricorrendo a parole che significhino 'comandare', 'desiderare', 'esortare', 'concedere' e simili: *vi ordino di andare via*; *spero che Dio te ne renda merito*; *li esorto a pensarci bene*; *ti concedo di parlare*. In tutti questi casi abbiamo delle **enunciative** che esprimono il comando, il desiderio, l'esortazione o la concessione attraverso il significato dei verbi *ordinare*, *sperare*, *esortare*, *concedere*.

2.6.3. Le interrogative

Le frasi **interrogative** pongono una domanda; sono caratterizzate dall'intonazione ascendente nella pronuncia, dal punto interrogativo nella scrittura:

Mario viene con noi?; *è partito il treno?*; *avete studiato?* .

Il tono della voce nella lingua parlata e il punto interrogativo nella lingua scritta sono talvolta gli unici elementi che permettono di distinguere una frase interrogativa: infatti, se non ci fossero questi fattori di differenziazione, *Mario viene con noi* sarebbe del tutto identico a *Mario viene con noi?*.
Spesso, però, le frasi interrogative sono introdotte da avverbi o pronomi o aggettivi interrogativi (*come*, *dove*, *perché*, *quando*, *quanto*, *chi*, *che*, *quale*):

come stai?; *dove abiti?*; *quando torni?*; *chi ha telefonato?*; *quali intenzioni avete?*

Le frasi interrogative si suddividono in:

- **interrogative parziali**, quando la domanda riguarda solo uno degli elementi della frase (chi, dove, quando ecc.): *chi è?*; *dove vai?*; *quando venite?*;
- **interrogative totali**, quando la domanda riguarda tutto l'insieme della frase: *è Giuseppe?*; *vai a Brescia?*; *venite domani?*

Nel caso delle interrogative parziali la risposta che ci si attende è la precisazione dell'elemento sconosciuto: l'identità (*chi è?*), il luogo (*dove vai?*), il tempo (*quando venite?*) ecc. Nel caso delle interrogative totali, invece, la risposta che ci si attende è la semplice conferma o negazione di quanto espresso nella domanda: la risposta è un **sì** o un **no**.

- **interrogative disgiuntive**, quando la domanda pone un'alternativa: *preferisci un caffè o un amaro?* (anche senza verbo: *un caffè o un amaro?*).

A volte l'interrogativa può avere il verbo all'infinito: *io parlare?*; *tu piangere?* In questi casi si tratta spesso di un'**interrogativa retorica**, con risposta implicita: si tratta cioè non di una vera e propria domanda, ma di un espediente retorico che serve a dare ad un'affermazione maggiore rilievo, maggiore enfasi. Ecco un altro esempio di interrogativa retorica: *forse che Picasso non è un grandissimo pittore?*

Le frasi interrogative che abbiamo finora visto sono chiamate **interrogative dirette**, in quanto la domanda che esse pongono è formulata in maniera diretta; sono invece chiamate **interrogative indirette** quelle proposizioni che fanno parte di una frase complessa e che contengono una domanda introdotta da verbi come *dire*, *chiedere*, *sapere* ecc.: *dimmi quando vieni*; *chiedigli dove va*. Come appare dagli esempi, le interrogative indirette non hanno il punto interrogativo; di questo tipo di proposizioni parleremo più diffusamente nel capitolo riguardante la sintassi della frase complessa (v. 11.2.12.).

2.6.4. Le esclamative

Le frasi **esclamative** sono caratterizzate dall'intonazione discendente nella pronuncia, dal punto esclamativo nella scrittura. Possono essere:

- **verbali**: *oh, quanto mi dispiace!*; *com'è bello!*; *proprio adesso doveva arrivare!*;
- **nominali** (non verbali): *che peccato!*; *ottima idea!*; *quante chiacchiere inutili!*

Delle **incidentali**, che sono frasi inserite in altri frasi (*Roberto* — lo dicono tutti — *è un bravo ragazzo*), ci occuperemo nella SINTASSI DELLA FRASE COMPLESSA, 11.2.20.

2.7. FRASE SEMPLICE E FRASE COMPLESSA: LE PROPOSIZIONI

Una frase può essere **semplice**, cioè contenere un solo predicato:

ho incontrato il fratello di Bruno;

ma può essere anche **complessa**, cioè contenere due o più predicati:

mentre tornavo a casa,
ho incontrato il fratello di Bruno
e ci siamo fermati
per scambiare quattro chiacchiere.

È comodo designare con il termine **proposizione** ogni segmento della frase fornito di un predicato. La frase semplice sarà quindi formata da una sola proposizione **indipendente**: *ho incontrato il fratello di Bruno*. La frase complessa sarà invece formata da due o più proposizioni, e precisamente da:

1. proposizioni **principali**: sono proposizioni indipendenti, con una propria autonomia sintattica e una propria compiutezza di significato;

2. proposizioni **coordinate**: sono proposizioni collegate tra loro in modo che ciascuna rimanga autonoma dall'altra;

3. proposizioni **subordinate**: sono proposizioni che dipendono da un'altra proposizione; a seconda che il verbo in esse contenuto sia di modo finito (indicativo, congiuntivo ecc.) o indefinito (infinito, participio, gerundio), si distinguono in subordinate **esplicite** e subordinate **implicite**.

Nella frase complessa sopra citata abbiamo due proposizioni principali, coordinate tra loro (*ho incontrato il fratello di Bruno e ci siamo fermati*); abbiamo una proposizione subordinata esplicita, che dipende dalle due proposizioni principali coordinate (*mentre tornavo a casa*); abbiamo infine una proposizione subordinata implicita, che dipende dalla seconda delle due proposizioni principali coordinate (*per scambiare quattro chiacchiere*).

Maggiori chiarimenti sulle proposizioni principali, coordinate, subordinate, esplicite, implicite, saranno forniti nel capitolo 11.: LA SINTASSI DELLA FRASE COMPLESSA. Qui aggiungiamo uno schema riassuntivo dei vari tipi di frase e di proposizione:

FRASE	SEMPLICE	proposizione indipendente
	COMPLESSA	proposizione principale proposizione coordinata proposizione subordinata < esplicita / implicita

2.8. INSERTI

2.8.1. Quando è nata la linguistica

La linguistica, intesa come studio scientifico del linguaggio, è nata in tempi piuttosto recenti: all'inizio del secolo XIX. Tuttavia la riflessione sulla lingua risale alle origini della nostra civiltà. Inizia con l'invenzione dell'**alfabeto**; un'invenzione che comporta una prima importante analisi dei suoni del linguaggio umano.

I primi studi linguistici furono motivati dalla necessità di conservare nelle sue forme originarie il testo sacro (i Veda, nell'antica India) o il testo depositario di miti (i poemi omerici, in Grecia). L'opera di Pāṇini (grammatico indiano vissuto probabilmente nel IV secolo a.C.) è molto articolata e complessa; per vari aspetti appare sorprendentemente moderna.

Oltre che di problemi stilistici e retorici, i Greci si occuparono dei rapporti tra la **lingua** e la **logica**. Aristotele (384-3 a.C.-322 a.C.), convinto che la lingua sia nata da una convenzione stabilitasi fra gli uomini, fondò la logica sulle forme linguistiche. Le categorie si basano su osservazioni riguardanti la lingua piuttosto che su operazioni mentali. Per esempio: il nome denota la sostanza e al tempo stesso la qualità: così il nome *uomo* indica il tal individuo particolare (la sostanza) e, al tempo stesso, la specie e il genere (la qualità); invece *bianco* denota soltanto la qualità. Avvicinando la logica alla grammatica, il grande filosofo inaugurò una tradizione che si è mantenuta negli studi linguistici e nell'insegnamento della lingua fino ai nostri giorni. Aristotele concepì il nome (greco *ónoma*) come soggetto e il verbo (greco *rḗma*) come predicato; inoltre elaborò il concetto di caso (greco *ptôsis*), che si applica non soltanto alle declinazioni dei nomi, ma riguarda anche i tempi e i modi del verbo.

Autore di una grammatica molto fortunata, il greco Dionisio Trace (vissuto nella seconda metà del II secolo a.C.) distinse otto parti del discorso e fondò lo studio della morfologia.

I grammatici romani si ispirarono ai modelli greci e ne ripresero la terminologia. Tra le figure più notevoli si ricorderanno M. T. Varrone (116-27 a.C.), autore del trattato *De lingua latina*, e M. F. Quintiliano (35 d.C.-circa 96 d.C.), autore di un trattato di eloquenza ricco di notizie sulla lingua: l'*Institutio oratoria*. I due più famosi grammatici del periodo tardo-antico furono Elio Donato (vissuto nel IV secolo d.C.) e Prisciano di Cesarea (V-VI secolo d.C.); il loro insegnamento sopravviverà a lungo nel Medioevo.

In generale è da dire che, essendo il greco e il latino due lingue con caratteri in parte diversi, quando si vollero applicare gli schemi interpretativi dal greco al latino, si incappò in alcune forzature e in fraintendimenti. Ciò accadde talvolta ai grammatici latini e accadrà più tardi quando si vorrà studiare la grammatica italiana secondo i principi di quella latina.

Nel Medioevo e nelle epoche successive la grammatica latina diventò il punto di riferimento di ogni considerazione sulla lingua. Non è un caso che il vocabolo GRAMATICA assunse allora anche il significato di 'lingua latina'. In questo periodo si riprende la tesi aristotelica secondo la quale il linguaggio rispecchia il pensiero e il pensiero è uguale in tutti gli uomini. Al di sotto dei particolarismi delle varie lingue esiste una grammatica universale, una sorta di lingua comune della quale si devono ricercare i caratteri.

L'interesse per la grammatica filosofica ebbe un momento di grande sviluppo nel secolo XVII. La *Grammatica generale e ragionata* dei francesi Antoine

Arnauld e Claude Lancelot, pubblicata nel 1660 (conosciuta anche come *Grammatica di Port-Royal*), descrive i caratteri universali della facoltà linguistica dell'uomo in contrapposizione alle grammatiche particolari che riguardano le singole lingue. Quest'opera riprende e sviluppa l'idea di Aristotele secondo la quale il linguaggio umano è del tutto sottomesso al pensiero. La stessa idea è alla base dell'analisi logica usata nell'insegnamento delle lingue.

La linguistica moderna nacque come scienza autonoma all'inizio dell'Ottocento. I due fattori che provocarono lo sviluppo della linguistica furono la conoscenza del sanscrito (un'antica lingua indoiranica che è stata un indispensabile punto di riferimento per lo studio delle lingue indoeuropee: v. 1.3.1.) e la scuola romantica tedesca. Nel 1816 il linguista Franz Bopp pubblicò il primo studio di grammatica comparata: un confronto cioè, condotto su basi scientifiche, fra i sistemi grammaticali di alcune lingue indoeuropee. Queste ultime furono considerate come organismi naturali che si sviluppano, indipendentemente dalla volontà umana, secondo leggi rigorose.

Secondo August Schleicher (1821-1867), che risentì l'influsso della teoria evoluzionistica di Darwin (*L'origine delle specie* uscì nel 1859), la lingua originaria, l'indoeuropeo, si suddivise e risuddivise in vari rami come un albero genealogico.

Comparando le lingue fra loro si ottennero classificazioni rigorose, si formularono leggi fonetiche, si tentò di ricostruire la fase primitiva della lingue stesse.

La crisi della linguistica comparata fu segnata dallo sviluppo della **dialettologia**, lo studio scientifico dei dialetti. Questi, e non le lingue letterarie, devono essere alla base della comparazione ricostruttiva. Tra i più grandi dialettologi si ricorderà il nome dell'italiano G. I. Ascoli (1829-1907), il fondatore della nostra scuola linguistica.

Lo studio dei dialetti fu posto su nuove basi dalla **geografia linguistica** (o geolinguistica), un nuovo metodo di ricerca fondato dallo svizzero Jules Gilliéron (1854-1926). La diffusione dei fenomeni lessicali, fonetici e morfologici dei dialetti di una determinata area geografica è studiata appunto su speciali carte geografiche che segnano i confini dei suddetti fenomeni. Così l'immagine dell'evoluzione verticale (cioè genetica) di una parola è integrata con l'immagine della sua diffusione in uno spazio geografico. La geografia linguistica permette di vedere il progresso di forme nuove che respingono ai margini le vecchie forme; permette di confrontare l'estensione dei vari fenomeni linguistici con le condizioni fisiche del territorio (presenza di fiumi, di montagne ecc.) con i confini politici e amministrativi; permette di vedere l'influenza che le grandi città e comunque i centri amministrativi, religiosi e culturali esercitano sulla diffusione dei vari fenomeni linguistici.

Dello strutturalismo, che segna una svolta fondamentale della linguistica moderna, si è parlato nei paragrafi 1.1.5.-10.

2.8.2. Le lingue "diverse"

Osserviamo i seguenti fatti: il genere esiste in italiano, ma non in inglese (tranne che in alcuni pronomi); alcune lingue, come il latino, possiedono il neutro che è ignoto invece ad altre lingue; il complemento oggetto in italiano (e in molte altre lingue) si costruisce senza preposizione, ma in spagnolo si costruisce con la preposizione *a* quando si tratta di essere animati: *la madre ama al hijo* 'la madre ama il figlio' (ciò accade anche in alcuni dialetti italiani, in calabrese, per esempio:

chiamu a Petru 'chiamo Pietro'). Che cosa dobbiamo concludere? Le categorie grammaticali, e quindi l'analisi grammaticale, sono diverse da lingua a lingua.

Invece l'**analisi logica** aspira ad avere un valore universale, valido per tutte le lingue. Fin dall'antichità i grammatici hanno ragionato così: tutte le lingue del mondo devono rappresentare in modo simile i rapporti fra gli uomini, gli eventi e le azioni che si svolgono nel mondo. Per questo motivo devono avere dei mezzi in comune, per esempio: il soggetto, il predicato, i complementi.

A dire il vero, i grammatici antichi e medievali, nel formulare questi concetti, avevano in mente una sola lingua: il latino. Ma i francesi Arnauld e Lancelot che nel XVII secolo pubblicarono la *Grammatica generale e ragionata*, riprendendo e sviluppando la suddetta teoria (fondata — è bene ricordarlo — dal grande Aristotele), erano convinti che alla base di tutte le lingue del mondo ci fosse un unico sistema logico (v. 2.8.1.). Insomma ogni lingua doveva avere soggetto, predicato e complementi.

La linguistica storica, affermatasi negli ultimi due secoli, ha sottolineato i **caratteri specifici** di ciascuna lingua, perciò ha attaccato duramente la concezione secondo la quale tutte le lingue dovrebbero possedere una comune base logica.

Tuttavia, negli ultimi tempi, soprattutto ad opera della grammatica generativo-trasformazionale (v. 1.1.11.), tale concezione è stata ripresa: si comincia di nuovo a credere che esistano meccanismi universali validi per tutte le lingue, proprio come affermava l'analisi logica in voga nel XVIII secolo. Illustri studiosi dei nostri giorni hanno dimostrato che esistono degli **universali linguistici**.

Pur ammettendo l'esistenza di questi universali linguistici, non dobbiamo dimenticare che esistono delle diversità, laddove non ce le aspetteremmo.

Prendiamo il caso della struttura più semplice:

soggetto | predicato verbale | complemento oggetto

Avendo presente l'italiano e altre lingue europee, potremmo pensare che tutte le lingue del mondo possiedano tale struttura elementare, nella quale si distingue: "chi fa l'azione", "l'azione" stessa e "chi riceve l'azione"; potremmo pensare che tutte le lingue del mondo possiedano dei verbi transitivi, in modo tale da costruire una frase come la seguente (della quale diamo anche la traduzione in latino, con l'indicazione dei casi):

caso del soggetto		caso del complemento oggetto
Paolo	*taglia*	*la carne*
PAULUS	SECAT	CARNEM
(nominativo)		(accusativo)

Ma le cose non stanno così come saremmo portati a credere. Esistono delle lingue "diverse" che non possiedono questa costruzione. Pensate: ci sono delle lingue che non hanno verbi transitivi!

Infatti nel basco e nelle lingue caucasiche (tutte lingue estranee alla famiglia indoeuropea: v. 1.3.1.) esiste la cosiddetta **costruzione ergativa** (dal greco *ergázomai* 'lavorare'). A differenza della nostra costruzione che mette in evidenza il soggetto che compie l'azione, la costruzione ergativa mette in evidenza il complemento oggetto, il quale è espresso mediante il caso nominativo, mentre il soggetto è espresso mediante il caso ergativo, che è il caso dell'agente, di colui che (secondo il nostro modo di vedere) compie l'azione. Abbiamo dunque in queste lingue "diverse" la seguente costruzione:

caso del soggetto		caso del complemento oggetto
Paolo (ergativo)	*taglia*	*la carne* (nominativo)

Dunque nel basco e nelle lingue caucasiche *la carne* è più importante di *Paolo*; *la carne* è al centro dell'attenzione di chi parla; come dire che *la carne* è considerata il perno di un'azione che proviene da Paolo. Concludendo: il tipo di costruzione transitiva che prevale nelle nostre lingue è del tutto estraneo al basco e alle lingue caucasiche.

2.8.3. Quell'equivoco complemento

I termini che indicano le categorie sintattiche sono nati in diversi periodi storici.

Boezio (circa 480-524), il famoso filosofo autore dell'opera *Della consolazione della filosofia*, sembra che sia stato fra i primi a usare i termini *soggetto*, *predicato*, *proposizione*; in latino: SUBJECTUM 'ciò che è alla base', PREDICATUM 'ciò che è affermato', PROPOSITIO 'ciò che è posto avanti'. Si badi bene: all'origine erano **termini della logica**, non della grammatica.

Molti secoli più tardi nasce il *complemento* come termine grammaticale. I primi ad usare in questa accezione il vocabolo *complément* furono due grammatici francesi del XVIII secolo: Du Marsais e Beauzée. Quest'ultimo definì il complemento così: « ciò che si aggiunge a un nome per determinarne il significato, in qualunque modo ciò possa avvenire ».

La nozione di complemento è stata molto criticata. Questo termine infatti evoca l'idea ingenua che i significati possano essere "completi" e "non completi". Chi parla di complemento concepisce la frase come un tutto i cui "pezzi" sono per così dire "interi": la frase è un incastro di membri che sono già perfettamente strutturati.

Questa concezione ideale della frase è realizzata sia mediante il complemento oggetto che è, per così dire, "richiesto" dal verbo, sia mediante i complementi indiretti, che "completano" il verbo. Questa concezione ideale della frase è realizzata anche da tutti i complementi determinativi, cioè da quei complementi che "determinano", definiscono l'estensione di una parola: *il cane di Pietro*.

Ma si sa bene che esistono dei complementi del tutto facoltativi, complementi che descrivono, che spiegano; complementi dei quali la frase potrebbe benissimo fare a meno senza ricevere danno né sul piano grammaticale né sul piano logico. Insomma molti dei complementi che si distinguono più per necessità (o comodità) didattica che per convinzione, sono piuttosto dei **supplementi**.

2.8.4. Un confronto fra l'italiano e il latino

Consideriamo una frase semplice con predicato nominale:

le vere amicizie sono eterne.

Vediamo ora la stessa frase in latino:

verae amicitiae sempiternae sunt.

Il soggetto *le amicizie* ha in latino il caso **nominativo**: *amiciti***ae** (**-ae** è la desinenza del nominativo plurale della prima declinazione); si noti che il latino manca dell'articolo.

L' attributo *vere* concorda con il nome cui si riferisce: *ver***ae**.

Il predicato nominale *sono eterne* diventa in latino *sempiternae sunt*: la parte nominale *sempitern***ae** concorda con il soggetto e il verbo è posto in fine di frase.

Consideriamo adesso una frase semplice con predicato verbale:

il figlio Mario ha donato un libro al padre.

La stessa frase in latino sarà:

Marius filius patri librum donavit.

Il soggetto *Mario* ha in latino il caso nominativo: *Mari***us** (**-us** è la desinenza del nominativo singolare della seconda declinazione).

L' apposizione *il figlio* concorda con il nome cui si riferisce: *fili***us**.

Il predicato verbale *ha donato* è reso con il perfetto *donavit*; il perfetto latino assomma in sé sia il passato prossimo italiano sia il passato remoto: perciò *donavit* può significare tanto 'ha donato' quanto 'donò'.

Il complemento oggetto *il libro* ha il caso **accusativo**: *libr***um** (**-um** è la desinenza dell'accusativo singolare della seconda declinazione).

Il complemento di termine *al padre* ha il caso **dativo**: *patr***i** (**-i** è la desinenza del dativo singolare della terza declinazione).

Oltre alla mancanza dell'articolo e al fatto che il predicato si trova in fine di frase, si noti che di solito l'apposizione (*filius*) segue il nome cui si riferisce, il complemento oggetto (*librum*) precede il predicato, il complemento di termine (*patri*) precede il complemento oggetto; un'altra caratteristica importante del latino è la relativa scarsezza di preposizioni (v. 9.10.1.), sostituite per lo più nella loro funzione dalle desinenze: *al padre* = *patr***i**.

Abbiamo visto che il soggetto ha in latino il caso nominativo, il complemento oggetto il caso accusativo, il complemento di termine il caso dativo; vediamo ora i casi degli altri principali complementi.

Il caso del complemento di specificazione è il **genitivo**: *la casa di Cesare* = *domus Caesar***is** (**-is** è la desinenza del genitivo singolare della terza declinazione).

I complementi di luogo, tempo, mezzo, modo, causa, compagnia, agente hanno per lo più l'**ablativo** con o senza preposizione. Diamo alcuni esempi:

stato in luogo (*in* + ablativo): *abitavano nelle selve* = **in** *silv***is** *habitabant* (**-is** è la desinenza dell'ablativo plurale della prima declinazione);

tempo determinato (ablativo semplice): *ritornano in primavera* = *ver***e** *redeunt* (**-e** è la desinenza dell'ablativo singolare della terza declinazione);

mezzo (ablativo semplice): *sentiamo con le orecchie* = *aur***ibus** *audimus* (**-ibus** è la desinenza dell'ablativo plurale della terza declinazione);

modo (*cum* + ablativo): *studia con diligenza* = **cum** *diligenti***a** *studet* (**-ā** è la desinenza dell'ablativo singolare della prima declinazione);

causa (ablativo semplice): *muore dalla paura* = *met***u** *exanimatur* (**-u** è la desinenza dell'ablativo singolare della quarta declinazione);

compagnia (*cum* + ablativo): *giocava con i bambini* = **cum** *puer***is** *ludebat* (**-is** è la desinenza dell'ablativo plurale della seconda declinazione);

agente (*a* o *ab* + ablativo): *fu lodato dal maestro* = **a** *magistr***o** *laudatus est* (**-o** è la desinenza dell'ablativo singolare della seconda declinazione).

2.8.5. Italiano e latino: un diverso modo di costruire la frase

L'italiano e il latino sono caratterizzati da una diversa costruzione del discorso, che corrisponde a una diversa strategia del pensiero. Si può definire in sintesi questa differenza ricorrendo a una metafora "poliziesca": il latino, al contrario dell'italiano, ci fa scoprire solo all'ultimo momento chi è l'assassino. Per chiarire il concetto, consideriamo la seguente frase semplice:

il figlio di Paolo ha scritto un libro;

la stessa frase in latino sarà:

Pauli filius librum scripsit (veramente le parole potevano essere disposte anche in un ordine diverso, ma questa era la successione più comune: v. 1.3.5-6).

In italiano l'elemento reggente precede l'elemento retto: il soggetto *il figlio* precede il complemento di specificazione *di Paolo*, il predicato verbale *ha scritto* precede il complemento oggetto *un libro*. In latino accade esattamente l'opposto: prima l'elemento retto (il complemento di specificazione *Pauli*, il complemento oggetto *librum*), poi l'elemento reggente (il soggetto *filius*, il predicato verbale *scripsit*). Tale fenomeno non riguarda solo la frase semplice; anche nella frase complessa l'italiano presenta in genere la successione «sovraordinata + subordinata», mentre in latino è normale la successione «subordinata + sovraordinata» (persino la proposizione relativa viene talvolta anteposta alla proposizione da cui dipende, cosa impossibile in italiano!).

Dunque il latino costringe ad immagazzinare nella memoria una serie di dati e di informazioni, che rimangono come in sospeso fino al termine della frase; soltanto in conclusione troviamo infatti elementi importanti per capire il contenuto del messaggio, quali il predicato verbale o la proposizione principale. Si pensi anche al frequente uso in latino di congiunzioni enclitiche (sull'enclisi v. 14.11.3.); in *senatus populus***que**, *plus minus***ve** il segnale della coordinazione (*-que* 'e', *-ve* 'o') segue la forma coordinata, mentre nei corrispondenti italiani *il senato* **e** *il popolo, più* **o** *meno* viene precisato subito il rapporto di coordinazione.

Tornando all'iniziale metafora poliziesca, l'italiano ci appare una lingua dotata di una minore "suspence" rispetto al latino, una lingua che segue un percorso espositivo lineare e progressivo.

2.8.6. Nuovi significati e nuove combinazioni tra le parole

In ogni epoca e in ogni società la lingua ha le sue metafore privilegiate, i suoi traslati caratteristici, che sono lo specchio di una mentalità diffusa, di aspirazioni largamente condivise, di modelli dotati di un particolare prestigio.

Un tempo andavano di moda le metafore tratte dalla vita militare (*abbandonare il campo, partire con la lancia in resta*) o dall'ambito marinaresco (*andare col vento in poppa, tirare i remi in barca*); oggi invece è il mondo della scienza ad esercitare una grande influenza sulla lingua.

Il *computer* orienta ogni giorno di più il nostro modo di pensare, e quindi anche il nostro modo di parlare. Le novità della cosiddetta «rivoluzione informatica» rimbalzano dai giornali e dalla televisione fino all'uomo della strada: capita spesso di sentire frasi significative come «devo programmare la giornata», «inserisco nella memoria questo nome». Ed ecco ciò che ha recentemente dichiarato un uomo politico: «abbiamo schedato i programmi di tutti i partiti, cercando di enucleare convergenze e divergenze, proprio come farebbe un calcolatore». Si creano nuove parole, ad esempio *computerizzare*, oppure si riprende una parola vecchia come *memoria* attribuendole un significato moderno, più aderente all'attuale era elettronica; nasce l'*archivio elettronico*, che sostituisce quello polveroso e ingombrante fatto di scartoffie e di cartelle.

Le parole cambiano di significato, si associano tra loro in modi a volte imprevedibili, si propagano da un settore all'altro della lingua, assumono valori più specifici o più generici, più astratti o più concreti.

Prendiamo, ad esempio, il termine *linea* che si trova nelle espressioni *linea di azione, linea politica* e simili; qui la *linea* non ha nulla a che fare con la geometria: significa «modo di comportarsi».

Questo uso figurato del vocabolario si è sviluppato nel Settecento per influsso del francese, provocando le solite recriminazioni dei puristi; nel secolo scorso, uno di essi notava: «*Linea di condotta*: occorre dire che è il francese *ligne de conduite? Dopo molto pensare scelsi questa linea di condotta; È una cattiva linea di condotta*. Dirai: *Scelsi questo modo di condotta,* o solamente *questa condotta, questa via; Elessi questo partito, questa norma*».

Che direbbe oggi quel purista leggendo nella stampa o ascoltando alla radio e alla televisione espressioni come *linea morbida* o *linea dura*? «Il governo ha deciso di seguire *la linea dura* contro i terroristi»; «gli industriali preferiscono adottare *la linea morbida* nelle trattative con i sindacati»: ma una *linea* può essere *dura* oppure *morbida*? Per rispondere a questa domanda possiamo servirci del criterio dell'analogia: se sono ammesse espressioni come *una risposta dura, un atteggiamento duro*, si dovrà ammettere anche *una linea dura* (o *morbida*).

L'evoluzione del lessico di una lingua consiste anche nell'accostare aggettivi e sostantivi che prima non andavano insieme. Una grammatica italiana di appena trent'anni fa sconsigliava di usare l'espressione *un libro intelligente*, perché «l'intelligenza è una qualità che si può attribuire alle persone, ma non alle cose»; oggi, negli anni delle *macchine intelligenti*, questa osservazione appare superata e fa sorridere.

2.8.7. Per modo di dire

[1] *«Al suono della sveglia, aprì gli occhi.»*

[2] *«Nel 1749 apriva gli occhi alla luce Vittorio Alfieri.»*

[3] *«Non ha ancora capito nulla, ma io gli aprirò gli occhi.»*

Queste tre frasi contengono tutte l'espressione *aprire gli occhi*, usata però con valori diversi: nella prima frase *aprì gli occhi* vuol dire 'si svegliò'; nella seconda *apriva gli occhi alla luce* sta per 'nasceva'; nella terza *gli aprirò gli occhi* equivale a 'lo renderò consapevole'. Come si vede, il significato complessivo di un'intera espressione è spesso diverso da quello delle varie parole che la compongono. Questo genere di espressioni (o «locuzioni idiomatiche» o, più semplicemente, «frasi fatte», «modi di dire») costituisce uno dei settori più importanti e più tipici del lessico di una lingua: se, per esempio, apriamo un dizionario alla voce *occhio*, vi troveremo non solo *aprire gli occhi*, ma anche *in un batter d'occhio* 'in un attimo', *chiudere gli occhi* 'dormire' e 'morire', *dare nell'occhio* 'colpire la vista', *colpo d'occhio* 'veduta d'insieme' e 'prima impressione', (*costare*) *un occhio della testa* 'moltissimo', *fare gli occhi dolci* 'mostrare amore', *occhio del ciclone* 'zona centrale di un ciclone' e 'punto critico, situazione pericolosa'.

Tra i modi di dire più comuni, e anche più curiosi, sono molti quelli che si riferiscono a stranieri: *andarsene all'inglese, doccia scozzese, fare l'indiano, fumare come un turco, montagne russe, scatole cinesi* ecc. Ormai ci serviamo meccanicamente di queste espressioni senza pensare agli Inglesi, agli Scozzesi, agli Indiani, ai Turchi, ai Russi, ai Cinesi. I nomi di questi popoli indicano spesso la provenienza o l'origine dei vari modi di dire, i quali però col passare del tempo hanno perduto la loro motivazione iniziale, perché le parole mutano di significato e perché vengono spesso usate con valori metaforici.

Un esempio di uso traslato è *doccia scozzese* nel senso di 'alternarsi, in successione rapida, di eventi piacevoli e spiacevoli', che si è sviluppato dal senso proprio di 'doccia fatta alternando acqua calda e fredda'. Anche *montagne russe* ha un significato proprio, un significato metaforico (l'otto volante dei luna park) e un secondo significato metaforico ('percorso accidentato'). Questa espressione risale al primo Ottocento; altre sono più antiche: di *fare l'indiano* si hanno esempi dal Seicento, mentre la *zuppa inglese* esisteva già nel Cinquecento.

Molte di queste «frasi fatte» appartengono alla tradizione nazionalistica e xenofoba presente, in misura maggiore o minore, un po' in tutte le lingue: è questo il caso di *fare l'indiano* 'fingere di non capire', *andarsene o filarsela all'inglese* 'andarsene senza salutare'. Sono cadute in disuso le locuzioni *mal francese* e *morbo gallico*, nate dal convincimento che i soldati di Carlo VIII, scesi in Italia alla fine del Quattrocento per conquistare il Regno di Napoli, fossero malati di sifilide. D'altra parte i Francesi ricambiavano il complimento, attribuendo agli Italiani l'origine di quella malattia; e gli Inglesi dicono «andarsene alla francese» (*to take a French leave*) in risposta all'espressione francese *filer à l'anglaise*, passata poi anche in Italia. Noi ce la prendiamo con gli Arabi (*parlare arabo*, cioè in modo incomprensibile), con i Turchi (*fumare* o, peggio, *bestemmiare come un turco*), persino con i Portoghesi (i *portoghesi dello stadio* sono gli spettatori non paganti). Insomma, un vero e proprio scambio di cortesie tra i diversi popoli!

Per fortuna non mancano, in tutte le lingue, le espressioni semanticamente neutre, prive di implicazione aggressive: ricordiamo la *chiave inglese*, il *fiammifero svedese*, il *granturco* o *grano turco*, e un simpatico *nasino alla francese*.

3. L'ARTICOLO

3.0. L'articolo, come parola in se stessa, non significa nulla, non ha un valore autonomo. Eppure la sua funzione è ugualmente molto importante: se non ci fosse l'articolo, infatti, molte parole rimarrebbero vaghe e come inerti, prive di un senso preciso. Dire, per esempio, *guardare cielo*, non ha un significato ben chiaro, ma ne ha uno dire *guardare il cielo*. « Così il nome come il pronome non posson sempre dichiarare se le cose da loro accennate sieno accennate in confuso e quasi in astratto oppure distintamente e quasi in concreto; e però [= perciò] da' nostri fu messo in uso l'articolo, come prima era stato messo da' Greci ». In questo modo il grammatico fiorentino Benedetto Buommattei (1581-1648) sottolineava una caratteristica fondamentale dell'articolo: quella di attualizzare il sostantivo, di dargli vita, trasformando qualcosa di "confuso" e come di "astratto" in una realtà "distinta" e "concreta".

C'è un legame strettissimo tra l'articolo e il sostantivo, che insieme formano un tutto unico: il **gruppo nominale**. Solo in determinate condizioni il sostantivo può fare a meno dell'articolo (per esempio, quando si tratti di un nome proprio, come *Maria* o *Parigi*), mentre l'articolo è sempre seguito da un sostantivo. Anzi l'articolo ha la proprietà di rendere sostantivi anche le parole che per loro natura non lo sarebbero; infatti qualunque «parte del discorso», accompagnata dall'articolo, si trasforma in nome. Prendiamo, per esempio, gli aggettivi *utile* e *dilettevole*, le congiunzioni *ma* e *se*, gli avverbi *assai* e *troppo*, i verbi *dare*, *avere*, *fare*; preceduti dall'articolo, essi si sostantivano: *unire l'utile al dilettevole*; *con i « ma » e con i « se » non si fa la storia*; *l'assai basta e il troppo guasta*; *calcolare il dare e l'avere*; *si avvicinò con un fare sospetto*.

L'articolo precisa i limiti del nome, indicando se sia da considerarsi in senso determinato (**articolo determinativo**) o indeterminato (**articolo indeterminativo**). Diamo ora uno sguardo complessivo a tutte le forme dell'articolo:

ARTICOLO	DETERMINATIVO		INDETERMINATIVO	
	MASCHILE	FEMMINILE	MASCHILE	FEMMINILE
SINGOLARE	il, lo (l')	la (l')	un, uno	una (un')
PLURALE	i, gli	le		

Come si ricava dallo specchietto, l'opposizione tra « determinato » e « indeterminato » avviene in modo diverso al singolare e al plurale:

al singolare l'articolo ha forme specifiche per indicare sia la determinatezza sia l'indeterminatezza: *il cane* / *un cane*, *la casa* / *una casa*;

al plurale l'articolo ha forme specifiche solo per indicare la determinatezza, mentre l'indeterminatezza è indicata dall'assenza dell'articolo (o dall'articolo partitivo): *i cani* / *cani* (o *dei cani*), *le case* / *case* (o *delle case*).

L'articolo si accorda con il nome cui si riferisce. Davanti a nomi che hanno una stessa forma per il maschile e il femminile o per il singolare e il plurale, l'articolo ne specifica il genere e il numero: *il* / *la nipote*, *la* / *le specie*.

3.1. L'ARTICOLO DETERMINATIVO

L'articolo determinativo indica una cosa ben definita, che si presuppone già nota. Se, per esempio, diciamo: *hai visto il professore?*, alludiamo non a un professore qualsiasi ma a uno in particolare, che sia noi sia il nostro interlocutore conosciamo.

L'articolo determinativo viene pure impiegato per indicare una categoria, un tipo, una specie (*l'uomo è dotato di ragione*, cioè 'ogni uomo') o per esprimere l'astratto (*la pazienza è una gran virtù*); inoltre si usa con i nomi che significano cose uniche in natura (*il sole*, *la luna*, *la terra*) e con i nomi di materia (*il grano*, *l'oro*). In alcuni contesti svolge la funzione di un aggettivo dimostrativo (*penso di finire entro la settimana*, 'entro questa settimana'; *sentitelo l'ipocrita!*, 'questo ipocrita!') o di un pronome dimostrativo (*tra i due vini scelgo il rosso*, 'quello rosso'; *dei due attori preferisco il più giovane*, 'quello più giovane'). Può anche avere valore distributivo (*ricevo il giovedì*, 'tutti i giovedì'; *costa mille lire il chilo* o *al chilo*, 'ogni chilo') o temporale (*partirò il mese prossimo*, 'nel mese prossimo').

3.1.1. Forme dell'articolo determinativo

Il, i

La forma **il** si premette ai nomi maschili che cominciano per consonante, tranne *s* impura (cioè seguita da altra consonante), *z*, *x*, i gruppi *pn*, *ps* e i digrammi *gn* /ɲ/, *sc* /ʃ/: *il bambino*, *il cane*, *il dente*, *il fiore*, *il gioco*, *il liquore*.

La forma corrispondente per il plurale è **i**: *i bambini*, *i cani*, *i denti*, *i fiori*, *i giochi*, *i liquori*.

Lo (l'), gli

La forma **lo** si premette ai nomi maschili che cominciano:

- con *s* impura: *lo sbaglio*, *lo scandalo*, *lo sfratto*, *lo sgabello*, *lo slittino*, *lo smalto*, *lo specchio*, *lo studio*;
- con *z*: *lo zaino*, *lo zero*, *lo zio*, *lo zoccolo*, *lo zucchero*;
- con *x*: *lo xilofono*, *lo xilografo*;
- con i gruppi *pn* e *ps*: *lo pneumatico*, *lo pneumotorace*; *lo pseudonimo*, *lo psichiatra*, *lo psicologo*;

- con i digrammi *gn* /ɲ/ e *sc* /ʃ/: *lo gnocco*, *lo gnomo*, *fare lo gnorri*; *lo sceicco*, *lo sceriffo*, *lo scialle*, *lo scimpanzé*;
- con la semiconsonante *i* /j/: *lo iato*, *lo iettatore*, *lo ioduro*, *lo Iugoslavo*.

Non mancano però oscillazioni, soprattutto davanti al gruppo consonantico *pn*: ad esempio, *il pneumatico* tende oggi a prevalere su *lo pneumatico*. Si ha *lo* invece di *il* nelle locuzioni avverbiali *per lo più*, *per lo meno*, secondo un antico uso dell'articolo.

La forma *lo* si premette anche ai nomi maschili che cominciano per vocale, ma in questo caso si elide in **l'**: *l'abito*, *l'evaso*, *l'incendio*, *l'ospite*, *l'usignolo*. Davanti a *i* semiconsonante (/j/) non si ha elisione.

La forma corrispondente a *lo* per il plurale è **gli**: *gli sbagli*, *gli zaini*, *gli xilofoni*, *gli* (o anche *i*) *pneumatici*, *gli pseudonimi*, *gli gnocchi*, *gli sceicchi*, *gli iati*; *gli abiti*, *gli evasi*, *gli incendi*, *gli ospiti*, *gli usignoli*. *Gli* può elidersi soltanto davanti a *i*: *gl'incendi* (ma è più frequente la forma intera). Si usa *gli*, in luogo di *i*, anche davanti al plurale di *dio*: *gli dei* (nell'italiano antico *gl'iddei*, plurale di *iddio*).

La (l'), le

La forma **la** si premette ai nomi femminili comincianti per consonante e per *i* semiconsonante /j/: *la bestia*, *la casa*, *la donna*, *la fiera*, *la giacca*, *la iena*.

Davanti a vocale *la* si elide in **l'**: *l'anima*, *l'elica*, *l'isola*, *l'ombra*, *l'unghia*.

La forma corrispondente a *la* per il plurale è **le**: *le bestie*, *le case*, *le donne*, *le fiere*, *le giacche*, *le iene*; *le anime*, *le eliche*, *le isole*, *le ombre*, *le unghie*. *Le* può elidersi soltanto davanti a *e* (ma ciò accade raramente e quasi sempre in testi poetici): *l'eliche*.

3.2. L'ARTICOLO INDETERMINATIVO

L'articolo indeterminativo indica una cosa generica, indefinita, che si considera come non ancora nota; la sua funzione è quella di introdurre nel discorso un nome di cui non si era parlato in precedenza. Se diciamo: *chiamerò un medico*, ci riferiamo a un medico qualsiasi, non ancora identificato.

Talvolta l'articolo indeterminativo designa il tipo, la categoria, la specie ed equivale a 'ogni': *un giovane manca sempre d'esperienza*; in questo caso il suo uso viene a coincidere con quello dell'articolo determinativo, al punto che si potrebbe dire: *il giovane manca sempre d'esperienza*. L'articolo indeterminativo può poi intensificare il significato di un termine, acquistando valore consecutivo: *era ridotto in uno stato da far paura*, 'in uno stato tale'. Nel linguaggio parlato si usa anche per esprimere ammirazione (*ho conosciuto una ragazza!*) o senso superlativo (*ho avuto una paura!*); inoltre può indicare approssimazione e corrisponde a 'circa, pressappoco': *dista un tre chilometri*.

3.2.1. Forme dell'articolo indeterminativo

Un

La forma **un** si premette ai nomi maschili che cominciano per consonante, tranne *s* impura, *z*, *x*, i gruppi *pn*, *ps* e i digrammi *gn* /ɲ/, *sc* /ʃ/, con uso corrispondente a quello dell'articolo *il*: *un bambino*, *un cane*, *un dente*, *un fiore*, *un gioco*, *un liquore*. Inoltre si premette anche ai nomi maschili inizianti per vocale (esclusa la *i* semiconsonante /j/): *un amico*, *un elmo*, *un incubo*, *un oste*, *un uragano*.

È bene ricordare che davanti a vocale l'articolo indeterminativo *un* non si apostrofa mai, in quanto non si tratta di una forma elisa: *un'anno*, *un'osso* corrisponderebbero a *una anno*, *una osso*; per la stessa ragione non si può scrivere *un idea*, *un ora* senza l'apostrofo. Attenzione a distinguere *un assistente* (uomo) da *un'assistente* (donna).

Uno

La forma **uno** si premette ai nomi maschili che cominciano con *s* impura, *z*, *x*, con i gruppi *pn* e *ps*, con i digrammi *gn* /ɲ/ e *sc* /ʃ/, con la semiconsonante *i* /j/, secondo l'uso dell'articolo *lo*: *uno sbaglio*, *uno zaino*, *uno xilofono*, *uno* (o anche *un*) *pneumatico*, *uno pseudonimo*, *uno gnocco*, *uno sceicco*, *uno iato*.

Una (un')

La forma **una** si premette ai nomi femminili, elidendosi in **un'** davanti a vocale (ma non davanti a *i* semiconsonante /j/), con uso analogo a quello dell'articolo *la*: *una bestia*, *una casa*, *una donna*, *una fiera*, *una giacca*, *una iena*; *un'anima*, *un'elica*, *un'isola*, *un'ombra*, *un'unghia*.

Come s'è detto, l'articolo indeterminativo non ha plurale; ci sono però le forme del partitivo *dei*, *degli*, *delle* o gli aggettivi indefiniti *qualche* (seguito dal singolare), *alcuni*, *alcune*:

sono sorte delle difficoltà; *ho ancora qualche dubbio*; *partirò fra alcuni giorni*; o anche *varie difficoltà*, *numerosi dubbi*, *parecchi giorni*.

Un'altra possibilità è quella di fare a meno sia del partitivo sia dell'aggettivo indefinito, esprimendo il nome plurale senza nessuna indicazione:

sono sorte difficoltà, *ho ancora dubbi*, *partirò fra giorni*.

3.3. USI PARTICOLARI DELL'ARTICOLO

3.3.1. Nomi geografici

I nomi di città e di piccole isole non hanno generalmente l'articolo:

Bologna, *Firenze*, *Milano*, *Napoli*, *Palermo*, *Roma*, *Torino*, *Venezia* (ma *L'Aquila*, *La Spezia*, *L'Aia*, *L'Avana*, *Il Cairo*, *La Mecca* ecc.); *Capri*, *Corfù*, *Ischia*, *Malta*, *Rodi* (ma *l'Elba*, *il Giglio* ecc.).

Assumono invece l'articolo quando sono accompagnati da un attributo o da un complemento:

la nebbiosa Milano; *la Venezia dei dogi*; *una Roma minore*; *una Napoli d'altri tempi*.

Richiedono sempre l'articolo i nomi dei monti (*le Alpi*, *gli Appennini*, *i Balcani*, *il Cervino*, *le Dolomiti*, *l'Etna*), dei fiumi (*l'Arno*, *il Po*, *il Reno*, *la Senna*, *il Tamigi*, *il Tevere*), dei laghi (*il Garda*, *il Trasimeno*). *L'Arno* è usato senza articolo in alcune espressioni: *bagnarsi in Arno*, *Val d'Arno* ecc.

Prendono di regola l'articolo i nomi di isole grandi (*la Sicilia, la Sardegna, la Corsica*; ma *Cipro, Creta, Sumatra*), di regioni (*il Lazio, la Lombardia, la Puglia*), di Stati (*la Francia, l'Italia, il Portogallo*), di continenti (*l'Europa, l'Asia, l'Africa*).

Questi nomi possono fare a meno dell'articolo quando sono usati come complemento di specificazione:
il re di Svezia, l'ambasciatore di Gran Bretagna; ma *il presidente degli Stati Uniti, il rappresentante dell'Unione Sovietica*;
o come complemento di luogo introdotto dalla preposizione *in*:
andare in Australia, vivere in Toscana; ma *recarsi nel Veneto, abitare nel Lazio.*
Con tutte le altre preposizioni si usa sempre l'articolo:
viaggiare per l'America; *passare attraverso l'Austria*; *dirigersi verso il Giappone*; *tornare dal Brasile.*

3.3.2. Nomi propri di persona

I nomi propri di persona rifiutano normalmente l'articolo: *Daniele è un bravo ragazzo*; *tra poco verrà Mario*; *ho scritto a Paola* (solo nell'uso regionale dell'Italia settentrionale sono preceduti dall'articolo: *ho visto la Carla*; *telefono alla Pina*; *aspetto il Riccardo*).

Prendono però l'articolo quando sono usati in senso traslato: *si sta rappresentando l'Otello*, cioè l'opera lirica di Verdi intitolata *Otello*; oppure quando sono accompagnati da un nome o da un aggettivo: *l'imperatore Augusto*; *l'astuto Ulisse.*

I cognomi di donne richiedono l'articolo (*la Duse, la Deledda, la Serao*), come pure i cognomi al plurale (*gli Sforza, i Malatesta, i Visconti*). Con i cognomi di uomini, al singolare, l'uso non è costante; nel linguaggio parlato, e sempre più spesso anche in quello scritto, si tralascia l'articolo e si dice perciò: *ho incontrato Rossi*, più comunemente che: *ho incontrato il Rossi.*

Davanti ad alcuni cognomi di personaggi famosi prevale la forma senza articolo: *Garibaldi, Marconi, Pirandello, Verdi, Colòmbo*; davanti ad altri, invece, prevale la forma con l'articolo: *l'Alfieri, l'Alighieri, l'Ariosto, il Tasso.* I soprannomi possono avere o no l'articolo: (*il*) *Botticelli*, (*il*) *Tintoretto*; l'articolo è invece sempre presente davanti agli appellativi di patria: *l'Astigiano* (Vittorio Alfieri).

- I cognomi e i nomi propri possono essere preceduti da un articolo indeterminativo quando indicano un paragone: *crede di essere un Einstein* (cioè, intelligente come Einstein);
- Per indicare un'opera d'arte spesso si premette l'articolo al nome dell'autore: *quello è un Picasso* (un quadro di Picasso); *ecco il Carrà* (il quadro di Carrà) *di cui ti ho parlato.*

3.3.3. Aggettivo possessivo

L'articolo si omette davanti ai nomi di parentela preceduti da un aggettivo possessivo che non sia *loro*:

mio padre, tua madre, suo fratello, nostra zia, vostro nipote (ma *il loro padre, la loro madre* ecc.).

Vi sono però alcuni nomi di parentela che ammettono l'articolo, come per esempio *nonno* e *nonna*; inoltre l'articolo si usa quando i nomi di parentela sono al plurale (*le mie sorelle*), o sono accompagnati da un attributo (*la mia cara moglie*), o sono seguiti dal possessivo (*lo zio suo*). Vogliono l'articolo anche i diminutivi (*la nostra sorellina, la mia zietta*) e gli affettivi (*il tuo papà, la sua mamma, il vostro figliolo*).

Non hanno l'articolo alcuni appellativi onorifici quando sono preceduti da *sua* e *vostro* (*-a*): *Sua Eccellenza*, *Sua Maestà*, *Sua Santità*, *Vostro Onore*, *Vostra Altezza*, *Vostra Signoria*.

3.3.4. Omissione dell'articolo

Oltre che con i nomi geografici, con i nomi propri di persona e con l'aggettivo possessivo, si ha omissione dell'articolo anche in altri casi. Si tratta per lo più di espressioni particolari, molto varie e numerose.

L'articolo viene omesso, per esempio:

- nella maggioranza delle locuzioni avverbiali: *in fondo*, *di proposito*, *a zonzo*;
- nelle espressioni che hanno valore di avverbi qualificativi: *con audacia*, *con intelligenza*, *con serenità*;
- con i complementi di luogo, in alcuni casi: *tornare a casa*, *abitare in campagna*, *recarsi in chiesa*;
- davanti ai nomi che formano col verbo una sola espressione predicativa: *aver(e) fame*, *sentire freddo*, *prendere congedo*;
- nelle locuzioni in cui un sostantivo integra il significato di un altro: *carte da gioco*, *sala da pranzo*, *abito da sera*; come pure nei complementi predicativi: *comportarsi da galantuomo*, *parlare da esperto*, *fare da padre*;
- in alcune espressioni di valore modale o strumentale: *in pigiama*, *in bicicletta*, *senza cappotto*;
- nelle frasi proverbiali: *buon vino fa buon sangue*, *cane che abbaia non morde*;
- nei titoli dei libri o dei capitoli: *Grammatica italiana*, *Canto quinto*; e anche nelle insegne: *Entrata*, *Uscita*, *Arrivi*, *Partenze*, *Merceria*, *Ristorante*, *Giornali* ecc.

3.4. PREPOSIZIONI ARTICOLATE

Quando l'articolo determinativo è preceduto dalle preposizioni *di*, *a*, *da*, *in*, *su*, si unisce con esse dando luogo alle cosiddette **preposizioni articolate**. Ecco come avviene la formazione delle preposizioni articolate:

	IL	LO (L')	LA (L')	I	GLI	LE
DI	del	dello (dell')	della (dell')	dei	degli	delle
A	al	allo (all')	alla (all')	ai	agli	alle
DA	dal	dallo (dall')	dalla (dall')	dai	dagli	dalle
IN	nel	nello (nell')	nella (nell')	nei	negli	nelle
SU	sul	sullo (sull')	sulla (sull')	sui	sugli	sulle

Anche le preposizioni *con* e *per* conoscono le forme articolate:

col, *collo*, *colla*, *coi*, *cogli*, *colle*; *pel*, *pello*, *pella*, *pei*, *pegli*, *pelle*.

Ma oggi si preferiscono le forme staccate. Si usano ancora *col* e *coi*, mentre alcune delle altre forme (per esempio *collo*, *colla*, *pel*, *pei*) si trovano solo nel linguaggio letterario.

Quanto ai modi d'impiego delle preposizioni articolate, ci si regola come per i corrispondenti articoli determinativi: se diciamo *il cavallo*, *lo zingaro*, *l'alba*, diremo pure *del cavallo*, *dello zingaro*, *dell'alba*.

3.5. ARTICOLO PARTITIVO

Le forme articolate della preposizione *di* (e cioè **del**, **dello**, **della**, **dei**, **degli**, **delle**) si usano anche con valore di **articolo partitivo**; in questo caso hanno la funzione di indicare una parte, una quantità indeterminata.

Al singolare l'articolo partitivo equivale a 'un po', alquanto':

dammi dell'acqua; *compra del pane*; *vedo del fumo*; *mi occorre del tempo*; *è caduta della pioggia*; *c'è dell'ironia nelle tue parole*.

Osservando questi esempi è facile notare che l'articolo partitivo viene usato con quei sostantivi che non indicano un singolo oggetto, ma assumono un significato collettivo. Infatti non si può dire *ho letto del libro*, ma si deve dire *ho letto un libro*; e, per il ragionamento inverso, non si può dire *prestami un denaro*, ma bisogna dire *prestami del denaro*.

Al plurale, come abbiamo già visto, l'articolo partitivo sostituisce l'inesistente plurale dell'articolo indeterminativo ed equivale a 'qualche' o 'alcuni, alcune':

sento dei rumori; *abbiamo degli ospiti*; *vado a spedire delle cartoline*; *mi sono accaduti dei fatti strani*; *degli uomini mi seguono*; *ci sono delle novità*.

Quando l'articolo partitivo è preceduto da una preposizione, si tende a ricorrere a un diverso costrutto: così invece di dire *ho scritto a degli amici*, si preferisce dire *ho scritto ad alcuni amici* oppure *ho scritto ad amici*.

3.6. INSERTI

3.6.1. Come sono nati gli articoli

Nel latino volgare il dimostrativo ILLE, o più esattamente ILLU(M), anteposto a un nome tende a trasformarsi in articolo determinativo. Questo mutamento di valore può essere rappresentato così:

latino classico	*latino volgare*	*italiano*
ILLUM FĪLĬUM 'quel figlio'	ILLU FILIU 'il figlio'	il figlio
ILLAM FĪLĬAM 'quella figlia'	ILLA FILIA 'la figlia'	la figlia

Ignoto al latino classico, l'articolo, che ha la funzione di determinare, di attualizzare il nome, è uno degli aspetti più importanti di quella tendenza analitica che caratterizza le lingue romanze nei confronti della lingua madre.

In tutte le lingue che usano l'articolo determinativo, questo è nato da un pronome: così è avvenuto per il greco *ho*, *hē*, *tó*; per l'inglese *the*, per il tedesco *der*, *die*, *das*.

Dal numerale latino ŪNUS, più esattamente ŪNU(M), si è sviluppato nelle lingue romanze l'articolo indeterminativo: it. *un* (*uno*).

3.6.2. Il sardo, lo spagnolo e il rumeno

Circa l'origine e l'uso degli articoli le lingue romanze presentano alcuni particolarismi. Ne ricordiamo quattro.

Nel sardo l'articolo determinativo si è sviluppato dal pronome IPSĔ; si hanno le seguenti forme: IPSU(M) > *su* 'il, lo', IPSA(M) > *sa* 'la', IPSOS > *sos* 'i, gli', IPSAS > *sas* 'le'.

Nello spagnolo c'è una sorta di articolo neutro *lo* (distinto dal maschile *el* 'il, lo', *los* 'i, gli' e dal femminile *la* 'la', *las* 'le'); questo neutro *lo*, che è privo di plurale, serve ad indicare significati generali, indeterminati, per es. *lo bueno* 'il bene, il lato buono, ciò che c'è di buono (in una cosa)', *lo español* 'il tipico spagnolo, ciò che c'è di spagnolo in una cosa' (distinto pertanto da *el español* 'l'abitante della Spagna', 'la lingua spagnola'), *lo de siempre* 'la solita cosa', *lo que dices* 'ciò che dici'.

Inoltre lo spagnolo possiede il plurale dell'articolo indeterminativo: *unos hombres* 'alcuni uomini', *unas mujeres* 'alcune donne'; l'italiano, come il francese, possiede soltanto i corrispondenti pronomi: *gli uni* (*e gli altri*), *le une* (*e le altre*).

Il rumeno presenta un tratto molto caratteristico: la posposizione e la fusione dell'articolo determinativo con il nome cui si riferisce: DOMINU ILLU > *domnul* 'il signore'.

3.6.3. Quando è nato l'articolo

La nascita dell'articolo determinativo dal pronome dimostrativo si può osservare in testi tardo-latini. Per es. in una versione della Bibbia, la cosiddetta *Vetus*, si legge *dixit illis duodecim discipulis* 'disse ai dodici discepoli' (qui *illis* ha proprio il valore della nostra preposizione articolata 'ai', non del dimostrativo 'a quelli', che non avrebbe alcun senso). La Bibbia latina era una traduzione della Bibbia greca: l'influsso di quest'ultima lingua, che possedeva l'articolo, può aver aiutato l'affermarsi dell'articolo nel latino volgare.

Secondo alcuni le tracce dell'articolo risalirebbero al latino classico: già in Plauto (intorno al 200 a.C.), nelle lettere di Cicerone, in Petronio e in altri scrittori che riflettono caratteri della lingua parlata si troverebbero vari esempi di dimostrativo "debole" posto davanti a un nome: si tratterebbe insomma di "quasi-articoli". Tale uso, raro nella lingua scritta, sarebbe stato invece ampio nella lingua parlata, già fin verso la fine della cosiddetta epoca classica del latino. Ma secondo altri studiosi questa tesi va respinta: ILLE comincia ad essere usato con un valore simile a quello dell'articolo romanzo soltanto a partire dal VI secolo d.C.

3.6.4. Quel prolifico ILLE

Il dimostrativo latino ILLE (ỊLLU) ha avuto una grande importanza nella storia delle lingue romanze. Si è sviluppato lungo tre direzioni:

posto davanti a un nome è diventato l'articolo determinativo (v. 3.6.1.);

vicino al verbo è diventato pronome personale, per esempio: ILLE AMAT > *egli ama*; TULLIA ILLU(M) AMAT > *Tullia lo ama*;

rafforzato con *ECCU ha generato un nuovo dimostrativo, in sostituzione di quello che si era perduto: *ECCU + ILLU > *quello* (v. 6.7.3.).

Senza parlare delle nuove forme del dativo maschile e femminile le quali hanno sostituito il classico ĬLLI ambigenere ed hanno generato due pronomi personali molto importanti: (IL)LUI > *lui*, (IL)LAEI > *lei*. Ricordiamo infine il genitivo plurale (IL)LORUM > *loro*.

3.6.5. Due opposizioni fondamentali

Dopo aver svolto alcune considerazioni sulla storia dell'articolo, vediamo ora due aspetti del suo significato. Nell'italiano di oggi l'articolo rappresenta due opposizioni fondamentali:

1. opposizione «classe»/«membro»

il *cane è l'animale più fedele*

l'articolo determinativo rappresenta la classe che è attribuita al cane; qui *il cane* = *i cani* = *tutti i cani*; invece in

un *cane abbaiava nella strada*

l'articolo indeterminativo indica che si tratta di un membro della classe dei cani.

2. opposizione «noto»/«nuovo»

il *bambino è nel giardino*

l'articolo determinativo si riferisce al fatto che noi già conosciamo il bambino di cui stiamo parlando, bambino che è noto anche a chi ci ascolta; *bambino* qui è un elemento noto; invece in

un *bambino è nel giardino*

non si presuppone che il parlante e l'ascoltatore abbiano una conoscenza di ciò di cui si sta parlando; *bambino* qui è il nuovo.

Dunque l'articolo *il* si riferisce a due significati distinti: significa da una parte la classe, dall'altra ciò che è noto. Possiamo rappresentare con il seguente grafico quanto abbiamo finora detto; un nome [= N], grazie all'articolo, può essere rappresentato come

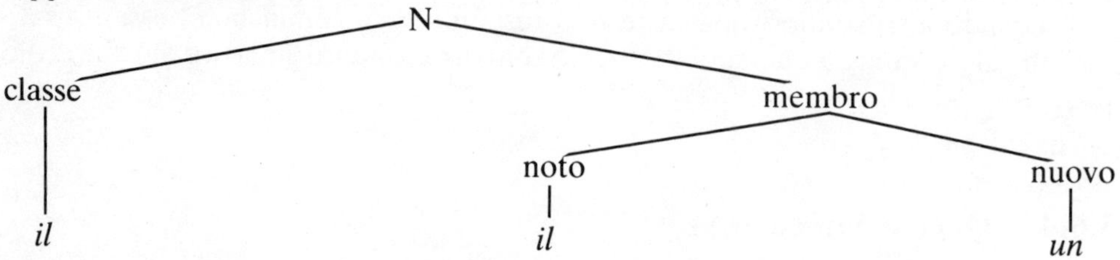

Ovviamente si tratta di opposizioni e di distinzioni di carattere generale; nell'uso degli articoli italiani vi sono molte variabili (si pensi, per esempio, ai casi in cui si fa a meno dell'articolo e ai casi in cui l'articolo è sostituito con un pronome). Tuttavia le due opposizioni descritte rappresentano un buon punto di partenza per comprendere il valore dell'articolo nella nostra lingua.

3.6.6. Vecchio e nuovo nella lingua

A partire dall'Ottocento, e ancor più nel Novecento, l'italiano ha conosciuto profonde trasformazioni. Si sono diffuse nuove parole e nuove strutture, cioè nuovi modi di combinare tra loro le parole; nello stesso tempo vengono abbandonate varie forme tradizionali, le quali tuttavia continuano a sopravvivere nell'uso delle persone anziane e di particolari ambienti, oppure sono riprese dagli scrittori a fini stilistici. La lingua è un organismo complesso, nel quale vecchio e nuovo spesso coesistono. Soffermiamoci su alcuni casi significativi di **arcaismi**.

Si trova ancora, soprattutto nell'uso burocratico, una forma antica dell'articolo determinativo (*li* invece di *i* o *gli*) per indicare la data: *Roma, li 12 ottobre 1985*. Poiché *li* è una forma estranea all'italiano di oggi, può capitare di vederla erroneamente scritta con un accento, come se fosse l'avverbio di luogo *lì*. Naturalmente, parlando si dice *il 12 ottobre 1985*, mentre nelle lettere si preferisce in genere scrivere *12 ottobre 1985*, senza l'articolo.

È quasi scomparso del tutto il tipo *in iscuola, per isbaglio, con ispavento, non istudia*, con la *i* posta all'inizio di una parola cominciante con *s* + consonante, quando la parola precedente termina con un'altra consonante; ma la *i* s'incontra ancora in formule come *per iscritto, in ispecie*.

Accanto a questa *i* "eufonica" (parola di origine greca che significa 'di suono armonioso', 'di pronuncia gradevole') si può ricordare la *d* eufonica, che si aggiunge alla preposizione *a* e alle congiunzioni *e, o* quando sono seguite da parola cominciante con una vocale: *ad essi, ed altri, od olio*. Oggi le forme *ad, ed* si adoperano meno che in passato, e quasi soltanto davanti a vocale uguale: *ad Antonio*, ma *a Enzo; ed ecco*, ma *e ora*. La forma *od* è pressoché sparita dall'uso.

Dicevamo che la lingua è un organismo complesso, nel quale vecchio e nuovo possono convivere. Così, la scelta tra l'antiquato e burocratico *li 12 ottobre* e il più semplice e moderno *12 ottobre*, tra *in ispecie* e *in specie*, tra *e ora* e *ed ora*, non è obbligata ma dipende dalla cultura o dal gusto dei parlanti. Hanno spesso una grande importanza la situazione comunicativa e gli scopi particolari che si vogliono raggiungere.

3.6.7. Dal latino all'italiano, passando per l'Europa

Esiste da tempo nella nostra lingua un gruppo di parole latine che mantengono la loro originaria terminazione in *-um: album, auditorium, criterium, curriculum, forum, memorandum, referendum, ultimatum.*

Alcuni puristi vorrebbero italianizzare queste parole, proponendo per esempio un curioso *referendo*. Ma i latinismi in *-um* provengono da lingue straniere (inglese, francese, tedesco) e hanno acquistato spesso significati particolari: il *criterium* (dall'inglese) è una competizione sportiva, non ha ormai niente in comune con il *criterio*, anche se l'origine è la stessa; così l'*album* (dal tedesco) è diverso dall'*albo* («l'album dei francobolli», «l'albo dei medici».)

L'italianizzazione dei latinismi "puri" ha avuto successo nel caso di *acquario* e *solario*, che sono oggi più frequenti (soprattutto il primo) di *aquarium* e *solarium*. Anche *auditorio* e *ultimato* fanno concorrenza ad *auditorium* e *ultimatum*; si dice anche *curricolo* accanto a *curriculum* (al plurale abbiamo sia *curricoli* sia la forma latina *curricula*). L'anglolatinismo *forum* non potrebbe essere adattato in *foro*, che ha un altro senso; ma si tratta di un termine non molto comune: in genere si parla semplicemente di «dibattito» o «assemblea». Diversa è la situazione di *memorandum* e *referendum*, due vocaboli di larga diffusione, che sembra difficile sostituire o italianizzare. Bisogna accettarli così come sono, al pari di altri latinismi non adattati di cui siamo debitori all'Europa moderna: sarebbe impensabile, ad esempio, un'italianizzazione formale di *facies, humus, ictus* o *virus*.

Insomma, dobbiamo seguire, ancora una volta, «quell'Uso che è detto l'arbitro, il maestro, il padrone, fino il tiranno delle lingue» (Alessandro Manzoni, *Lettera intorno al Vocabolario*).

3.6.8. «È l'ingegnere» / «È un ingegnere» / «È ingegnere»

Negli ultimi anni i linguisti hanno affrontato in modo nuovo i problemi sintattici e semantici connessi all'uso dell'articolo. Si è cercata una spiegazione più precisa delle differenze tra frasi come *è l'ingegnere* (con l'articolo determinativo), *è un ingegnere* (con l'articolo indeterminativo), *è ingegnere* (senza articolo). Le considerazioni svolte in 3.6.5. ci aiutano a capire queste differenze.

La domanda *Chi è?* riceverà la risposta *È l'ingegnere* se la presenza di un ingegnere è già nota; riceverà invece la risposta *è un ingegnere* se si tratta di un'informazione del tutto nuova. Non sarebbe possibile una risposta *È ingegnere*.

Diversamente la domanda *Che cosa fa?* può ricevere la risposta *È un ingegnere,* con l'articolo indeterminativo che sottolinea l'appartenenza ad una classe (quella degli ingegneri); oppure la risposta *È ingegnere*, che propone una semplice identificazione, senza farci guardare a *ingegnere* come al membro di una classe. In questo caso sarebbe inadeguata una risposta *È l'ingegnere.*

4. IL NOME

4.0. Tutto ha un nome; ma che cos'è esattamente un nome? Se ci mettessimo a esaminare una pagina qualsiasi di un qualsiasi libro, sapremmo senza dubbio indicare i nomi in essa contenuti: *Alberto*, *casa*, *tempo*, *spirito*, *gioventù*, *pianta*, *concezione*, *Spagna*, *nave*, *flotta*, *capacità*, *tristezza*, *gatto* e così via. Ma se poi volessimo dare una precisa definizione, ci troveremmo in imbarazzo, per la grande varietà di ciò che il nome può designare: persone, animali, cose, concetti, idee, sentimenti, fatti, entità reali o irreali, esistenti o inesistenti... Meglio allora rinunciare alle definizioni troppo rigide, inevitabilmente limitative, e anche a quelle troppo elastiche, applicabili così ai nomi come ad altre classi di parole, per soffermarci piuttosto sulle caratteristiche grammaticali che permettono di distinguere questa «parte del discorso».

Risale ai grammatici dell'antichità l'opposizione tra il nome o **sostantivo**, che indica una «sostanza», e il verbo, che indica un processo; a tale opposizione corrisponde sul piano sintattico quella tra il soggetto e il predicato («Pietro scrive»: *Pietro*, nome, soggetto; *scrive*, verbo, predicato). Sul piano morfologico, le due classi sono contraddistinte dalla diversa flessione: il nome varia nel genere (*bambino*/*bambina*), nel numero (*bambino*/*bambini*) e, in molte lingue, nel caso (lat. *puer* 'il bambino', caso nominativo; *pueri* 'del bambino', caso genitivo, ecc.); il verbo varia invece nel tempo (*sono*, presente; *ero*, imperfetto; *fui*, passato remoto, ecc.), nel modo (*sono*, indicativo; *sia*, congiuntivo; *sarei*, condizionale, ecc.) e nella persona (*sono*, io; *sei*, tu; *è*, egli, ecc.).

Anche rispetto all'aggettivo, il nome presenta alcune caratteristiche specifiche; ricordiamo in particolare:

il tratto «determinato/indeterminato»: il nome, a differenza dell'aggettivo, può presentarsi come determinato (*il cane*, con l'articolo determinativo *il*) o come indeterminato (*un cane*, con l'articolo indeterminativo *un*);

il rapporto di preminenza sintattica, per cui il nome "regge" l'aggettivo e ne determina il genere e il numero: *una casa piccola*, *un abito nuovo*;

l'assenza del grado: da *bello* si ha *bellissimo*, da *bellezza* non si ha **bellezzissima*.

A seconda del loro significato, i nomi vengono suddivisi in varie classi. Indicheremo soltanto le più comuni. I **nomi propri** designano un particolare "individuo" di una specie o categoria: un essere umano (*Carla*), una nazione (*Belgio*), una città (*Torino*) ecc. I **nomi comuni** designano genericamente ogni possibile "individuo" di una specie o categoria: essere umano (*bambino*), animale (*elefante*), oggetto (*sedia*) ecc. I **nomi collettivi** designano un gruppo di "individui": un gruppo di esseri umani (*popolo*), di animali (*mandria*), di oggetti (*mobilia*) ecc. I **nomi concreti** designano realtà materiali percepibili dai sensi: *uomo*, *leone*, *strada*, *tavolo*, *albero* ecc. I **nomi astratti** designano concetti che solo la mente può raffigurare: *amore*, *gioia*, *cattiveria*, *modestia*, *pace* ecc.

In alcuni casi queste suddivisioni non convincono del tutto, o fanno nascere dubbi e incertezze: per esempio, sarebbe difficile collocare tra i nomi concreti o tra quelli astratti parole come *sonno*, *malessere*, *corsa*, *salto*, *caduta*, *arrivo*, che indicano fatti percepibili dai sensi, ma privi di una consistenza materiale. Del resto, molti nomi possono essere ora concreti ora astratti, secondo l'uso che di volta in volta ne facciamo: *celebrità* è un nome astratto quando viene adoperato nel senso di 'fama, rinomanza' (*raggiungere la celebrità*); è invece un nome concreto quando sta a significare 'persona celebre' (*è una celebrità nel campo della medicina*).

Ma non si può neppure affermare che queste suddivisioni siano del tutto inutili, e in particolare che non abbiano alcuna importanza dal punto di vista grammaticale. Basterà qualche esempio per accorgersi del contrario:

i nomi propri di persona, a differenza dei nomi comuni, non hanno bisogno dell'articolo: *il bambino piange* / *Marco piange*;

con i nomi collettivi si può avere talvolta l'accordo del verbo 'a senso', cioè al plurale invece che al singolare: *una folla di operai si avvicinarono alla porta della fabbrica*;

i nomi astratti vengono usati per lo più al singolare: *il coraggio*, *la pazienza*, *l'umiltà* ecc.

4.1. IL GENERE DEL NOME

Rispetto al genere, il nome può essere **maschile** o **femminile**. Per quanto riguarda le persone e gli animali, la classificazione è in relazione al sesso: cioè sono di genere maschile i nomi degli esseri animati di sesso maschile (*padre*, *scrittore*, *infermiere*, *gatto*, *leone*), mentre sono di genere femminile i nomi degli esseri animati di sesso femminile (*madre*, *scrittrice*, *infermiera*, *gatta*, *leonessa*). Tuttavia non sempre esiste una corrispondenza tra genere "grammaticale" e genere "naturale": vi sono infatti alcuni nomi di persona che, pur essendo femminili sotto il profilo grammaticale, designano per lo più uomini (*la guardia*, *la vedetta*, *la sentinella*, *la recluta*, *la spia*, *la guida* ecc.); viceversa ve ne sono altri che si riferiscono a donne, sebbene siano di genere grammaticale maschile (come i nomi delle cantanti: *il soprano*, *il mezzosoprano*, *il contralto*). In questi casi, l'accordo delle parole che si riferiscono al nome va fatto tenendo conto del genere grammaticale: *il soprano è brav***o** (non *brav***a**); *le reclut***e** *sono arrivat***e** (non *arrivat***i**).

Per i nomi di cosa (quando diciamo *cosa* ci riferiamo sia a cose concrete sia a "cose" astratte) la distinzione tra genere maschile o femminile è puramente convenzionale: solo l'uso ha stabilito che parole come *abito*, *fiume*, *clima* siano maschili, mentre altre come *cenere*, *sedia*, *crisi* siano femminili.

Oltre all'esperienza e alla consultazione del vocabolario, gli elementi che possono aiutarci a determinare il genere di un nome sono due: il significato e la terminazione.

Secondo il significato, sono di genere maschile:

• i nomi degli alberi: *l'abete*, *l'arancio*, *il melo*, *il pino*, *il pioppo*, *l'ulivo*; ma ve ne sono anche di femminili: *la palma*, *la quercia*, *la vite*;
• i nomi dei metalli e degli elementi chimici: *l'oro*, *l'argento*, *il ferro*, *il rame*, *il bronzo*; *l'ossigeno*, *l'idrogeno*, *l'uranio*;
• i nomi dei mesi e dei giorni della settimana (tranne *la domenica*): *l'afoso agosto*, *il freddo dicembre*; *il lunedì*, *il sabato*;
• i nomi dei monti, dei mari, dei fiumi e dei laghi: *il Cervino*, *l'Etna*, *l'Everest*, *i Pirenei*; *l'Atlantico*, *il Tirreno*; *il Po*, *il Tevere*, *il Tamigi*, *il Danubio*; *il Garda*, *il Trasimeno*. Ma parecchi nomi di monti sono femminili: *la Maiella*, *le Alpi*, *le Dolomiti*, *le Ande*; come pure molti nomi di fiumi: *la Senna*, *la Loira*, *la Garonna*, *la Vistola*;
• i nomi dei punti cardinali: *il nord* (*il settentrione*), *il sud* (*il mezzogiorno*, *il meridione*), *l'est* (*il levante*, *l'oriente*), *l'ovest* (*il ponente*, *l'occidente*).

Sono invece di genere femminile:

• i nomi dei frutti: *la ciliegia*, *la mela*, *la pera*, *l'albicocca*, *la pesca*, *la banana*. Notevole è, tuttavia, il numero di quelli maschili: *il limone*, *il mandarino*, *il dattero*, *il fico*, *l'ananas*; anche *arancio* tende ad affermarsi come nome del frutto, prevalendo così sulla forma più propria *arancia*;
• i nomi delle scienze e in genere delle nozioni astratte: *la matematica*, *la chimica*, *la biologia*, *la linguistica*, *la bontà*, *la giustizia*, *la fede*, *la pace*;
• i nomi dei continenti, degli Stati, delle regioni, delle città e delle isole: *l'Europa*, *l'Africa*; *l'Italia*, *la Francia*, *la Spagna*, *l'India*, *l'Argentina*; *la Toscana*, *la Calabria*, *l'Umbria*, *le Marche*; *la dotta Bologna*, *la Napoli degli Angioini*; *la Sicilia*, *la Sardegna*, *la Groenlandia*, *le Antille*. Ma numerosi sono anche i nomi maschili; fra quelli di Stati e di regioni: *il Belgio*, *il Perù*, *l'Egitto*, *gli Stati Uniti*; *il Piemonte*, *il Lazio*; fra quelli di città e di isole: *il Cairo*, *il Madagascar*.

Secondo la terminazione, sono di genere maschile:

• i nomi con la desinenza in *-o*: *il libro*, *il prezzo*, *il quadro*, *il vaso*, *il muro*. Non molti sono i casi di femminile: *la mano*, *la radio*, *la dinamo*, *la moto*, *l'auto*, *la foto*, *la virago*. *Eco* al singolare è di preferenza femminile (*un'eco*, *una forte eco*), ma tende ad essere usato anche come maschile; al plurale invece è sempre maschile (*gli echi*);
• i nomi terminanti in consonante, per la quasi totalità di origine straniera: *lo sport*, *il bar*, *il gas*, *il tram*, *il film*.

Sono invece di genere femminile:

• i nomi con desinenza in *-a*: *la casa*, *la sedia*, *la penna*, *la terra*, *la pianta*. Sono molti però anche quelli maschili. A parte i nomi in *-a* che valgono per entrambi i generi (tipo *il giornalista/la giornalista*, su cui v. 4.2.3.), sono maschili vari nomi derivanti dal greco, specie con terminazione in *-ma*: *il poema*, *il teorema*, *il problema*, *il diploma*, *il dramma*; e alcuni altri come *il vaglia*, *il pigiama*, *il nulla*;
• i nomi con desinenza in *-i*: *la crisi*, *l'analisi*, *la tesi*, *la diagnosi*, *l'oasi*. Ma *brindisi* è maschile;
• i nomi terminanti in *-tà* e in *-tù*: *la bontà*, *la civiltà*, *la verità*, *l'austerità*; *la virtù*, *la gioventù*, *la servitù*.

I nomi con desinenza in *-e* possono essere o di genere maschile o di genere femminile: *il ponte*, *l'amore*, *il fiume*, *il dente*; *la mente*, *la fame*, *la notte*, *la chiave*.

4.2. FORMAZIONE DEL FEMMINILE

Come abbiamo già detto, la distinzione dei nomi in maschili e femminili ha un significato concreto solo per quelli che indicano persone o animali; per i nomi di cosa, invece, rappresenta una mera convenzione ed ha un valore esclusivamente grammaticale: è ovvio infatti che non esistono cose "maschi" e cose "femmine". Appunto per questo i nomi di cosa non possono subire trasformazioni nel genere e rimangono sempre o maschili o femminili. È vero che alcuni di essi presentano una differenza nella terminazione, come se avessero una forma per il maschile e una per il femminile; in questi casi, però, non si tratta di variazioni del genere, ma di nomi diversi, che nella forma maschile significano una cosa e nella femminile un'altra:

buco	(foro)	*buca*	(fossa)
regolo	(riga)	*regola*	(norma)
modo	(maniera)	*moda*	(usanza)
pianto	(lacrime)	*pianta*	(albero)
baleno	(lampo)	*balena*	(cetaceo)
panno	(drappo)	*panna*	(crema di latte)
foglio	(di carta)	*foglia*	(di pianta)
briciolo	(poco)	*briciola*	(di pane)
porto	(di mare)	*porta*	(di casa)
legno	(da costruzione)	*legna*	(da ardere)
pezzo	(parte di qualcosa)	*pezza*	(pezzo di stoffa)
covo	(tana)	*cova*	(l'atto del covare)
limo	(fango)	*lima*	(utensile)
cero	(candela)	*cera*	(delle api)

Vi sono poi alcuni nomi di cosa che, pur conservando la medesima forma, possono essere maschili o femminili; anche in questo caso si tratta di parole con significato diverso a seconda del genere:

il pianeta	(corpo celeste)	*la pianeta*	(indumento sacerdotale)
il fine	(scopo)	*la fine*	(termine)
il radio	(elemento chimico)	*la radio*	(apparecchio radiofonico)
il fronte	(settore di operazioni belliche)	*la fronte*	(parte superiore della faccia)
il capitale	(beni, patrimonio)	*la capitale*	(città principale di uno Stato)
il fonte	(vasca battesimale)	*la fonte*	(sorgente, origine)
il tèma	(argomento da trattare)	*la téma*	(voce poetica: timore, paura)
il cenere	(resti mortali)	*la cenere*	(residuo della combustione)
un oste	(gestore di un'osteria)	*un'oste*	(voce poetica: esercito nemico)

4.2.1. Nomi di persona e di animale

La maggior parte dei nomi di esseri animati passano dal maschile al femminile mutando la desinenza o aggiungendo un suffisso (**nomi di genere mobile**). Il cambiamento delle terminazioni dei nomi mobili può avvenire in diversi modi:

■ **Nomi in *-a***

I nomi che al maschile finiscono in *-a* formano il femminile aggiungendo al tema il suffisso *-essa*:

poeta	*poetessa*
duca	*duchessa*
profeta	*profetessa*
papa	*papessa*

Non è così per i nomi che terminano in *-cìda* e *-ista* (*omicida*, *artista*) e per alcuni altri come *pediatra*, *collega*, *atleta*, nei quali la desinenza *-a* vale tanto per il maschile quanto per il femminile (v. NOMI DI GENERE COMUNE, 4.2.3.).

■ **Nomi in *-o***

I nomi che al maschile terminano in *-o* passano al femminile prendendo la desinenza *-a*:

alunno	*alunna*
maestro	*maestra*
amico	*amica*
figlio	*figlia*
zio	*zia*
impiegato	*impiegata*

Fra i nomi di animali:

gatto	*gatta*
lupo	*lupa*
cavallo	*cavalla*

Alcuni nomi in *-o* si comportano come i maschili in *-a* e aggiungono perciò al tema il suffisso *-essa*, che generalmente conferisce al sostantivo un'intonazione scherzosa, ironica o spregiativa:

medico	*medichessa*
diavolo	*diavolessa*
avvocato	*avvocatessa* (o *avvocata*, anche nel senso di 'patrona', attributo riferito alla Madonna)
filosofo	*filosofessa* (o *filosofa*)
deputato	*deputatessa* (o *deputata*)

Per i nomi indicanti professioni o cariche, si tende oggi a usare il maschile anche quando ci si riferisce a una donna: *l'avvocato signora...*; *Carla Rossi, medico nell'ospedale di...* (v. 12.4).

■ **Nomi in *-e***

I nomi che al maschile escono in *-e* formano il femminile in due diversi modi.
Alcuni cambiano la desinenza in *-a*.

signore	*signora*
padrone	*padrona*
infermiere	*infermiera*
cameriere	*cameriera*
marchese	*marchesa*

Altri — e sono nomi indicanti professione, carica, titolo nobiliare — prendono il suffisso *-essa*:

studente	*studentessa*
oste	*ostessa*
presidente	*presidentessa*
principe	*principessa*
conte	*contessa*

Fra i nomi di animali:

leone	*leonessa*
elefante	*elefantessa*

■ **Nomi in** ***-tore***

I nomi che al maschile terminano in *-tore* (i cosiddetti **nomi di agente**) formano il femminile in *-trice*:

imperatore	*imperatrice*
attore	*attrice*
scrittore	*scrittrice*
pittore	*pittrice*
lettore	*lettrice*

Ma *dottore* fa *dottoressa*.

Alcuni nomi hanno, accanto alla forma in *-trice*, quella popolare in *-tora*:

traditore	*traditrice* o *traditora*
benefattore	*benefattrice* o *benefattora*
stiratore	*stiratrice* o *stiratora*

Altri, invece, hanno solo la forma in *-tora*:

pastore	*pastora*
tintore	*tintora*
impostore	*impostora*

■ **Nomi in** ***-sore***

I nomi che al maschile finiscono in *-sore* (anch'essi nomi di agente) sono adoperati raramente al femminile, ottenuto aggiungendo *-itrice* alla radice del verbo da cui derivano:

possessore	*posseditrice*
difensore	*difenditrice*

Ma *professore* fa *professoressa* (è questo l'unico sostantivo in *-sore* che ha una forma femminile molto comune nell'uso).

Alcuni nomi hanno, accanto alla forma in *-itrice*, quella in *-sora*, anch'essa rara:

uccisore	*ucciditrice* o *uccisora*

Altri, invece, hanno solo la forma (rara) in *-sora*:

incisore	*incisora*

■ **Casi particolari**

Formano il femminile in modo del tutto particolare i seguenti nomi:

dio	*dea*
eroe	*eroina*
re	*regina*
fante	*fantesca*
stregone	*strega*
doge	*dogaressa*
abate	*badessa*
zar	*zarina*

Fra i nomi di animali:

gallo	*gallina*
cane	*cagna*

4.2.2. Nomi indipendenti (tipo *padre/madre*)

Alcuni nomi di genere grammaticale fisso hanno radici diverse per il maschile e per il femminile:

padre	*madre*
papà (o *babbo*)	*mamma*
fratello	*sorella*
marito	*moglie*
genero	*nuora*
frate	*suora*
celibe	*nubile*
uomo	*donna*
maschio	*femmina*

Tra i nomi di animali:

montone	*pecora*
porco	*scrofa*
toro	*vacca*
fuco	*ape*

4.2.3. Nomi di genere comune (tipo *il nipote/la nipote*)

Alcuni nomi hanno un'unica forma per il maschile e per il femminile; essi possono essere distinti solo dall'articolo o, eventualmente, dall'aggettivo che li accompagna.

Appartengono a questa categoria:

- alcuni nomi in *-e*:

il nipote	*la nipote*
il custode	*la custode*
il consorte	*la consorte*
il parente	*la parente*

- i nomi che corrispondono a forme sostantivate di participio presente:

il cantante	*la cantante*
un insegnante	*un'insegnante*
un agente	*un'agente*
un amante	*un'amante*

- i nomi in *-ista* e *-cida*:

il giornalista	*la giornalista*
il pianista	*la pianista*
il finalista	*la finalista*
un artista	*un'artista*
il suicida	*la suicida*
un omicida	*un'omicida*

- alcuni nomi in *-a*, quasi tutti di derivazione greca:

il collega	*la collega*
il pediatra	*la pediatra*
un atleta	*un'atleta*
un ipocrita	*un'ipocrita*

I nomi dei primi due gruppi sono ambigeneri non solo al singolare, ma anche al plurale: *i consorti-le consorti*, *i cantanti-le cantanti*. Per gli altri nomi, invece, la comunanza del genere è limitata esclusivamente al singolare, giacché nel plurale essi presentano forme diverse per il maschile e per il femminile: *i pianisti-le pianiste*, *i colleghi-le colleghe*.

4.2.4. Nomi di genere promiscuo (tipo *la volpe maschio* / *la volpe femmina*)

Alcuni nomi di animali hanno un'unica forma, o maschile o femminile, per indicare tanto il maschio quanto la femmina:

l'aquila, *la giraffa*, *la pantera*, *la iena*, *la volpe*, *la balena*, *la rondine*; *il corvo*, *l'usignolo*, *il falco*, *il delfino*, *il leopardo*, *lo scorpione*, *il serpente*.

In questi casi, per distinguere il genere "naturale" si aggiunge *maschio* o *femmina*: *la volpe maschio-la volpe femmina*, *il leopardo maschio-il leopardo femmina*; oppure: *il maschio della volpe-la femmina della volpe*, *il maschio del leopardo-la femmina del leopardo*.

Ci sono poi dei nomi zoologici che possono essere maschili e femminili, sempre nella medesima forma: *il serpe-la serpe*, *il lepre-la lepre*. Tuttavia il maschile non si usa solo per il maschio e il femminile solo per la femmina, ma entrambi si adoperano sia per l'uno sia per l'altra. Perciò anche qui, se si vuole distinguere, bisogna specificare il sesso e dire: *il lepre maschio-il lepre femmina, la lepre maschio-la lepre femmina.*

4.3. IL NUMERO DEL NOME

Rispetto al numero, i nomi hanno due forme: **singolare** e **plurale**; la prima serve ad indicare un solo essere animato o una sola cosa, la seconda più esseri animati o più cose.

4.4. FORMAZIONE DEL PLURALE

Il plurale dei nomi si forma mutandone la desinenza: i nomi femminili in *-a* prendono la desinenza *-e*; i nomi maschili in *-a* e quelli in *-o* e in *-e*, sia maschili sia femminili, prendono la desinenza *-i*.

	SINGOLARE	PLURALE
nomi femminili in	*-a*	*-e*
nomi maschili in	*-a*	*-i*
nomi maschili e femminili in	*-o*	*-i*
nomi maschili e femminili in	*-e*	*-i*

All'interno di questo schema generale vi sono tuttavia molti casi particolari. Per comodità, si suole suddividere i nomi in tre classi secondo la desinenza del singolare: nomi in *-a*; nomi in *-o*; nomi in *-e*.

4.4.1. Nomi in *-a*

I nomi che al singolare terminano in *-a* formano il plurale in *-i* se sono maschili, in *-e* se sono femminili:

il problema — *i problemi*
il poeta — *i poeti*
il geometra — *i geometri*

la casa — *le case*
la strada — *le strade*
la pecora — *le pecore*

Ma *ala* e *arma*, che sono femminili, prendono al plurale la *-i* invece della *-e*: *le ali*, *le armi* (*ale* e *arme* sono plurali antichi).

Per i nomi maschili in *-a* che rimangono inalterati al plurale si veda più avanti (v. NOMI INVARIABILI, 4.4.4.).

I nomi in *-ista* e *-cida* e alcuni altri sempre con terminazione in *-a*, che al singolare sono di genere comune, si comportano al plurale normalmente, cambiando la desinenza in *-i* se maschili, in *-e* se femminili:

il giornalista — *i giornalisti*
il suicida — *i suicidi*
il pediatra — *i pediatri*

la giornalista	*le giornaliste*
la suicida	*le suicide*
la pediatra	*le pediatre*

I nomi in *-ca* e *-ga* conservano al plurale le consonanti velari /k/ e /g/, ed escono quindi in *-chi* e *-ghi* se maschili, in *-che* e *-ghe* se femminili:

il monarca	*i monarchi*
il patriarca	*i patriarchi*
lo stratega	*gli strateghi*
la barca	*le barche*
la basilica	*le basiliche*
la bottega	*le botteghe*

Belga perde il suono velare nel plurale maschile: *Belgi*; ma lo mantiene in quello femminile: *Belghe*.

I nomi in *-cìa* e *-gìa* (con *i* tonica) formano il plurale regolarmente in *-cìe* e *-gìe*:

la farmacìa	*le farmacìe*
la scìa	*le scìe*
la bugìa	*le bugìe*
l'allergìa	*le allergìe*

I nomi in *-cia* e *-gia* (con *i* solo grafica) conservano la *i* se le consonanti *c* /tʃ/ e *g* /dʒ/ sono precedute da vocale, la perdono invece se sono precedute da consonante; perciò nel primo caso il plurale sarà *-cie* e *-gie*, mentre nel secondo *-ce* e *-ge*:

la camicia	*le camicie*
la socia	*le socie*
la valigia	*le valigie*
la ciliegia	*le ciliegie*
la provincia	*le province*
la boccia	*le bocce*
la spiaggia	*le spiagge*
la frangia	*le frange*

Ma questa non deve considerarsi una regola; è solo un pratico accorgimento, che semplifica un criterio etimologico, storicamente più fondato ma anche molto più difficile da applicare, secondo cui nel plurale dei nomi in *-cia* e *-gia* si conserva la *i* delle parole di origine dotta (latinismi e grecismi), mentre si sopprime la *i* delle parole di origine popolare. I due criteri, quello pratico e quello etimologico, in realtà possono coesistere: nel senso che i casi di contrasto sono pochi, mentre numerosissimi sono quelli di reciproco accordo. Chi conosce bene il latino e il greco può ricorrere, se vuole, al criterio più propriamente storico; ma anche l'altro va bene, anzi più che bene, se pensiamo alle oscillazioni presenti nell'uso grafico di molti scrittori contemporanei e alla tendenza della moderna ortografia a eliminare sempre più tutte le *i* superflue (e a scrivere quindi *valige*, *ciliege* ecc.). Solo in alcuni casi particolari il mantenimento della *i* può rivelarsi utile per evitare la possibilità di equivoci: così se il plurale di *camicia*, *audacia*, *ferocia*, *reggia* viene scritto *camicie*, *audacie*, *ferocie*, *reggie* si elimina qualsiasi confusione col sostantivo *càmice*, o con gli aggettivi *audace* e *feroce*, o con la voce verbale *regge* (da *reggere*). Ma persino in casi del genere la libertà di scelta rimane ampia, e anche uno scrivente consapevole potrebbe semplicemente affidare la comprensione del senso al contesto, lasciando al lettore il piccolissimo sforzo di risolvere il dilemma.

Riassumiamo in uno specchietto la formazione del plurale per i nomi in *-a*:

<table>
<tr><th rowspan="2">SINGOLARE</th><th colspan="3">PLURALE</th></tr>
<tr><th>MASCHILE</th><th colspan="2">FEMMINILE</th></tr>
<tr><td>-a</td><td>-i</td><td colspan="2">-e</td></tr>
<tr><td>-ca, -ga</td><td>-chi, -ghi</td><td colspan="2">-che, -ghe</td></tr>
<tr><td>-cìa, -gìa (i tonica)</td><td></td><td colspan="2">-cìe, -gìe</td></tr>
<tr><td rowspan="2">-cia, -gia (i solo grafica)</td><td rowspan="2"></td><td>-cie, -gie</td><td>se c e g sono precedute da vocale</td></tr>
<tr><td>-ce, -ge</td><td>se c e g sono precedute da consonante</td></tr>
</table>

4.4.2. Nomi in *-o*

I nomi che al singolare terminano in *-o* prendono al plurale la desinenza *-i*:

bambino — *bambini*
impiegato — *impiegati*
sasso — *sassi*
coltello — *coltelli*

Anche *uomo* (lat. *homo*) forma il plurale in *-i*, ma con un mutamento nel tema: *uomini* (lat. *homines*).

Dei pochi nomi femminili in *-o*, alcuni rimangono inalterati al plurale (per questi v. appresso NOMI INVARIABILI, 4.4.4.); *mano* fa normalmente *mani*; *eco*, che al singolare è di preferenza femminile, al plurale è sempre maschile: *gli echi*.

I nomi in *-co* e *-go* non seguono un comportamento costante nella formazione del plurale. In linea di massima, se sono piani, conservano le consonanti velari /k/ e /g/, ed escono quindi in *-chi* e *-ghi*; se sono sdruccioli, invece, le perdono e assumono i suoni palatali *-ci* /tʃi/ e *-gi* /dʒi/:

baco — *bachi*
cuoco — *cuochi*
fungo — *funghi*
albergo — *alberghi*

medico — *medici*
sindaco — *sindaci*
teologo — *teologi*
ornitologo — *ornitologi*

Fra i nomi piani che si comportano diversamente possiamo ricordare: *nemico-nemici*, *amico-amici*, *greco-greci*, *porco-porci*.

Fra gli sdruccioli, molto più numerosi: *carico-carichi*, *incarico-incarichi*, *abbaco-abbachi*, *valico-valichi*, *pizzico-pizzichi*, *strascico-strascichi*; *dialogo-dialoghi*, *catalogo-cataloghi*, *obbligo-obblighi*, *prologo-prologhi*, *epilogo-epiloghi*, *profugo-profughi*.

Alcuni nomi, poi, presentano entrambe le forme: *chirurgo-chirurgi* e *chirurghi*, *farmaco-farmaci* e *farmachi*, *manico-manici* e *manichi*, *stomaco-stomaci* e *stomachi*, *sarcofago-sarcofagi* e *sarcofaghi*, *intonaco-intonaci* e *intonachi*.

Da quello che si è detto, appare chiaro quante incertezze vi siano nell'uso del plurale per i nomi in *-co* e *-go*; in particolare, i dubbi maggiori nascono dai nomi in *-logo*. Osservando gli esempi citati, è possibile notare come abbiano il plurale in *-logi* quelli che si riferiscono a persone (*teologo-teologi*, *ornitologo-ornitologi*) e in *-loghi* quelli che si riferiscono a cose (*dialogo-dialoghi*, *catalogo-cataloghi*). Questa differenza potrebbe essere utilizzata come espediente pratico per superare le difficoltà che spesso accompagnano la formazione del plurale di tali nomi; oltre tutto, si eliminerebbero così varianti popolari come *psicologhi*, *sociologhi*, *archeologhi*, *astrologhi*, *biologhi*, *geologhi* ecc.

I nomi in *-ìo* (con *i* tonica) formano regolarmente il plurale in *-ìi*:

zìo	*zìi*
pendìo	*pendìi*
rinvìo	*rinvìi*
mormorìo	*mormorìi*

Ma *dìo* fa *dei*.

I nomi in *-cio, -gio, -glio* (con *i* solo grafica) perdono al plurale la *i*; escono quindi in *-i*:

viaggio	*viaggi*
figlio	*figli*
coccio	*cocci*
raggio	*raggi*
bacio	*baci*

Alcuni nomi in *-io*, al plurale, possono essere confusi con altri plurali della stessa grafia; per evitare equivoci si ricorre talora a un segno distintivo, che può essere, secondo i casi, l'accento sulla sillaba tonica, o l'accento circonflesso sulla *i* desinenziale, o la doppia *i* finale:

osservatorio	*osservatori*, *osservatòri*, *osservatorî*, *osservatorii*
osservatore	*osservatori*, *osservatóri*
principio	*principi*, *princìpi*, *principî*, *principii*
principe	*principi*, *prìncipi*
arbitrio	*arbitri*, *arbìtri*, *arbitrî*, *arbitrii*
arbitro	*arbitri*, *àrbitri*
assassinio	*assassini*, *assassinî*, *assassinii*
assassino	*assassini*
omicidio	*omicidi*, *omicidî*, *omicidii*
omicida	*omicidi*

Oggi si tende alla grafia con una sola *i* e senza segni speciali: sarà il senso generale della frase a risolvere, di volta in volta, ogni possibile dubbio.

Tempio al plurale fa *templi* (latinismo).

Alcuni nomi in *-o*, che al singolare sono di genere maschile, diventano al plurale di genere femminile e prendono la desinenza *-a*:

il centinaio	*le centinaia*
il migliaio	*le migliaia*
il miglio	*le miglia*
il paio	*le paia*
l'uovo	*le uova*
il riso ('il ridere')	*le risa*

Anche per i nomi in *-o* diamo uno specchietto riassuntivo della formazione del plurale:

SINGOLARE		PLURALE	
		MASCHILE	FEMMINILE
-o		-i	-i
-co, -go	*parole piane*	-chi, -ghi	
	parole sdrucciole	-ci, -gi	
-io	i *tonica*	-ii	
	i *atona o solo grafica*	-i	

4.4.3. Nomi in *-e*

I nomi che al singolare terminano in *-e*, passando al plurale cambiano la desinenza in *-i*, sia se sono maschili sia se sono femminili:

il giudice	*i giudici*	*la legge*	*le leggi*
il padre	*i padri*	*la canzone*	*le canzoni*
il leone	*i leoni*	*la madre*	*le madri*

Bue fa *buoi*; *mille* assume nei multipli una speciale forma di plurale, derivata dal latino: *-mila* (v. AGGETTIVI NUMERALI CARDINALI, 5.4.1.).

I nomi in *-ie*, come vedremo, sono invariabili; soltanto i seguenti non conservano al plurale la stessa forma del singolare:

la moglie	*le mogli*
la superficie	*le superfici*
l'effigie	*le effigi*

Esistono anche le forme invariate *le superficie* e *le effigie*, ma sono meno comuni.

Ecco uno specchietto riassuntivo della formazione del plurale dei nomi in *-e*:

SINGOLARE	PLURALE	
	MASCHILE	FEMMINILE
-e	-i	-i

4.4.4. Nomi invariabili (tipo *il vaglia/i vaglia*)

Si dicono **invariabili** i nomi che conservano al plurale la stessa forma del singolare. Per distinguere il numero, ci si affida all'articolo, all'aggettivo, al verbo, e in generale al contesto.

Appartengono alla categoria dei nomi invariabili:

- alcuni nomi maschili in *-a*:

il vaglia	*i vaglia*
il boa	*i boa*
il boia	*i boia*
il gorilla	*i gorilla*
il cinema	*i cinema*
il sosia	*i sosia*
il lama	*i lama*

- alcuni nomi femminili in *-o*:

la dinamo	*le dinamo*
la radio	*le radio*
la moto	*le moto*
l'auto	*le auto*
la foto	*le foto*

- i nomi in *-ie*, tutti di genere femminile:

la serie	*le serie*
la specie	*le specie*
la congerie	*le congerie*
la barbarie	*le barbarie*
la progenie	*le progenie*

Ma *moglie*, *superficie* ed *effigie*, come si è detto, al plurale escono in *-i*.

- i nomi in *-i*:

il brindisi	*i brindisi*
la metropoli	*le metropoli*
la diocesi	*le diocesi*
l'analisi	*le analisi*
l'oasi	*le oasi*
la diagnosi	*le diagnosi*
l'ipotesi	*le ipotesi*

■ i nomi monosillabici:

il re	*i re*
la gru	*le gru*

■ i nomi terminanti in vocale tonica:

la virtù	*le virtù*
il caffè	*i caffè*
la città	*le città*
la novità	*le novità*
la possibilità	*le possibilità*

■ i nomi terminanti in consonante, generalmente di origine straniera:

il film	*i film*
lo sport	*gli sport*
il bar	*i bar*
il gas	*i gas*
il tram	*i tram*
il goal	*i goal*
il quiz	*i quiz*

Tuttavia i nomi stranieri che non sono di uso comune e non fanno ancora parte dell'italiano di tutti, tendono a formare il plurale secondo le regole delle rispettive lingue di origine: *il timer-i timers, il maquillage-i maquillages* (v. anche 4.5.).

4.4.5. Nomi privi di singolare o di plurale

Vi sono molti nomi che si usano soltanto al singolare o soltanto al plurale; per questo essi vengono generalmente chiamati **nomi difettivi.**

Hanno per lo più solo il singolare:

■ la maggior parte dei nomi astratti: *il coraggio*, *la pazienza*, *l'umiltà*, *la superbia*, *la fisica*, *la chimica*;

■ alcuni nomi collettivi: *la plebe*, *la prole*, *la roba*, *il fogliame*;

■ alcuni nomi di malattia: *il tifo*, *la rosolia*, *il vaiolo*, *la malaria*;

■ i nomi degli elementi chimici e dei metalli: *l'idrogeno*, *l'ossigeno*, *l'uranio*, *il cromo*; *l'alluminio*, *il rame*, *lo zinco*, *il piombo*. Vari nomi di metalli, usati al plurale, cambiano di significato: *i ferri del mestiere*, *gli ottoni di un'orchestra*, *una mostra di argenti*, *gli ori di una chiesa*, *i bronzi micenei*;

■ certi nomi di festa: *il Natale*, *la Pasqua*, *la Pentecoste*, *l'Epifania*;

■ i nomi che indicano cose uniche in natura: *l'equatore*, *l'universo*;

■ molti nomi di prodotti alimentari: *il grano*, *il latte*, *il miele*, *il pepe*, *l'avena*, *il riso*;

■ altri nomi come *il sangue*, *il fiele*, *la copia* (nel senso di 'abbondanza'), *la fame*, *la sete* ecc.

Hanno per lo più solo il plurale:

- i nomi che indicano oggetti composti di due o più parti: *i calzoni*, *le forbici*, *le mutande*, *gli occhiali*, *le redini*, *le manette*, *le cesoie*;
- alcuni nomi che designano una pluralità di cose o di azioni: *le stoviglie*, *le vettovaglie*, *i viveri*, *le rigaglie*, *le masserizie*, *le spezie*, *le viscere* (o *i visceri*), *i bronchi*, *gli spiccioli*, *le vicinanze*, *i dintorni*, *le busse*, *le dimissioni*;
- i nomi dotti che già in latino mancavano del singolare: *le calende*, *le idi*, *le none*, *le ferie*, *le nozze*, *i fasti*, *le esequie*, *le tenebre*, *i posteri*, *i penati*, *i mani*, *gli annali*.

Alcuni nomi presentano un diverso significato a seconda che siano singolari o plurali. A parte i nomi di metalli, di cui si è già detto, possiamo ricordare: *ceppo* (tronco, fusto) - *ceppi* (vincoli); *gente* (uomini) - *genti* (popoli); *resto* (rimanenza) - *resti* (avanzi, macerie) ecc.

4.4.6. Nomi con doppia forma di singolare

Appartengono a questo gruppo, oltre alla parola *arma*, alcuni nomi maschili con terminazione in *-iero* o *-iere*:

forestiero *forestiere*	*forestieri*
sparviero *sparviere*	*sparvieri*
nocchiero *nocchiere*	*nocchieri*
destriero *destriere*	*destrieri*
scudiero *scudiere*	*scudieri*
arma *arme*	*armi*

In tutti questi casi le due forme singolari hanno lo stesso significato; tuttavia le forme che terminano in *-e* sono di gran lunga meno comuni, e di uso letterario.

4.4.7. Nomi con doppia forma di plurale

Parecchi nomi maschili terminanti in *-o*, oltre al plurale normale in *-i*, ne hanno un altro con desinenza in *-a*, di genere femminile; essi sono chiamati tradizionalmente **nomi sovrabbondanti**, perché hanno un plurale in più degli altri. Alla differenza di forme plurali corrisponde per lo più una differenza di significato (di solito il plurale maschile vale per il senso figurato, il plurale femminile per il senso proprio); tuttavia nell'italiano di oggi tale differenza non è osservabile in tutti i casi:

braccio	*i bracci* (di una poltrona, di un carcere ecc.) *le braccia* (del corpo umano)
budello	*i budelli* (tubi; vie lunghe e strette) *le budella* (intestini)
calcagno	*i calcagni* (dei piedi, delle calze, delle scarpe) *le calcagna* (in locuzioni del tipo: *avere qualcuno alle calcagna*)
cervello	*i cervelli* (gli ingegni, le menti) *le cervella* (materia cerebrale)
ciglio	*i cigli* (di una strada, di un fosso) *le ciglia* (degli occhi)
corno	*i corni* (strumenti musicali) *le corna* (degli animali)
cuoio	*i cuoi* (pelli conciate) *le cuoia* (tutta la pelle umana, in frasi come: *tirare*, *stendere le cuoia*, 'morire')
dito	*i diti* (considerati distintamente l'uno dall'altro) *le dita* (considerate nel loro insieme)
filamento	*i filamenti* *le filamenta* (senza differenza di significato)
filo	*i fili* (dell'erba, della luce) *le fila* (dell'ordito, di una congiura)
fondamento	*i fondamenti* (di una scienza) *le fondamenta* (di una costruzione)
fuso	*i fusi* (rocchetti per filare; in senso geografico: *i fusi orari*) *le fusa* (in frasi come: *il gatto fa le fusa*)
gesto	*i gesti* (movimenti) *le gesta* (imprese)
ginocchio	*i ginocchi* *le ginocchia* (senza differenza di significato)
grido	*i gridi* (soprattutto degli animali) *le grida* (dell'uomo)
labbro	*i labbri* (di una ferita, di un vaso) *le labbra* (della bocca)
lenzuolo	*i lenzuoli* (presi uno per uno) *le lenzuola* (considerate a paia)

membro	*i membri* (della famiglia, della giuria ecc.) *le membra* (del corpo umano, nel loro complesso)
muro	*i muri* (di una casa) *le mura* (di una città, di una fortezza)
osso	*gli ossi* (per lo più di animali macellati) *le ossa* (l'insieme dell'ossatura)
staio	*gli stai* (recipienti) *le staia* (misura)
strido	*gli stridi* *le strida* (senza differenza di significato)
urlo	*gli urli* (soprattutto di animali) *le urla* (dell'uomo)
vestigio	*i vestigi* *le vestigia* (senza differenza di significato)

4.4.8. Nomi con doppia forma sia al singolare sia al plurale

Pochi sono i nomi che rientrano in questo gruppo:

l'orecchio *l'orecchia*	*gli orecchi* *le orecchie*
la strofa *la strofe*	*le strofe* *le strofi*
il frutto *la frutta*	*i frutti* *le frutta/le frutte*

Le varie forme di *orecchio* e *strofa* hanno tutte lo stesso significato. *Frutta* (sia come singolare sia come plurale) e *frutte* si adoperano sempre in senso proprio; *frutto* e *frutti* anche in senso figurato: *il frutto del lavoro*, *i frutti del capitale*. Tra la forma maschile e quella femminile esiste un'altra differenza: la prima si riferisce al prodotto della pianta (*un albero carico di frutti*), mentre la seconda indica i frutti commestibili da tavola (*mangiare*, *comprare la frutta*).

4.4.9. Nomi composti

In italiano trova largo impiego il procedimento della **composizione**, che consiste nell'unire due o più parole diverse per dar vita a una nuova parola. I nomi ottenuti in questo modo si chiamano **nomi composti** (v. 12.3.).

Il comportamento dei nomi composti per quanto riguarda il passaggio dal singolare al plurale cambia secondo il tipo di parole da cui sono costituiti. Ecco i casi più comuni:

■ **Sostantivo + sostantivo**

I nomi formati da due sostantivi mutano nel plurale soltanto la desinenza del secondo termine:

l'arcobaleno	*gli arcobaleni*
la banconota	*le banconote*
il cavolfiore	*i cavolfiori*
la ferrovia	*le ferrovie*
la madreperla	*le madreperle*

I nomi composti con la parola *capo* non si comportano sempre allo stesso modo.

• In alcuni di essi si mette al plurale il secondo elemento: *il capogiro-i capogiri*, *il capolavoro-i capolavori*, *il capoluogo-i capoluoghi*, *il capoverso-i capoversi*.

• In numerosi altri si mette in genere al plurale il primo elemento (soprattutto quando *capo* significa 'persona che sta a capo di qualcosa'): *il capobanda-i capibanda*, *il capoclasse-i capiclasse*, *il capofamiglia-i capifamiglia*, *il capolista-i capilista*, *il capopopolo-i capipopolo*, *il caposcuola-i capiscuola*, *il caposquadra-i capisquadra*, *il capostazione-i capistazione*, *il capotavola-i capitavola*, *il capoufficio-i capiufficio*.

• Quando il composto è femminile, rimane invariato al plurale: *la capoclasse-le capoclasse*, *la capolista-le capolista*, *la caposquadra-le caposquadra*, *la capotavola-le capotavola*.

■ **Sostantivo + aggettivo**

I nomi formati da un sostantivo seguito da un aggettivo trasformano in plurale entrambe le parole componenti:

il caposaldo	*i capisaldi*
la cartastraccia	*le cartestracce*
la cassaforte	*le casseforti*
il pellerossa	*i pellirosse*
la piazzaforte	*le piazzeforti*

Ma *palcoscenico* fa *palcoscenici*; inoltre *pellerossa* può anche restare invariato: *i pellerossa*.

■ **Aggettivo + sostantivo**

I nomi formati da un aggettivo seguito da un sostantivo prendono il plurale solo nel secondo elemento:

l'altoparlante	*gli altoparlanti*
il bassorilievo	*i bassorilievi*
il francobollo	*i francobolli*
il mezzogiorno	*i mezzogiorni*

Anche in questo caso non mancano le eccezioni: *la mezzaluna-le mezzelune*, *la mezzanotte-le mezzenotti*, *la mezzatinta-le mezzetinte*; *il purosangue-i purosangue* (invariabile).

■ **Verbo + sostantivo**

I nomi formati da un verbo e un sostantivo si comportano in maniera diversa a seconda che il sostantivo sia singolare o plurale.

Se il sostantivo è plurale, il nome composto resta invariato:

l'accendisigari	*gli accendisigari*
il cavatappi	*i cavatappi*
il guastafeste	*i guastafeste*

il lustrascarpe	*i lustrascarpe*
il portaombrelli	*i portaombrelli*
lo stuzzicadenti	*gli stuzzicadenti*

Se il sostantivo è singolare, il nome composto può assumere la desinenza del plurale o rimanere invariato. Assume la desinenza del plurale quando il sostantivo componente è di genere maschile:

il battibecco	*i battibecchi*
il parafango	*i parafanghi*
il parafulmine	*i parafulmini*
il passaporto	*i passaporti*

Rimane invece invariato quando il sostantivo componente è di genere femminile:

l'aspirapolvere	*gli aspirapolvere*
il cacciavite	*i cacciavite*
il portacenere	*i portacenere*
il salvagente	*i salvagente*

■ **Verbo + verbo; verbo + avverbio**

I nomi costituiti da due forme verbali o da una forma verbale e un avverbio sono invariabili al plurale:

l'andirivieni	*gli andirivieni*
il dormiveglia	*i dormiveglia*
il parapiglia	*i parapiglia*
il saliscendi	*i saliscendi*
il posapiano	*i posapiano*

■ **Preposizione o avverbio + sostantivo**

I nomi formati da una preposizione o un avverbio e un sostantivo non sono in realtà nomi composti ma prefissati (v. 12.2.1.). Essi non seguono una regola costante; alcuni rimangono invariati, altri mutano la desinenza del secondo elemento:

il doposcuola	*i doposcuola*
il retroterra	*i retroterra*
il senzatetto	*i senzatetto*
il sottoscala	*i sottoscala*
il dopopranzo	*i dopopranzi*
la soprattassa	*le soprattasse*
il sottopassaggio	*i sottopassaggi*
la sottoveste	*le sottovesti*

Vi sono anche nomi formati da più di due elementi; tra questi ricordiamo i nomi composti con due sostantivi uniti da una preposizione, come *ficodindia*, *fiordaliso*, *messinscena* che fanno rispettivamente *fichidindia*, *fiordalisi*, *messinscene*. Un caso particolare è rappresentato dal nome *pomodoro*, che ha ben tre plurali: *pomodori*, *pomidori*, *pomidoro*.

4.5. INSERTI

4.5.1. Un genere e un numero in più

Diversamente dall'italiano che possiede due generi, tutte le lingue indoeuropee hanno — o hanno avuto fino ad un certo periodo del loro sviluppo — tre generi: maschile, femminile e neutro. Mentre il **maschile** e il **femminile** si riferivano al sesso, il **neutro** indicava i nomi dei referenti "non animati", per i quali la distinzione del sesso non aveva senso. L'opposizione "animato / non animato" era indicata mediante diverse desinenze (cfr. il lat. DOMĬNUS 'padrone', maschile, con il neutro AURUM 'oro') e corrispondeva ad un modo di concepire la realtà. In seguito i tre generi furono interpretati soprattutto come categorie grammaticali. La situazione indoeuropea è rappresentata abbastanza bene da due lingue antiche (il greco e il latino) e da due lingue moderne (il tedesco e il russo): tutte lingue che hanno i tre generi.

Nell'evoluzione linguistica il neutro è apparso spesso come un punto debole del sistema. Alla sua scomparsa nel latino volgare ha certo contribuito la caduta delle consonanti finali che ha fatto coincidere la desinenza di un nome maschile come DOMINU con la desinenza di un neutro come AURU. I nomi neutri latini sono stati trasformati in maschili, per la maggior parte, e in femminili.

Le lingue romanze, al pari dell'italiano, possiedono soltanto due generi: maschile e femminile. Rispetto alla situazione indoeuropea si ha una differenza che si può rappresentare così:

INDOEUROPEO

genere

animato		non animato
maschile	femminile	neutro

ITALIANO (E LINGUE ROMANZE)

genere

maschile	femminile

Alcune lingue sono prive di **genere**, per esempio: il turco, l'ungherese e l'inglese. Quest'ultima lingua distingue il maschile dal femminile soltanto nei pronomi di terza persona singolare (*he* 'egli', *him* 'lui oggetto' / *she* 'lei', *her* 'lei oggetto' / *it* 'esso' neutro) e nei pronomi e aggettivi possessivi che ne derivano (*his* 'suo, di lui' / *her* 'suo, di lei' / *its* 'suo' neutro). In inglese il genere si può esprimere soltanto mediante una differenza lessicale (per esempio: *the cock* 'il gallo' / *the hen* 'la gallina'); quando non esistono forme distinte si ricorre al pronome (per esempio: *he-goat* 'capro' / *she-goat* 'capra').

Secondo alcuni linguisti il genere non è una categoria fondamentale; è piuttosto una delle **classi** in cui può essere ordinato il lessico di una lingua. In varie lingue africane, australiane e americane esistono varie classi lessicali, le quali si distinguono ora in base a caratteri formali, ma un tempo avevano anche un fondamento semantico: infatti i nomi si ripartiscono nelle varie classi in base a caratteristiche di sesso, di forma, di qualità, di consistenza, di funzione. Nelle lingue bantu dell'Africa esistono una ventina di classi, ciascuna provvista di un proprio prefisso e riservata a un diverso tipo di nomi (uomini, animali, collettivi, strumenti, oggetti con determinate caratteristiche, diminutivi, peggiorativi ecc.). Per rappresentare alcune di queste classi le lingue europee, come è noto, ricorrono ad altri mezzi (suffissi, avverbi).

Per quanto riguarda il **numero**, l'indoeuropeo oltre al singolare e al plurale conosceva il **duale**, con il quale si indicava una coppia di cose (per lo più omogenee). Per esempio il greco antico distingueva mediante tre diverse desinenze: "l'occhio" / "gli occhi" / "i due occhi". Come il neutro, anche il duale è progressivamente scomparso nella famiglia di lingue indoeuropee: ai giorni nostri sopravvive soltanto nel lituano e nello sloveno.

Nella maggior parte delle lingue il plurale si forma con l'aggiunta o la sostituzione di un elemento morfologico alla fine della parola, per esempio: it. *tavolo* / *tavoli*; spagnolo *hombre* 'uomo' / *hombres* 'uomini'; inglese *car* 'automobile' / *cars* 'automobili'; tuttavia nelle lingue germaniche il plurale è talvolta marcato dalla variazione della vocale del tema, per esempio: tedesco *Vogel* 'uccello' / *Vögel* 'uccelli'; inglese *man* 'uomo' / *men* 'uomini'. In alcune lingue dell'Africa il plurale si forma mediante un prefisso. Altre lingue ricorrono al raddoppiamento della forma del singolare.

Da un altro punto di vista osserveremo che l'italiano fa un largo uso del plurale; per esempio in una frase come *i giovani simpatici e intelligenti che ti frequentano sono miei amici* su undici parole otto portano il segno del plurale; tale percentuale è destinata a scendere nella versione inglese e in quella francese (francese parlato) della stessa frase.

4.5.2. A che servono i casi

Una categoria estranea all'italiano (e alle lingue romanze) è il **caso**. Le lingue che hanno la flessione nominale (per esempio il greco e il latino, tra le lingue antiche, il tedesco e il russo, tra quelle moderne) esprimono le relazioni sintattiche che legano le parole nella frase mediante i casi, che sono modificazioni morfologiche della parola (per esempio il lat. DOMĬNUS 'il signore', DOMĬNI 'del signore', DOMĬNO 'al signore' ecc.). Le lingue che non possiedono i casi esprimono invece tali rapporti con le preposizioni e con l'ordine delle parole: *Pietro parla a Paolo ed ascolta Maria* (v. 9.10.1.).

L'indoeuropeo aveva un sistema con otto casi (nominativo, vocativo, genitivo, dativo, accusativo, ablativo, strumentale e locativo); di questi casi il latino perdette gli ultimi due, il greco gli ultimi tre. Le lingue romanze hanno perduto tutti i casi del latino; l'inglese moderno ha perduto tutti i casi dell'inglese antico e medio. Alcune lingue caucasiche hanno sistemi di casi molto ricchi: una ne ha ben cinquantadue!

Come appare, il confronto con altre lingue (talvolta molto lontane e diverse dalla nostra) pone in risalto alcuni caratteri fondamentali dell'italiano.

4.5.3. Una parola può avere più significati

Un segno linguistico può assumere più significati. Tale fenomeno si chiama **polisemia** (dal greco *polýs* 'molto' e *sēmeîon* 'segno'). Tutte le parti del discorso (il nome, l'aggettivo, il verbo ecc.) e gli insiemi di parole (la proposizione, la frase) possono assumere più significati. Consideriamo tre esempi:

■ il nome *parte* in: *l'opera è divisa in tre parti* 'sezione'; *è di queste parti?* 'luogo'; *la crisi di governo terminò grazie ad un accordo tra le parti* 'partito'; *è molto bravo nella parte di Amleto* 'rappresentazione scenica'; *mi sono assunto la parte più ingrata* 'compito'; *parte lesa*, nel linguaggio giuridico, 'persona offesa dal reato';
■ l'aggettivo *bello* in: *una bella ragazza* 'avvenente'; *un bel libro* 'di valore'; *che bell'affare!* (con intenzione ironica) 'brutto'; *questa è bella!* 'strano, singolare'; *una bella confusione* 'grande';
■ il verbo *passare* in: *passare per la finestra*; *passare a casa di un amico*; *passare di cottura* 'eccedere il giusto limite'; *passare (ad un esame)* 'essere promosso'; *gli anni passano* 'trascorrere'; *il raffreddore è passato* 'finire'; *passare in curva* 'sorpassare'; *passare da parte a parte* 'trafiggere'.

Vediamo quali sono le cause principali della polisemia:

1. a seconda dei contesti in cui cade, una parola può assumere diversi significati o sfumature di significato; il fenomeno, che si chiama "variazione del campo di applicazione", può avere carattere momentaneo, individuale oppure permanente e stabile (in questo secondo caso i vari significati entrano nella norma di una lingua e sono registrati nel dizionario);

2. una parola (o un'espressione) può acquistare un significato particolare in un determinato ambiente, presso un gruppo socio-culturale, in una disciplina scientifica, in una tecnica; la parola "si specializza": per esempio *la campagna* sarà per un soldato 'l'insieme delle operazioni militari', per un addetto alla pubblicità 'il complesso di iniziative atte a favorire la vendita di una merce';

3. il linguaggio figurato (la metafora, la metonimia ed altre figure retoriche) conferisce a una parola nuovi significati; si pensi per esempio a: *un braccio di fiume*, *una gamba del tavolo*, *ho bevuto un buon bicchiere* (cioè il contenuto);

4. l'influsso straniero può conferire a una parola già esistente in italiano un nuovo significato: per esempio *realizzare* 'rendere reale' ha acquistato anche il significato di 'comprendere' per influsso dell'inglese *to realize*; questo fenomeno si chiama "calco semantico" (v. 13.9.1).

La polisemia è un fenomeno fondamentale per il buon funzionamento della lingua. Senza la polisemia dovremmo caricare la nostra memoria di tante parole quanti sono i significati. Poiché le cose e i concetti da designare diventano sempre più numerosi con lo sviluppo sociale e culturale, avremmo bisogno di un numero immenso di parole per esprimere ciascun significato con un termine diverso. Grazie alla polisemia possiamo invece esprimere vari significati con una sola parola, realizzando un'economia indispensabile per l'efficenza della lingua. Mediante la polisemia si accresce il potere simbolico del linguaggio.

La polisemia può talvolta essere fonte di **ambiguità**. Ciò può accadere quando il contesto non sia sufficientemente chiaro oppure quando si usano parole molto generiche come, per esempio, *affare* o *cosa*.

Oltre al contesto, ha una grande importanza la "qualità" dei diversi significati di una parola, e particolarmente il rapporto in cui stanno gli uni con gli altri. Contro le incertezze interpretative derivanti dalla polisemia vi sono anche difese "grammaticali": la variazione di genere ci permette di distinguere *le braccia* (di un uomo) da *i bracci* (di un penitenziario): v. 4.4.7.; l'ordine delle parole ci fa distinguere *galantuomo* da *uomo galante* (v. 5.2.3.).

Esiste anche una polisemia dei suffissi e dei prefissi: il suffisso *-tore* / *-trice* può riferirsi sia a una persona (*contestatore*, *contestatrice*) sia a una macchina (*registratore*, *lavatrice*); *auto-* vale 'da se stesso' (*autocontrollo*) e 'automobile' (*autorimessa*). C'è una polisemia grammaticale: la stessa parola funziona come aggettivo (*sei più* giovane *di me*) o come nome (*un* giovane *si avvicinò*). C'è una polisemia sintattica: un sintagma può avere più di un significato. Per esempio, *un buon lavoratore* può significare sia 'un lavoratore che è buono' sia (più probabilmente) 'un lavoratore che lavora molto'; nel primo caso l'aggettivo si riferisce al nome, nel secondo caso si riferisce al verbo *lavorare* che è alla base del nome.

4.5.4. Gli omonimi

Ecco ora un altro fenomeno collegato alla polisemia. Due o più parole di diverso significato possono avere la stessa sequenza di fonemi, per esempio: *era* (verbo) e *era* 'periodo'; *appunto* (avverbio) e *appunto* (nome). Come appare, nella nostra lingua gli **omonimi** (cioè parole che hanno lo stesso significante ma diverso significato: dal gr. *homṓnymos* 'stesso nome') sono al tempo stesso **omografi**, cioè si scrivono con gli stessi grafemi (dal gr. *homós* 'uguale' e *grafḗ* 'scrittura'). Non sempre gli omografi sono anche **omofoni** (parole che hanno lo stesso suono, dal gr. *homós* 'uguale' e *fōnḗ* 'suono'); per es. in inglese le parole *site* 'sito', *sight* 'vista' e *(to) cite* 'citare' si pronunciano tutte e tre allo stesso modo / sait /; in francese le parole *tan* 'tanto', *tant* 'tanno', *taon* 'mosca cavallina', *temps* 'tempo', *(je) tends* '(io) tendo' si pronunciano tutte e cinque allo stesso modo /tã/; questa è certo una difficoltà per chi studia l'inglese e il francese[1].

La causa principale della omonimia è la **convergenza fonetica**. In seguito ai mutamenti fonetici che intervengono nella evoluzione di una lingua, due o più parole che in origine avevano forme diverse, si ritrovano ad avere la stessa forma. Vediamo alcuni esempi:

Tabella A					
INSĬGNAT	>	*insegna* (verbo)	INSĬGNIA	>	*insegna* 'stemma, cartello,
sage (antico francese)	>	*saggio* 'sapiente'	*essay* (inglese)	>	*saggio* 'studio, ricerca'
LĬGĀTU(M)	>	*legato* 'avvolto, attaccato'	LĒGĀTU(M)	>	*legato* 'donazione testamentaria'

Non soltanto parole provenienti dal latino e prestiti da lingue straniere contribuiscono a creare degli omonimi; vi sono anche parole derivate da parole

[1] I principali omografi dell'italiano che nella pronuncia differiscono soltanto per la presenza di *e* chiusa o aperta, di *o* chiusa o aperta (per es. *accètta-accétta*, *bòtte-bótte*) sono elencati in 14.5.1.

italiane, come per esempio *appunto* 'annotazione' ricavato da *appuntare*: tale derivato è omonimo dell'avverbio *appunto*, dal lat. AD PŬNCTU(M).

Diversi dagli omonimi finora citati sono gli omonimi che si producono per il differenziarsi dei significati: per esempio da *fiore* discende il diminutivo *fioretto*, che significa sì 'piccolo fiore', ma ha acquistato anche i significati di 'opera buona' e 'spada' (dalla forma del bottone protettivo); insieme a *fioretto* vediamo altri due esempi analoghi:

Tabella B

fioretto (dimin. di *fiore*)		
1. piccolo fiore	2. opera buona	3. spada
radio (lat. RADIU(M) 'raggio')		
1. osso dell'avambraccio	2. elemento chimico	3. radiofonia
dispensa (der. di *dispensare*)		
1. luogo dove si conservano i cibi	2. esenzione	3. fascicolo

Da un punto di vista storico sono esempi di **omonimia** soltanto quelli compresi nella Tabella A; saranno invece esempi di **polisemia** quelli compresi nella Tabella B (*fioretto* ha acquistato altri significati, come *parte*, v. 4.5.3.). Ma questo punto di vista vale per il linguista che conosce la storia della lingua; per l'uomo della strada invece gli esempi delle due tabelle sono tutti degli omonimi: infatti quale rapporto apparente c'è tra un'opera buona e una spada? Nei dizionari si segue in genere il criterio storico: *saggio* 'sapiente' e *saggio* 'studio, ricerca' sono due lemmi distinti; mentre c'è un unico lemma *fioretto*, di cui si illustrano i tre diversi significati: un caso di polisemia dunque.

In conclusione lo studio della polisemia è collegato alla questione degli omonimi. Inoltre abbiamo visto che il dizionario fa proprio il punto di vista del linguista (distingue tra omonimia e polisemia), almeno nella maggior parte dei casi.

4.5.5. Il plurale dei nomi inglesi

Nell'italiano di oggi non mancano i forestierismi; soprattutto nella stampa si trovano vocaboli inglesi di ogni tipo: alcuni utili e perfino necessari; altri del tutto superflui (v. 13.9.7.). Quando tali vocaboli devono essere usati al plurale conservano per lo più la forma del singolare. In Italia si scrive e si dice nella maggior parte dei casi: *i film, i fan, i test, i leader, i flash, le lobby, le love-story*. Certo, dal punto di vista dell'inglese, queste forme sono dei veri e propri errori; correttamente dovremmo scrivere e dire: *i films, i fans, i tests, i leaders, i flashes, le lobbies, le love-stories*. Come è noto, l'inglese forma il plurale dei nomi mediante l'aggiunta di una *-s* o *-es* (ma non mancano varie particolarità ed eccezioni che rendono alquanto difficile questo aspetto della morfologia dell'inglese).

A dire il vero, nei nostri giornali le oscillazioni sono numerose: taluni scrivono sempre e soltanto *i film, le lobby*; altri (ma sono in minoranza) scrivono sempre e soltanto *i films, le lobbies*. Alcuni alternano con libertà assoluta le due norme; altri ancora distinguono da parola a parola.

La questione merita un supplemento di indagine. Se sfogliamo le grammatiche italiane alle pagine dedicate alla formazione del plurale dei nomi, leggiamo che i forestierismi entrati nella nostra lingua devono conservare al plurale la stessa forma del singolare. Questa regola vale per i nomi inglesi come per quelli francesi. Anche i dizionari, soprattutto quelli meno recenti, quando registrano i forestierismi entrati nella nostra lingua fanno seguire l'indicazione "invariabile". Si dirà dunque: *il bar-i bar, il film-i film, lo sport-gli sport.* Il ragionamento che sta dietro questa regola si può enunciare nel modo seguente: in italiano non esiste la *-s* finale come segno del plurale, pertanto questo segno non deve entrare nella nostra lingua. A dire il vero, il plurale invariato del tipo *il bar-i bar* non è estraneo all'italiano che conosce parole vecchie e nuove prive di indicazione del plurale: *la città-le città, il vaglia-i vaglia, il cinema-i cinema, la moto-le moto.*

Fintanto che i forestierismi, respinti dai puristi e dal potere politico (v. 5.5.6.) erano pochi, non s'incontrava una grande difficoltà nell'accogliere la regola (del resto sempre applicata dai parlanti) del plurale invariato. Ma ai giorni nostri il grande afflusso di anglicismi ha posto nuovi problemi. Alcuni linguisti hanno sostenuto che i forestierismi entrati da gran tempo nell'italiano devono avere il plurale invariato (*il bar-i bar, il film-i film, lo sport-gli sport*); invece i forestierismi recenti e meno conosciuti devono conservare il plurale della lingua di origine. Ma oggi il confine tra i due gruppi di parole appare quanto mai incerto: se negli anni Sessanta il vocabolo *test* poteva essere considerato di limitata diffusione, oggi è certo una parola conosciuta anche dalle persone di non ampia cultura. Allora, secondo la regola ora enunciata, negli anni Sessanta era opportuno scrivere e dire *i tests*; oggi sarebbe opportuno scrivere e dire *i test*.

Oltre alla variabilità di tale criterio c'è un'altra difficoltà: l'inglese possiede varie eccezioni nella formazione del plurale. A parte i plurali anomali come *man-men* 'uomo-uomini', *foot-feet* 'piede-piedi', pensiamo ad anglicismi noti in Italia come *quiz, campus* e *bonus* 'gratifica': se usassimo i plurali inglesi, queste parole diventerebbero incomprensibili per la maggior parte degli italiani: *quizzes, campuses, bonuses*. Per quanto riguarda le parole composte: il plurale di *black-out* e di *sit-in* è *black-outs, sit-ins*; forme che sarebbero giudicate insolite (per il segno del plurale aggiunto alla preposizione). Per questi motivi il plurale invariato degli anglicismi entrati in italiano appare come la regola più semplice e più consigliabile, almeno negli usi comuni non specialistici.

4.5.6. L'inglese "sommerso"

Nella nostra lingua, accanto agli anglicismi evidenti (come *film, fan, leader* ecc.), esistono degli anglicismi camuffati: sono delle parole italiane nella forma, ma inglesi nello spirito. Spieghiamoci subito con un esempio: *evidenza* 'qualità di ciò che è evidente' è una parola del tutto italiana; vediamo alcuni esempi: *è inutile negare l'evidenza dei fatti*; *gli uomini politici cercano sempre di mettersi in evidenza.* Ora leggiamo quest'altro passo: *l'ufficio conserva le evidenze di tale operazione finanziaria*; qui *evidenze* significa 'prove, testimonianze': è un uso, poco raccomandabile, derivato dal corrispondente sostantivo inglese *evidence*, che significa anche 'prova, testimonianza'. Volendo visualizzare il fenomeno avremo:

evidenza[1] 'qualità di ciò che è evidente'
evidenza[2] 'prova, testimonianza' ← ingl. *evidence.*

In un certo senso si può dire che esistono in italiano due sostantivi: *evidenza*[1] è tutto italiano; *evidenza*[2] è, per il significato, una copia dall'inglese. Vediamo altri due esempi. *Opportunità* vuol dire 'carattere o qualità di chi, di ciò che è opportuno'; ma, riprendendo il significato dell'inglese *opportunity*, il nostro vocabolo significa anche 'occasione, possibilità, circostanza favorevole'. Normalmente in italiano *si assume una responsabilità, un impegno, una carica*, inoltre *un'azienda assume un operaio*, ma quando dico *assumo che tu sia un bravo ragazzo* faccio uso di un italiano anglicizzato: in inglese *to assume* vuol dire appunto 'presumere, supporre, ritenere'; sarà meglio dunque usare uno di questi tre verbi e formulare la frase così: *ritengo che tu sia un bravo ragazzo*.

Il fenomeno di cui stiamo parlando si chiama, con espressione tecnica, **calco semantico** (v. 13.9.1.). È un fenomeno più diffuso di quanto si pensi comunemente: alcuni dei significati "ripresi" dall'inglese sono ormai divenuti stabili nella nostra lingua. *Agitare* e *agitazione* hanno tratto dall'inglese il loro significato politico: ciò è accaduto nella prima metà dell'Ottocento. *Realizzare*, oltre al significato di 'rendere reale', vuol dire oggi 'rendersi conto' (v. ingl. *to realize*). In alcuni contesti *controllare* vuol dire 'dominare' (dall'ingl. *to control*). Questi cosiddetti "falsi amici" (parole uguali nella forma, ma diversi nel significato in italiano e in inglese) sono talvolta delle vere e proprie trappole per i traduttori.

Talvolta anche i giornalisti cadono in errore: invece di *mercato nazionale* si parla di *mercato domestico* (dall'ingl. *domestic market*); si parla di *santuari della mafia*, ma in italiano *santuario* è soltanto un luogo sacro, a differenza dell'ingl. *sanctuary* che indica anche un luogo sicuro. Un tempo i puristi muovevano guerra ai "falsi amici", ma ore le cose sono cambiate: alcuni "falsi amici" sono divenuti di uso corrente nella lingua italiana.

Concludiamo con un esempio curioso che riguarda la geografia. *Middle East* è in inglese la denominazione normale per indicare la Turchia e i Paesi arabi, territori che in italiano, prima della Seconda guerra mondiale, erano chiamati *Vicino Oriente,* mentre Iran e India erano detti *Medio Oriente*. Quest'ultima denominazione è stata applicata dai giornali e dalla radiotelevisione italiana alla Turchia e ai Paesi arabi, proprio per influsso dell'inglese.

4.5.7. Il "ri-uso" delle vecchie parole

Per esprimere cose e concetti nuovi la lingua ricorre di solito a parole nuove, i cosiddetti neologismi (v. 13.7.), e a parole straniere (v. 13.9.). Talvolta ricorre a vecchie parole (i cosiddetti arcaismi: v. 13.3.) che sono "ri-usate" con nuovi significati. Esempi di questo fenomeno sono: *allenare* e *allenamento, allibratore, calcio, ostello, panfilo, valletta.*

Derivato da *lena, allenare* significava nella lingua antica 'preparare e rinvigorire con il continuo esercizio'. Alla fine del secolo scorso questo verbo assumeva il significato specifico di 'preparare ad una competizione sportiva': in tal modo sostituiva efficacemente l'inglese *to train* e il francese *entrainer*; al tempo stesso *allenamento* sostituiva l'inglese *training*. Quest'ultimo vocabolo tuttavia è tornato in circolazione negli ultimi tempi sia con il significato "sportivo" sia con il significato astratto di «preparazione, istruzione, formazione»: 'il training di un uomo politico, di uno studente prima degli esami'; come termine tecnico, *training* è usato oggi dagli psicologi. Possiamo dunque concludere che un'antica parola, ripresa con un nuovo significato, ha sostituito un forestierismo.

La stessa tattica è stata applicata in altre occasioni. *Calcio* prima di diventare il sinonimo fortunato di *football*, era il nome di un gioco che aveva i suoi fedeli nella Firenze rinascimentale.

Il *panfilo* era anticamente una nave da guerra, ora è un'imbarcazione da diporto; l'arcaismo ha sostituito (o perlomeno ridotto) l'uso dell'inglese *yacht*. Come è noto, *allibratore* è oggi 'colui che accetta scommesse a quota fissa per le corse dei cavalli'; anticamente era invece colui che compiva l'azione di *allibrare*, cioè di registrare nei libri dei tributi i beni dei cittadini e imporvi sopra il tributo della *libra* o *libbra* (antica denominazione della *lira*). All'inizio di questo secolo il filologo Isidoro Del Lungo volle sostituire l'inglese *bookmaker* con *allibratore*, interpretando quest'ultimo vocabolo come un derivato di *libro*.

Gli arcaismi sono recuperati non soltanto per sostituire i forestierismi entrati nella nostra lingua. Lo storico, per esempio, usa antiche parole come *trovatori, canzoni di gesta, usbergo* per riferirsi con precisione alla realtà del passato. Ma altre volte le parole antiche sono riprese con un significato moderno. «D'in su i veroni del paterno *ostello* / porgea gli orecchi al suon della tua voce»: sono versi di una famosa lirica del Leopardi; qui *ostello* è un vocabolo nobile, della lingua poetica e significa 'dimora'; ai nostri giorni invece il vocabolo in questione ha un uso per così dire "turistico": *ostello della gioventù*. Così il *valletto*, un paggio che anticamente aveva anche l'ufficio di scudiero, ritorna oggi nel mondo televisivo, soprattutto in versione femminile: la *valletta*.

5. L'AGGETTIVO

5.0. L'aggettivo è quella parte del discorso, variabile nel genere e nel numero, che « aggiunge » al nome cui si riferisce una qualità o una determinazione. Le funzioni fondamentali dell'aggettivo sono due:

funzione attributiva, quando il collegamento tra l'aggettivo e il nome avviene in modo diretto: *l'automobile veloce* (si parla in questo caso di *aggettivo attributivo*);

funzione predicativa, quando il collegamento tra l'aggettivo e il nome non avviene in modo diretto, ma per mezzo di un verbo: *l'automobile è veloce* (si parla in questo caso di *aggettivo predicativo*).

Ciò che caratterizza l'aggettivo è per l'appunto tale funzione di qualificazione o di determinazione del nome, rispetto al quale si trova in una condizione di **dipendenza grammaticale**. Così, per esempio, nelle frasi *Franco possiede una casa spaziosa*, *Maria indossa un abito nuovo*, le parole *spaziosa* e *nuovo* dipendono rispettivamente da *casa* e da *abito*: possiamo dire infatti *Franco possiede una casa*, *Maria indossa un abito*, ma non *Franco possiede una spaziosa*, *Maria indossa un nuovo*. E non possiamo dire nemmeno *una casa spazioso* o *spaziose* o *spaziosi*, *un abito nuova* o *nuovi* o *nuove*, ma solo *una casa spaziosa* e *un abito nuovo*, secondo il genere e il numero dei nomi *casa* e *abito*.

Un caso interessante, nel quale assume un grande rilievo la dipendenza dell'aggettivo dal nome, ci viene offerto da una frase come *rivoglio indietro il mio denaro*. Si hanno due diverse possibilità di riformulare questa frase:

attraverso l'eliminazione dell'aggettivo, che non ha conseguenze sul significato: *rivoglio indietro il denaro*;

attraverso la **nominalizzazione dell'aggettivo**, anch'essa priva di ripercussioni sul significato: *rivoglio indietro il mio*.

Assistiamo così, in questo secondo caso, a uno scambio di funzione: l'aggettivo *mio*, non avendo più il nome *denaro* al quale riferirsi e dal quale dipendere, acquista una sua propria autonomia; ma nel momento stesso in cui diviene autonomo smette di essere un aggettivo e passa nella categoria dei nomi, col significato di 'ciò che è mio, quel che mi spetta' (si pensi anche alle frasi *vive con i suoi genitori / vive con i genitori / vive con i suoi*).

5.1. CATEGORIE DELL'AGGETTIVO

Gli aggettivi vengono tradizionalmente distinti in **qualificativi** e **determinativi** (detti anche **indicativi**). Gli aggettivi qualificativi si uniscono ai nomi per esprimere particolari qualità della cosa, della persona o del concetto che essi designano (*bello*, *brutto*, *buono*, *cattivo*, *caldo*, *freddo*, *grande*, *piccolo*, *ricco*, *povero*, *vecchio*, *nuovo*, *bianco*, *nero* ecc.); gli aggettivi determinativi aggiungono al sostantivo una determinazione che serve a meglio individuarlo e specificarlo, precisandone il possesso, la posizione, la quantità, il numero ecc. (*mio*, *tuo*, *questo*, *quello*, *molto*, *nessuno*, *uno*, *due*, *primo*, *secondo* ecc.).

In realtà una distinzione così rigida tra il significato qualificativo e quello determinativo non è possibile: in frasi come *vada all'ultimo sportello*, *si fa aiutare dal figlio grande*, *non ricordo le parole iniziali*, gli aggettivi *ultimo*, *grande*, *iniziali* valgono non solo a qualificare lo sportello, il figlio, le parole, ma anche e soprattutto a determinarli rispetto agli altri sportelli, agli altri figli, alle altre parole.

Un tipo particolare di aggettivi qualificativi sono gli **aggettivi di relazione** o **relazionali**, che derivano da nomi (*annuale* da *anno*, *finanziario* da *finanza*, *bovino* da *bove*, *artistico* da *artista*, *economico* da *economia* ecc.) e indicano l'esistenza di una relazione tra il nome cui l'aggettivo si riferisce e il nome da cui l'aggettivo è derivato. Tale relazione può essere di vario genere, tanto che in alcuni casi si hanno delle ambiguità di significato: per esempio, capiremo solo dal contesto se *la campagna presidenziale* è 'la campagna (elettorale) del presidente' o 'la campagna (elettorale) per il presidente'.

Numerosi aggettivi relazionali presentano caratteristiche particolari:

- non possono essere anteposti al nome: si dice *carne bovina* e non *bovina carne*;
- non possiedono il comparativo e il superlativo: da *bilancio annuale* non si può avere *bilancio più annuale* o *bilancio annualissimo*;
- non possono essere usati in funzione predicativa: si può dire *l'anno finanziario*, ma non *l'anno è finanziario*; *lo spazio sidereo*, ma non *lo spazio è sidereo*.

5.2. AGGETTIVI QUALIFICATIVI

Con l'aggettivo qualificativo possiamo caratterizzare il nome in molti modi diversi: per esempio, un *lavoro* può essere *interessante*, *onesto*, *impegnativo*, *monotono*, *ripetitivo*, *faticoso*, *stressante*, *facile*, *difficile*, *manuale*, *intellettuale*, *continuo*, *saltuario*, *autonomo*, *subordinato* e così via di seguito. Gi aggettivi qualificativi sono dunque innumerevoli; come il nome e il verbo, si tratta di una classe aperta di elementi, che può essere sempre accresciuta attraverso nuove coniazioni (v. FORMAZIONE DELLE PAROLE, 12.).

5.2.1. Genere e numero dell'aggettivo qualificativo

Per quanto riguarda il genere e il numero, l'aggettivo qualificativo si comporta in maniera del tutto analoga al nome, secondo lo schema:

		SINGOLARE	PLURALE
I CLASSE	MASCHILE	-o	-i
	FEMMINILE	-a	-e
II CLASSE	MASCHILE E FEMMINILE	-e	-i

Abbiamo quindi due classi di aggettivi qualificativi:

- alla prima classe appartengono gli aggettivi che presentano forme distinte per i due generi e i due numeri: **-o** per il maschile singolare, **-a** per il femminile singolare, **-i** per il maschile plurale, **-e** per il femminile plurale;
- alla seconda classe appartengono gli aggettivi che non hanno forme diverse per il maschile e il femminile, ma possiedono solo la distinzione di numero: **-e** per il singolare di entrambi i generi, **-i** per il plurale di entrambi i generi.

Esempi:

un bambino buono, *una bambina buona*, *bambini buoni*, *bambine buone*; *un campo fertile*, *una terra fertile*, *campi fertili*, *terre fertili*.

Per le particolarità che si presentano nella formazione del plurale, vale quanto abbiamo già osservato a proposito del plurale dei nomi. Basterà aggiungere che gli **aggettivi composti**, cioè risultanti dall'unione di due aggettivi, mutano al plurale soltanto la desinenza del secondo elemento: *ragazzi sordomuti*, *ragazze sordomute*; *diritti sacrosanti*, *leggi sacrosante*.

L'aggettivo *pari* e i suoi derivati *impari*, *dispari* hanno un'unica forma per entrambi i generi e i numeri; solo dal contesto potremo di volta in volta capire se vengono usati al maschile o al femminile, al singolare o al plurale: *numero pari*, *numeri pari*, *cifra pari*, *cifre pari*. Sono inoltre invariabili:

- le locuzioni avverbiali usate come aggettivi *dappoco*, *dabbene*, *perbene*: *individuo dappoco*, *persona dappoco*, *individui dappoco*, *persone dappoco*;
- alcuni sostantivi indicanti colore usati anch'essi in funzione aggettivale: *l'abito rosa*, *la maglia rosa*, *gli abiti rosa*, *le maglie rosa*;
- coppie di aggettivi indicanti gradazione di colore: *una gonna rosso cupo*, *delle camicie verde pallido*; come pure coppie formate da un aggettivo e un sostantivo: *una gonna rosso fuoco*, *delle camicie verde bottiglia*;
- l'infinito attributivo *avvenire*: *negli anni avvenire*;
- alcuni aggettivi di recente formazione composti da *anti-* e un sostantivo: *fari antinebbia*, *cannoni anticarro*, *sistemi antifurto*.

Per l'elisione e il troncamento degli aggettivi *bello*, *buono*, *grande*, *santo* rimandiamo a 14.11.1. e 14.11.2.

5.2.2. Accordo dell'aggettivo qualificativo

L'aggettivo qualificativo concorda nel genere e nel numero con il sostantivo cui si riferisce:

un ragazzo studioso, una ragazza studiosa, ragazzi studiosi, ragazze studiose; Franco è studioso, Maria è studiosa, Franco e Luigi sono studiosi, Maria e Cristina sono studiose.

Quando si riferisce a più nomi dello stesso genere, tutti singolari, tutti plurali o alcuni singolari e altri plurali, l'aggettivo prende il genere dei nomi e va di solito al plurale:

la carta e la penna sono pronte; ci regalarono dei dolci e dei liquori squisiti; ho la faccia e le mani sporche; ma anche: *lingua e letteratura italiana.*

Quando si riferisce a più nomi di genere e di numero diversi, l'aggettivo viene posto per lo più al maschile plurale (tale preferenza si spiega col valore più vicino al "neutro" del maschile rispetto al femminile):

un acume e una lungimiranza straordinari; i miei fratelli e le mie sorelle sono tutti lontani; delle pillole e uno sciroppo amarissimi; ma anche: *uno sciroppo e delle pillole amarissime*, per la vicinanza del sostantivo femminile.

5.2.3. Posizione dell'aggettivo qualificativo

In italiano l'aggettivo qualificativo può essere collocato sia prima del sostantivo sia dopo; molto spesso, anzi, cambia di significato (o di una sfumatura di significato) col variare della sua posizione. Così, per esempio, *la strada vecchia* e *la vecchia strada* possono non voler dire esattamente la stessa cosa. Infatti nel primo caso l'aggettivo posto dopo il nome assume una **funzione distintiva (restrittiva)**: *prendi la strada vecchia, è più breve della nuova*; nel secondo caso invece l'aggettivo posto davanti al nome ha piuttosto una **funzione accessoria, descrittiva (non-restrittiva)**: *la vecchia strada s'arrampicava per la montagna*. E si noti la differenza tra *un uomo buono* e *un buon uomo*, *un uomo povero* e *un pover'uomo*, *un uomo grande* e *un grand'uomo* (casi del tutto analoghi sono pure *un uomo gentile* e *un gentiluomo*, *un uomo galante* e *un galantuomo*).

5.2.4. Nominalizzazione dell'aggettivo qualificativo

Abbiamo già incontrato due casi di nominalizzazione dell'aggettivo, nelle frasi *rivoglio indietro il mio*, *vive con i suoi*. Ma pressoché tutti gli aggettivi, in unione con l'articolo o con un altro determinatore (un numerale o un aggettivo indefinito, per esempio), possono essere sostantivati:

i ricchi e i poveri, il vecchio e il nuovo, i Romani vinsero i Cartaginesi, quattro giovani, molti stranieri.

Talvolta l'originario valore di aggettivo non viene più avvertito dai parlanti:

il giornale, i mobili, l'invettiva, la metropolitana, la litoranea, il sonnifero, il buio, la circolare, la stradale, la fiorentina (bistecca), *la Fiorentina* (squadra di calcio).

In particolare, un aggettivo usato con valore neutro può sostituire un sostantivo astratto (*il bello* 'la bellezza', *il vero* 'la verità', *il giusto* 'la giustizia' ecc.), analogamente a quanto accadeva nel nominativo neutro degli aggettivi greci e latini (gr. *tò agathón*, lat. *bonum* 'ciò che è buono, il bene'; gr. *tò kalón*, lat. *pulchrum* 'il bello, la bellezza').

L'aggettivo qualificativo può svolgere anche la funzione di un avverbio: *dir chiaro e tondo*, *andare piano* (o *forte*), *rigare diritto*. In altri casi aggettivi sostantivati preceduti da una preposizione formano varie locuzioni avverbiali: *con le buone*, *con le cattive*, *per le spicce*, *alla svelta*, *all'antica*, *all'improvviso*.

5.2.5. Gradi dell'aggettivo qualificativo

Con l'aggettivo qualificativo possiamo esprimere non soltanto la qualità, ma anche la misura (**grado**) in cui tale qualità è posseduta: *bello*, *più bello*, *bellissimo*; *brutto*, *più brutto*, *bruttissimo*. *Bello* e *brutto* si dicono di **grado positivo** perché esprimono solo la qualità senza indicarne la misura; *più bello* e *più brutto* si dicono di **grado comparativo** perché esprimono una qualità stabilendo un confronto; *bellissimo* e *bruttissimo* si dicono di **grado superlativo** perché esprimono una qualità in misura molto alta.

La possibilità di variare il proprio grado è una delle caratteristiche che distinguono l'aggettivo dal nome. Infatti, una *casa* o un *tavolo* non potranno dirsi *più casa* o *più tavolo*, *casissima* o *tavolissima*; anche se talora, nell'uso familiare e scherzoso, oppure nel linguaggio della pubblicità, del giornalismo, della televisione, si trovano formazioni come *augurissimi*, *salutissimi*, *padronissimo*, *occasionissima*, *affaronissimo*, *campionissimo*, *veglionissimo*, *canzonissima*. Ma si tratta, appunto, di parole insolite, un po' stravaganti, e come tali vengono sfruttate in particolari contesti.

Il grado d'intensità di un aggettivo lo possiamo variare in due modi:

- relativamente ad altri termini, cioè istituendo un paragone con un'altra unità (**grado comparativo**: *la tua casa è più grande della mia*) o con un gruppo di altre unità della stessa specie (**grado superlativo relativo**: *questa casa è la più grande del palazzo*);

- in assoluto, cioè senza introdurre confronti con altri termini (**grado superlativo assoluto**), mediante l'aggiunta di un suffisso (*una casa grandissima*) o di un prefisso (*una casa arcigrande*, *stragrande*), oppure per mezzo di avverbi (*una casa molto grande*), o anche ripetendo o rafforzando l'aggettivo (*una casa grande grande*, *una valigia piena piena* o *piena zeppa*).

Grado comparativo

Il grado comparativo stabilisce un confronto tra due termini rispetto a una stessa qualità: *Mario è più intelligente di Paolo*, *Mario è meno intelligente di Paolo*, *Mario è intelligente quanto Paolo*; oppure tra due qualità rispetto a uno stesso termine: *Mario è più intelligente che studioso*, *Mario è meno intelligente che studioso*, *Mario è tanto intelligente quanto studioso*.

Come si vede dagli esempi, il comparativo si articola in tre proporzioni (maggioranza, minoranza, uguaglianza), ciascuna delle quali si esprime in un determinato modo:

■ il **comparativo di maggioranza** si ottiene facendo precedere l'aggettivo da *più*, mentre davanti al secondo termine di paragone possono andare *che* o *di*. Quest'ultimo si mette solo davanti a un nome o a un pronome non retti da preposizione o davanti a un avverbio: *è più giovane di Franco*, *correva più veloce di me*, *è più riflessivo di prima* (meno propriamente si direbbe: *è più giovane che Franco*, *correva più veloce che me*, *è più riflessivo che prima*). Negli altri casi, cioè davanti a un nome o pronome retto da preposizione o quando si paragonano tra loro due verbi, due aggettivi o due avverbi, si può usare solo *che*: *lo fece più per dovere che per suo piacere*, *è più facile a dirsi che a farsi*, *pareva più rassegnata che persuasa*, *agisce più istintivamente che razionalmente*;

■ il **comparativo di minoranza** presenta la stessa costruzione di quello di maggioranza, con la sostituzione di *meno* a *più*: *sono stato meno attento di te*, *sembri meno nervoso di ieri*. Ma una frase come: *è un inverno meno freddo che umido* ha un tono letterario, o poco usuale; di solito si preferisce volgerla così: *è un inverno più umido che freddo*;

■ il **comparativo di uguaglianza** si ottiene introducendo il secondo termine con l'avverbio *quanto* o *come*, mentre il primo termine può essere usato da solo: *sono stanco quanto* (o *come*) *te*; oppure, ma è oggi un costrutto meno comune: *sono tanto studioso quanto te*, *sono così studioso come te*. Se il confronto avviene non tra due nomi o due pronomi, ma tra due aggettivi o due verbi, è invece normale l'avverbio correlativo davanti al primo termine: *è una ragazza tanto brava quanto bella*, *mi piace così prendere il sole come fare il bagno*.

Grado superlativo

Il superlativo può essere di due tipi: relativo e assoluto.

Il **superlativo relativo** esprime il grado massimo o minimo di una qualità, relativamente a un gruppo di persone o cose. Si differenzia formalmente dal comparativo di maggioranza o di minoranza per la presenza dell'articolo determinativo davanti all'aggettivo o al nome: *è il più bel romanzo che abbia letto*; *è l'attore meno adatto per questo ruolo*.

Rara, e di tono enfatico, è la costruzione con l'articolo ripetuto: *è la città la più grande che conosca*. Invece, quando è preceduto da un nome che ha l'articolo indeterminativo, il superlativo relativo viene sempre introdotto dall'articolo determinativo: *un uomo, il più anziano di tutti, ci venne incontro*.

Se è espresso un termine di confronto collettivo plurale, questo è introdotto da *di* o, meno spesso, *tra*, *fra*: *l'uomo più ricco di tutti* / *fra tutti*.

Quando il confronto interessa due termini, non si può a rigore parlare di superlativo relativo, ma di comparativo: in una frase come *dopo la caduta la gamba più dolorante era la destra* si ha un confronto implicito con l'altra gamba e solo con quella, cioè il rapporto di un termine con un altro (comparativo), non di un termine con un gruppo di termini omogenei (superlativo relativo).

Il **superlativo assoluto** in *-issimo* indica la qualità al massimo grado, senza relazione con altri concetti: *un amico carissimo*, *pochissimi soldi*, *una manovra abilissima*, *lenzuola bianchissime*.

Per quanto riguarda la formazione, c'è da notare che negli aggettivi uscenti in *-io* (come *pio*, *vario*) la *i* del tema si conserva se è tonica (*piissimo*), si fonde con quella della desinenza se è atona (*varissimo*). *Ampio* ha il superlativo latineggiante *amplissimo*.

Non hanno gradazione alcuni aggettivi che contengono già in sé l'idea del superlativo: *colossale*, *divino*, *eccezionale*, *enorme*, *eterno*, *immenso*, *infinito*, *straordinario* ecc. Altri aggettivi hanno un significato assolutamente preciso, specifico, e perciò non vengono usati quasi mai al superlativo: *cubico*, *sferico*, *triangolare*, *quadrangolare*, *chimico*, *psichico*, *annuale*, *settimanale*, *bronzeo*, *ligneo*, *calabrese*, *spagnolo*, *asiatico*, *africano* ecc.

L'influsso latino si avverte ancora oggi in alcuni superlativi in *-èrrimo* e in *-éntissimo*:

1. *acre*	*acerrimo*
celebre	*celeberrimo*
integro	*integerrimo*
misero	*miserrimo*
salubre	*saluberrimo*
2. *maledico*	*maledicentissimo*
benefico	*beneficentissimo*
munifico	*munificentissimo*
benevolo	*benevolentissimo*
malevolo	*malevolentissimo*

Aspro ha sia la forma *asperrimo* sia quella *asprissimo*; si possono trovare anche *miserissimo* (accanto a *miserrimo*) e *salubrissimo* (accanto a *saluberrimo*).

L'uso degli aggettivi in *-èrrimo* e in *-éntissimo* è ormai piuttosto raro, e riservato a un linguaggio di tono elevato. Nella lingua comune si preferisce ricorrere a superlativi analitici (cioè formati non da una sola parola, variamente modificata, ma da una perifrasi): *molto celebre*, *assai benevolo* ecc. In qualche caso la forma in *-èrrimo* è usata solo nel senso figurato: *un nemico acerrimo* ma *un sapore molto acre*; *una persona integerrima* ma *la vista è perfettamente integra*.

Comparativi e superlativi organici

Seguono il modello latino anche i cosiddetti **comparativi** e **superlativi organici**, cioè costituiti da un'unica forma del tutto autonoma (senza *più* o *meno* o la desinenza *-issimo*):

POSITIVO	COMPARATIVO DI MAGGIORANZA	SUPERLATIVO RELATIVO	SUPERLATIVO ASSOLUTO
buono	migliore	il migliore	ottimo
cattivo	peggiore	il peggiore	pessimo
grande	maggiore	il maggiore	massimo
piccolo	minore	il minore	minimo
molto	più	il più	

I primi quattro aggettivi hanno anche le forme non organiche di comparativo, di superlativo relativo e di superlativo assoluto:

più buono, il più buono, buonissimo;
più cattivo, il più cattivo, cattivissimo;
più grande, il più grande, grandissimo;
più piccolo, il più piccolo, piccolissimo.

Nella maggior parte dei casi i due tipi si equivalgono, anche se si può notare nelle forme organiche una prevalenza del senso figurato: *è il migliore di tutti, riesce a ottenere il massimo risultato con il minimo sforzo*.

Sono da evitare le « forme miste » *più migliore, più ottimo, ottimissimo*, in quanto *migliore* è già comparativo di maggioranza e *ottimo* è un superlativo assoluto.

Ci vengono dal latino altri comparativi e superlativi organici, che mancano del grado positivo:

COMPARATIVO	SUPERLATIVO
anteriore	—
citeriore	—
esteriore	estremo
inferiore	infimo
interiore	intimo
posteriore	postremo (*o* postumo)
—	primo
—	prossimo
superiore	supremo (*o* sommo)
ulteriore	ultimo

Le coppie *esteriore-estremo, inferiore-infimo, interiore-intimo, superiore-supremo* (o *sommo*) sono talvolta adoperate come comparativo e superlativo, rispettivamente, di *esterno, basso, interno, alto*. Da notare qualche caso in cui la forma non organica ha senso proprio, quella organica senso figurato: *lo strato più interno della roccia, la vita interiore*; *un monte altissimo, un sommo poeta*.

I comparativi *citeriore* ('situato al di qua') e *ulteriore* ('situato al di là') sono usati soltanto in alcune denominazioni di regioni storiche: *Gallia citeriore, Gallia ulteriore*. *Ulteriore* indica anche qualcosa che si aggiunge a quanto già detto o fatto e in questo significato è molto comune: *per ulteriori informazioni si rivolga alla segreteria*.

I superlativi *primo* e *ultimo* hanno anche le forme *primissimo* e *ultimissimo*: *primissima qualità, ultimissima moda*; sono inoltre possibili espressioni come: *l'ipotesi più estrema, i familiari più prossimi, i sentimenti più intimi*. Possiamo dedurne quanto si sia indebolito, nella coscienza dei parlanti, l'originario valore comparativo e superlativo di questi aggettivi.

5.3. AGGETTIVI DETERMINATIVI O INDICATIVI

Gli aggettivi determinativi o indicativi hanno la funzione di specificare il nome, esprimendo una determinazione **possessiva** (*la mia casa*), **dimostrativa** (*questa casa*), **indefinita** (*alcune case*), **interrogativa** (*quale casa?*), **numerale** (*due case*).
Al contrario degli aggettivi qualificativi, costituiscono una classe chiusa di elementi, non suscettibile d'incremento attraverso i meccanismi della formazione delle parole. Un'altra particolarità che li differenzia dagli aggettivi qualificativi è che generalmente possono anche avere valore di pronome.

5.3.1. Aggettivi possessivi

Gli aggettivi possessivi indicano la persona cui appartiene una determinata cosa; hanno quindi una duplice funzione: da un lato specificano l'oggetto posseduto, dall'altro precisano la persona del possessore. Poiché le persone sono tre al singolare (*io*, *tu*, *egli*) e tre al plurale (*noi*, *voi*, *essi*), anche gli aggettivi possessivi saranno tre per le persone singolari e tre per le persone plurali:

PERSONA	SINGOLARE		PLURALE	
	MASCHILE	FEMMINILE	MASCHILE	FEMMINILE
1ª SING.	mio	mia	miei	mie
2ª SING.	tuo	tua	tuoi	tue
3ª SING.	suo	sua	suoi	sue
1ª PLUR.	nostro	nostra	nostri	nostre
2ª PLUR.	vostro	vostra	vostri	vostre
3ª PLUR.	loro	loro	loro	loro

Come si vede dallo specchietto, i possessivi hanno quattro forme distinte: una per il maschile, una per il femminile, una per il singolare e una per il plurale; soltanto la terza persona plurale *loro* è invariabile. *Mio*, *tuo*, *suo* hanno al plurale maschile le forme *miei*, *tuoi*, *suoi*; tutte le altre forme sono regolari.
L'aggettivo possessivo concorda in genere e in numero con il nome cui si riferisce (non con la persona del possessore): *la nostra automobile*, *il vostro appartamento*, *i miei giocattoli*, *le tue penne*. In un caso, però, si deve tenere conto del possessore oltre che della cosa posseduta: nella terza persona plurale. Bisogna usare *suoi* per il maschile e *sue* per il femminile quando il possessore è uno solo: *Carlo mi ha mostrato i suoi terreni e le sue case* (cioè 'i terreni e le case di lui'); si deve invece usare *loro* quando i possessori sono due o più: *Carlo e Luigi mi hanno mostrato i loro terreni e le loro case* (cioè 'i terreni e le case di loro').
Se è necessario evitare un'ambiguità possono adoperarsi (ma non è un uso molto comune) le forme del pronome personale precedute dalla preposizione *di*: così, invece di dire *Paolo si è intrattenuto con Mario nel suo ufficio*, se si vuol precisare chiaramente che si tratta dell'ufficio di Mario, si dirà *Paolo si è intrattenuto con Mario nell'ufficio di lui*.

Proprio e altrui

La nostra lingua dispone di altri due aggettivi possessivi: *proprio* e *altrui*.

Proprio può sostituire il possessivo di terza persona singolare e plurale, con riferimento al soggetto: *ha sperperato il proprio denaro*; *hanno fatto il proprio dovere*. In particolare, si usa *proprio* in luogo di *suo* e *loro* quando questi potrebbero creare equivoci non indicando chiaramente il possessore: *Paolo si è intrattenuto con Mario nel proprio ufficio* (cioè 'nell'ufficio di Paolo stesso').

L'impiego di *proprio* è obbligatorio nelle costruzioni impersonali: *bisogna difendere le proprie idee*; *è bene conoscere le proprie responsabilità*; è preferibile quando il soggetto è indefinito: *tutti possono esprimere il proprio pensiero*; *ciascuno è artefice del proprio destino*.

Proprio serve anche a rafforzare l'aggettivo possessivo: *l'ho visto con i miei propri occhi*; *ti sei rovinato con le tue proprie mani*.

Altrui indica un possessore indefinito e corrisponde alle espressioni 'di altri, degli altri'; è invariabile e solitamente viene posto dopo il nome: *non desiderare la roba altrui*; *bisogna rispettare le opinioni altrui*.

Valori dell'aggettivo possessivo

L'aggettivo possessivo equivale a un complemento di specificazione: *il suo vestito* = il vestito di lui o di lei; *il loro giardino* = il giardino di loro. Per questo nella terza persona singolare e plurale può essere sostituito dalla particella pronominale *ne*, che significa appunto 'di lui, di lei, di loro':

appena lo conobbi divenni ***suo*** *amico* = appena lo conobbi **ne** divenni amico
da molto tempo non ho ***loro*** *notizie* = da molto tempo non **ne** ho notizie

L'aggettivo possessivo può avere valore oggettivo o soggettivo, cioè può costituire l'oggetto o il soggetto dell'azione indicata dal sostantivo: *fallo per amor mio* = perché ami me (oggettivo); *attendono il mio arrivo* = che io arrivi (soggettivo). In generale, però, la funzione del possessivo è quella soggettiva.

L'aggettivo possessivo non si limita ad esprimere l'idea della proprietà e del possesso, ma assume anche altri valori. Per esempio, può indicare relazioni di parentela (*mio padre*, *tuo zio*) o rapporti di amicizia, di lavoro, di affari, di clientela (*i miei compagni*, *il tuo capoufficio*, *il suo avvocato*); talvolta sottolinea l'abitualità di un fatto: *non saprei rinunciare al mio sonnellino pomeridiano*.

Uso dell'aggettivo possessivo

Come si può dedurre dagli esempi che abbiamo fatto, di solito l'aggettivo possessivo precede il nome cui si riferisce; viene posposto:

- nelle frasi vocative ed esclamative: *signori miei, così non va*; *figlio mio!*;
- quando si vuole conferirgli un rilievo particolare: *il fratello mio*; talora la posposizione accentua l'idea del possesso: *questa è la mia casa* / *questa è casa mia*;
- in varie locuzioni preposizionali: *di testa mia*, *per colpa sua*, *per amor vostro*, *per conto nostro* ecc.; si noti in tutti questi casi l'omissione dell'articolo.

L'articolo si omette anche davanti ai nomi indicanti una relazione di parentela: *mia madre*, *tuo padre*, *suo fratello*, *nostro zio*, *vostro nipote*. In alcuni casi, tuttavia, l'articolo si conserva:

- quando il nome di parentela è al plurale: *i suoi fratelli*, *i nostri zii*;

■ quando il nome è qualificato da un aggettivo: *il mio nipote diletto*; o determinato da un complemento: *il tuo zio di Roma*;

■ con i nomi composti o alterati: *il mio bisnonno*, *la tua zietta*;

■ con *loro* e *proprio*: *la loro sorella*, *la propria madre*;

■ con i nomi affettivi *papà*, *babbo*, *mamma*, *figliolo*, *figliola*: *la mia mamma*, *il tuo papà*, *il nostro figliolo*.

Per alcuni nomi di parentela, per esempio *nonno* e *nonna*, l'uso è oscillante, nel senso che si può avere o non avere l'articolo: *la mia nonna* o *mia nonna*.

Spesso l'aggettivo possessivo si sottintende; ciò accade quando la persona del possessore è chiaramente individuabile dal contesto: *s'infilò il cappotto*; *batté la testa*; *alzò la mano*.

5.3.2. Aggettivi dimostrativi

L'aggettivo dimostrativo determina una persona o una cosa secondo il rapporto di vicinanza o di lontananza nello spazio, nel tempo o nel discorso. La sua funzione è quella di "mostrare", come se si facesse un gesto di indicazione; e infatti, nella lingua parlata, è spesso accompagnato dall'indice teso.

Gli aggettivi dimostrativi sono **questo**, **codesto** e **quello**; si usano sempre anteposti al nome e non sono mai preceduti dall'articolo.

SINGOLARE		PLURALE	
MASCHILE	FEMMINILE	MASCHILE	FEMMINILE
questo	questa	questi	queste
codesto	codesta	codesti	codeste
quello, quel	quella	quegli, quei	quelle

Ciascuno di questi aggettivi ha un impiego ben definito:

■ **questo** indica una persona o una cosa vicina a chi parla:

questa bambina cresce a vista d'occhio (vicinanza nello spazio);
questo pomeriggio vado al cinema (vicinanza nel tempo);
queste minacce non m'intimoriscono (vicinanza nel discorso).

Al singolare si può elidere davanti a vocale: *quest'anno*, *quest'isola*.
Al plurale, invece, non si elide mai: *questi anni*, *queste isole*.

La forma femminile *questa* diventa *sta* in alcuni composti: *stamattina* (invece di *questa mattina*), *stasera*, *stanotte*, *stavolta*;

Nella lingua parlata e familiare sono diffuse le forme *'sto, 'sta, 'sti, 'ste*, con caduta della prima sillaba (aferesi).

■ **codesto** indica una persona o una cosa vicina a chi ascolta. Il suo uso è limitato alla Toscana e al linguaggio letterario (nella lingua comune viene sostituito da

questo): *chi è codesto ragazzo?*; *codesti ragionamenti non mi convincono.*
L'elisione davanti a vocale si ha raramente e solo al singolare;

■ **quello** indica una persona o una cosa lontana da chi parla e da chi ascolta: *conosci quel signore?*; *quell'anno il raccolto fu abbondantissimo*; *cercherò di seguire quei consigli.*

Al maschile, sia singolare sia plurale, presenta forme diverse a seconda di come inizia il sostantivo cui è legato, comportandosi in modo del tutto analogo all'articolo determinativo:

quello scolaro	(lo)	*quegli scolari*	(gli)
quel cavallo	(il)	*quei cavalli*	(i)

Al singolare si elide davanti a vocale: *quell'orologio*, *quell'enciclopedia*, *quell'individuo*. Al plurale femminile non si elide mai: *quelle enciclopedie*; al plurale maschile l'elisione è ammessa davanti a nomi che cominciano per *i*: *quegl'individui* (ma più comunemente: *quegli individui*).

Questo, *codesto* e *quello* possono essere rafforzati rispettivamente dagli avverbi di luogo *qui* o *qua*, *costì* o *costà*, *lì* o *là*, che si pospongono al sostantivo cui l'aggettivo si riferisce: *voglio questo gelato qui*; *prendi questa sedia qua*; *quel palazzo lì dev'essere restaurato*; *chi è quel tipo là? Costì* e *costà* si usano esclusivamente in Toscana.

Talora gli aggettivi dimostrativi non hanno funzione propriamente indicativa, ma servono a dare all'espressione un rilievo enfatico: *l'ho visto con questi miei occhi*; *ho avuto una di quelle paure!*

Stesso e **medesimo**

Si suole considerare come dimostrativi anche gli aggettivi **stesso** e **medesimo**, che indicano identità più o meno completa fra due elementi:

siamo dello stesso segno zodiacale; *Marco e Paolo hanno la stessa età*; *sono due malattie che si manifestano con i medesimi sintomi*; *abbiamo le medesime idee.*

Fra *stesso* e *medesimo*, il secondo è meno comune e di tono più letterario.
Questi due aggettivi possono anche avere valore rafforzativo, e in tal caso si pospongono generalmente al termine cui si riferiscono:

il suo valore è riconosciuto dagli avversari stessi ('perfino dagli avversari')
gliel'ho detto io stesso ('proprio io')
il presidente medesimo si congratulò con loro ('il presidente in persona')

Tale

Un altro aggettivo che ha funzione dimostrativa è **tale** quando viene usato nel senso di 'questo', 'quello': *dette tali parole se ne andò*; *dopo tali avvenimenti la situazione tornò alla normalità.*

In casi del genere *tale*, o anche *questo*, o forme equivalenti come *suddetto, soprascritto*, non indicano una realtà esterna al discorso, ma rinviano a qualcosa di cui si è già parlato.

Tale è anche aggettivo indefinito (v. 5.3.3.).

5.3.3. Aggettivi indefiniti

Mentre gli aggettivi dimostrativi danno un'indicazione precisa, gli aggettivi indefiniti ne forniscono una generica e approssimata: tra gli uni e gli altri c'è la stessa differenza che passa tra l'articolo determinativo e quello indeterminativo. Gli aggettivi indefiniti si uniscono al nome per esprimere un'idea più o meno vaga di quantità o di qualità. Il carattere dell'indeterminatezza è l'unico elemento che ci permetta di raggruppare insieme aggettivi molto diversi fra loro.

Ve ne sono infatti alcuni che indicano una unità indefinita: *ogni*, *ciascuno*, *qualunque*, *qualsiasi*, *qualsivoglia*, *nessuno*; altri che indicano una pluralità indefinita: *qualche*, *alcuno*; altri che al singolare indicano l'unità indefinita, e al plurale la pluralità indefinita: *taluno*, *certuno*, *certo*, *tale*; altri che indicano una quantità indefinita: *poco*, *alquanto*, *parecchio*, *molto*, *tanto*, *troppo*, *altrettanto*, *tutto*, *altro*, *diverso*, *vario*.

SINGOLARE		PLURALE	
MASCHILE	FEMMINILE	MASCHILE	FEMMINILE
ogni	ogni	—	—
ciascuno	ciascuna	—	—
qualunque	qualunque	—	—
qualsiasi	qualsiasi	—	—
qualsivoglia	qualsivoglia	—	—
nessuno	nessuna	—	—
qualche	qualche	—	—
alcuno	alcuna	alcuni	alcune
taluno	taluna	taluni	talune
certuno	certuna	certuni	certune
certo	certa	certi	certe
tale	tale	tali	tali
poco	poca	pochi	poche
alquanto	alquanta	alquanti	alquante
parecchio	parecchia	parecchi	parecchie
molto	molta	molti	molte
tanto	tanta	tanti	tante
troppo	troppa	troppi	troppe
altrettanto	altrettanta	altrettanti	altrettante
tutto	tutta	tutti	tutte
altro	altra	altri	altre
diverso	diversa	diversi	diverse
vario	varia	vari	varie

Vediamo uno per uno gli aggettivi indefiniti:

■ **ogni** è invariabile e indica una totalità di persone o cose considerate singolarmente: *ogni uomo è mortale*; *ogni proposta verrà esaminata con attenzione*.

Può anche avere valore distributivo: *ogni tre mesi deve fare una visita di controllo*;

■ **ciascuno** ha il femminile, ma non il plurale; nel significato equivale a 'ogni', di cui è meno usato: *ciascuno scolaro ricevette un libro*; *ciascuna copia è stata firmata*.

Al maschile subisce il troncamento in *ciascun* davanti a consonante semplice o a vocale: *ciascun cittadino*, *ciascun uomo*. Al femminile si può elidere davanti a vocale: *ciascun'amica*;

■ **qualunque** è invariabile e significa 'quale che sia': *telefonami a qualunque ora*.

A differenza di *ogni* e di *ciascuno*, può essere preceduto dall'articolo: *una qualunque risposta bisognerà dargliela*; e può anche seguire il sostantivo: *passami un giornale qualunque*. In quest'ultimo uso ha talvolta un senso spregiativo: *è un uomo qualunque*.

Può inoltre collegare due proposizioni, assumendo il valore di un relativo; in tal caso si costruisce normalmente con il congiuntivo: *qualunque persona venisse, avvertimi* (è errato farlo seguire dal pronome relativo: *qualunque persona che venisse, avvertimi*);

■ **qualsiasi** e **qualsivoglia** sono invariabili e si accompagnano di solito a sostantivi singolari; quando si riferiscono a un plurale, si pospongono al nome (esistono anche le forme plurali *qualsiansi* e *qualsivogliano*, ma sono rarissime). Il loro significato coincide con quello di 'qualunque': *sono a tua disposizione in qualsiasi momento* (o, meno comunemente, *in qualsivoglia momento*); *sono piatti di porcellana, non piatti qualsiasi*;

■ **nessuno** è variabile nel genere, ma manca del plurale; ha valore negativo e significa 'non uno', 'neppure uno'. Si comporta come *ciascuno* per quanto riguarda il troncamento e l'elisione: *nessun pericolo lo spaventava*; *nessun uomo è perfetto*; *nessuna impresa* (o *nessun'impresa*) *è priva di ostacoli*.

Si adopera anche in frasi che hanno già un'altra negazione; in questo caso è sempre posposto al verbo e sostituisce l'aggettivo *alcuno*, rispetto al quale è di uso più comune: *non c'è più nessun dubbio*.

Nelle proposizioni interrogative dirette e in quelle indirette introdotte dalla congiunzione *se*, assume valore positivo ed equivale a 'qualche': *c'è nessuna notizia per me?*;

■ **qualche** è invariabile e indica una pluralità indefinita ma limitata: *per le strade c'era solo qualche persona* (s'intende più di una persona, anche se non molte).

Oltre alla pluralità, esprime altri valori; può significare 'uno' (*non trovo la penna, eppure in qualche parte l'avrò messa*), 'un certo' (*è un'opera di un qualche rilievo*), 'qualsiasi' (*un qualche rimedio si dovrà pur trovare*);

■ **alcuno** si adopera al singolare solo nelle frasi negative, come equivalente più elevato di 'nessuno'; subisce il troncamento e l'elisione negli stessi casi di *ciascuno* e *nessuno*: *non posso darti alcun aiuto*; *è una cosa senza alcuna importanza* (o *senza alcun'importanza*). Nelle frasi positive è sostituito da *qualche*: *mi occorre qualche foglio* (e non: *mi occorre alcun foglio*).

È invece usato comunemente al plurale per indicare un numero indeterminato, ma non grande, di persone o cose; corrisponde perciò a 'qualche': *l'ho incontrato alcuni giorni fa* (= qualche giorno fa);

■ **taluno** si adopera generalmente solo al plurale con significato analogo a 'certo', rispetto al quale è di tono più letterario: *è meglio non parlare di talune persone*;

■ **certuno** è affine a *taluno*, ma di uso ancora più raro;

■ **certo** è di solito accompagnato al singolare dall'articolo *un*. Ha molteplici impieghi: a volte è sinonimo di 'tale' (*ha telefonato un certo ragionier Rossi*); in altri casi equivale a 'alcuno', 'qualche' (*esco con certi amici*).

Può inoltre avere valore intensivo: *ho certi nervi oggi!*; attenuativo: *ha un certo ingegno*; spregiativo: *m'è toccato di vedere certe cose!*. Talora assume un senso più determinato e corrisponde a 'simile, siffatto': *certi sbagli sono inammissibili*.
Si ricordi che, oltre ad essere un aggettivo indefinito, *certo* è anche un aggettivo qualificativo e come tale significa 'sicuro'. La sua collocazione cambia a seconda che svolga l'una o l'altra funzione; infatti quando è aggettivo indefinito si premette al nome, mentre si pospone quando è aggettivo qualificativo: *un'attività che dà un certo utile* ('un qualche utile') - *un'attività che dà un utile certo* ('un utile sicuro'); *mi ha riferito certe notizie* ('alcune notizie') - *mi ha riferito notizie certe* ('notizie sicure');

■ **tale** varia nel numero, ma non nel genere; al singolare è per lo più preceduto dall'articolo indeterminativo. Indica una persona che non si può o non si vuole identificare più esattamente: *c'è di là un tale signor Bianchi che desidera parlarti*.

Ha valore limitativo nella locuzione *un tal quale*: *ha mostrato un tal quale interesse*. Talora equivale a 'simile, siffatto': *una tale insolenza non può essere tollerata*. È usato di frequente per evitare la ripetizione di un termine già espresso: *è un tipo pessimista: lo hanno reso tale le continue delusioni*. In correlazione con *quale* o con se stesso, esprime identità, somiglianza strettissima: *è tale (e) quale il padre*; *tale la moglie tale il marito*. Con il significato di 'così grande' introduce o sottintende una proposizione consecutiva: *si è preso un tale spavento che ancora trema tutto*; *ho una tale stanchezza!* (sottinteso: *da non reggermi in piedi* o qualcosa del genere). Come si è detto, può anche avere funzione dimostrativa (v. 5.3.2.);

■ **poco** indica una quantità esigua, scarsa: *c'è poco pane*; *mancano pochi minuti alla partenza*;

■ **alquanto** ha un significato intermedio fra *poco* e *molto*, indicando una quantità discreta. Non è di uso molto comune, tant'è vero che viene spesso sostituito da aggettivi come *parecchio*, *diverso*, *vario*: *c'erano alquante* (o, più comunemente, *parecchie*) *persone*;

■ **parecchio** indica una quantità rilevante, ma inferiore rispetto a *molto*; tuttavia questa leggera differenza tra i due aggettivi non sempre è avvertita, e infatti *parecchio* e *molto* vengono spesso usati come sinonimi: *in questo periodo abbiamo parecchio* (o *molto*) *lavoro*; *si tratterrà da noi parecchi giorni*;

■ **molto** indica una quantità notevole, in opposizione a *poco*: *ha molto denaro*; *ci siamo incontrati dopo molti anni*;

■ **tanto** equivale a 'molto', ma esprime con più forza l'idea della grande quantità: *abbiamo sprecato tanto tempo*; *gliel'ho detto tante volte*.

In correlazione con *che* o *da* introduce una proposizione consecutiva: *ha tanta volontà che riesce in tutto* (o *da riuscire in tutto*). In correlazione con *quanto* o con se stesso, stabilisce una comparazione di uguaglianza: *c'erano tanti posti quanti erano gli invitati*; *tanto denaro guadagna, tanto ne spende*. Preceduto da *ogni* in espressioni distributive, indica una quantità indeterminata: *va a trovarlo ogni tanti giorni*;

■ **troppo** indica eccesso, sovrabbondanza: *fa troppo caldo*; *non mangiare troppi dolci*;

■ **altrettanto** ha valore correlativo ed esprime uguaglianza nella quantità: *domani dovrò fare altrettanti compiti* (cioè 'tanti compiti quanto oggi');

■ **tutto** indica la totalità, l'interezza; si costruisce con l'articolo o il dimostrativo inserito fra l'aggettivo e il nome: *ha girato tutto il mondo*; *chi ti ha dato tutte queste cose?* È spesso rafforzato con *quanto*: *si è bevuto da solo tutta quanta la bottiglia di vino*.

In alcune espressioni si lega direttamente al sostantivo senza il tramite dell'articolo: *è un regalo fatto di tutto cuore*; *te lo dico in tutta confidenza*; *andava a tutta velocità*. Ciò avviene anche con i nomi propri di luogo e di persona che rifiutano l'articolo: *l'ho cercato per tutta Roma*; *conosce alla perfezione tutto Dante*. Particolare è l'uso di *tutto* con i numerali cardinali da *due* in poi, ai quali si unisce per mezzo della congiunzione *e*: *c'erano tutti e quattro* (o *tutt'e quattro*) *i fratelli*;

■ **altro** indica una quantità aggiunta in misura imprecisata: *occorre altro sale*. Talora esprime l'idea di 'nuovo': *ho comprato un'altra automobile*. Spesso indica in maniera indeterminata la differenza, la diversità: *erano altri tempi*.

Può significare anche 'restante, rimanente' (*chi ha mangiato l'altra metà della torta?*), 'scorso, precedente' (*è partito l'altra settimana*), 'prossimo, successivo' (*ci rivedremo quest'altr'anno*). Si unisce di frequente, con semplice funzione rafforzativa, ai pronomi personali di prima e seconda persona plurale: *noi altri*, *voi altri* (o *noialtri*, *voialtri*);

■ **diverso** e **vario** hanno anzitutto valore qualificativo; ma premessi a un nome collettivo o a un plurale, equivalgono a 'alquanto, parecchio, molto': *alla festa verrà diversa gente*; *ho varie cose da dirti*.

5.3.4. Aggettivi interrogativi

Gli aggettivi interrogativi servono a domandare la qualità, l'identità, la quantità del sostantivo cui si riferiscono. Essi sono:

SINGOLARE		PLURALE	
MASCHILE	FEMMINILE	MASCHILE	FEMMINILE
che quale quanto	che quale quanta	che quali quanti	che quali quante

Che è invariabile ed equivale a 'quale', rispetto a cui è di uso più comune nella lingua parlata: *che lavoro fai?*; *che strada prendi?*; *che libri leggi di solito?*; *che novità ci sono?*

Quale è variabile nel numero, ma non nel genere; si usa per formulare una domanda sulla qualità (*quali intenzioni hai?*) o sull'identità (*in quale città ti hanno trasferito?*). Al singolare può subire il troncamento in *qual* davanti a vocale e talora anche davanti a consonante: *qual è la tua opinione?*; *qual buon vento ti porta?*

Quanto è variabile nel genere e nel numero; serve per chiedere la quantità: *quanto denaro hai speso?*; *quanta pasta vuoi?*; *quanti anni hai?*; *quante persone avete invitato?*

Che, *quale* e *quanto* si usano anche nelle proposizioni interrogative indirette (quelle, cioè, in cui la domanda è introdotta da un verbo e non richiede il punto interrogativo): *mi domando che motivo hai per trattarci così*; *dimmi a quali conclusioni sei giunto*; *gli chiesi quanti figli avesse*.

Questi tre aggettivi possono anche avere funzione esclamativa: *in che stato ti sei ridotto!*; *quale audacia!*; *quanta gente!*

Frequentemente, soprattutto nella lingua parlata, s'incontra *che* in unione con un aggettivo qualificativo da solo, senza alcun sostantivo: *che bello!*; *che strano!*; *che simpatico!* Secondo alcuni grammatici tali espressioni non sarebbero corrette: *che*, infatti, essendo aggettivo, andrebbe accompagnato da un sostantivo. Ma si tratta di un uso ormai affermato e quindi da accettare.

5.4. NUMERALI

Per esprimere il concetto di numero, l'italiano si serve principalmente degli aggettivi numerali, che si distinguono in:

a) **cardinali**: *uno*, *due*, *tre* ...

b) **ordinali**: *primo*, *secondo*, *terzo* ...

c) **moltiplicativi**: *doppio*, *triplo* ...

5.4.1. Aggettivi numerali cardinali

I numerali cardinali, così chiamati perché costituiscono il "cardine" della numerazione, determinano una quantità numerica precisa, al contrario di aggettivi come *poco*, *molto*, *tanto* ecc. che abbiamo visto indicare una quantità indefinita. Sono invariabili, all'infuori di *uno*, che al femminile fa *una*, e di *mille*, che ha come plurale la forma *-mila* derivata dal latino (*duemila*, *tremila*, *centomila*); inoltre *uno* si tronca e si elide secondo le regole dell'articolo indeterminativo: *un banco*, *un albero*, *un'anitra*.

I composti con *uno* (*ventuno*, *trentuno* e così via) possono subire il troncamento: *ventun anni*, *trentun giorni*, *ottantun righe*.

I composti che finiscono in *-tre* vanno accentati: *ventitré*, *trentatré*, *centotré*.

Le decine da *venti* in poi, unite a *uno* o a *otto*, troncano la vocale finale: *ventuno*, *ventotto*, *trentuno*, *trentotto*. La caduta dell'ultima vocale si può avere anche con *cento*: *centuno* (ma si preferisce *centouno*), *centotto*.

I numeri costituiti da più elementi si scrivono uniti: *trentadue*, *settantaquattro*, *duecento*. Tuttavia i composti che hanno come primo elemento *cento* o *mille* possono anche scriversi staccati, inserendo tra i due numeri la congiunzione *e*: *cento e uno*, *mille e due*. Quando *uno* non si fonde con il numero maggiore, ma è unito ad esso per mezzo di *e*, si ha l'accordo con il sostantivo: *cento e una pagina* (o *centouno pagine*); *le mille e una notte*, titolo di una celebre raccolta di novelle arabe. Anche i multipli del *milione* (mille migliaia) e del *miliardo* (mille milioni) si scrivono per lo più staccati, ma senza congiunzione: *due milioni, tre miliardi*.

Milione e *miliardo* non sono aggettivi, ma sostantivi; essi formano il plurale regolarmente e sono seguiti dalla preposizione *di*: *due milioni di dollari*, *tre miliardi di lire*. Si omette la preposizione quando precedono altri numeri: *cinque milioni trecentomila lire*.

I numeri cardinali, oltre che in lettere, possono essere scritti in cifre: 1 (*uno*), 2 (*due*), 3 (*tre*), 4 (*quattro*) ecc. Tali cifre, usate soprattutto nel campo matematico, si chiamano **arabe** perché questo sistema di rappresentazione dei numeri ci è stato trasmesso dagli Arabi durante il Medioevo. Prima dei numeri arabi, i popoli civili in Europa si servivano dei numeri romani, che ora sono passati ad indicare gli ordinali.

Uso dei numerali cardinali

I numerali cardinali abitualmente si premettono al sostantivo: *una tragedia in tre atti*; *un animale a quattro zampe*; *i dieci comandamenti*.

Posposti al nome, acquistano valore di numerali ordinali: *leggi a pagina ventotto* (= alla pagina ventottesima). Questo tipo di costruzione si usa soprattutto per indicare le ore e le date; in tal caso il sostantivo viene spesso sottinteso: *sono le* (*ore*) *nove*; *l'appuntamento è fissato per il* (*giorno*) *venti di giugno*; *nacque nel* (*l'anno*) *cinquanta dopo Cristo*. Soltanto nell'indicazione del primo giorno del mese si adopera l'ordinale al posto del cardinale: *il primo maggio è la festa del lavoro*.

A volte i numerali cardinali vengono usati con valore generico e indeterminato, come se fossero aggettivi indefiniti: *raccontami tutto in due parole* ('in poche parole'); *esco a fare quattro passi* ('una breve passeggiata'); *te l'ho ripetuto cento volte* ('molte volte'); *ho mille cose da fare* ('tante cose').

Oltre che nell'indicazione delle ore e delle date, i numerali cardinali vengono sostantivati in molti altri casi: *è un uomo sui cinquanta*; *di scarpe porto il quaranta*; *è una notizia sicura al cento per cento*; *la spedizione dei Mille*.

5.4.2. Aggettivi numerali ordinali

I numerali ordinali, come dice la parola stessa, indicano l'ordine di successione di una serie numerica. A differenza dei cardinali sono tutti variabili nel genere e nel numero, e quindi si accordano al sostantivo come gli aggettivi qualificativi della prima classe.

I primi dieci ordinali hanno ciascuno una forma particolare derivata dal latino: *primo*, *secondo*, *terzo*, *quarto*, *quinto*, *sesto*, *settimo*, *ottavo*, *nono*, *decimo*. Tutti gli altri, dall'*undici* in poi, si formano aggiungendo il suffisso *-èsimo* al numero cardinale, che nella composizione generalmente perde la vocale finale: *undicesimo*, *ventesimo*, *trentatreesimo*, *centesimo*. Si noti che *mille* non si trasforma in *-mila* come nei cardinali: *duemillesimo*, *tremillesimo*, *diecimillesimo*.

Accanto alle forme *undicesimo*, *dodicesimo*, *tredicesimo*, *quattordicesimo* e così via, possiamo trovarne altre di uso limitato, letterario: *decimoprimo* (e *undecimo*), *decimosecondo* (e *duodecimo*), *decimoterzo*, *decimoquarto*... *vigesimo*, *vigèsimoprimo* (e *ventesimoprimo*)... *trigesimo*, *trigesimoprimo* (e *trentesimoprimo*) ecc. Queste forme si adoperano soprattutto con riferimento a papi, regnanti, secoli: *Pio undecimo*, *Luigi decimosesto*, *il secolo decimonono*. Ma anche in tali casi prevalgono le forme in *-èsimo*.

Come si è già accennato, gli ordinali possono essere scritti in **cifre romane**, chiamate così perché questo era il sistema di rappresentazione dei numeri usato dagli antichi Romani. Vediamo in un prospetto i numeri romani, mettendoli a confronto con quelli arabi:

CIFRA ARABA	NUMERO CARDINALE	CIFRA ROMANA	NUMERO ORDINALE
1	uno	I	primo
2	due	II	secondo
3	tre	III	terzo
4	quattro	IV	quarto
5	cinque	V	quinto
6	sei	VI	sesto
7	sette	VII	settimo
8	otto	VIII	ottavo
9	nove	IX	nono
10	dieci	X	decimo
11	undici	XI	undicesimo
12	dodici	XII	dodicesimo
13	tredici	XIII	tredicesimo
14	quattordici	XIV	quattordicesimo
15	quindici	XV	quindicesimo
16	sedici	XVI	sedicesimo
17	diciassette	XVII	diciassettesimo
18	diciotto	XVIII	diciottesimo
19	diciannove	XIX	diciannovesimo
20	venti	XX	ventesimo
30	trenta	XXX	trentesimo
40	quaranta	XL	quarantesimo
50	cinquanta	L	cinquantesimo
60	sessanta	LX	sessantesimo
70	settanta	LXX	settantesimo
80	ottanta	LXXX	ottantesimo
90	novanta	XC	novantesimo
100	cento	C	centesimo
200	duecento	CC	duecentesimo
300	trecento	CCC	trecentesimo
400	quattrocento	CD	quattrocentesimo
500	cinquecento	D	cinquecentesimo

CIFRA ARABA	NUMERO CARDINALE	CIFRA ROMANA	NUMERO ORDINALE
600	seicento	DC	seicentesimo
700	settecento	DCC	settecentesimo
800	ottocento	DCCC	ottocentesimo
900	novecento	CM	novecentesimo
1.000	mille	M	millesimo
2.000	duemila	MM	duemillesimo
10.000	diecimila	$\overline{X}$	diecimillesimo
100.000	centomila	$\overline{C}$	centomillesimo
1.000.000	un milione	$\overline{\vert X \vert}$	milionesimo

Gli ordinali possono anche essere rappresentati con le cifre arabe accompagnate dalla lettera esponente ^{o} per il maschile, ^{a} per il femminile posta in alto a destra: 1° (*primo*), 2° (*secondo*), 3^{a} (*terza*), 4^{a} (*quarta*) ecc.

Uso dei numerali ordinali

Al pari dei numerali cardinali, anche gli ordinali precedono di solito il sostantivo: *abbiamo viaggiato in prima classe*; *ho prenotato una poltrona di seconda fila*; *abito al terzo piano.*

Si pospongono nell'indicare l'ordine di successione di pontefici, sovrani, principi; in questo caso si scrivono sempre in numeri romani: *Paolo VI*, *Enrico IV*, *Vittorio Emanuele II*.

Si pospongono inoltre nelle scritte: *capitolo nono*, *paragrafo settimo*, *atto quarto*, *scena prima*, *canto quinto*, *classe seconda*, *fila ottava*, *piano terzo*, *aula sesta*.

I numerali ordinali si adoperano per indicare i secoli: il primo secolo va dall'anno 1 all'anno 100, il secondo dal 101 al 200, il terzo dal 201 al 300 e così di seguito. I secoli, a partire dal XIII, vengono indicati anche con numeri cardinali sostantivati, scritti con la lettera maiuscola e sottintendendo *mille*:

il secolo XIII = il Duecento (anni 1201-1300)
il secolo XIV = il Trecento (anni 1301-1400)
il secolo XV = il Quattrocento (anni 1401-1500)
il secolo XVI = il Cinquecento (anni 1501-1600)
il secolo XVII = il Seicento (anni 1601-1700)
il secolo XVIII = il Settecento (anni 1701-1800)
il secolo XIX = l'Ottocento (anni 1801-1900)
il secolo XX = il Novecento (anni 1901-2000)

È molto frequente l'uso dei numerali ordinali come sostantivi:

in salita bisogna innestare la seconda (*marcia*); *è stato promosso in terza* (*classe*); *abbiamo ascoltato la sesta* (*sinfonia*) *di Beethoven*; *ha impiegato cinque ore, quattro* (*minuti*) *primi e due* (*minuti*) *secondi.*

5.4.3. Aggettivi numerali moltiplicativi

I numerali moltiplicativi indicano una quantità due, tre o più volte maggiore di un'altra:

a me un whisky doppio; *per il lavoro notturno ricevo un compenso triplo*; *è necessaria una spesa quadrupla di quella prevista.*

Usati con l'articolo, acquistano valore di sostantivi: *12 è il doppio di 6, il triplo di 4, il quadruplo di 3.*

Appartengono ai moltiplicativi anche *duplice*, *triplice*, *quadruplice* ecc. Il loro significato non coincide esattamente con quello di *doppio*, *triplo*, *quadruplo* ecc., perché non determinano quante volte una cosa è più grande di un'altra, ma indicano che una cosa è costituita da due, tre o più parti, che ha due, tre o più scopi, che serve a due, tre o più usi: *la Triplice Alleanza fu stipulata nel 1882 fra Italia, Austria e Germania.* Tuttavia spesso i due tipi di aggettivi vengono impiegati come sinonimi: *una fattura in duplice copia* o *in doppia copia.*

L'uso dei moltiplicativi è piuttosto ridotto e in genere limitato ai primi numeri; in molti casi vengono sostituiti da espressioni equivalenti: *questa strada ha una lunghezza cinque volte maggiore dell'altra* (invece che *quintupla*).

5.4.4. Numerali frazionari, distributivi, collettivi

Oltre ai cardinali, agli ordinali e ai moltiplicativi, esistono altre categorie di numerali, che a differenza dei precedenti non hanno quasi mai funzione di aggettivi: sono i numerali frazionari, distributivi e collettivi.

I **numerali frazionari** indicano una o più parti di un tutto; sono sostantivi e si ottengono unendo i numeri cardinali a quelli ordinali:

un terzo $\left(\frac{1}{3}\right)$, due terzi $\left(\frac{2}{3}\right)$, tre quarti $\left(\frac{3}{4}\right)$, cinque dodicesimi $\left(\frac{5}{12}\right)$.

Per indicare la divisione dell'unità in due parti si adoperano i termini *metà* e *mezzo*: *4 è la metà* (o *un mezzo*) *di otto. Mezzo* può essere usato anche come aggettivo: *mezzo litro*, *mezza porzione*, *mezze misure.*

I **numerali distributivi** indicano il modo in cui sono distribuite persone o cose; sono locuzioni del tipo *ad uno ad uno*, *a due a due*, *a tre a tre*, (*uno*) *per uno*, (*due*) *per due*, *tre alla volta*, *quattro per ciascuno*, *ogni sei.* Per esempio: *mettetevi in fila per due*; *entrarono uno per volta* (o *uno alla volta*).

I **numerali collettivi** indicano un insieme numerico di persone o cose. Sono in gran maggioranza sostantivi: *paio*, *coppia*, *decina*, *dozzina*, *ventina*, *trentina*, *centinaio*, *migliaio.* Alcuni di essi hanno valore approssimativo: *ha una cinquantina d'anni* ('circa cinquant'anni'); *è un fascicolo di un centinaio di pagine*; *ho in tasca un migliaio di lire.*

Altri numerali collettivi sono:

- i sostantivi che indicano un periodo di due, tre, quattro o più anni: *biennio*, *triennio*, *quadriennio*, *decennio*, *ventennio*;

- i sostantivi che indicano un periodo di due, tre, quattro o sei mesi: *bimestre*, *trimestre*, *quadrimestre*, *semestre*;
- i sostantivi che indicano una composizione musicale per due, tre, quattro o più esecutori: *duetto* (o *duo*), *trio*, *quartetto*, *quintetto*, *sestetto*;
- i termini usati nel gioco del lotto e della tombola: *ambo*, *terno*, *quaterna*, *cinquina*;
- i termini della metrica: *terzina*, *quartina*, *sestina*, *ottava*.

Tra gli aggettivi ricordiamo *ambedue*, che è invariabile, e *entrambi*, che ha il femminile *entrambe*. Significano 'tutti e due' e, analogamente all'aggettivo *tutto*, precedono l'articolo che accompagna il nome cui si riferiscono: *ambedue i fratelli*, *ambedue le sorelle*; *entrambi gli occhi*, *entrambe le mani*.

5.5. INSERTI

5.5.1. Tra grammatica e filosofia

Abbiamo parlato di dipendenza grammaticale dell'aggettivo (per il genere e il numero) rispetto al nome. Tale fenomeno non esiste in altre lingue. In inglese l'aggettivo attributivo e quello predicativo, oltre a non avere il genere (come il nome), non hanno neppure il numero, cfr. per esempio: *a good teacher* 'un buon insegnante', *two good teachers* 'due buoni insegnanti'; *those girls are clever* 'quelle ragazze sono intelligenti'. Anche in tedesco l'aggettivo predicativo è **invariabile**, ma quello attributivo ha ben tre forme (o più esattamente tre declinazioni) a seconda che sia preceduto: 1. dall'articolo determinativo; 2. dall'articolo indeterminativo; 3. da un elemento non determinante o da niente.

Nell'ambito degli aggettivi qualificativi si distinguono: i qualificativi veri e propri e gli **aggettivi di relazione** (v. 5.1.); alcuni linguisti hanno sottolineato tale differenza attribuendo alle due categorie caratteri specifici:

AGGETTIVO QUALIFICATIVO	aggettivi qualificativi veri e propri: *una bella ragazza, un uomo simpatico, la biancheria pulita, il cielo sereno*	inerenza (o transitività intrinseca)
	aggettivi di relazione: *la stella polare, la zona tropicale, il problema economico, gli studi danteschi*	relazione (o transitività estrinseca)

L'**inerenza** si può definire come un rapporto di transitività intrinseca (per esempio la qualità *bella* è intrinseca, cioè è compresa nella sostanza *ragazza*); la **relazione** invece è un rapporto di transitività estrinseca tra due sostanze che rimangono estranee l'una all'altra, per esempio: *stella* e *polare*, dove *polare* equivale a *del polo*, *che è del polo* (mentre questa equivalenza non si può fare con gli aggettivi qualificativi veri e propri).

Tuttavia è da notare che gli aggettivi di relazione possono in certi contesti diventare qualificativi veri e propri: posso parlare di *una temperatura polare*, di *un caldo tropicale*, di *un paesaggio dantesco*: negli esempi dati prima *polo*, *tropico* e *Dante* erano sostanze che intervenivano effettivamente nel significato di quelle espressioni; al contrario una *temperatura polare* si può avere anche altrove che al polo, a Milano per esempio; *un caldo tropicale* lo posso trovare a Firenze, un *paesaggio dantesco* lo si può incontrare in zone selvagge e montagnose; insomma il significato dei tre aggettivi sarà: 'molto freddo', 'di un caldo eccessivo e umido', 'orrido, sublime ecc.'.

Gli aggettivi di relazione appaiono soprattutto nelle **nomenclature scientifiche** e, in genere, nel linguaggio delle comunicazioni di massa, per esempio *ministero economico*, *problema generazionale*, *puntura lombare*, *scatola cranica*; con tali aggettivi di relazione si ottiene un'economia di elementi linguistici (cfr. *problema generazionale* con *problema delle (nuove) generazioni*); tale fattore è la causa principale del successo delle espressioni ora citate.

5.5.2. Un sostituto dell'aggettivo

Uomo di polso, *cantante di grido*, *attrice di successo*, *corteo di protesta*, *un pittore d'avanguardia*, *un argomento di facciata*, sono espressioni ricorrenti nell'italiano di oggi. Esse presentano questa particolarità: un sintagma '*di* + nome' svolge la funzione di un aggettivo (determina cioè il sostantivo che precede). Tali sintagmi si usano perché spesso non esiste l'aggettivo corrispondente. Per esempio, *successo* non ha un aggettivo corrispondente; *protestante* ha in italiano un significato non ricollegabile alla *protesta* manifestata con un corteo; *protestatario* è di uso raro. Di qui il successo di tali sintagmi con funzione aggettivale che ritroviamo anche nei linguaggi settoriali e nel linguaggio della pubblicità: *aereo a reazione*, *casa a riscatto*, *pentola a pressione*, *prestito a medio termine*. Se l'aggettivo può essere sostituito da un nome (oltre a *uomo di polso*, ricorda *stile Luigi XV*), l'aggettivo può diventare un nome (*l'utile e l'onesto*) e un avverbio (*cantar forte*: v. 8.1.). Questa è una riprova della grande "plasticità" della lingua: capacità di adattare i propri elementi a rappresentare diverse funzioni e valori.

5.5.3. Con il suo cappello nella sua mano...

A differenza dell'italiano, altre lingue come l'inglese e il francese fanno un largo uso dell'aggettivo possessivo. Si confrontino le seguenti frasi:

INGLESE	ITALIANO
He stood at the door with his hat in his hand 'Egli stava alla porta con il suo cappello nella sua mano'	*Stava alla porta con il cappello in mano*

FRANCESE	ITALIANO
Jean a oublié son chapeau 'Giovanni ha dimenticato il suo cappello'	*Giovanni ha dimenticato il cappello*

Quando si traduce, è necessario tener conto delle differenze strutturali tra la lingua di partenza e quella d'arrivo.

5.5.4. I contrari

Alto/basso, *maschio/femmina*, *interesse/disinteresse*, *bellezza/bruttezza*, *comprare/vendere* sono coppie di parole in cui ciascun elemento è il contrario dell'altro: *alto* è contrario di *basso*, *basso* è contrario di *alto* e così via. Invece di **contrario** il linguista usa il termine tecnico **antonimo** (costruito con il greco *anti-* 'contro' e *ónoma* 'nome') e definisce il fenomeno nel suo complesso con il termine di **antonimia**.

Qui la filosofia, o per dir meglio la logica, entra nelle considerazioni del linguista. Una distinzione che risale ad Aristotele è quella tra **contrario** e **contraddittorio**. Per es. il contrario di *alto* è *basso*, il contraddittorio di *alto* è *non alto*. Si tratta di due concetti diversi: infatti i contraddittori non possono essere entrambi veri e non possono essere entrambi falsi; invece i contrari non possono essere entrambi veri, ma possono essere entrambi falsi. Spieghiamoci meglio: una cosa deve essere o *alta* o *non alta* (contraddittori), ma può darsi benissimo che non sia *né alta né bassa* (contrari). Si noti che nella lingua e nel pensiero comune i contrari sono più importanti e più diffusi dei contraddittori; si dice *alto e basso*, *bello e brutto*, *odio e amo* piuttosto che *alto e non alto*, *bello e non bello*, *odio e non odio*.

Torniamo ai contrari. Non tutti i contrari si pongono sullo stesso piano. Vi sono, tra gli altri, i **contrari graduabili**; sono quelli che esprimono una comparazione, per esempio: *alto/basso*, *bello/brutto*, *buono/cattivo*, *caldo/freddo*; si mettono a confronto due cose per constatare se esse possiedono una certa proprietà: *io sono più alto di te*, *la mia minestra è calda quanto la tua*. Invece non posso dire *io sono più celibe di te*, *Mario è meno vivo di Giorgio*: si è *celibe* o *sposato*, si è *vivo* o *morto*, si è *maschio* o *femmina*; non ci può essere una via di mezzo, almeno se si usano questi aggettivi in senso proprio. Naturalmente le cose cambiano se si usano tali aggettivi in senso figurato, cioè *vivo* = vivace, *maschio* = virile; dunque *celibe/sposato*, *vivo/morto*, *maschio/femmina* sono **contrari non graduabili**: la negazione di un termine di ciascuna coppia implica l'affermazione dell'altro termine (*X non è vivo* implica *X è morto*).

Tuttavia tra le due categorie che abbiamo ora distinto possono avvenire degli scambi: nel parlare di ogni giorno i contrari graduabili possono diventare non graduabili; se io dico *Ignazio non è alto* e *Luisa non è bella* queste frasi possono significare: 'Ignazio è basso' e 'Luisa è brutta'. A questo punto si vede che *alto/basso*, *bello/brutto*, *buono/cattivo*, *caldo/freddo* (contrari graduabili), per una sorta di convenzione che interviene tra i parlanti, si pongono sullo stesso piano dei contrari non graduabili *celibe/sposato*, *vivo/morto*, *maschio/femmina*. Ma come abbiamo accennato può avvenire anche il cambiamento nella direzione opposta; alla domanda *è vivo Caio*? dovrei logicamente rispondere *sì* oppure *no*, ma se *vivo* vale 'vivace' posso rispondere: *è ben vivo*, *è molto vivo* e perfino *vivissimo*.

Se dico *Giovanni è alto* voglio dire che è più alto della media. Nelle coppie di contrari *alto/basso*, *piccolo/grande*, *poco/molto* si nasconde un giudizio implicito (più esattamente una gradazione implicita) che corrisponde a un costume, a una norma della comunità in cui viviamo: per esempio, se dico *Alberto è alto*, sottintendo "rispetto ad una misura che in Italia è considerata media", ma in un altro Paese (per esempio in Svezia) tale misura sarà giudicata diversamente. Una convenzione analoga fa sì che nelle interrogazioni si usi soltanto uno degli elementi della coppia dei contrari: di un uomo (sia alto sia basso) domandiamo *quanto è alto?*, non *quanto è basso?*; di una stanza (sia grande sia piccola) domandiamo *quanto è grande?*, non *quanto è piccola?* Dunque per una convenzione sociale si assume soltanto uno dei termini della coppia come rappresentante di entrambi. Il termine scelto è quello considerato "positivo"; ed è questo termine positivo il primo elemento delle coppie: *grande* e *piccolo*, *alto* e *basso*, *buono* e *cattivo* (non *piccolo* e *grande* ecc.).

Da quanto si è detto appare che la lingua non è soltanto logica, ma anche convenzionale, cioè legata a convenzioni nate nella società dei parlanti.

5.5.5. I sinonimi

Sono detti **sinonimi** due (o più) vocaboli che hanno lo stesso significato. Qualcuno, prudentemente, precisa «che hanno lo stesso significato fondamentale». È una precisazione necessaria perché, in verità, dei sinonimi veri e propri non esistono: c'è quasi sempre un qualcosa che sfugge e che rende impossibile la perfetta equivalenza dei significati.

Prendiamo, per esempio, tre sinonimi: *porzione*, *sezione* e *frazione*. la sinonimia di questi tre vocaboli si fonda sul fatto che tutti e tre hanno in comune il semema "parte di un qualcosa"; **semema** è un fascio di tratti semantici chiamati **semi** (v. 1.2.3.). Si ha sinonimia in esempi come: *una porzione del tutto = una sezione del tutto = una frazione del tutto*. Ma in altri contesti tali equivalenze non esistono: si dice *una porzione di torta*, non si dice *una sezione di torta*, e tanto meno *una frazione di torta*; si dice *la frazione di un numero*, non si dicono *la porzione di un numero*, *la sezione di un numero*; si dice *una sezione dell'ufficio*, ma non *una porzione dell'ufficio*, *una frazione dell'ufficio*.

Secondo i linguisti tra *porzione*, *sezione* e *frazione* c'è **sinonimia approssimativa**; vale a dire i tre vocaboli sono intercambiabili soltanto in determinati contesti. Anche tra parole straniere e il loro equivalente italiano la sinonimia non è assoluta; c'è perlomeno una differenza stilistica tra *sandwich* e *tramezzino*, tra *bar* e *caffé* (locale).

Si ha invece **sinonimia assoluta** quando due (o più) vocaboli sono intercambiabili in tutti i contesti. Ma i sinonimi assoluti sono veramente molto rari: sono tali le due preposizioni italiane *tra* e *fra*; una differenza tuttavia c'è sul piano dello stile: per evitare la successione di sillabe uguali qualcuno preferisce dire *tra frati* e *fra traditori* piuttosto che *fra frati* e *tra traditori*. Sinonimi assoluti sono per esempio due termini tecnici come *semantica* e *semasiologia*; *felis leo* (termine della nomenclatura scientifica) e *leone* (vocabolo della lingua comune).

Se dico *Roma* e poi dico *la capitale d'Italia*, il vocabolo e l'espressione sono certamente sinonimi, ma sono sinonimi di un tipo particolare: indicano la stessa cosa, ma si riferiscono ad aspetti diversi di essa. Così accade anche in alcune perifrasi del tipo *la stella del mattino* e *la stella della notte*; in entrambi i casi si vuole indicare il pianeta *Venere*, ma ci si riferisce ad aspetti diversi della stessa cosa: l'astro che brilla ancora alle prime luci dell'alba; uno degli astri più luminosi del cielo stellato. Questi ultimi sinonimi sono di natura diversa rispetto ai sinonimi che abbiamo visto prima.

5.5.6. Le parole proibite al tempo del fascismo

In un'epoca come la nostra, caratterizzata dal dilagare di termini angloamericani nei giornali e alla televisione, nella politica e nello sport, nel linguaggio scientifico e in quello pubblicitario, riesce difficile pensare che solo qualche decennio fa l'uso dei forestierismi era considerato riprovevole. Non solo riprovevole, addirittura illegale: un decreto legge del 23 dicembre 1940 vietava l'impiego di parole straniere nelle insegne e negli avvisi commerciali, prevedendo per i trasgressori «l'arresto fino a sei mesi».

L'avversione per i neologismi in generale e per i forestierismi in particolare è un fenomeno antico, di cui si hanno testimonianze già in età classica. *Novum verbum novitate offendet*, ammoniva nel I secolo avanti Cristo la *Rhetorica ad Herennium*: la parola nuova urta per la sua stessa novità, che inquina la "purezza" originale della lingua. Un atteggiamento simile si ha anche in Varrone, Cicerone, Quintiliano e poi nei trattati retorico-grammaticali del Medioevo.

Nella storia della lingua italiana le correnti puristiche assumono rilievo a partire dall'età umanistica e rinascimentale, trovando la loro prima sistemazione teorica e pratica nelle *Prose della volgar lingua* di Pietro Bembo (1525) e nel

Vocabolario degli Accademici della Crusca (1612; cfr. 10.4.5.). Ma il **purismo** vero e proprio nasce agli inizi dell'Ottocento, quando l'abate Antonio Cesari (Verona 1760-1828), caposcuola del movimento, propugna il ritorno all'«aureo» Trecento come soluzione alla questione linguistica. Gli scrittori di quel secolo dovevano essere l'unica fonte lessicale, da utilizzare anche per le esigenze della scienza e della tecnica moderne. Il Cesari intendeva così arginare l'ondata di francesismi che con l'Illuminismo erano penetrati nell'italiano, riducendolo secondo lui a «un bastardume di barbaro e strano linguaggio».

La battaglia contro i forestierismi, che già nel Risorgimento si caricava talora di suggestioni patriottiche, viene ripresa durante il periodo fascista con caratteri più decisamente nazionalistici. Il rifiuto delle parole straniere dipende da motivi non solo linguistici ma anche politici: si teme l'imbarbarimento e la decadenza dell'italiano; al tempo stesso si vogliono difendere, "autarchicamente", i prodotti nazionali. La «mala pianta» del forestierismo appare ad alcuni indizio di una «mentalità servilistica».

Nel 1932 il quotidiano «La Tribuna» bandisce un concorso tra i suoi lettori per trovare sostituti italiani ad alcune parole straniere, con risultati che oggi ci appaiono curiosi o ridicoli: c'è chi vuole trasformare il *bar* in *barra* o *bibitario* o *bevitario*; al *dancing* si preferisce la *balleria* o il *danzatorio*; invece di *tabarin* il concorrente più ragionevole propone *ritrovo notturno*, mentre quello più fantasioso vedrebbe bene *puttanambolo*. Un altro bersaglio di questa xenofobia linguistica di massa fu il pronome di rispetto *lei*, alla cui diffusione in Italia contribuì, nel Cinquecento, la dominazione spagnola; nel 1938 viene stabilito in modo ufficiale l'uso del «più italiano» *voi*.

Al grido di «Fuori il barbaro!» si modificano terminologie e nomenclature, per lo più senza grande successo. Due sostituzioni destinate ad avere fortuna si devono al linguista Bruno Migliorini: *autista* e *regista* in luogo di *chauffeur* e *régisseur*. Il controllo sulla lingua partiva in molti casi dallo stesso Mussolini. Nel 1931, ad esempio, il dittatore comunica con molta pubblicità di partecipare «alla *vernice* di una mostra (non al *vernissage*)»; e nel 1936 annota per la sua segreteria: «In via XXIV Maggio vi è una trattoria bolognese che tiene visibilmente esposto un "Menu"; dire di togliere il "menu" e di mettere una "lista"». Ancora negli anni della seconda guerra mondiale Mussolini trovava il tempo per condurre la sua lotta contro le parole straniere.

Ma a dir la verità il capo del fascismo non fu un purista molto coerente e scrupoloso. Egli mostrava infatti una certa benevola indulgenza per *bidet*, vocabolo entrato già da tempo nella nostra lingua e, tutto sommato, utile. Proprio al frequente impiego nei discorsi mussoliniani si deve inoltre la diffusione del francesismo *forgiare*, nel senso di 'plasmare, educare' («Ho forgiato per sette anni il ferro, ora forgio le anime»). Mussolini aveva anche una spiccata tendenza all'invenzione neologica, allo slittamento semantico, a formare nuove parole mediante prefissi e suffissi; ma su queste sue "cattive abitudini" i puristi di allora, per ragioni facilmente comprensibili, preferivano sorvolare.

5.5.7. Inflazione

Inflazione strisciante o *galoppante, inflazione a due cifre* ('superiore al 10% annuo'), *saggio* o *indice* o *tasso d'inflazione, spirale inflazionistica, processo inflativo, politica antinflazionistica, patto anti-inflazione* (tra i sindacati e gli imprenditori): queste espressioni si sono diffuse molto nel corso degli ultimi quindici anni, da quando l'inflazione è divenuta un problema assillante per le economie dell'Occidente. Propriamente *inflazione* significa 'aumento della moneta in circolazione'; ma in genere la parola viene usata per indicare l'effetto di tale fenomeno, cioè la diminuzione del potere d'acquisto e la conseguente crescita dei prezzi.

Si tratta di una voce dotta, derivante dal latino *inflātio -ōnis* 'gonfiore, tumefazione' e appartenente in origine al linguaggio della medicina: nell'italiano antico si parlava ad esempio di *inflazione del ventre*. C'erano anche le forme più popolari *infiazione*, *inflagione*, *enfiazione*, *enfiagione*.

Il primo esempio finora noto di *inflazione* nel senso moderno di artificioso 'gonfiamento' del valore reale della moneta risale al 19 giugno 1770, quando l'illustre economista istriano Gian Rinaldo Carli, scrivendo al principe di Kaunitz, ministro di Maria Teresa d'Austria, ricorre appunto a questo termine. Ma si trattava soltanto di una metafora: *inflazione* non era ancora un autentico tecnicismo economico-fianziario. Il passaggio avverrà più tardi negli Stati Uniti, dove *inflation* è attestato nel 1838 e acquista una notevole diffusione durante la guerra di Secessione, periodo di forte inflazione. (Tra parentesi, il fenomeno dell'inflazione è molto più antico della parola che oggi lo designa: manifestazioni inflazionistiche si hanno infatti già nell'età classica, come indicano i provvedimenti calmieratori adottati dall'imperatore Diocleziano per frenare l'aumento dei prezzi.)

Il successo di *inflation* è testimoniato dai numerosi derivati che presto lo seguirono: *inflationist, inflationism, inflationary*. Negli anni della prima guerra mondiale, in un momento di grave tensione finanziaria, viene coniato, sempre negli Stati Uniti, il termine di significato opposto *deflation*, con uno scambio di prefisso.

È tra gli anni Venti e l'inizio della seconda guerra mondiale che si affermano in italiano i termini *inflazione, inflazionistico, inflazionista, inflazionismo, inflazionare, inflazionato*, e quelli collegati *deflazione, deflazionare, deflatorio*. La crescente fortuna dei nuovi vocaboli favorisce lo sviluppo di usi figurati: nel 1935 Gramsci criticava «l'impiego inflazionistico [cioè 'eccessivo'] dei termini rivoluzione e rivoluzionario»; tre anni dopo Mussolini esprimeva il proposito di «deflazionare Praga», cioè di 'ridurla a più modeste proporzioni'.

Sono oggi piuttosto frequenti le forme erronee *inflattivo* e *deflattivo*, con doppia *t*, invece di quelle corrette *inflativo* e *deflativo*.

5.5.8. Lessico "informale-espressivo" e "popolare-incolto"

Ciascun parlante possiede più varietà e registri di lingua; all'occorrenza può quindi «cambiare tono» e impiegare un diverso modo d'esprimersi. Parole come *adirarsi, inquietarsi, arrabbiarsi, incavolarsi* ... hanno lo stesso significato, ma caratterizzano differenti tipi di discorso: il tipo più formale è rappresentato da *adirarsi* e *inquietarsi* (due verbi che si ritrovano per lo più nella lingua scritta); il tipo più informale da *incavolarsi*..., mentre *arrabbiarsi* occupa un gradino intermedio.

La volontà di comunicare in modo chiaro e immediato, la ricerca di una particolare coloritura emotiva possono giustificare l'uso, in determinati contesti, di vocaboli che i dizionari qualificano come «volgari» o «popolari»: *fregare* e *fregatura, rompiscatole* e *rottura (di scatole), cavolo* e *incavolarsi, casino* (o *casotto*) 'confusione' e *incasinare, frescone* e *frescaccia*. Ma si tenga presente che il ricorso continuo a queste parole produce un inevitabile logoramento del loro potenziale espressivo. A lungo andare, poi, l'eccessiva disinvoltura può trasformarsi in affettazione.

Su un piano molto diverso rispetto a questo lessico "informale-espressivo" si colloca il lessico che potremmo definire "popolare-incolto". Appartengono al livello "popolare-incolto" *imparare* invece di *insegnare* («chi ti ha imparato queste cose?»), *mal caduto* invece di *mal caduco* 'epilessia', *a gratis* invece di *gratis* («non lavoro a gratis»). Si pensi anche a certe confusioni tra parole di forma simile ma di significato diverso, come *reazionario* e *rivoluzionario, schermire* e *schernire, collisione* e *collusione*, *cattività* e *cattiveria*. L'*omosessuale* può diventare un *uomo sessuale*. Tali fenomeni, a differenza dei precedenti, denotano un'imperfetta acquisizione della lingua.

5.5.9. Ancora sull'italiano popolare

A partire dagli anni Settanta i linguisti hanno dedicato una serie di studi a un particolare filone comunicativo, il cosiddetto "italiano popolare". Manlio Cortelazzo, in un importante libro su tale argomento, definisce l'italiano popolare come «il tipo d'italiano imperfettamente acquisito da chi ha per madrelingua il dialetto».

Nelle lettere, nei diari e negli altri scritti di persone fornite di un basso livello d'istruzione si coglie spesso lo sforzo di chi aspira ad usare l'italiano senza averne una sicura padronanza. Riaffiorano così in questi testi regionalismi, o forme di compromesso tra la lingua e il dialetto. La sintassi è in genere elementare, stentata; sono frequenti le ripetizioni. Accanto a vari moduli tipici del parlato (come il *che* polivalente o l'uso dell'indicativo in luogo del congiuntivo, su cui v. 6.7.6. e 11.5.6.), compaiono stereotipi del linguaggio burocratico o di altri linguaggi settoriali, impiegati per lo più in modo non appropriato: «la trippa non si riempie perché fondi di riserva non ce ne sono». Si noti qui il contrasto tra l'espressione popolaresca *la trippa non si riempie* e il tecnicismo economico-finanziario *fondi di riserva*, usato in sostituzione del semplice 'soldi'. Numerosi anche i fraintendimenti e le storpiature: *esente dal ticket* diviene ad esempio *assente dal tic*, la *cooperativa* e i *BOT* diventano rispettivamente la *comperativa* e i *botti*.

Ricorrono con frequenza nelle testimonianze di italiano popolare parole come *arrangiarsi*, *balla* 'bugia', *beccare* («beccarsi un raffreddore», «la polizia l'ha beccato mentre rubava», «la Samp ha beccato» cioè 'è stata sconfitta'), *bestiale*, 'eccezionale' («un film bestiale»), *macello* («fare un macello» per 'fare una gran confusione, un disastro'), *mollare* 'appioppare, cessare, cedere' ecc. I vocaboli ora citati si ritrovano anche, come forme espressive, nella lingua parlata e familiare.

La nozione di "italiano popolare" non comporta in sé giudizi di condanna: si tratta infatti di un significativo momento di transizione dal dialetto alla lingua. Se l'italiano popolare non può ancora dirsi "italiano" a pieno titolo, rappresenta tuttavia un primo importante passo verso l'italiano.

6. IL PRONOME

6.0. Il pronome è la parte variabile del discorso che permette di designare qualcuno o qualcosa senza nominarli direttamente e insieme di precisarne alcune fondamentali caratteristiche di quantità, di qualità e di spazio.

La categoria dei pronomi comprende una serie abbastanza numerosa di parole, alle quali non corrispondono sempre significati precisi; in molti casi il significato dipende soltanto dal contesto linguistico (« conosco Mario, ma non *lo* vedo da anni ») o extralinguistico (« prendi *questo*! », frase che presuppone un gesto del parlante). La speciale importanza e l'alta frequenza d'uso dei pronomi derivano appunto da questa loro 'malleabilità', che li porta ad assolvere più funzioni:

evitando le ripetizioni, il pronome contribuisce all'economia del discorso (**funzione stilistica** del pronome);

il pronome serve spesso ad indicare, a mostrare qualcosa: « dammi *questo*, non *quello* », « prendi*le*! », « è con *lui* che sto parlando! » (**funzione deittica** del pronome: si tratta cioè della **deissi** 'additamento verbale', dal greco *deîxis* 'indicazione, atto del mostrare');

il pronome può essere un elemento della costruzione della frase: basti pensare al valore subordinante del pronome relativo (**funzione sintattica** del pronome).

La capacità sostitutiva del pronome non riguarda esclusivamente il nome, riguarda anche altre parti del discorso, quali gli aggettivi (« oggi il tempo è *buono*, ma ieri non *lo* era »), i verbi (« *aveva studiato* e *lo* dimostrò nell'interrogazione »), e persino intere frasi (« *come ha detto di chiamarsi*? - non *lo* ricordo più »).

Da questa polivalenza del pronome dipendono casi d'incertezza interpretativa: nella frase « Luigi passeggia con Susanna; quella sì che è una bella ragazza! » non ci sono difficoltà a stabilire che *quella* = *Susanna*; ma la frase « Lucia passeggia con Susanna; *quella* sì che è una bella ragazza! » risulta ambigua e si potrebbe bene interpretare solo se accompagnata da un 'additamento' chiarificatore (indice puntato, un cenno del capo, ecc.). Un esempio diverso, ma con un effetto analogo di ambiguità, è il seguente: « dammi questo! », dove il pronome maschile è un'indicazione generica in luogo di *questa penna* o di altro femminile.

Per intendere in modo corretto una frase con un pronome, senza ricorrere ad additamenti chiarificatori, è necessario identificare in modo univoco il pronome con la realtà alla quale esso si riferisce. A tal fine ci serviamo di alcuni strumenti formali: per es. la contrapposizione *questo/quello*, la quale è usata per distinguere due persone o due cose localizzandole con precisione nel discorso (« Sandro lavora con Massimo: *questo* è architetto mentre *quello* è geometra », dove *questo* vale 'il più vicino nel contesto', cioè Massimo, e *quello* vale 'il più lontano nel contesto', cioè Sandro). Ricordiamo ancora l'opposizione tra un sostantivo "umano" e un sostantivo "non umano" (« il domatore e il leone sono uno di fronte all'altro; *egli* lo teme » non è la stessa cosa che « il domatore e il leone sono uno di fronte all'altro; *esso* lo teme », perché *egli* = il domatore e *esso* = il leone), oltre naturalmente all'accordo secondo il genere e il numero.

6.1. PRONOMI PERSONALI

La parola **pronome** deriva dal latino *pronomen* 'che sta al posto (*pro*) di un nome (*nomen*)': dunque i pronomi dovrebbero essere i sostituti del nome. In molti casi questo è vero; per esempio, nell'espressione *egli è uscito*, il pronome *egli* sta al posto di un qualsiasi nome comune o proprio, come: *il dottore è uscito*, *Mario è uscito*, ecc. Ma nelle frasi *io scrivo*, *tu lavori*, i pronomi *io* e *tu* non sostituiscono nessun nome: infatti non sono intercambiabili con altri termini. La definizione dei pronomi personali, quindi, è diversa a seconda delle "persone": i pronomi di prima e seconda persona hanno l'ufficio di vero e proprio nome "indicativo" (*funzione deittica*) e rappresentano rispettivamente chi parla e chi ascolta; il pronome di terza persona può indicare colui del quale si parla («*lui* chi è?») o sostituire un nome («Gaetano verrà presto; *lui* è sempre puntuale»).

Secondo il *numero*, tutti i pronomi personali hanno il singolare e il plurale; secondo il *genere*, sono invariabili nella prima e seconda persona, variabili invece nella terza. Inoltre presentano forme differenziate in rapporto alla *funzione sintattica* che svolgono: hanno una forma per il soggetto e due forme per i complementi, una detta *tonica* o *forte*, l'altra *atona* o *debole*.

6.1.1. Pronomi personali soggetto

		SINGOLARE	PLURALE
PRIMA PERSONA		io	noi
SECONDA PERSONA		tu	voi
TERZA PERSONA	MASCHILE	egli, lui, esso	loro, essi
	FEMMINILE	ella, lei, essa	loro, esse

Il pronome personale soggetto di prima persona è **io** per il singolare, **noi** per il plurale; quello di seconda persona è **tu** per il singolare, **voi** per il plurale. Quello di terza persona dispone di una maggiore varietà di forme: tre coppie per il singolare (**egli-ella**, **lui-lei**, **esso-essa**); per il plurale, la coppia **essi-esse** e la forma **loro**, che ha valore sia di maschile sia di femminile.

Egli e *lui* si usano con riferimento alle persone (*lui*, nella lingua parlata, si riferisce anche agli animali); *esso* è usato con riferimento agli animali e alle cose:

ho parlato con il direttore, egli (ma comunemente *lui*) *mi ha assicurato il suo interessamento*;
cercai di trattenere il cavallo ma esso proseguì la corsa;
un importante compito vi è stato affidato: esso dovrà essere eseguito.

La stessa differenza non si riscontra tra *lei* ed *essa*; la forma *essa* viene riferita anche a persone:

avverti tua sorella, può darsi che essa (ma comunemente *lei*) *non lo sappia ancora.*

La forma *ella* è ormai caduta in disuso, specie nel linguaggio parlato, ed è sentita come letteraria e solenne. Le forme del plurale *essi-esse* servono per indicare tanto le persone quanto gli animali e le cose:

li ho guardati in viso, essi abbassarono gli occhi;
all'ingresso della villa c'erano due cani: essi stavano per mordermi;
il parlamento ha emanato nuove leggi: *esse prevedono la modifica dell'ordinamento giudiziario.*

Nell'uso vivo e familiare, ma sempre più anche nella lingua scritta, si sono affermati come pronomi di terza persona in funzione di soggetto le tre forme di complemento *lui*, *lei*, *loro*: *lui* (= egli) *non è d'accordo*; *lei* (= ella, essa) *è partita*; *loro* (= essi, esse) *arrivano domani.*

In particolare sono obbligatorie le forme *lui*, *lei*, *loro* anziché *egli*, *essa*, *ella*, *esse*, *essi*:

- quando si vuole mettere in rilievo il soggetto, nel qual caso il pronome si pone dopo il verbo: *ci va lui*; *l'ha detto lei*; *sono stati loro*;
- quando il pronome è in funzione di predicato: *non sembrava più lui*; *se io fossi lei*; *ma noi non siamo loro*;
- dopo *come* e *quanto*, cioè in complementi di paragone: *sei bravo come lui*; *ho studiato quanto lei*; *sono dispiaciuto quanto loro*;
- tra *ecco* e *che* relativo: *ecco lui che non ci crede*; *ecco loro che arrivano sempre tardi*;
- nelle contrapposizioni: *lui dice di sì, lei di no*; *lui dettava e lei scriveva*;
- quando il verbo è al gerundio o al participio: *essendoci lui, eravamo più tranquilli; sposatasi lei, rimasero soli*; *partiti loro, ce ne andammo anche noi*;
- nelle esclamazioni ellittiche: *contento lui, contenti tutti!*; *beata lei!*; *felici loro!*;
- in altre espressioni mancanti del verbo: « *chi è stato?* » « *lui* »; *ricchi loro? Ma non farmi ridere!*;
- dopo *anche*, *neanche*, *pure*, *neppure*, *nemmeno*: *anche lui era assente* (o *anch'egli era assente*, in un uso più letterario); *non lo sa neanche lei quello che vuole*; *nemmeno loro l'hanno visto*.

Anche le forme soggettive della prima e seconda persona singolare *io*, *tu* vengono talvolta sostituite dalle forme complementari *me*, *te*. Ciò accade:

- dopo *come* e *quanto*: *arrangiati anche tu come me*; *sono contento quanto te*. Ma se il verbo è ripetuto si adoperano *io* e *tu*: *arrangiati anche tu come mi arrangio io*; *sono contento quanto sei contento tu*;

- quando *me* e *te* sono in funzione predicativa e il soggetto è differente: *tu non puoi essere me*; *se io fossi te*. Quando il soggetto è lo stesso si hanno le forme *io* e *tu*: *sono sempre io*; *da un po' di tempo non sei più tu*; *me* e *te* tornano però quando sono preceduti dall'infinito del verbo *essere* e seguiti dall'aggettivo d'identità *stesso*: *voglio essere me stesso*; *cerca sempre di essere te stesso*;
- nelle esclamazioni prive di verbo: *povero me!*; *beato te!*

In italiano l'uso del pronome personale in funzione di soggetto è piuttosto limitato; in genere le forme soggettive vengono sottintese quando la forma verbale è univoca e non sono possibili incertezze d'interpretazione:

ho letto una notizia interessante; *sei tornato presto*; *dovrebbero rincasare fra poco*.

Il pronome viene invece espresso:

■ quando si vuole dare particolare rilievo al soggetto (enfasi), soprattutto nelle contrapposizioni: *io lavoro dalla mattina alla sera mentre tu ti diverti*;

■ quando ci sono forme verbali (particolarmente del congiuntivo) che potrebbero creare confusione circa la persona del soggetto: *ritengo che tu non sia all'altezza della situazione*; *pensava che tu amassi Laura* (la voce verbale *sia* significa ugualmente *io sia*, *tu sia*, *egli sia*; allo stesso modo *amassi* può valere *io amassi*, *tu amassi*; è necessario quindi il pronome per evitare ambiguità).

Il pronome personale soggetto può essere rafforzato da *stesso*: *io stesso*, *tu stesso* ecc.; e da *altri*, limitatamente alla prima e seconda persona plurale: *noi altri*, *voi altri* (o, in grafia unita, *noialtri*, .*voialtri*).

6.1.2. Pronomi personali complemento

Le forme del pronome personale in funzione di complemento sono due, ben distinte tra loro:
a) una forma *tonica* o *forte*, che dà al pronome un particolare rilievo;
b) una forma *atona* o *debole*, che nel discorso si appoggia al verbo.

Forme toniche

		SINGOLARE		PLURALE	
PRIMA PERSONA		me		noi	
SECONDA PERSONA		te		voi	
TERZA PERSONA	MASCHILE	lui	esso	loro	essi
	FEMMINILE	lei	essa	loro	esse
	RIFLESSIVO	sé		sé	

Alla prima persona singolare *io* corrisponde nell'ufficio di complemento la forma **me**: *cercavano me*; *stanno parlando di me*; *vieni con me*; *l'ha fatto per me*; *lo ha consegnato a me*; *è venuto da me*; *secondo me hai torto*.

Alla seconda persona singolare *tu* fa riscontro in funzione di complemento la forma **te**: *vogliono te*; *ha paura di te*; *esco con te*; *c'è una lettera per te*, ecc.

Le forme **noi** e **voi** (rispettivamente prima e seconda persona plurale) sono comuni al soggetto e ai complementi: *ridono di noi*; *hanno fiducia in noi*, ecc.

Il pronome di terza persona in funzione di complemento è **sé** quando ha valore riflessivo (v. VERBO, 7.3.): *ha troppa stima di sé*; *pensano solo a sé*. Quando invece indica una persona diversa dal soggetto, assume le forme **lui** per il singolare maschile, **lei** per il singolare femminile, **loro** per il plurale maschile e femminile: *vado con lui*; *non mi dimenticherò mai di lei*; *fai pure affidamento su loro*.

Le forme **esso**, **essa**, **essi** ed **esse**, in funzione di complemento, si riferiscono soltanto agli animali e alle cose; il loro uso ha poi un'ulteriore limitazione: possono adoperarsi come complemento indiretto, cioè preceduti da una preposizione, ma non come complemento oggetto. Per esempio: *l'aereo è il mezzo più veloce*: *con esso è facile raggiungere paesi lontani*; *è una trama troppo debole*: *su di essa è impossibile costruire un romanzo*; ma: *vedi quel libro? portamelo* (e non *portami esso*).

Le forme complementari toniche, come già quelle soggettive, possono venire rafforzate con l'aggettivo d'identità *stesso*: *non sono contento di me stesso*; *conosci te stesso*; *fa solo del male a sé stesso* (anche senza accento: *se stesso*); *pensano sempre a loro stessi e mai agli altri*.

Antiquate e letterarie sono le forme composte latineggianti *meco* (= con me), *teco* (= con te), *seco* (= con sé).

Forme atone

			SINGOLARE	PLURALE
PRIMA PERSONA			mi	ci
SECONDA PERSONA			ti	vi
TERZA PERSONA	COMPL. OGGETTO	MASCHILE	lo	li
		FEMMINILE	la	le
	COMPL. DI TERMINE	MASCHILE	gli	
		FEMMINILE	le	
	RIFLESSIVO		si	si

Le forme atone si adoperano soltanto per il complemento oggetto e per il complemento di termine. Ad esse corrispondono le forme toniche già esaminate; così **mi** vale 'me' e 'a me': *mi chiamano*; *mi raccontò tutto*; **ci** vale 'noi' e 'a noi': *ci* *ingannò*; *ci hanno scritto*; **ti** vale 'te' e 'a te': *ti accompagno*; *ti manderò un bel regalo*; **vi** vale 'voi' e 'a voi': *vi ascolto*; *vi penso sempre*. La forma atona del pronome di terza persona è **si** (= 'sé' e 'a sé') nell'uso riflessivo, cioè quando si riferisce allo stesso soggetto: *si guardò allo specchio*; *il cane si leccava la ferita*. Quando invece non si riferisce al soggetto della proposizione, il pronome presenta una duplice serie di forme: **lo** (singolare maschile), **la** (singolare femminile), **li** (plurale maschile), **le** (plurale femminile) per il complemento oggetto; **gli** (singolare maschile), **le** (singolare femminile), **loro** (plurale maschile e femminile) per il complemento di termine. Per esempio: *lo* (= lui) *vidi fuggire*; *la* (= lei) *incontro spesso*; *li* (= loro) *seguivo*; *le* (= loro) *salutai*; *gli* (= a lui) *descrissi l'accaduto*; *le* (= a lei) *rivolsi la parola*.

Le forme *lo*, *la*, *gli*, *le* sono uguali a quelle dell'articolo determinativo e si comportano allo stesso modo per quanto riguarda l'elisione. Soltanto quando l'apostrofo può originare confusione sul genere maschile o femminile, si evita di elidere la vocale per non creare ambiguità; perciò si scrive *lo aiutai* o *la aiutai* invece di *l'aiutai*.

Nell'italiano di oggi è sempre più frequente l'uso di *gli* al posto di *loro*: *li invitai a casa e gli offrii un aperitivo* in luogo di *offrii loro*. Nella lingua parlata e familiare *gli* tende anche a soppiantare la forma femminile singolare *le*: *se la vedi non dirgli niente*. Nella lingua scritta e nel parlare accurato è bene mantenere tali distinzioni (soprattutto la distinzione *gli/le*).

Si è detto che alle forme atone corrispondono perfettamente quelle toniche; ci si può allora domandare se sia preferibile l'uso delle une o delle altre. La scelta dipende dal rilievo che si vuole dare al pronome. Per esempio, *mi chiamano* e *chiamano me* sono due frasi molto diverse: nella prima il pronome ha valore di semplice indicazione, nella seconda invece assume una particolare intensità, come se chi parla volesse dire 'chiamano proprio me e non un altro', 'sono io ad essere chiamato'.

6.1.3. Uso di: lo, ci-vi, ne

Lo

Il pronome atono **lo** (complemento oggetto) può riferirsi all'intera frase precedente, oltre che ad uno dei suoi componenti:

ho parlato con Luigi, tutti lo hanno notato;

la seconda parte della frase può significare sia 'tutti hanno notato Luigi', sia 'tutti hanno notato il fatto che ho parlato con Luigi'. Altri esempi in cui *lo* rinvia a una frase anteriore, a un concetto precedentemente espresso:

« la nostra squadra vincerà sicuramente » « chi lo dice? »;
vuole tornare: non me lo ha detto, ma l'ho capito.

In questi casi *lo* assume valore neutro ed equivale a 'ciò'. Talora può anche anticipare, rafforzando, quello che sta per essere detto:

me lo sentivo che saresti venuto;
l'ho visto subito che le cose non andavano bene.

Oltre che a un nome e a un'intera proposizione, *lo* può anche riferirsi a un aggettivo:

si crede bella ma non lo è.

Ci e vi

Le forme atone **ci** e **vi** sono pronomi di prima e seconda persona plurale con funzione di complemento oggetto e complemento di termine; inoltre *ci* e, meno comunemente, *vi* possono avere le funzioni di:

- avverbio di luogo: *in due ci stiamo stretti* (*ci* = lì, in quel luogo); *ci passo tutti i giorni* (*ci* = per questo, per quel luogo). *Ci* e *vi* sono particolarmente usati in costruzione con il verbo *essere* nel senso generico di 'esistere, trovarsi': *c'era una volta*...; *c'è ancora qualche posto libero in sala*; *vi sono tanti tipi strani nel mondo*;

- pronome dimostrativo, specialmente con valore neutro: *non ci fare caso* (*ci* = a ciò); *ci prova gusto* (*ci* = in ciò); *ci puoi contare* (*ci* = su ciò); *non ci capisco nulla* (*ci* = di ciò); *che ci ricavi?* (*ci* = da ciò). *Ci* e *vi* si riferiscono anche a persone ma con una gamma di funzioni più limitata: *non ci esco da molto tempo* (*ci* = con lui o con lei o con loro); *non ci puoi fare affidamento* (*ci* = su lui o su lei o su loro).

Spesso le due particelle hanno un valore rafforzativo, sia come avverbio di luogo: *in questa casa non ci si può più vivere!*; *a scuola quando ci vai?*; sia come pronome dimostrativo: *non ci pensi alle conseguenze?*; *con certa gente non ci parlo neppure*.

È dialettale l'uso di *ci* nel significato di 'a lui, a lei, a loro': *ci andai incontro e ci dissi tutto*.
Ci e *vi* diventano *ce* e *ve* davanti a un altro pronome atono (v. 6.1.4.).

Ne

La particella **ne** ha anzitutto valore di avverbio di luogo; in questa funzione equivale a 'di qui, di qua, di lì, di là': « *sei stato in ufficio?* » « *sì, ne torno ora* »; *giunsi a Roma il mattino e ne ripartii la sera*. Di frequente è preceduta dalle forme pronominali atone *mi*, *ti*, *si*, *ci*, *vi*, che diventano in tal caso *me*, *te*, *se*, *ce*, *ve* (v. 6.1.4.): *non era un ambiente sano e per questo me ne distaccai*.

La particella *ne* viene poi usata largamente come pronome atono; in questa veste svolge la stessa funzione sintattica dei sintagmi formati con le preposizioni *di*, *da* e un pronome personale o dimostrativo. In particolare *ne* può valere:

- di lui, di lei, di loro; da lui, da lei, da loro: *ho un amico in quella città, ma da tempo non ne* (= di lui) *ho più notizie*; *personalmente non ho mai visto quella ragazza, però ne* (= di lei) *ho sentito parlare*; *li conosco bene e ne* (= di loro) *apprezzo i meriti*; *appena la conobbe, ne* (= da lei) *fu affascinato*;

- di questo, di questa, di questi, di queste; da questo, da questa, da questi, da queste: *mi ha fatto un dispetto, ma poi se n'è* (= di questo) *subito pentito*; *è una faccenda poco chiara e io non ne* (= di questa) *voglio sapere niente*; *lessi il libro e ne* (= da questo) *fui bene impressionato*; *non vide l'automobile e ne* (= da questa) *fu investito*. In altri casi *ne* ha valore neutro, e si riferisce a una frase, a un concetto precedente: « *credi che abbia detto la verità?* » « *ne* (= di ciò) *dubito* ».

La particella *ne* fa parte di varie locuzioni di uso comune: *aversene a male*, offendersi; *non volermene*, non mi serbare rancore; *non poterne più*, essere stufo; *valerne la pena*, metter conto; *ne va* (*dell'onore*, *della vita* ecc.), viene messo a repentaglio, in pericolo.
Spesso ha un valore stilistico, rafforzativo, sia in funzione avverbiale (con le particelle *me*, *te*, *se*, *ce*, *ve*): *me ne vado via*; *perché te ne stai lì tutto solo?*; sia in funzione pronominale e con posizione anticipata rispetto al sostantivo (prolessi): *ne dice di bugie!*

6.1.4. Forme accoppiate di pronomi atoni

me	lo	me	la	me	li	me	le	me	ne
te	lo	te	la	te	li	te	le	te	ne
se	lo	se	la	se	li	se	le	se	ne
ce	lo	ce	la	ce	li	ce	le	ce	ne
ve	lo	ve	la	ve	li	ve	le	ve	ne

I pronomi atoni **me**, **te**, **se**, **ce**, **ve** possono essere usati solo in coppia con i pronomi, pure atoni, **lo**, **la**, **li**, **le**, **ne**. Le funzioni dei due pronomi di ciascuna coppia sono ben distinte: il pronome che occupa il primo posto è un complemento di termine, quello che occupa il secondo posto è un complemento oggetto (o un complemento di specificazione o altro complemento se si tratta di *ne*).

Esempi:

me lo ha promesso; *te lo giuro*; *ve lo concedo*; *te la spedisco al più presto*; *ve la regalerò*; *ce la restituì*; *lesse i numeri della targa e subito se li annotò*; *ecco i miei figli: ve li affido*; *conosco molte barzellette, ve le racconterò*; *me ne ricorderò*; *ce ne infischiamo*; *ve ne parlai*.

Le forme atone *me* e *te* non vanno confuse con quelle toniche di uguale grafia: *me lo disse* / *lo disse a me* (forma tonica).

Il pronome atono *gli*, seguito da *lo*, *la*, *li*, *le*, *ne*, diventa *glie-*, dando luogo alle forme **glielo**, **gliela**, **glieli**, **gliele**, **gliene**, usate per qualsiasi genere e numero: *glielo riferii* (= lo riferii a lui o a lei o a loro); *gliela comprerò*; *gliela mandai*; *gliele porterò*; *gliene mostrai*.

6.1.5. Collocazione dei pronomi atoni

Le forme atone dei pronomi personali generalmente precedono il verbo appoggiando su di esso il loro accento, e si dice che sono **proclitiche** (dal greco *proklitikós* 'che si piega, che si appoggia in avanti'). In alcuni casi queste particelle pronominali diventano **enclitiche** (dal greco *enklitikós* 'che si piega, che si appoggia' a una parola precedente), cioè seguono il verbo e si incorporano ad esso formando così una sola parola. Ciò accade:

- con un infinito, che perde la vocale finale: *sei venuto per parlarmi?*; *ho deciso di perdonarti*; *nessuno cerca di aiutarci*; *sono lieto di vedervi*. Allo stesso modo si usano le forme accoppiate di pronomi atoni: *pensavo di dirtelo*; *ho fatto una corsa per portarglieli*. Con alcuni verbi (*dovere*, *potere*, *sapere*, *volere*, ecc.) si può scegliere tra costruzione enclitica e costruzione proclitica: *non posso favorirti* o *non ti posso favorire*; *non sa regolarsi* o *non si sa regolare*; *voglio regalarglielo* o *glielo voglio regalare*; *dovevo impedirtelo* o *te lo dovevo impedire*;

- con un gerundio: *conoscendolo meglio, imparai a stimarlo*: *non vedendovi arrivare, cominciammo a preoccuparci*. Anche nelle forme accoppiate di pronomi atoni: *promettendoglielo, non potresti più tirarti indietro*;

- con un imperativo: *fatemi il favore di stare zitti*; *leggimi questa lettera*; *dateci qualche giorno di tempo*; nelle forme accoppiate di pronomi atoni: *diteglielo*, *parlatemene*. Anche con la seconda persona dell'imperativo negativo (che si forma con l'infinito): *non muoverti*, *non darglielo*; ma qui la particella pronominale si può anche anticipare: *non ti muovere*, *non glielo dare*. Se l'imperativo è tronco, l'enclitica (tranne *gli* e i suoi composti) raddoppia la propria consonante iniziale; le forme più usate di questi imperativi sono *da'*, *di'*, *fa'*, *sta'*, *va'*: *dacci tutto quello che hai*; *dimmi la verità*; *faccelo sapere*; *stammi bene a sentire*; *vacci tu*; *vattene* (v. RADDOPPIAMENTO FONOSINTATTICO, 14.11.4.);

- con un participio passato usato in forma assoluta o con funzione aggettivale: *salutatolo, si allontanò*; *la merce consegnatami è avariata*; raro il tipo doppio (al più usato assolutamente): *dettoglielo*, *andatosene*;

- con l'avverbio *ecco*: *eccomi pronto*; *eccoti servito*; *eccolo lì*; *eccoci di nuovo insieme*; *eccovi finalmente*; *eccone un'altra delle sue!*

Al di fuori di questi casi, la costruzione enclitica appare antiquata e pedantesca. Tuttavia sopravvive ancora nello stile telegrafico, negli annunci economici, negli avvisi pubblicitari come espediente per risparmiare tempo, spazio e denaro: *affittasi*, *vendonsi*, *cercasi*, *offronsi*, *abbraccioti*, *manderòttelo*, *congràtulomi* ecc.

6.1.6. Pronomi allocutivi

Quando, nel parlare o nello scrivere, ci si rivolge a un interlocutore di riguardo o a una persona con cui non si è in confidenza, si usano i pronomi allocutivi (dal latino *àllŏqui* 'rivolgere la parola') di rispetto e di cortesia: **lei** (letterario **ella**) e **voi** per il singolare, **loro** per il plurale. Il *voi*, già presente nel latino tardo e usato ora, per esempio, nel francese, è comune soprattutto in alcune varietà regionali dell'italiano e nel linguaggio commerciale. Ebbe la sua massima diffusione durante il regime fascista, che ne sancì ufficialmente l'uso per richiamarsi, in campo linguistico come in quello politico, alla "tradizione romana". Ma il tentativo non ha avuto seguito.

Il più diffuso pronome di cortesia è quello di terza persona, definitivamente affermatosi in Italia nel Cinque-Seicento, al tempo dell'occupazione spagnola, e profondamente radicato nella nostra lingua, anche se il suo impiego crea spesso problemi e confusioni. Ad esempio, una frase come *lei ha niente in contrario?* rischia di essere ambigua, perché potrebbe valere sia *tu hai niente in contrario?* sia *Maria ha niente in contrario?* Un altro motivo di incertezza è rappresentato dall'accordo del predicato, che è fatto, di solito, non secondo il genere del pronome, ma secondo il genere della persona: *anche lei, direttore, è invitato*; meno comune: *anche lei, direttore, è invitata*.

Con l'allocutivo *lei*, il femminile 'di rispetto' riferito a persona di sesso maschile è oggi raro e sentito come letterario. Il femminile si usa invece con l'allocutivo *ella* (che è raro e molto formale).

Esempi:

voi, Giuseppe, siete veramente fortunato; *lei è troppo buono, dottore*; *lei, signorina, è attesa*; *ella, signor presidente, è sempre ben accetta (o accetto) tra noi*; *come loro sanno*; *se lor signori fossero così gentili da seguirmi*.

Al plurale *voi* è più comune di *loro*: *come voi sapete*; *se voi, signori, foste così gentili da seguirmi*.

Alle forme soggettive *lei*, *ella*, *loro* corrispondono in funzione di complemento le forme toniche: *di lei*, *a lei*, *di loro*, (*a*) *loro* ecc.; e le forme atone: *la*, *le* (per *lei* ed *ella*), *li*, *le*, *loro* (per *loro*): *stavo cercando proprio lei, ingegnere*; *a lei, signore, non devo nessuna spiegazione*; *la prego di scusarmi*; *le esprimo tutta la mia gratitudine*.

Nelle lettere i pronomi allocutivi di rispetto vengono spesso scritti con l'iniziale maiuscola, anche se si trovano in posizione enclitica: *nel ringraziarLa, Le porgo distinti saluti*.

Nel rivolgersi a persone con cui si abbiano rapporti di amicizia, di familiarità o di confidenza, si adopera il *tu* per il singolare, il *voi* per il plurale.

Nelle preghiere, rivolgendosi a Dio, alla Madonna e ai Santi, è istituzionale l'uso del *tu* e, meno comunemente, del *voi*: *dacci oggi il nostro pane quotidiano*; *tu sei benedetta tra le donne*; *Dio aiutaci* (o *aiutateci*).

CONFIDENZIALE	**REVERENZIALE**
SINGOLARE	
tu *verbo: 2ª pers. sing.*	lei (*raro*: ella) *verbo: 3ª pers. sing.* voi *verbo: 2ª pers. pl.*
PLURALE	
voi *verbo: 2ª pers. pl.*	loro (*o*: voi) *verbo: 3ª pers. pl. (o 2ª pers. pl.)*

6.2. PRONOMI POSSESSIVI

I pronomi possessivi sono formalmente identici agli aggettivi possessivi (v. AGGETTIVO, 5.3.1.). Nell'uso pronominale, il possessivo è sempre preceduto dall'articolo determinativo; per esempio:

« *mio figlio è molto studioso* » « *purtroppo non posso dire altrettanto del* mio »; *mia madre è più severa della* tua; *la mia casa ricorda un po' la* sua; *il vostro bambino e il* nostro *non vanno d'accordo*; *il mio lavoro è piacevole quanto il* vostro; *i miei interessi contrastano con i* loro; *vi ho riportato i compiti in classe: ognuno venga a prendere il* proprio; *soffro non della mia infelicità ma dell'*altrui.

Il possessivo può anche essere usato con valore sostantivale:

- *il mio*, *il tuo*, *il suo* ecc. significano rispettivamente 'ciò che mi appartiene o mi spetta', 'ciò che ti appartiene o ti spetta', 'ciò che gli appartiene o gli spetta' ecc.: *ci ho rimesso del mio*; *non voglio niente del tuo*; *a ciascuno il suo*; *dateci il nostro e ce ne andremo*; *fate pure come vi pare, tanto spendete del vostro*; *vivono del loro*; *non pretende che il proprio*; *non desiderare l'altrui*;

- *i miei*, *i tuoi*, *i suoi* ecc. indicano i familiari, i genitori, i parenti più stretti: *vivo con i miei*; *salutami i tuoi*; *non potrà più contare sull'aiuto dei suoi*; oppure gli amici, i compagni, gli alleati: *arrivano i nostri*; *anch'io sono dei vostri*; *è uno dei loro*;

- la *mia*, la *tua*, la *sua* ecc., nello stile epistolare, sottintendono *lettera*: *spero che tu abbia ricevuto la mia ultima*; *rispondo con un po' di ritardo alla tua carissima*. Nel linguaggio commerciale: *in riscontro alla stimata Sua del ...*; *con riferimento alla nostra del...*; *ci è pervenuta la pregiata Vostra del...*;

- *dalla mia*, *dalla tua*, *dalla sua* ecc. (con i verbi *essere*, *stare*, *avere*, *tenere*, *schierare*) sottintendono *parte*: *anche lui ora è dalla mia*; *noi stiamo tutti dalla tua*; *ha dalla sua una fortuna sfacciata*; *tiene dalla nostra*; *mi schiero dalla vostra*;

- *una delle mie*, *una delle tue*, *una delle sue* ecc. (con i verbi *fare*, *combinare*, *dire*, *essere*) sottintendono *marachelle*, *malefatte*, *sciocchezze*: *ne ho fatta una delle mie*; *ne hai combinata ancora una delle tue*; *ne ha detta una delle sue*; *questa è un'altra delle loro*;

- *la mia*, *la tua*, *la sua* ecc. (con il verbo *dire*) sottintendono *opinione*: *anch'io ho diritto di dire la mia*;

- *alla mia*, *alla tua*, *alla sua* ecc., nei brindisi, sottintendono *salute*: *su, beviamo: alla vostra!*;

- l'espressione *stare sulle sue* significa 'non dare confidenza': *è un tipo che sta sempre sulle sue*.

6.3. PRONOMI DIMOSTRATIVI

Tra i pronomi dimostrativi, alcuni presentano forme uguali a quelle degli aggettivi dimostrativi; essi sono:

SINGOLARE		PLURALE	
MASCHILE	FEMMINILE	MASCHILE	FEMMINILE
questo	questa	questi	queste
codesto	codesta	codesti	codeste
quello (quel)	quella	quelli	quelle
stesso	stessa	stessi	stesse
medesimo	medesima	medesimi	medesime

Questo, codesto, quello (v. AGGETTIVO, 5.3.2.)

Come si è già detto, le forme **questo**, **codesto** e **quello** hanno ciascuna una funzione ben precisa: *questo* indica vicinanza a chi parla, *codesto* (che è dell'uso toscano, letterario e burocratico) vicinanza a chi ascolta, *quello* lontananza da chi parla e da chi ascolta. Per esempio:

quel lavoro è riuscito meglio di questo; *questa è mia moglie*; *questo ombrello è mio, il tuo è codesto*; *invio a codesto ufficio i documenti*; *quelli sono i vostri posti*; *vedi quella? È la nuova professoressa d'inglese*; *sono indeciso sulla strada da fare: questa è più breve, ma quella ha meno curve*; *dei due vestiti preferisci questo o quello?*

Al pari degli aggettivi dimostrativi anche i pronomi possono essere rafforzati dagli avverbi di luogo *qui* o *qua* (per questo), *lì* o *là* (per *quello*): *questo qui è il mio quaderno*; *il direttore è quello là*; *sono due automobili molto belle: non so se comprare questa qui o quella là*.

I pronomi *questo* e *quello* si riferiscono sia a cose che a persone; però, riferiti a persone, possono denotare un atteggiamento di poco rispetto; cfr., per esempio, *chi lo conosce questo*? e *chi conosce il signore?*

I pronomi *questo*, *codesto*, *quello*, usati al maschile singolare, possono assumere valore neutro, e allora equivalgono a 'questa cosa', 'codesta cosa', 'quella cosa'; la forma *quello*, davanti al pronome relativo *che*, può subire il troncamento in *quel*. Per esempio: *questo mi dispiace*; *ricorda quello* (o *quel*) *che ti ho detto*.

Stesso, medesimo (v. AGGETTIVO, 5.3.2.)

Fra **stesso** e **medesimo** il primo è più comune: *gli insegnanti sono gli stessi* (o i *medesimi*) *dell'anno scorso*; *sei sempre la stessa!*; *a protestare è stato lo stesso dell'altra volta*.

Il pronome *stesso* (raramente *medesimo*) può essere usato con valore neutro, cioè con il significato di 'la stessa cosa': *fai come vuoi, per me è lo stesso* (o *fa lo stesso*); *anche a lui successe lo stesso*.

Altri pronomi dimostrativi non possono mai avere funzione di aggettivi; essi sono:

SINGOLARE		PLURALE	
MASCHILE	FEMMINILE	MASCHILE	FEMMINILE
questi	—	—	—
quegli	—	—	—
costui	costei	costoro	costoro
colui	colei	coloro	coloro
ciò	—	—	—

Questi, quegli

Si adoperano soltanto al maschile singolare in funzione di soggetto (per i complementi si ricorre a *questo* e *quello*); **questi** si riferisce a persona vicina, **quegli** a persona lontana:

sono giunti alla villa Mario e Franco: questi (cioè Franco) *era atteso, quegli* (cioè Mario) *no*.

Oggi i pronomi *questi* e ancor più *quegli* sono generalmente sentiti come letterari; si preferisce sostituirli con *questo* e *quello*. *Questi* e *quegli* appaiono inoltre poco funzionali perché coincidono con le forme plurali di *questo* e *quello*.

Costui, costei, costoro, colui, colei, coloro

Servono ad indicare soltanto persone, per lo più con una sfumatura negativa; hanno tutti i generi e i numeri e possono essere usati sia come soggetto sia come complemento. Tuttavia anche il loro impiego, e particolarmente di ***colui***, ***colei***, ***coloro***, è limitato (in genere vengono sostituiti dalle varie forme di *questo* e *quello*): *chi è costui?*; *chi ha detto a costei di entrare?*; *cacciate via costoro*; *che pretende da te colui?*; *non voglio saperne di colei*; *non parlarmi di coloro*.

L'uso più frequente di *colui*, *colei*, *coloro* è quello in unione con il pronome relativo *che* o *il quale*: *colui che arriverà in ritardo non sarà ammesso alla riunione*; *la madre è colei che ti è sempre vicina*; *ricordati di coloro che ti hanno fatto del bene*. Anche a queste forme fa concorrenza il pronome *quello*; inoltre *colui che* e *colei che* vengono spesso sostituiti dal più semplice *chi*: *fidati di chi ha più esperienza di te* (v. 6.5.).

Ciò

È invariabile e ha soltanto valore neutro; equivale a 'questa cosa, quella cosa'. Può essere usato in funzione sia di soggetto sia di complemento: *ciò è giusto*; *tutto ciò è vero*; *ciò che dici è molto grave*; *ignoravo ciò*; *non fare caso a ciò*; *di ciò parleremo domani.*

Ciò è oggi meno comune di *questo*: *questo è giusto, questo è vero* ecc.; quando segue un *che* relativo, *ciò* si alterna con *quello*: *ciò che dici è grave* oppure *quello che dici è grave.*

Con valore di complemento è spesso intercambiabile con le forme pronominali atone: si può dire « non sapevo *ciò* » o « non *lo* sapevo », « non credo *a ciò* » o « non *ci* credo », « cosa guadagni *da ciò*? » o « cosa *ci* guadagni? », « discutemmo a lungo *di ciò* » o « *ne* discutemmo a lungo », « deduco *da ciò* che non siete stati attenti » o « *ne* deduco che non siete stati attenti ». In questi casi la scelta tra la particella pronominale e *ciò* dipende da ragioni stilistiche: l'uso di *ciò* è meno comune, ma serve talvolta per sottolineare un concetto, per dare maggiore rilievo all'espressione, soprattutto nella lingua scritta.

6.3.1. Il pronome « quanto »

Il pronome **quanto** ha contemporaneamente funzione dimostrativa e relativa. Al singolare è usato con valore neutro; si riferisce perciò soltanto a cose e corrisponde a '(tutto) quello che', '(tutto) ciò che':

farò quanto è possibile; *per quanto mi riguarda, sono d'accordo*; *c'è molto di vero in quanto dici*; *è quanto di meglio si possa trovare.*

Comuni le locuzioni ellittiche: *questo è quanto*, tutto ciò che c'era da dire; *a conferma di quanto sopra*, di quello che si è detto sopra.

Al plurale si usa nelle forme *quanti* e *quante*, che si riferiscono sia a persone sia a cose ed equivalgono a '(tutti) quelli che', '(tutte) quelle che':

quanti desiderano iscriversi devono presentare la domanda; *la festa è riservata a quanti hanno ricevuto l'invito*; *prendine quanti te ne occorrono*; *dammene quante ti pare.*

6.4. PRONOMI INDEFINITI

Degli indefiniti, alcuni hanno la duplice funzione di aggettivi e pronomi:

SINGOLARE		PLURALE	
MASCHILE	FEMMINILE	MASCHILE	FEMMINILE
alcuno	alcuna	alcuni	alcune
taluno	taluna	taluni	talune
certuno	certuna	certuni	certune
certo	certa	certi	certe
ciascuno	ciascuna		
nessuno	nessuna		
altro	altra	altri	altre
tale	tale	tali	tali
troppo	troppa	troppi	troppe
parecchio	parecchia	parecchi	parecchie
molto	molta	molti	molte
poco	poca	pochi	poche
tutto	tutta	tutti	tutte
tanto	tanta	tanti	tante
alquanto	alquanta	alquanti	alquante
altrettanto	altrettanta	altrettanti	altrettante
diverso	diversa	diversi	diverse
vario	varia	vari	varie

Altri, invece, sono soltanto pronomi:

MASCHILE	FEMMINILE
uno	una
qualcuno	qualcuna
ognuno	ognuna
chiunque	chiunque
chicchessia	chicchessia
altri ('un altro')	—

MASCHILE	FEMMINILE
qualcosa	—
alcunché	—
checché	—
checchessia	—
niente	—
nulla	—

Poiché molti dei pronomi che hanno anche funzione di aggettivi si comportano nell'uso come gli aggettivi stessi, ci soffermeremo qui su quelli che presentano caratteristiche particolari, rinviando per gli altri al capitolo sull'aggettivo.

Uno

Di uso molto frequente, serve per indicare una singola persona in modo generico e indeterminato, senza cioè precisarne l'identità (può tuttavia distinguerne il genere in quanto ha sia la forma del maschile sia quella del femminile): *è venuto uno a cercarti*; *c'è uno al telefono che ti vuole parlare*; *ho incontrato una che ti conosce*. Seguito da un complemento partitivo può riferirsi sia a persona sia a cosa: *uno dei presenti desidera intervenire*; *ha sposato una del suo paese*; *è una delle mie figliole*; *è uno dei migliori prodotti sul mercato*; *uno di questi giorni verrò a trovarti*.

Proprio per la sua indeterminatezza il pronome *uno* acquista spesso valore impersonale: *in certe situazioni uno non sa* (= non si sa) *come comportarsi*; *uno non vive* (= non si vive) *di solo pane*; *uno si accorge* (= ci si accorge) *troppo tardi dei propri errori*.

In correlazione con il pronome *altro*, può indicare sia persona sia cosa e ammette anche il plurale, sempre preceduto dall'articolo determinativo *gli* o *le*: *gli uni dicono di sì, gli altri di no*; *ha zittito l'una e l'altra*; *scegli o l'uno o l'altro*; *l'uno o l'altro non fa differenza*; *combattevano l'uno contro l'altro*; *si misero in fila l'uno dietro l'altro*. Le locuzioni *l'un l'altro* e *l'uno con l'altro* esprimono reciprocità in frasi come: *si amavano l'un l'altro* ('a vicenda, reciprocamente'); *si insultarono l'un l'altro*; *si accusavano l'una con l'altra*; *vi dovete aiutare gli uni con gli altri*.

Il pronome *uno* ha anche valore distributivo nell'espressione *ad uno ad uno*, separatamente, uno per volta, uno dopo l'altro: *perse ad una ad una tutte le sue illusioni*. Inoltre la forma *una*, usata assolutamente, si ritrova in frasi ellittiche del tipo: *te ne voglio raccontare una* (cioè: storiella, barzelletta e sim.); *non me ne va bene una* (cioè: impresa, iniziativa, azione ecc.).

Si è detto che *uno* è soltanto pronome; infatti la sua funzione di aggettivo è stata assunta dall'articolo indeterminativo. Tuttavia *uno* è aggettivo nell'espressione *l'uno e l'altro* seguita da un sostantivo: *mi interessano l'uno e l'altro lavoro*, cioè entrambi i lavori.

Qualcuno (raro **qualcheduno**)

Variabile nel genere, si usa esclusivamente al singolare. Indica una quantità indeterminata, seppur esigua, di persone o cose:

solo qualcuno riuscì a salvarsi; *conosci qualcuna delle sue amiche?*; *qualcuno è favorevole, altri sono contrari*; *puoi prestarmi qualcuno dei tuoi libri?*

Sempre con valore indeterminato può indicare anche una sola persona o, più raramente, una sola cosa:

qualcuno ha bussato alla porta; *c'è qualcuno?*; *deve avergli giocato qualcuno dei suoi soliti scherzi*; *ne ha combinata qualcuna delle sue.*

In particolari espressioni è usato come sostantivo, nel senso di 'persona importante, affermata': *spero di diventare qualcuno*; *nel suo campo è qualcuno*; *si crede qualcuno.*
L'aggettivo corrispondente è *qualche.*

Alcuno (v. AGGETTIVO, 5.3.3.)

Ha entrambi i generi e i numeri, ma al singolare viene usato solo nelle frasi negative: *non si vede alcuno*; *non ne conosco alcuna* (più spesso: *non si vede nessuno*; *non ne conosco nessuna*); *alcuni sono d'accordo, altri no.*

Ognuno, ciascuno (raro **ciascheduno**; v. AGGETTIVO, 5.3.3.)

Variabili nel genere, si usano soltanto al singolare; indicano una totalità indeterminata di persone o cose, considerata però in ogni singolo elemento:

ognuno è responsabile delle proprie azioni; *ciascuno può esprimere il proprio pensiero.*

In espressioni di valore partitivo o distributivo è più frequente *ciascuno*:

ciascuna delle candidate ha superato l'esame; *il nonno regalò ai nipoti diecimila lire ciascuno* (o *per ciascuno*).

Talora si trovano in funzione appositiva e sono costruiti con il verbo al plurale: *prendiamo ciascuno le proprie cose.* In questi casi si ha una certa varietà di scelta circa l'uso del possessivo, potendosi anche dire: *prendiamo ciascuno le sue cose* (dove *sue* indica come "possessore" il pronome *ciascuno*); *prendiamo ciascuno le nostre cose* (dove *nostre* indica « noi » come "possessore").

Chiunque

È il pronome corrispondente all'aggettivo *qualunque* ed equivale infatti a 'qualunque persona'; può essere usato, sempre nella forma invariabile del singolare, tanto per il maschile quanto per il femminile:

chiunque al tuo posto avrebbe fatto lo stesso; *lo capirebbe chiunque*; *sono disposto a parlarne con chiunque*; *chiunque di noi sarebbe contenta di aiutarlo.*

Talvolta può avere contemporaneamente valore di pronome indefinito e di pronome relativo; in questo caso corrisponde a 'qualunque persona (che)': *non farlo, chiunque te lo chieda*; *può venire chiunque lo voglia*; *chiunque afferma questo è un bugiardo.*

Chicchessia

È invariabile e si adopera soltanto al singolare con riferimento a persona. Di uso poco frequente, legato per lo più a talune formule, equivale a *chiunque* o, in frasi negative, a *nessuno*: *sono pronto a ripeterlo a chicchessia*; *non m'importa di chicchessia*.
Come aggettivo gli corrispondono *qualsiasi* e *qualsivoglia*.

Qualcosa

È la forma contratta di *qualche cosa* e serve ad indicare, in modo indeterminato e con valore neutro, una o alcune cose; si accorda normalmente come maschile:

posso fare qualcosa per te?; *c'è qualcosa che non mi convince in questa faccenda*; *hai qualcos'altro da dirmi?*; *c'è qualcosa di nuovo?*; *è accaduto qualcosa?*

In espressioni enfatiche, specie del linguaggio familiare, *qualcosa di* rafforza l'aggettivo che segue: *è qualcosa di bello quel bambino!*; *questo romanzo è qualcosa di straordinario*. Usato con valore sostantivale, equivale alla locuzione 'un (certo) non so che': *c'è un qualcosa che non mi convince nel suo comportamento*; *mi accorsi di un qualcosa d'insolito* (nota la differenza con *mi accorsi di qualcosa d'insolito*).

Alcunché

Equivale a *qualcosa* ed è ormai piuttosto raro: *notò alcunché di strano nella sua condotta*. Si usa più spesso nelle frasi negative, dove significa 'niente, nulla': *non s'interessa di alcunché*; *non temere alcunché*; *non c'è alcunché di difficile in questo problema*.

Checché

Di impiego raro e letterario, ha valore indefinito e relativo, ed è usato con funzione neutra come soggetto e complemento oggetto; si riferisce perciò soltanto a cose e corrisponde a 'qualunque cosa (che)'. È costruito sempre con il verbo al congiuntivo: *partirò, checché succeda*; *checché tu ne dica, è un bravo ragazzo*.

Checchessia

Ancora più raro del precedente, è usato con valore neutro e significa 'qualsiasi cosa': *si accontenta di checchessia*. Nelle frasi negative equivale a 'nulla, niente': *non vuole mai accettare checchessia*.

Niente, nulla

Sono i pronomi negativi con valore neutro e significano 'nessuna cosa'; invariabili, si accordano al maschile. Quando precedono il verbo non richiedono altra negazione, la esigono invece quando seguono il verbo con funzione di soggetto o di complemento oggetto:

niente può fargli cambiare idea; *niente è stato ancora deciso*; *ho lavorato per niente*; *nulla è perduto*; *nulla di tutto ciò è vero*;
non gli va bene niente; *non gli fa paura niente*; *non c'è niente di più facile*; *non fa niente dalla mattina alla sera*.

Talora, *niente* e *nulla* possono indicare una cosa trascurabile, di poco conto:

si arrabbia per niente; *sperpera i milioni come niente fosse*; *il mio danno è niente rispetto al suo*; « *ti sei fatto male?* » « *non è niente* ».

Nelle proposizioni interrogative dirette e in quelle indirette introdotte dalla congiunzione *se*, assumono il significato positivo di 'qualcosa':

vuoi niente?; *vedi niente?; hai niente di rotto?*; *domandagli se gli serve niente*; *non so se hai niente in contrario*.

Preceduti dall'articolo si usano al singolare come sostantivi:
non ti do un bel niente; *è un uomo che si è fatto* (o *è venuto su*) *dal niente*; *basta un niente per renderlo felice*; *l'ho comprato per un niente*; *Dio ha creato il mondo dal nulla*; *l'affare si è concluso in un nulla di fatto*.
Inoltre possono avere funzione di avverbio: *non me ne importa niente*; « *ti è piaciuto il film?* » « *nient'affatto* ».
Nel linguaggio parlato *niente* è anche usato con valore di aggettivo: *non ho niente fame*; *mi raccomando, niente scherzi!*

Altro (v. AGGETTIVO, 5.3.3.)

Significa 'altra persona': *se non lo farai tu, lo farà un altro; non badare a quello che dicono gli altri*.
Usato al maschile singolare e senza articolo, acquista valore neutro ('altra cosa, altre cose'): *desidera altro?*

Altri

Si adopera soltanto al maschile singolare (perciò non va confuso con il plurale di *altro*) e significa 'un'altra persona, qualcun altro'; il suo impiego è molto ridotto e ormai quasi esclusivamente letterario: *non io, altri afferma questo*. Lo s'incontra ancora nell'espressione *non altri che...*, al posto del più comune 'nessun altro che...': *non altri che te può averlo detto*.

Tale (v. AGGETTIVO, 5.3.3.)

Preceduto dall'articolo indeterminativo, equivale a 'una certa persona', 'un tizio', 'uno': *c'è un tale che chiede di te*; *ha telefonato un tale che voleva parlare con lei*.
Preceduto da *quello*, indica una persona già nominata o comunque nota: *è tornato quel tale di ieri a cercarti*; *sono arrivati quei tali con cui avevi appuntamento*.

Nelle locuzioni *il tal dei tali*, *la tal dei tali* indica una persona di cui si conoscono nome e cognome ma che non si vuole menzionare: *mi disse tutto di sé: che era la tal dei tali, che abitava nel tal posto, che frequentava le tali persone...*

6.5. PRONOMI RELATIVI

Il pronome relativo, oltre alla funzione di sostituire un nome, ha anche quella altrettanto importante di mettere in relazione due proposizioni. Prendiamo, per esempio, la frase: *ho visto tuo padre che andava verso casa*; essa equivale a due proposizioni unite mediante la congiunzione *e* + un pronome dimostrativo: *ho visto tuo padre e questi andava verso casa*. Il pronome relativo ha quindi il duplice ufficio di congiunzione (in quanto unisce la proposizione di cui fa parte, detta appunto **relativa**, con la proposizione anteriore o **reggente**) e di pronome (in quanto sostituisce un nome incluso nella proposizione reggente).

I pronomi relativi sono:

VARIABILI	il quale	i quali
	la quale	le quali

INVARIABILI	che
	cui
	chi

Che

È invariabile e vale sia per il maschile e il femminile sia per il singolare e il plurale; la concordanza in genere e numero si fa con il sostantivo di cui *che* è il sostituente. Fra i pronomi relativi *che* è quello d'uso più frequente; può adoperarsi come soggetto e come complemento oggetto.

« Che » soggetto:

ho conosciuto un avvocato che sa il fatto suo; *la matematica è una materia che mi interessa molto*; *il maestro lodò gli alunni che avevano studiato*; *osservava dalla finestra le persone che passavano*.

«Che» oggetto:

il pianoforte è lo strumento che prediligo; *ti dirò una cosa che non sai*; *puoi prestarmi i libri che hai letto?*; *non mi piacciono le sigarette che fumi*.

Per i complementi indiretti si ricorre a *cui* e *il quale* (o *la quale* ecc.): *il film di cui* (o *del quale*) *ti ho parlato*; *la città in cui* (o *nella quale*) *vivo*; *i fogli su cui* (o *sui quali*) *dipingo*; *le idee per cui* (o *per le quali*) *ci battiamo*. Soprattutto nella lingua parlata è diffuso il *che* con valore temporale o locativo al posto di 'in cui': *il giorno che ci siamo incontrati*; *paese che vai, usanza che trovi*.

Oltre a sostituire un singolo nome, il pronome *che* può anche riferirsi a un'intera proposizione; in questo caso ha valore neutro, cioè significa 'la qual cosa', ed è per lo più preceduto dall'articolo *il* o dalla preposizione articolata: *voglio smettere di bere, il che non è facile*; *sono stato frainteso, il che mi dispiace*; *ti ho mancato di rispetto*, *del che ti chiedo scusa*. Tali forme equivalgono a *e ciò*, *e di ciò* ecc.

Cui

È invariabile e vale per entrambi i generi e i numeri; al contrario di *che*, si adopera soltanto come complemento indiretto, preceduto da una preposizione semplice, e mai come soggetto o complemento oggetto. Perciò può essere sostituito dalle forme composte *il quale*, *la quale* ecc., ma non dal pronome *che*: *il problema di cui* (= del quale) *discutemmo*; *il fine a cui* (= al quale) *tendo*; *la regione da cui* (= dalla quale) *provengo*; *la casa in cui* (= nella quale) *abito*; *gli arnesi con cui* (= con i quali) *lavoro*; *gli amici su cui* (= sui quali) *faccio affidamento*; *le ragioni per cui* (= per le quali) *insisto*; *le persone tra cui* (= tra le quali) *vivo*.

Solo in due casi il pronome *cui* non è preceduto dalla preposizione semplice:

- nel complemento di termine, accanto alla forma con la preposizione *a*: *la faccenda cui* (o *a cui*) *ti riferisci*; *la ditta cui* (o *a cui*) *mi sono rivolto*;
- quando è posto tra l'articolo determinativo e il nome, col valore di complemento di specificazione e col significato di 'del quale, della quale, dei quali, delle quali': *un soldato il cui coraggio* (= il coraggio del quale) *è straordinario*; *un'attrice il cui nome* (= il nome della quale) *ora mi sfugge*; *avvenimenti le cui conseguenze* (= le conseguenze dei quali) *non si possono prevedere*; *opere dalle cui pagine* (= dalle pagine delle quali) *traspare il pessimismo dell'autore*.

Un eroe la di cui fama..., *un uomo i di cui figli...*, con *di* inserito tra articolo e *cui*, sono espressioni antiquate.

Il pronome *cui* è anche usato con valore neutro nell'espressione *per cui*, che significa 'per la qual cosa' e si riferisce a un'intera proposizione precedente:

non m'intendo di motori, per cui è meglio che taccia.

Per cui deriva da *motivo per cui, ragione per cui* e simili, con ellissi del sostantivo; tale forma, criticata da alcuni puristi, si trova già nel Boccaccio.

Il quale, la quale, i quali, le quali

È il pronome più chiaro e completo, perché precisa sempre il genere e il numero. Si può usare come soggetto (ma ha tono più sostenuto rispetto a *che*), come complemento oggetto (molto raro e letterario), come complemento indiretto (di uso corrente, accanto a *cui*):

seduto sul marciapiede c'era un vecchio, il quale chiedeva l'elemosina; *il libro, del quale ho fatto la recensione, è stato pubblicato da poco*; *ho incontrato tua madre alla quale ho raccontato l'accaduto*; *questa è la cella dalla quale sono fuggiti i prigionieri*; *i paesini nei quali siamo stati erano molto caratteristici*; *pochi sono i colleghi con i quali ho un rapporto di amicizia*; *le prove sulle quali si basa l'accusa sembrano inconsistenti*; *non mi ricordo tutte le località per le quali siamo passati.*

Nonostante la prevalenza di *che* e *cui*, in alcuni casi l'impiego della forma composta appare preferibile, se non addirittura necessario; ciò avviene, per esempio:

- quando l'esatta indicazione del genere e del numero serva ad evitare possibili ambiguità: *ho parlato con il figlio della signora, il quale abita vicino a noi.*
- quando il relativo sia distante dal nome cui si riferisce: *molte favole mi ha raccontato la nonna quand'ero bambino, le quali erano non solo divertenti ma anche istruttive*. Talvolta per maggiore chiarezza o insistenza, specie nel linguaggio burocratico, si ripete il nome, e in questo caso *il quale* ha più dell'aggettivo che del pronome: *questa è la regola che dovete trarre dagli esempi citati, la quale regola può essere utile per risolvere problemi analoghi*;
- quando si susseguano vari *che*: *ho saputo che Mario, il quale non mi ha ancora detto niente, ha deciso di non venire al mio matrimonio.*

Anche gli avverbi **dove (ove)** e **donde (onde)**, quando congiungono e mettono in relazione due proposizioni, acquistano valore relativo: *il paese dove* (= in cui, nel quale) *sono nato*; *ritornammo al punto donde* (= da cui, dal quale) *eravamo partiti*. Le forme *ove*, *donde*, *onde* sono di uso letterario.

Chi

Si riferisce esclusivamente ad esseri animati, mai a cose; è invariabile e vale soltanto per il singolare, sia maschile sia femminile (il genere si può ricavare dal contesto o dall'accordo grammaticale). *Chi* è un pronome "doppio", in quanto unisce in sé la funzione di due pronomi diversi: uno dimostrativo (*colui*, *quello*, *colei*, *quella*) o indefinito (*qualcuno*, *uno*, *qualcuna*, *una*), l'altro relativo (*che*, *il quale*, *la quale*). Per questa sua particolarità è l'unico fra i pronomi relativi che si può usare in forma assoluta, cioè senza essere preceduto da un nome: *chi* (= colui che) *studia è promosso*; *c'è chi* (= qualcuno che) *crede ancora alla befana*. Per il plurale si ricorre alle forme composte *coloro che*, *alcuni che*: *coloro che studiano sono promossi*; *ci sono alcuni che credono ancora alla befana*.

Il pronome "doppio" *chi* può essere:

- soggetto sia nella reggente sia nella relativa: *chi dice questo sbaglia*;
- oggetto sia nella reggente sia nella relativa: *ho riconosciuto chi hai salutato*;
- oggetto nella reggente, soggetto nella relativa: *non trovavo chi mi desse una mano*;
- soggetto nella reggente, oggetto nella relativa: *non ti è nemmeno riconoscente chi hai aiutato*;
- complemento indiretto nella reggente, soggetto nella relativa: *non regalo niente a chi non se lo merita*;
- complemento indiretto nella reggente, oggetto nella relativa: *non esco con chi non conosco*;
- complemento indiretto nella reggente e nella relativa, quando il complemento della reggente e quello della relativa richiedano la stessa preposizione: *sono stato ricevuto da chi* (= da colui dal quale) *mi hai mandato*.

Al di fuori di questi casi si deve ricorrere alle forme composte: *cerca di fare qualcosa per colui del quale ti ho parlato*; *non posso andare d'accordo con uno di cui non ho stima*.

Il pronome *chi* può avere anche valore ipotetico, e allora significa 'se qualcuno, se uno': *chi me l'avesse detto, gli avrei riso in faccia*; *domani, chi non lo sapesse, è festa*. Talora equivale a 'chiunque': *l'ingresso è gratuito, può entrare chi vuole* (o *chi voglia*).

Quando è usato nella coppia correlativa *chi...chi* corrisponde a 'l'uno... l'altro', 'gli uni... gli altri', 'alcuni... altri': *chi dice una cosa, chi un'altra*; *chi ci crede, chi no*; *chi va e chi viene*; *chi preferisce il mare, chi la montagna*.

6.6. PRONOMI INTERROGATIVI

SINGOLARE		PLURALE	
MASCHILE	FEMMINILE	MASCHILE	FEMMINILE
chi che quale quanto	chi — quale quanta	chi — quali quanti	chi — quali quante

Si usano tanto nelle proposizioni interrogative dirette quanto in quelle indirette, e possono assolvere la funzione sia di soggetto sia di complemento.

Chi

Si adopera esclusivamente per indicare persone o esseri animati; è invariabile, e vale per il maschile e il femminile come per il singolare e il plurale:

chi è venuto?; *chi è stata?*; *chi siete?*; *chi sono quelle signore?*; *chi chiami?*; *di chi parli?*; *a chi ti rivolgi?*; *da chi vai?*; *con chi esci?*; *per chi parteggi?*; *dimmi chi preferisci dei due*; *non capisco a chi alludi*; *non so con chi partire.*

Che (v. AGGETTIVO, 5.3.4.)

È invariabile e si riferisce soltanto a cose; ha perciò valore neutro ed equivale a 'quale cosa':

che è successo?; *che vuoi?*; *di che ti preoccupi?*; *a che pensi?*; *da che lo deduci?*; *con che lo aggiusti?*; *non so che fare*; *non vedo di che tu possa lamentarti.*

In luogo di *che* si può usare **che cosa** o **cosa**, quest'ultimo molto frequente nel parlato:

(*che*) *cosa è successo?*; (*che*) *cosa vuoi?*; *di* (*che*) *cosa ti preoccupi?* ecc.

Quale (v. AGGETTIVO, 5.3.4.)

Invariabile nel genere, possiede sia il singolare sia il plurale. Serve a chiedere la qualità o l'identità e si riferisce tanto a persone quanto a cose:

quale dei tuoi amici ti è più simpatico?; *quale dei due sarà stato?*; *di questi libri quali preferisci?*; *a quale di questi argomenti sei più interessato?*; *sono indeciso su quale comprare*; *non so quali scegliere.*

Quanto (v. AGGETTIVO, 5.3.4.)

Variabile nel genere e nel numero, viene usato per domandare la quantità con riferimento sia a persone sia a cose:

«*vorrei della stoffa*» «*quanta gliene occorre?*»; *quanti hanno aderito alla nostra proposta?*; *in quante eravate?*; *non so quanti saranno ad accettare*; «*starò via alcuni giorni*» «*dimmi esattamente quanti*».

Tutti i pronomi interrogativi possono essere usati anche in funzione esclamativa: *a chi lo dici!*; *che vedo!*; « *ha scelto questo quadro orribile* » « *quale!* »; *quanti sono!*

6.7. INSERTI

6.7.1. I pronomi e il testo

n. 1 *La segretaria sta arrivando.* [1] LA *vedo parcheggiare l'auto davanti all'edificio.* [2] LA *osservo mentre acquista il giornale.* [3] LA *sento salutare il portiere.* [4] LE *vado incontro davanti al portone.* [5] LE *do il benvenuto nella nostra azienda e m'informo sulle* SUE *precedenti esperienze di lavoro.* [6] *Mentre parla* LA *osservo.* [7] *È* UNA RAGAZZA *alta e decisamente bella: grandi occhi azzurri, capelli lunghi e biondi, un fare disinvolto e simpatico.* [8] *Mentre apro la cartella,* LEI *scruta per un attimo il cielo.* [9] *Grosse nuvole si stanno addensando: certo pioverà presto.* [10] *Con un gesto deciso* LA GIOVANE *si alza il bavero dell'impermeabile.* [11] *Ho trovato il dattiloscritto.* [12] GLIE(LO) *consegno pregando*LA di *legger(LO) al più presto.* [13] *Mi assicura che* (LO) *farà.* [14]

Questo testo, composto di quattordici frasi (numerate per nostra comodità), presenta due caratteri:

a) ha come protagonista, dal principio alla fine, « la segretaria »; da un certo punto di vista, possiamo dire che la segretaria è il tema del testo;

b) la continuità e la coerenza del testo sono assicurate dalla presenza di molti **pronomi** e da due **sostituti** («una ragazza», «la giovane»).

Sono in maiuscoletto i pronomi e i sostituti che si riferiscono alla "segretaria"; sono racchiusi in un cerchio altri pronomi aventi una diversa funzione: "*glie*(lo)", "*legger*(lo)", riferiti a "dattiloscritto" [13]; "(lo) *farà*" è riferito all'infinito "*legger*(lo)" della frase precedente.

Notiamo tuttavia che in [8] e in [11], in luogo dei pronomi riferiti alla "segretaria", abbiamo due sostituti: "una ragazza", "la giovane"; per il lettore non ci sono difficoltà: è molto chiara l'equivalenza:

la segretaria = una ragazza = la giovane

Tali sostituti sono usati per evitare la ripetizione (che talvolta riuscirebbe fastidiosa) dello stesso nome ("la segretaria", nel nostro caso) e del pronome personale soggetto (*ella*, *lei*), di uso limitato in italiano.

Si diceva dunque che i pronomi assicurano la coerenza del Testo n. 1. La **pronominalizzazione** è il procedimento più importante per attuare la connessione delle frasi di un **testo**, il quale è stato definito « una successione di elementi linguistici, costituita da una concatenazione pronominale ininterrotta ». Nel Testo n. 1 ci sono quasi esclusivamente pronomi personali; i possessivi ricorrono in [6]; mancano, tra l'altro, i relativi. I pronomi personali delle frasi ([2], [3], [4], [5], [6], [7]) e così pure *lei* [9] e *glielo* [13], cioè 'a lei il dattiloscritto', hanno tutti la seguente particolarità: si riferiscono a un significato espresso prima, "la segretaria"; detto altrimenti si riferiscono ad un elemento che, nella successione lineare del testo, si trova a sinistra. Tali "rinvii all'indietro" si chiamano procedimenti anaforici. Il fenomeno in generale è chiamato dai linguisti **anafora** (dal gr. *anaphorá*): questo termine, nella retorica, significa 'ripetizione della stessa parola o dello stesso gruppo di parole all'inizio di versi che si susseguono'.

I procedimenti anaforici possono essere realizzati con diversi pronomi; inoltre possono riferirsi sia ad un elemento della frase precedente (vedi i testi n. [2], [3], [4]) sia alla frase precedente nel suo complesso (vedi i testi [5], [6], [7]). Vediamo alcuni esempi:

n. 2 *I fatti di cui abbiamo parlato sono di grande importanza.* ESSI *riguardano il nocciolo della questione.*

n. 3 *Carlo e Luigi hanno compiuti gli studi universitari ed hanno frequentato un corso di specializzazione.* TUTTE E DUE (L'UNO E L'ALTRO, ENTRAMBI, AMBEDUE) *cercano ora un lavoro.*

n. 4 *L'oratore ha parlato della disoccupazione, del nuovo contratto e dell'orario di lavoro.* QUEST'ULTIMO PUNTO *ha suscitato vivaci polemiche.*

n. 5 « *Andrai dal medico?* » « LO *farò al più presto* ».

n. 6 *L'avvocato non ha neppure sfiorato la questione.* IL CHE *non mi è sembrato corretto.*

n. 7 *Frequentava l'Accademia di Belle Arti; sedeva al cavalletto gran parte della giornata; spendeva tutto il suo denaro in tele, pennelli e colori.* QUESTA DELLA PITTURA *era la grande passione di Giovanni.*

Si è parlato generalmente di pronomi, ma per i nn. 4 e 7 si tratta più propriamente di un'espressione pronominale (ripresa con un nuovo sostantivo preceduto dal pronome).

Sono invece procedimenti cataforici i "rinvii in avanti"; forme antecedenti rinviano a forme susseguenti; il riferimento procede verso destra; si parla allora di **catafora** (dal gr. *cataphorá*). Per es.:

n. 8 *Questo glielo dovevi dire, che non ammetto scorrettezze.*

Tra i procedimenti cataforici, che sono senza dubbio meno frequenti di quelli anaforici, bisogna ricordare l'anticipazione o **prolessi**. Si tratta di uno strumento espressivo che altera la cosiddetta 'posizione' (successione logica e/o cronologica) di un elemento della frase. La prolessi ricorre spesso nella lingua parlata:

n. 9 *L'ho letto il libro che mi hai prestato.*

n. 10 *Lo dicevo che saresti venuto alla festa.*

Nel comunicare qualcosa il parlante collega continuamente due serie di elementi: le parole con i **referenti** (gli oggetti del mondo extralinguistico, reale o immaginario). Per es. il parlante collega le parole *tavolo*, *bambino*, *virtù*, *intelligenza* con i referenti "tavolo", "bambino", "virtù", "intelligenza". Tale operazione, che è alla base del linguaggio, si chiama **referenza**.

Vediamo ora un aspetto importante della referenza servendoci di un esempio. Mi trovo in una città che si chiama *Roma*; posso riferirmi a questa città con il nome proprio di *Roma* oppure con altre espressioni, per es.: *la capitale d'Italia*, *la città dai sette colli*. Il parlante italiano è consapevole delle equivalenze:

Roma = la capitale d'Italia = la città dai sette colli.

Il parlante stabilisce queste equivalenze fondandosi sulla sua conoscenza; in questo caso si tratta di una conoscenza di "cose", non di fatti linguistici; la chiameremo pertanto **conoscenza extralinguistica**. Osserviamo che *Roma*, *la capitale d'Italia* e *la città dai sette colli* hanno lo stesso referente (cioè "Roma"), ma significati diversi. Infatti se non possedessimo quella conoscenza di "cose" di cui si è ora parlato, non potremmo certo concludere che le tre denominazioni hanno qualcosa in comune, diversamente da quanto accade in una famiglia di parole come per es. *lavorare*, *lavoratore*, *lavoro*, *lavorazione* ecc. (in questo caso è evidente una base comune di significato).

Vediamo un altro esempio simile, nel quale due espressioni linguistiche diverse hanno lo stesso referente. Gli antichi parlavano della *stella del mattino* e della *stella della notte*, riferendosi in entrambi i casi al pianeta *Venere*, visibile sia di notte sia all'alba. Ma non bisogna andare troppo lontano per convincersi che il fenomeno di cui stiamo trattando è frequente. Apriamo a caso un quotidiano o una rivista di oggi. In un articolo dedicato all'economia si parla di *dollaro*, poi di *moneta statunitense*, poi di *divisa americana*; in un altro articolo dedicato alla caduta della prima *neve*, si ricorre successivamente ai sostituti *bianca coltre* e *soffice manto*. In questi casi il giornalista, per evitare la ripetizione della stessa parola, ricorre a sostituti (i quali, nei contesti predetti, sono da considerarsi come dei sinonimi o espressioni sinonimiche).

Il fenomeno di cui stiamo parlando si chiama **coreferenza** (= l'uso di più parole o espressioni che hanno la stessa referenza). La coreferenza si attua mediante i pronomi e i sostituti. Così accade nel testo n. 1, dove dapprima si nomina la *segretaria* (referenza), poi si torna a indicare la segretaria (cioè lo stesso referente) servendosi di pronomi (*LA vedo*, *LA osservo* ecc.) e di sostituti (*una ragazza*, *la giovane*).

parola
referente

REFERENZA

COREFERENZA

pronome	sostituti
referente	

Pronomi e sostituti sono gli strumenti della coreferenza che, come abbiamo visto, procede all'indietro (anafora) e in avanti (catafora). Queste operazioni si ripetono spesso quando costruiamo un **testo** (dal lat. *textum* 'tessuto', 'ciò che è intrecciato, connesso', part. pass. del verbo *texĕre*). Chi conosce una lingua deve averne non soltanto una competenza lessicale e grammaticale. Non basta conoscere la fonologia, la morfologia, la sintassi, le parole e le espressioni di una lingua determinata. Di questa lingua bisogna avere anche una **competenza testuale**: si tratta di una nozione complessa e fondata su diversi fattori. Proviamoci a illustrarla.

Si chiama *competenza testuale* la capacità (posseduta dal parlante) di ricostruire l'unità di un testo (sia orale sia scritto), di riassumerlo, di parafrasarlo, di notare se è completo o incompleto, di assegnargli un titolo, di classificarlo rispetto a una determinata tipologia (è una chiacchierata tra amici oppure un discorso politico, è una poesia o è una barzelletta, è una lettera d'amore o è la ricetta del medico, è un racconto o un'ingiunzione di pagamento ecc. ecc.)

Riconoscere il collegamento tra le varie parti di un testo significa, tra l'altro, comprendere lo svolgimento della serie pronominale e della serie dei sostituti. Riprendiamo il Testo n. 1, proviamo a cambiare il sostituto di [8] e di [11], per es.: *è un giovanotto alto ... le bambine si alzano il bavero...* Si produce subito una frattura: chi legge non riesce più a comprendere lo svolgersi degli eventi, a collegare le varie parti tra loro; s'interroga sull'improvviso apparire di nuovi protagonisti, che rimangono senza alcuna giustificazione, a meno che non si attui contemporaneamente una ricostruzione dell'intero passo. Allora il giovanotto e le bambine avranno un loro posto nel breve racconto, che assumerà una diversa fisionomia. Naturalmente basta molto meno ad alterare un testo; si provi a cambiare i pronomi: [1] *La segretaria sta arrivando.* [2] LO *vedo parcheggiare l'auto...* « C'è qualcuno che ancora non conosco in questa storia » penserà il lettore lievemente stupito. Nel suo animo comincerà a nascere l'incredulità, la diffidenza o il sospetto, a seconda dei casi. Talvolta basta scambiare l'articolo determinativo con quello indeterminativo (o viceversa) per ottenere simili sconvolgimenti; proviamo a leggere in [11]: *una* GIOVANE SI ALZA IL BAVERO... si è distrutta così l'identità del referente *la segretaria* = la giovane; chi sarà quest'altra giovane? Se non si risolve il quesito, c'è il caso che il lettore perda la pazienza e addio lettura!

6.7.2. I pronomi personali soggetto davanti al verbo

Per quanto riguarda l'uso del pronome personale soggetto davanti al verbo, l'italiano si distingue da altre lingue europee. Come abbiamo visto (6.1.1.), la confusione tra persone verbali avviene in italiano in pochi casi: ciò permette di eliminare quasi sempre il pronome personale che, quando c'è, ha **valore espressivo**. Invece in francese e in inglese l'uso dei pronomi personali soggetto davanti al verbo è obbligatorio perché tali pronomi hanno una precisa **funzione morfologica**: servono a distinguere le persone del verbo. Per es., in francese l'indicativo presente del verbo *parler* /par'le/ 'parlare' possiede quattro forme che si pronunciano tutte allo stesso modo (sono omofoni); la prima e la terza si scrivono anche allo stesso modo (sono omografi). In inglese l'indicativo presente del verbo *to speak* / tu'spi:k / 'parlare' possiede ben quattro forme omofone e omografe. In italiano ciascuna forma dell'indicativo presente di *parlare* ha una propria desinenza che la distingue rispetto alle altre forme:

FRANCESE	INGLESE	ITALIANO
je parle / parl /	I speak / spi:k /	(io) parlo
tu parles / parl /	you speak / spi:k /	(tu) parli
il parle / parl /	he speaks / spi:ks /	(egli) parla
nous parlons / par'lõ /	we speak / spi:k /	(noi) parliamo
vous parlez / par'le /	you speak / spi:k /	(voi) parlate
ils parlent / parl /	they speak / spi:k /	(essi) parlano

Tale situazione si ripete (con poche eccezioni) in tutto il paradigma verbale. In generale si può dire che le lingue che fanno uso dei pronomi personali soggetto davanti al verbo hanno una morfologia verbale semplificata (l'inglese ha praticamente due sole forme per ciascun tempo verbale); al contrario, le lingue che fanno a meno di tali pronomi (per es. l'italiano e il latino) hanno una morfologia verbale ricca di forme. Quindi c'è una **correlazione** stretta tra l'uso dei pronomi personali soggetto e la morfologia verbale.

Confronta il diverso uso del pronome personale soggetto in una frase composta di una principale e di una subordinata:

ITALIANO	*credo di poter venire*	(nessun pronome)
FRANCESE	*je crois pouvoir venir*	(pronome)
INGLESE	*I think I can come*	(pronome ripetuto)

6.7.3. I pronomi dimostrativi dal latino classico all'italiano

Il latino classico possedeva un sistema di pronomi dimostrativi più ricco e articolato del nostro: ad ogni funzione corrispondeva un pronome particolare. I **dimostrativi latini** servivano non soltanto ad indicare il rapporto vicinanza/lontananza rispetto al parlante e all'interlocutore, avevano anche altre funzioni: di collegamento, di correlazione, di messa in evidenza. Ordiniamo tali pronomi secondo le loro funzioni; dopo le forme maschili dei pronomi latini riportiamo, tra parentesi, le forme del femminile e del neutro:

PRONOMI DIMOSTRATIVI	HĪC	(f. HAEC, n. HŎC) 'questo': è il dimostrativo riguardante l'oggetto vicino a colui che parla;
	ĬSTE	(f. ĬSTA, n. ĬSTUD) 'codesto': è il dimostrativo riguardante l'oggetto più vicino all'interlocutore;
	ĬLLE	(f. ĬLLA, n. ĬLLUD) 'quello': è il dimostrativo che riguarda l'oggetto lontano;
PRONOMI DI RIFERIMENTO	ĬS	(f. ĔA, n. ĬD): rinvia a un elemento già espresso della frase o del testo; è pertanto un anaforico; tale valore lo rende atto a sostituire il pronome personale di terza persona singolare e ad essere usato in correlazione con il relativo: *qui... is* 'colui che... egli';
	ĪDEM	(f. ĔĂDEM, n. ĬDEM): composto di ĬS + -DEM 'proprio, precisamente', indica l'identità: *idem vultus* 'lo stesso volto';
	ĬPSE	(f. ĬPSA, n. ĬPSUM): è un pronome che serve ad evidenziare un elemento della frase, soprattutto per opporlo ad altri elementi: *Caesar ipse* 'Cesare in persona, proprio lui'.

Nel passaggio dal latino classico al latino volgare questo sistema di pronomi entrò in crisi: subì dapprima dei mutamenti, poi fu sostituito quasi interamente da nuove forme. Grosso modo possiamo dire che tutti i pronomi del riquadro scompaiono, ad eccezione di *ille*, che però diventa un articolo (v. 3.6.4.) e di *ipse*. A dire il vero, alcune forme non scompaiono del tutto, ma si 'rafforzano' fondendosi con altri elementi, per es.: *ciò* < ECCE HOC, *però* < PER HOC (come appare, c'è stato un mutamento di significato e di funzioni). Un pronome vitale nel latino volgare, e conseguentemente nelle lingue romanze, è IPSE. In italiano abbiamo:

IPSU(M) > *esso*
ISTU(M) + IPSU(M) > *stesso*

Un elemento rafforzativo, sviluppatosi nel latino volgare, è *ECCU (ricavato da ECCE + (H) UN (C), accusativo di HIC). *ECCU è all'origine dei nostri dimostrativi:

*ECCU + ISTU(M) > *questo*
*ECCU + TIBI + ISTU(M) > *codesto*
*ECCU + ILLU(M) > *quello*

Un altro elemento rafforzativo troviamo all'origine di *medesimo* *METIPSIMU(M), dove quel MET- è ricavato da formule latine del tipo EGOMET IPSE 'proprio io in persona', ILLEMET IPSE 'proprio lui in persona'; mentre -IPSIMU(M) risulta dalla contrazione del superlativo IPSISSIMUM.

Concludendo, anche nel campo dei pronomi appare chiaramente l'avversione del latino volgare per le parole troppo brevi e la sua predilezione, invece, per le parole di corpo fonetico ampio e di significato espressivo (v. 1.3.7.).

6.7.4. Vocabolario politico: liberalismo, socialismo, comunismo

Il nostro linguaggio politico nasce nelle sue grandi linee nel Settecento, in particolare negli ultimi anni del secolo, sulla scia della Rivoluzione francese. Nel corso dell'Ottocento, vari fattori ne promuovono l'ulteriore intenso sviluppo: i progressi del giornalismo, la definitiva affermazione del sistema parlamentare, l'industrializzazione con tutte le sue conseguenze in campo economico e sociale. Una gran quantità di termini, in genere di provenienza francese o inglese, penetra ora in Italia per indicare le nuove realtà della vita parlamentare, le nuove ideologie, i nuovi punti di vista politici. Tra questi termini spiccano per importanza *liberalismo, socialismo* e *comunismo*: ricostruire la loro origine e la loro prima evoluzione semantica significa riandare alle radici della società civile contemporanea.

Liberalismo ha una storia molto complessa, che risente dell'internazionalizzazione del vocabolario politico. L'uso moderno di *liberale* ha precedenti italiani (Baretti, 1766), francesi (Napoleone, 1799), spagnoli (nel 1812 a Cadice nasce un partito «liberal»); ma la parola si diffonde largamente negli anni della Restaurazione e ancor più dopo il 1830, quando la Francia diviene un punto di riferimento per il liberalismo europeo. Per l'Italia, il primo esempio finora conosciuto di *liberalismo* risale al 1819 (Pellico). Durante tutta la prima metà dell'Ottocento il significato di questo termine appare piuttosto incerto: alcuni identificano i liberali con i conservatori, altri addirittura con i comunisti. Nel 1849 il Rosmini pubblica un opuscolo dal titolo *Il socialismo ed il comunismo* proprio con lo scopo di distinguere il *liberalismo*, «parola tanto abusata e però bisognevole di retta definizione», dalle dottrine collettivistiche con le quali veniva da molti confuso.

Nella seconda metà del Settecento e all'inizio dell'Ottocento **socialismo** era stato occasionalmente usato in Italia con diversi valori: per indicare i seguaci di Rousseau o i "giusnaturalisti" della scuola di Grozio, o anche con il significato generico di 'spirito di socialità'. Nel 1827 troviamo *socialist* in Inghilterra, con riferimento ai fautori delle teorie cooperativistiche di Owen; qualche anno dopo l'astratto *socialisme* viene impiegato in Francia per designare le "utopie" ugualitarie di Saint-Simon e i modelli di comunità proposti da Fourier. Questa nuova accezione di *socialismo* è accolta presto anche in Italia: nel 1839 il moderato Terenzio Mamiani dichiara il proprio dissenso dalle «molte utopie de' *socialisti* moderni», fornendoci una delle prime attestazione del termine. Nel 1851 viene compilato un anonimo *Vocabolario socialista*, che riunisce e spiega alcune parole caratteristiche dell'«attuale movimento rivoluzionario»: tra le altre, *associazione, capitale, comunismo, lavoro, proletario, salario* e lo stesso *socialismo*.

Communiste e *communisme* sono attestati in Francia rispettivamente nel 1834 e nel 1840. I primi esempi italiani di **comunismo** e **comunista** sono in Mazzini, che già nel 1841 adopera più volte i due vocaboli, riferendosi alla situazione politica francese: per lui *comunismo* vuol dire essenzialmente «abolizione della proprietà». In questo periodo *comunismo* e *socialismo* sono spesso considerati come una cosa sola, specialmente dagli avversari politici, ai quali conviene far aleggiare sul riformismo socialista lo spauracchio del rivoluzionarismo comunista. Lo stesso Rosmini, nel citato opuscolo *Il socialismo ed il comunismo*, fa un uso sinonimico dei due termini. Ma intorno alla metà del secolo i più tenaci fautori della rivoluzione, i critici più radicali della proprietà privata, cominciano ad essere chiamati *comunisti* invece che *socialisti*. Si diffonde l'espressione *spettro del comunismo*: «È lo spettro del comunismo che tiene tanti animi dubbiosi e sospesi» (Cavour, 1848). La preferenza accordata da Marx a *comunismo* rispetto a *socialismo* — preferenza evidente nel titolo stesso del *Manifesto del partito comunista* — si spiega appunto con il desiderio di una caratterizzazione più combattiva, drasticamente antiborghese.

6.7.5. Scrivere e riscrivere

Scrivere bene, in modo chiaro, efficace e piacevole, è una cosa tutt'altro che semplice. La prima difficoltà è trovare le parole adatte; ma non basta, occorre poi metterle insieme nel modo migliore, inserirle al posto giusto, variare le costruzioni, dare evidenza agli elementi più significativi.

Quando si scrive un testo, anche breve, bisogna stare molto attenti a collocare esattamente le parole e le proposizioni; altrimenti c'è il rischio di alterare il significato del messaggio e di costruire frasi ridicole.

Non ho ancora ricevuto l'assegno mensile. Ho finito tutti i soldi. Sai dirmi perché?

Si tratta del biglietto che la moglie di un lavoratore italiano all'estero invia al proprio marito, il quale risponde ironicamente: «Ti ho spedito l'assegno mensile un po' in ritardo. Non so perché tu abbia finito i soldi. Dovresti saperlo tu stessa!». In effetti le tre proposizioni che compongono la frase della donna non sono disposte in modo ordinato e consequenziale; l'informazione «Ho finito tutti i soldi» è inserita male nel testo e va spostata all'inizio:

Ho finito tutti i soldi. Non ho ancora ricevuto l'assegno mensile. Sai dirmi perché?

o alla fine:

Non ho ancora ricevuto l'assegno mensile. Sai dirmi perché? Ho finito tutti i soldi.

Chi produce un testo scritto non può fare affidamento su fattori complementari tipici della lingua parlata, quali l'intonazione, le pause, la mimica, i gesti; non può nemmeno controllare direttamente se ciò che afferma viene recepito con chiarezza e con precisione. Egli è tenuto quindi a una progettazione e a un'elaborazione più accurate, che eliminino le possibili ambiguità, che aiutino e stimolino il lettore.

A volte abbiamo la necessità di ampliare o ridurre il discorso, di aggiungere o togliere un elemento, di concentrare l'attenzione su un particolare piuttosto che su un altro. In questi casi è molto importante saper **riformulare**, cioè cambiare la struttura di una frase o di un passo senza mutarne le parole. Per mettere alla prova la nostra capacità di riformulazione, supponiamo di dover scrivere una frase che abbia come argomento principale una città, dando un'informazione generale sulle sue caratteristiche, descrivendone un aspetto particolare ed enunciando un fatto che sta per avvenirvi. Abbiamo dunque quattro elementi:

argomento	**informazione generale**	**aspetto particolare**	**fatto**
Urbino	*famoso centro culturale e artistico delle Marche*	*conserva nel suo museo dipinti di Piero della Francesca*	*ospiterà un convegno di studi sulla pittura del Quattrocento*

Cominciamo a costruire la frase nel modo più elementare, limitandoci ad allineare i vari elementi:

[1] *Urbino è un famoso centro culturale e artistico delle Marche; conserva nel suo museo dipinti di Piero della Francesca; ospiterà un convegno di studi sulla pittura del Quattrocento.*

Diamo ora alla frase una struttura più organica, serrando meglio le diverse parti:

[2] *Urbino, che è un famoso centro culturale e artistico delle Marche e che conserva nel suo museo dipinti di Piero della Francesca, ospiterà un convegno di studi sulla pittura del Quattrocento.*

Anteponendo l'"informazione generale" al soggetto otteniamo uno stile più mosso, una struttura più articolata:

[3] *Famoso centro culturale e artistico delle Marche, Urbino, che conserva nel suo museo dipinti di Piero della Francesca, ospiterà un convegno di studi sulla pittura del Quattrocento.*

A questo punto abbiamo l'impressione che il nostro testo sia un po' povero sul piano del contenuto, sentiamo il bisogno di aggiungere qualcosa. La frase [3], con l'apposizione anticipata «Famoso centro culturale e artistico delle Marche», ha un vantaggio rispetto alla frase [2]: la possibilità di inserire nuovi particolari mantenendo intatta la struttura complessiva. Vediamo come:

[4] *Famoso centro culturale e artistico delle Marche, Urbino, che conserva nel suo museo dipinti di Piero della Francesca e che è sede di importanti istituti universitari, ospiterà un convegno di studi sulla pittura del Quattrocento.*

La proposizione «e che è sede di importanti istituti universitari» s'inserisce bene nella frase [3], ma non nella [2], dove determinerebbe una sequenza di tre relative introdotte da *che*. In certi casi, dunque, l'apposizione in capo al periodo permette di realizzare una disposizione chiara e funzionale, risolvendo i problemi di costruzione del testo.

6.7.6. Il «che» polivalente

Molto spesso nell'italiano parlato e popolare si impiega il *che*, pronome relativo e congiunzione, per legare tra loro due proposizioni, in casi nei quali la lingua più accurata richiederebbe una forma diversa del pronome relativo (*di cui, in cui, a cui*) o una congiunzione specifica come *perché, quando*. Ecco alcuni esempi di questo *che* **polivalente**:

1. *Riccardo è uno che ci si può fidare*
(*che* = 'di cui')

2. *Londra è una città che ci piove sempre*
(*che ci piove* = 'in cui piove')

3. *quello è il signore che gli hanno rubato l'auto*
(*che gli hanno rubato* = 'a cui hanno rubato')

4. *torna domani che oggi non ho tempo*
(*che* = 'perché')

5. *è arrivato che tu eri appena andato via*
(*che* = 'quando')

Tutte queste frasi sono presenti nel parlato e nello stile informale. Nella lingua scritta le cose vanno diversamente: soltanto **4.** e **5.** sono accettabili; negli altri casi è necessario attuare la sostituzione con il relativo analitico.

La tendenza ad adoperare un solo mezzo di collegamento, universale e generico, s'inquadra nel fenomeno della **semplificazione** che caratterizza gli usi informali e spontanei della lingua. Si tratta di un fenomeno molto esteso, dal quale dipendono vari aspetti dello stesso italiano standard: si pensi all'impiego generalizzato dei pronomi personali *lui, lei, loro* sia in funzione di oggetto sia in funzione di soggetto (v. 6.1.1.). Alcuni tipi di *che* con valore temporale, causale, finale o consecutivo sono considerati grammaticalmente corretti: *è un anno che non lo vedo* (temporale); *copriti che fa freddo* (causale); *aspetta, che ti aiuto* (finale-consecutivo); *ridono che è un piacere* (consecutivo).

Al di fuori di casi particolari, è buona regola non approfittare della polivalenza del *che* e sostituirlo con forme più appropriate, capaci di indicare con maggiore precisione i rapporti sintattici tra le proposizioni.

7. IL VERBO

7.0. La grammatica ha tradizionalmente riconosciuto al nome e, ancor più, al verbo un ruolo fondamentale nel meccanismo della frase. Nel *Discorso o dialogo intorno alla nostra lingua*, attribuito a Niccolò Machiavelli, il verbo è definito «catena e nervo della lingua»: infatti il verbo è il centro sintattico della frase, attorno al quale si organizzano i diversi elementi che la compongono. Questa caratteristica deriva da alcune proprietà del verbo, quali:

il **modo**, che indica una particolare disposizione del parlante: certezza (*viene*, modo indicativo), possibilità (« credo che *venga* », modo congiuntivo), desiderio (*verrei*, modo condizionale), comando (*vieni!*, modo imperativo);

il **tempo**, che precisa la relazione cronologica tra il momento in cui si parla e il momento in cui si verifica il fatto del quale si parla: tale relazione può essere di contemporaneità (*viene*, tempo presente), di anteriorità (*venne*, tempo passato), di posteriorità (*verrà*, tempo futuro);

la **persona**, che specifica a quale individuo, tra quelli coinvolti direttamente o indirettamente nel discorso, il verbo fa riferimento: la prima persona designa il parlante (*io*), la seconda persona designa l'ascoltatore (*tu*), la terza persona designa qualsiasi altro individuo, presente o assente (*egli/esso*, o anche *qualcuno*, *qualcosa*, *Luigi*, *il cane*, *la strada* ecc.);

la **transitività** o **intransitività**, secondo che il verbo possa avere o no un complemento oggetto; spesso un medesimo verbo può essere usato intransitivamente (*vivere con i familiari*) o transitivamente (*vivere lo sport* o, con l'"oggetto interno", *vivere la vita*);

la **forma attiva** o **passiva**, secondo che l'"agente" del verbo sia o non sia il soggetto della frase: *il bambino lancia un sasso* (forma attiva, perché l'"agente" del verbo è *il bambino*, soggetto della frase) / *un sasso è lanciato dal bambino* (forma passiva, perché l'"agente" del verbo non è il soggetto *un sasso*, ma il complemento *dal bambino*).

Un'altra caratteristica del verbo è l'**aspetto**, che fornisce indicazioni sulla durata, sul tipo di svolgimento, sul grado di compiutezza del processo espresso dal verbo. È una tipica differenza di aspetto quella tra **azione durativa**, che può essere rappresentata, per il passato, con l'imperfetto (*leggevo*), e **azione momentanea**, che può essere rappresentata con il presente, con il passato prossimo o remoto, con il futuro (*leggo*, *ho letto*, *lessi*, *leggerò*). L'azione durativa si può inoltre esprimere con una perifrasi verbale (*sto uscendo*, *stavo uscendo*); e con una perifrasi verbale si può esprimere l'**azione ingressiva** (*sto per uscire*, *sono sul punto di uscire*). Segnalano un aspetto dell'azione anche certi suffissi, come *-icchiare* o *-erellare*, con i quali si indica l'**intermittenza**, l'assenza di continuità: *cantare* → *canticchiare*, *canterellare*; *dormire* → *dormicchiare*; *giocare* → *giocherellare*; *saltare* → *salterellare*.

La nostra lingua non possiede un "sistema dell'aspetto" ben articolato e reso con mezzi grammaticali (come accade, per esempio, nella lingua russa).

7.1. VERBI PREDICATIVI E COPULATIVI

Secondo il loro significato e la loro funzione nella frase i verbi vengono solitamente suddivisi in due grandi categorie: i verbi predicativi e i verbi copulativi (v. 2.1.2.).

I **verbi predicativi** hanno un significato compiuto e possono essere usati anche da soli: *piove*; *Remo corre*; *lo studente legge (un libro)*.

I **verbi copulativi** servono a collegare il soggetto a un nome o a un aggettivo e hanno quindi una funzione analoga a quella del verbo *essere*, che come sappiamo si chiama **copula**; verbi copulativi sono *sembrare*, *divenire*, *riuscire*, *risultare*, *stare*, *rimanere*, *apparire*, *crescere*, *nascere*, *vivere*, *morire* ecc.: *la situazione sembra tranquilla*; *il cielo diventa nuvoloso*; *Mario non riesce simpatico* (ma nella frase *Mario non riesce nello studio* il verbo *riuscire* è predicativo, non copulativo).

7.2. VERBI TRANSITIVI E INTRANSITIVI

Si chiamano **transitivi** (dal latino *transire* 'passare') i verbi che possono avere un complemento oggetto.

In una frase come *Marco legge un libro* l'oggetto del *leggere* è esplicitamente indicato: si tratta di *un libro*. Non sempre però i verbi transitivi, per avere senso compiuto, devono essere seguiti da un complemento oggetto; spesso questo risulta, per così dire, "cancellato":

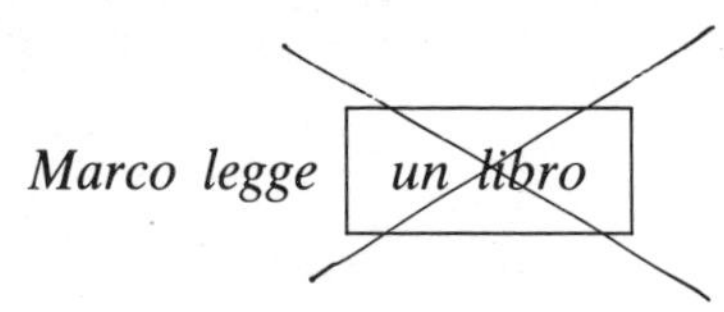

In tal caso il verbo transitivo viene usato in forma assoluta, senza complemento oggetto, ma continua a rimanere transitivo. Nella nuova frase (*Marco legge*) viene messa in evidenza l'azione in sé e per sé che il soggetto compie, mentre manca l'oggetto determinato; è implicito, tuttavia, che un oggetto esiste anche se non espresso, in quanto l'azione di leggere non si può concepire se non in rapporto a qualcosa che sia oggetto della lettura.

Sono **intransitivi** i verbi che non possono avere un complemento oggetto: *l'uomo impallidì*; *i campi biondeggiano*; *Giovanni è partito*; *siamo finalmente arrivati*; *io esco*; *Teresa dorme*.

Nel primo e nel secondo esempio i verbi (*impallidire*, *biondeggiare*) indicano uno stato; negli altri tre i verbi (*partire*, *arrivare*, *uscire*) indicano un'azione. Si tratta comunque di uno stato e di un'azione che si esauriscono nel soggetto, tant'è vero che i verbi non sono nemmeno seguiti da un complemento. Anche se il complemento ci fosse, servirebbe solo a precisare alcune circostanze dello stato o dell'azione ma non potrebbe mai essere un complemento oggetto: *l'uomo impallidì per lo spavento*; *i campi biondeggiano di spighe*; *Giovanni è partito in tutta fretta*; *siamo finalmente arrivati a casa*; *io esco con i miei amici*; *Teresa dorme tutto il pomeriggio*.

Si noti la differenza tra *Teresa dorme tutto il pomeriggio* e *Teresa mangia tutto il panino*; in quest'ultima frase si ha un verbo transitivo (*mangia*) seguito da un complemento oggetto (*tutto il panino*), mentre nella frase precedente si ha un verbo intransitivo (*dorme*) seguito da un complemento di tempo senza preposizione (*tutto il pomeriggio*).

Sono intransitivi anche i verbi come *aderire*, *giovare*, *rinunciare* ecc., che hanno un "oggetto", espresso però da un complemento indiretto: *aderisco all'iniziativa*; *la ginnastica giova al fisico*; *non rinunciare a ciò che ti spetta*.

Verbi normalmente intransitivi diventano transitivi quando vengono seguiti dal cosiddetto "complemento oggetto interno", che è rappresentato da un sostantivo che ha la stessa base del verbo: *morire una morte gloriosa*, *vivere una vita felice*, *parlare parole chiare*; si considerano casi di complemento oggetto interno anche: *piangere lacrime amare*, *dormire sonni tranquilli* e simili, dove tra verbo e oggetto intercorre un rapporto semantico particolarmente stretto.

Alcuni verbi possono essere transitivi oppure intransitivi, cambiando di significato: *aspirare il fumo* e *aspirare a una carica*; *attendere un amico* e *attendere a un lavoro*.

7.3. FORMA ATTIVA E PASSIVA

Il verbo, secondo la relazione che stabilisce con il soggetto, può essere **attivo** o **passivo**.

Nella forma attiva il soggetto del verbo è l'"agente" della frase:

i turisti ammiravano il paesaggio; *Luigi studia*; *mio padre è andato a Roma*; *la bambina arrossì*; *il gatto miagola*; *il cane dormiva placidamente*; *i prati verdeggiano*.

Come risulta da questi esempi, tutti i verbi, transitivi e intransitivi, hanno la forma attiva.

Nella forma passiva, invece, il vero "agente" della frase è non il soggetto, ma il complemento, che si chiama infatti **complemento d'agente**:

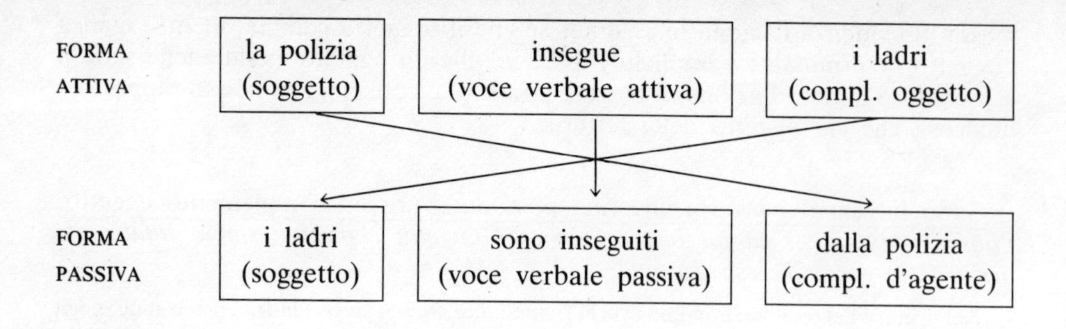

In italiano la voce passiva è caratterizzata dall'ausiliare *essere*, seguito dal participio passato del verbo. Quest'ultimo dev'essere necessariamente transitivo: infatti possono trasformarsi in passivi solo i verbi transitivi con il complemento oggetto espresso, perché è proprio questo che nella forma passiva diventa soggetto. Il soggetto della frase attiva diventa invece nella frase passiva un complemento introdotto dalla preposizione *da*: il complemento d'agente (quando l'"agente" è inanimato, prende il nome di **causa efficiente**). Si può avere la forma passiva anche senza che il complemento d'agente (o di causa efficiente) sia specificato: *l'orologio è stato riparato*; *i tuoi consigli non furono seguiti*; *il vincitore sarà premiato*.

Il significato di una frase di forma attiva è sostanzialmente identico a quello della corrispondente frase di forma passiva. Per esempio, le due frasi *la polizia insegue i ladri* e *i ladri sono inseguiti dalla polizia* vogliono dire la stessa cosa: in entrambe c'è sempre un solo inseguitore (*la polizia*) e un solo inseguito (*i ladri*); non cambiano i ruoli svolti dai protagonisti dell'azione, ma solo i rapporti grammaticali con cui vengono espressi. La moderna scienza linguistica ci dice che tale cambiamento investe la *struttura superficiale* e non la *struttura profonda* della frase. Ragionando in termini di pura grammatica, le cose stanno senz'altro in questo modo; tuttavia osserveremo che la variazione ci porta a considerare lo stesso fatto sotto un diverso punto di vista: il punto di vista dei poliziotti e quello dei ladri, il punto di vista di chi « insegue » (forma attiva) e quello di chi invece « è inseguito » (forma passiva).

7.4. FORMA RIFLESSIVA (PROPRIA, APPARENTE, RECIPROCA)

Si dice **riflessiva** ogni costruzione in cui il soggetto e l'oggetto coincidono; il fatto espresso dal verbo riflessivo "si riflette", appunto, sul soggetto stesso:

io mi lavo; *tu ti pettini*; *Luciano si veste*.

Nelle tre frasi ora citate, il soggetto e l'oggetto sono la stessa persona; infatti *io mi lavo* equivale a 'io lavo me stesso', *tu ti pettini* equivale a 'tu pettini te stesso', *Luciano si veste* equivale a 'Luciano veste se stesso'.

Possono essere usati come riflessivi soltanto alcuni verbi transitivi; l'oggetto del verbo riflessivo è sempre costituito dai pronomi personali atoni *mi*, *ti*, *si*, *ci*, *vi*.

Quando le particelle *mi*, *ti*, *si*, *ci*, *vi* svolgono la funzione non di complemento oggetto, ma di complemento di termine, non si ha forma riflessiva vera e propria.

Per esempio, nella frase *io mi lavo le mani* la particella *mi* non significa 'me' (come nella frase *io mi lavo*) ma 'a me', e il soggetto (*io*) non coincide con il complemento oggetto (*le mani*). Si ha in questo caso la forma **riflessiva apparente** (o **transitiva pronominale**), detta così perché nell'aspetto esterno è uguale a una forma riflessiva, ma nella sostanza equivale a una forma transitiva con il complemento oggetto e con un complemento di termine espresso da un pronome personale atono. Ecco qualche altro esempio di riflessivo apparente:

io mi taglio le unghie; *tu ti pettinavi i capelli*; *Carlo si prepara la cena.*

In particolari condizioni, il verbo riflessivo può esprimere una reciprocità d'azione, un rapporto scambievole; si parla in tal caso di forma **riflessiva reciproca**:

Mario e Paolo si odiano; *i due amici si abbracciarono*; *invece di andare d'accordo, s'accapigliano*; *si guardavano in cagnesco*; *si amano alla follia.*

Ognuna di queste proposizioni corrisponde in pratica ad almeno due proposizioni coordinate non riflessive; ad esempio, *Mario e Paolo si odiano* equivale a 'Mario odia Paolo e Paolo odia Mario'. Da questo punto di vista il soggetto e l'oggetto dell'"odiare" non coincidono; eppure la forma riflessiva reciproca non si distingue grammaticalmente dalla forma riflessiva pura e semplice: è evidente infatti che i due soggetti della frase sono al tempo stesso oggetti, sia pure l'uno rispetto all'altro.

Si noti che una frase come *essi si criticano* può significare sia 'essi criticano se stessi, compiono un'autocritica' sia 'essi si criticano a vicenda, l'uno critica l'altro e viceversa': nel primo caso il verbo è riflessivo, nel secondo è riflessivo reciproco. Perché appaia chiaramente il valore reciproco e non risulti ambiguo il senso dell'enunciato, è opportuno in tali casi unire al verbo le locuzioni *tra* (*di*) *noi*, *tra* (*di*) *voi*, *tra* (*di*) *loro*, *l'un l'altro*, *gli uni con gli altri*, *a vicenda*, *vicendevolmente*, *scambievolmente*, *reciprocamente* e simili.

7.5. FORMA INTRANSITIVA PRONOMINALE

La forma pronominale è caratteristica di alcuni verbi, detti **intransitivi pronominali**, che nella coniugazione non si differenziano dai verbi riflessivi, in quanto sono preceduti dalle stesse particelle pronominali atone, ma che per il resto hanno tutte le caratteristiche dei verbi intransitivi.

I verbi intransitivi pronominali sono verbi intransitivi (quindi non riflessivi) preceduti nella coniugazione dalle particelle pronominali *mi, ti, si, ci, vi.*

Se nella frase *io mi vergogno di ciò che ho fatto* proviamo a sostituire la particella *mi* prima con *me stesso* (complemento oggetto) e poi con *a me stesso* (complemento di termine), avremo *io vergogno me stesso di ciò che ho fatto* e *io vergogno a me stesso di ciò che ho fatto.* Entrambe le frasi ottenute sono grammaticalmente inaccettabili in italiano (sono cioè "agrammaticali"); questo ci dice che il *mi* dell'esempio non è riflessivo, non svolge una funzione specifica e non ha un significato ben definito, ma semplicemente fa parte in modo indissolubile del verbo ed è necessario per la sua coniugazione. Non esiste una forma *vergogno* e quindi nemmeno un verbo *vergognare*; esiste invece un verbo intransitivo pronominale *vergognarsi*, che alla prima persona singolare del presente indicativo fa, appunto, *mi vergogno*.

Rientrano nel numero degli intransitivi pronominali:

• alcuni verbi che hanno solo la forma pronominale, e non si possono quindi adoperare senza le particelle *mi*, *ti*, *si*, *ci*, *vi*, le quali costituiscono un tutto unico con il verbo: *accorgersi*, *arrendersi*, *avvalersi*, *imbattersi*, *impadronirsi*, *lagnarsi*, *pentirsi*, *ribellarsi*, *vergognarsi* ecc. Per non confondere questi verbi con i verbi riflessivi, è sufficiente togliere loro la particella pronominale: se non si ottiene una voce verbale compresa nel lessico italiano, si è sicuramente di fronte a un verbo intransitivo pronominale;
• alcuni verbi transitivi che, coniugati con le particelle pronominali, assumono valore intransitivo: *abbattersi*, *accostarsi*, *addormentarsi*, *allontanarsi*, *alzarsi*, *annoiarsi*, *avviarsi*, *avvicinarsi*, *demoralizzarsi*, *destarsi*, *fermarsi*, *guastarsi*, *invogliarsi*, *irritarsi*, *muoversi*, *offendersi*, *rattristarsi*, *scoraggiarsi*, *spaventarsi*, *stancarsi*, *svegliarsi*, *trattenersi* ecc. Proviamo a interpretare qualche verbo tra quelli citati come se fosse riflessivo: avremmo *rattristarsi* = 'rattristare se stesso', *spaventarsi* = 'spaventare se stesso'; ma in realtà il significato di *rattristarsi* è 'diventare triste' e quello di *spaventarsi* è 'essere preso da spavento'. Si tratta, in altre parole, di verbi intransitivi pronominali la cui forma transitiva corrispondente ha un senso diverso e non può essere trasformata in riflessiva;
• alcuni verbi intransitivi che si usano anche con la particella pronominale: *ammuffirsi*, *approfittarsi*, *creparsi*, *dispiacersi*, *imbronciarsi*, *impuntarsi*, *rabbuiarsi*, *sedersi* ecc. Riconoscere il carattere pronominale e non riflessivo di questi verbi è semplice, dal momento che i verbi intransitivi, come sappiamo, non possono avere la forma riflessiva.

Nella lingua parlata e spesso anche in quella scritta, per esprimere una disposizione affettiva o per dare maggiore intensità al discorso, si usano con i verbi transitivi le particelle *mi*, *ti* ecc. e con i verbi intransitivi le particelle accoppiate *me ne*, *te ne* ecc.: *io mi fumo una sigaretta, e tu?*; *beviamoci un bicchiere di vino*; *se ne andò via sbattendo la porta*; *perché ve ne state lì tutti soli?*

Si faccia attenzione al diverso valore che assume la particella pronominale in frasi come:

[1] *io mi guardo nello specchio*

[2] *io mi guardo il viso nello specchio*

[3] *io mi guardo un bel film.*

Nel caso [1] abbiamo un chiaro esempio di forma riflessiva: il soggetto (*io*) coincide con il complemento oggetto (*mi* = 'me stesso'). La frase [2] ci offre invece un esempio di verbo riflessivo apparente (o transitivo pronominale): il soggetto (*io*) è diverso dall'oggetto (*il viso*); il *mi* ha funzione di complemento di termine ('a me') ed è necessario per determinare di chi sia il viso che guardo nello specchio (potrei anche guardare il viso di un altro). Nel caso [3], infine, il *mi* serve soltanto a indicare una più viva partecipazione del soggetto a ciò che viene detto con il verbo: ha una funzione rafforzativa ed espressiva.

7.6. MODO, TEMPO, PERSONA, NUMERO DEL VERBO

Il verbo possiede un organico e complesso sistema di forme per esprimere le categorie del *modo*, del *tempo*, della *persona*, del *numero*: tale sistema prende il nome di **coniugazione**.

Nella terminologia grammaticale si sono affermate due parole diverse per designare due concetti simili: la *coniugazione*, o flessione verbale, e la *declinazione*, o flessione nominale. Una base o radice verbale (per esempio *scriv-*) *si coniuga*, cioè 'si congiunge' a determinati suffissi (*-o*, *-i* ecc.) che indicano il modo, il tempo, la persona, il numero del verbo (*scrivo*, *scrivi* ecc.); mentre una base o radice nominale (per esempio il latino *ros-*) *si declina*, cioè 'si piega' ad esprimere varie funzioni attraverso i suffissi dei vari *casi*: il nominativo (*-a*: *rosa* 'la rosa', soggetto), il genitivo (*-ae*: *rosae* 'della rosa', complemento di specificazione) ecc.

7.6.1. Il modo

Il parlante può presentare il fatto espresso dal verbo in diversi **modi**, ciascuno dei quali indica un diverso punto di vista, un diverso atteggiamento psicologico, un diverso rapporto comunicativo con chi ascolta: certezza, possibilità, desiderio, comando ecc.

Talvolta, poi, l'uso di un determinato modo può dipendere anche da ragioni stilistiche, da una scelta di "registro" o di livello linguistico: così, per esempio, nelle subordinate rette da verbi di giudizio l'indicativo (*mi pare che ha ragione*) corrisponde a un livello d'espressione più popolare rispetto al congiuntivo (*mi pare che abbia ragione*).

In italiano disponiamo di sette modi verbali:

- quattro **modi finiti**: indicativo (*io amo*), congiuntivo (*che io ami*), condizionale (*io amerei*), imperativo (*ama!*);

- tre **modi indefiniti**: infinito (*amare*), participio (*amante*), gerundio (*amando*).

Mentre i modi finiti determinano il tempo, la persona e il numero, i modi indefiniti non determinano la persona e, tranne il participio, nemmeno il numero.

L'infinito, il participio e il gerundio sono anche detti "forme nominali del verbo", perché vengono usati spesso in funzione di sostantivo e di aggettivo: abbiamo già citato il participio presente *amante*, cui si può aggiungere il participio passato *la* (*donna*) *amata*; e si pensi ancora a infiniti quali *l'essere*, *il dare e l'avere*, *l'imbrunire*, o a gerundi diventati nomi, quali *laureando* e *reverendo*.

7.6.2. Il tempo

Il **tempo** indica qual è il rapporto cronologico che intercorre tra l'azione o lo stato espressi dal verbo e la persona che parla o scrive. Tale rapporto può essere di:

- *contemporaneità*, quando il fatto avviene nel momento in cui si parla: *Daniele canta*;
- *anteriorità*, quando il fatto avviene in un momento anteriore a quello in cui si parla: *Daniele cantava* (*ha cantato*, *cantò*);
- *posteriorità*, quando il fatto avviene in un momento posteriore a quello in cui si parla: *Daniele canterà*.

Il tempo che esprime la contemporaneità è il **presente**; il tempo che esprime l'anteriorità è il **passato**, variamente articolato nell'indicativo (imperfetto, passato prossimo e remoto, trapassato prossimo e remoto) e nel congiuntivo (imperfetto, passato, trapassato); il tempo che esprime la posteriorità è il **futuro**, suddiviso nell'indicativo in futuro semplice e futuro anteriore.

Sotto l'aspetto formale i tempi si distinguono in *semplici*, quando le forme verbali di cui sono costituiti consistono in una sola parola (*amo*, *temevo*, *arrivò*, *partirà*), e in *composti*, quando le forme verbali risultano dall'unione del participio passato del verbo con una voce dell'ausiliare *essere* o *avere* (*ho amato*, *avevo temuto*, *fu arrivato*, *sarà partito*).

Diamo ora un quadro generale dei modi e dei tempi in italiano:

	PRESENTE	PASSATO	FUTURO
indicativo	presente	imperfetto passato prossimo passato remoto trapassato prossimo trapassato remoto	futuro semplice futuro anteriore
congiuntivo	presente	imperfetto passato trapassato	
condizionale	presente	passato	
imperativo	presente		futuro
infinito	presente	passato	
participio	presente	passato	
gerundio	presente	passato	

7.6.3. La persona e il numero

Ciascun tempo di qualsiasi modo finito è costituito da sei forme o voci verbali: la prima, seconda e terza persona singolare; la prima, seconda e terza persona plurale (solo l'imperativo non ha la prima persona singolare).

Le persone del verbo variano in relazione al soggetto: la prima persona si ha quando il soggetto (espresso o sottinteso) è *io* per il singolare e *noi* per il plurale; la seconda persona si ha quando il soggetto è *tu* per il singolare e *voi* per il plurale; la terza persona si ha quando il soggetto è *egli* per il singolare ed *essi* per il plurale. Naturalmente *egli* ed *essi* devono essere intesi come modelli per qualsiasi altro soggetto di terza persona (*lui*, *Giuseppe*, *Lucia*, *il padre*, *la ragazza*, *loro*, *i cani*, *i fiumi*, *le automobili*, ecc.).

La voce verbale è in grado di segnalare da sola la persona e il numero del soggetto:

prima	pers.	sing.	(*io*)	*am-o*
seconda	pers.	sing.	(*tu*)	*am-i*
terza	pers.	sing.	(*egli*)	*am-a*
prima	pers.	plur.	(*noi*)	*am-iamo*
seconda	pers.	plur.	(*voi*)	*am-ate*
terza	pers.	plur.	(*essi*)	*am-ano*

Se, per esempio, la forma verbale è *ama*, la desinenza *-a* ci dà due fondamentali informazioni sul soggetto del verbo:

1. la prima informazione riguarda il "numero" del soggetto, se cioè questo sia singolare o plurale; nel caso specifico di *ama*, il numero è singolare;

2. la seconda informazione riguarda la "persona" del soggetto, se cioè questo sia chi parla (prima persona), chi ascolta (seconda persona) oppure qualcuno o qualcosa di cui si parla (terza persona); sempre nel caso specifico di *ama*, la persona è la terza.

Quanto si è ora detto vale esclusivamente per le voci verbali dei tempi di modo finito; nei modi indefiniti non si hanno variazioni secondo la persona e il numero. Solo il participio presente e il participio passato, che si comportano come gli aggettivi, determinano il numero (il participio passato determina anche il genere): *amante*, *amanti*; *amato*, *amata*, *amati*, *amate*.

7.7. CONIUGAZIONE DEL VERBO

Si distinguono tre coniugazioni verbali:

1. la prima coniugazione comprende i verbi che all'infinito escono in *-are*: *contare*, *guardare*, *lodare*, *pensare* ecc.;

2. la seconda coniugazione comprende i verbi che all'infinito escono in *-ere*: *credere*, *leggere*, *temere*, *vedere* ecc.;

3. la terza coniugazione comprende i verbi che all'infinito escono in *-ire*: *agire*, *ferire*, *offrire*, *sentire* ecc.

I verbi della prima coniugazione sono di gran lunga i più numerosi e tendono a incrementarsi ulteriormente attraverso nuove coniazioni (v. FORMAZIONE DELLE PAROLE, 12).

In ogni verbo abbiamo:

- un elemento costante, detto *radice*: *cont-* in *contare*, *cred-* in *credere*, *ag-* in *agire*;
- una vocale tematica, che caratterizza la coniugazione: prima coniugazione *-a-* (*cont-a-re*); seconda coniugazione *-e-* (*cred-e-re*); terza coniugazione *-i-* (*ag-i-re*);
- un'ultima parte morfologica, variabile, che consente di individuare il modo, il tempo, la persona e il numero: *-re* per l'infinito, ad esempio, oppure *-vo* per la prima persona singolare dell'imperfetto indicativo (*canta-vo*, *crede-vo*, *agi-vo*).

La radice e la vocale tematica formano insieme il *tema* di un verbo (per cui *conta-* è il tema di *contare*, *crede-* di *credere*, *agi-* di *agire*); mentre tutto ciò che segue la radice viene comunemente chiamato *desinenza* (*-are*, *-ere*, *-ire*, sono quindi le desinenze dell'infinito; *-avo*, *-evo*, *-ivo* sono le desinenze della prima persona singolare dell'imperfetto indicativo, ecc.).

In alcune forme manca la vocale tematica; ciò accade, per esempio, nella prima persona dell'indicativo presente: così in *cont-o* non c'è la *-a-* della prima coniugazione, in *cred-o* non c'è la *-e-* della seconda coniugazione, in *offr-o* non c'è la *-i-* della terza coniugazione (che si ritrova invece in *ag-i-sco* o in *fer-i-sco*).

All'interno della desinenza si può distinguere ancora, in certe voci verbali, una parte che caratterizza il tempo e una parte che caratterizza la persona; in *cont-a-v-o*, *cred-e-v-o*, *ag-i-v-o*, per esempio, abbiamo: una radice (*cont-*, *cred-*, *ag-*); una vocale tematica (*-a-*, *-e-*, *-i-*); una caratteristica temporale *-v-* dell'imperfetto indicativo, comune a tutt'e tre le coniugazioni; una caratteristica della persona *-o*, anche questa comune alle tre coniugazioni.

Nel verbo l'accento può cadere sulla radice o sulla desinenza: le voci verbali si dicono di "forma forte" quando l'accento cade sulla radice (*àm-o*, *àm-i*, *àm-a*, *àm-ano*), di "forma debole" quando invece cade sulla desinenza (*am-iàmo*, *am-àte*, *am-erò*, *am-àvo*, *am-ài*).

I tempi composti di tutti i verbi si formano con l'ausilio dei verbi *essere* e *avere*, detti appunto per questo **ausiliari**; il verbo di cui si vuol formare il tempo composto si unisce all'ausiliare nella forma del participio passato: *ho fatto*, *è venuto*.

Essere è l'ausiliare caratteristico per i tempi composti dei verbi riflessivi e pronominali, dei verbi impersonali e di parecchi intransitivi; inoltre serve per tutti i tempi della coniugazione passiva: *mi sono lavato* (riflessivo); *si è pentito* (pronominale); *si è lavorato molto* (impersonale); *sono partiti* (intransitivi); *è stato bocciato* (passivo).

Avere è l'ausiliare caratteristico per i tempi composti di tutti i verbi transitivi attivi e di vari verbi intransitivi: *ho mangiato* (transitivo); *ho parlato* (intransitivo). Come si vede, alcuni verbi intransitivi vogliono l'ausiliare *essere*, altri l'ausiliare *avere*; non esiste una regola che permetta di stabilire quale ausiliare debba essere usato con ciascun verbo: nei casi di dubbio si consulti un dizionario.

In modo del tutto particolare si comportano nell'assunzione dell'ausiliare i verbi *dovere*, *potere*, *volere*, che sono detti **servili** perché di solito reggono un altro verbo di modo infinito. Usati come verbi a sé stanti, prendono l'ausiliare *avere*: *gli ho voluto molto bene*. Quando invece hanno funzione di verbi servili, assumono di regola l'ausiliare richiesto dal verbo che accompagnano: *ho dovuto studiare*; *sono voluto partire* (ma è piuttosto diffuso anche il tipo *ho voluto partire*).

7.7.1. Coniugazione dei verbi « essere » e « avere »

Diamo innanzi tutto la coniugazione completa dei verbi *essere* e *avere*, necessaria per poter coniugare tutti gli altri verbi.

Coniugazione di « essere »

INDICATIVO

presente		**passato prossimo**	
io	sono	io	sono stato
tu	sei	tu	sei stato
egli	è	egli	è stato
noi	siamo	noi	siamo stati
voi	siete	voi	siete stati
essi	sono	essi	sono stati
imperfetto		**trapassato prossimo**	
io	ero	io	ero stato
tu	eri	tu	eri stato
egli	era	egli	era stato
noi	eravamo	noi	eravamo stati
voi	eravate	voi	eravate stati
essi	èrano	essi	erano stati

passato remoto		**trapassato remoto**	
io	fui	io	fui stato
tu	fosti	tu	fosti stato
egli	fu	egli	fu stato
noi	fummo	noi	fummo stati
voi	foste	voi	foste stati
essi	fùrono	essi	furono stati

futuro semplice		**futuro anteriore**	
io	sarò	io	sarò stato
tu	sarai	tu	sarai stato
egli	sarà	egli	sarà stato
noi	saremo	noi	saremo stati
voi	sarete	voi	sarete stati
essi	saranno	essi	saranno stati

CONGIUNTIVO

presente		**passato**	
che io	sia	che io	sia stato
che tu	sia	che tu	sia stato
che egli	sia	che egli	sia stato
che noi	siamo	che noi	siamo stati
che voi	siate	che voi	siate stati
che essi	sìano	che essi	siano stati

imperfetto		**trapassato**	
che io	fossi	che io	fossi stato
che tu	fossi	che tu	fossi stato
che egli	fosse	che egli	fosse stato
che noi	fóssimo	che noi	fossimo stati
che voi	foste	che voi	foste stati
che essi	fóssero	che essi	fossero stati

CONDIZIONALE

presente		**passato**	
io	sarèi	io	sarei stato
tu	sarésti	tu	saresti stato
egli	sarèbbe	egli	sarebbe stato
noi	sarémmo	noi	saremmo stati
voi	saréste	voi	sareste stati
essi	sarèbbero	essi	sarebbero stati

IMPERATIVO

presente		futuro	
—		—	
sii	tu	sarai	tu
sia	egli	sarà	egli
siamo	noi	saremo	noi
siate	voi	sarete	voi
sìano	essi	saranno	essi

INFINITO

presente	passato
èssere	essere stato

PARTICIPIO

presente	passato
essènte (raro)	stato

GERUNDIO

presente	passato
essendo	essendo stato

La forma del participio passato *stato* è presa in prestito dal verbo *stare*; il vero participio passato di *essere* è la voce arcaica *suto*.

Oltre alla funzione di ausiliare, il verbo *essere* ha anche quella di copula per la formazione del predicato nominale (*il tempo è brutto*) e quella di predicato verbale nel significato di 'esistere', 'trovarsi' (*Dio è*; *il giornale è sulla scrivania*); V. PREDICATO, 2.1.2.

Coniugazione di « avere »

INDICATIVO

presente		passato prossimo	
io	ho	io	ho avuto
tu	hai	tu	hai avuto
egli	ha	egli	ha avuto
noi	abbiamo	noi	abbiamo avuto
voi	avete	voi	avete avuto
essi	hanno	essi	hanno avuto

imperfetto		**trapassato prossimo**	
io	avevo	io	avevo avuto
tu	avevi	tu	avevi avuto
egli	aveva	egli	aveva avuto
noi	avevamo	noi	avevamo avuto
voi	avevate	voi	avevate avuto
essi	avevano	essi	avevano avuto

passato remoto		**trapassato remoto**	
io	èbbi	io	ebbi avuto
tu	avésti	tu	avesti avuto
egli	èbbe	egli	ebbe avuto
noi	avémmo	noi	avemmo avuto
voi	avéste	voi	aveste avuto
essi	èbbero	essi	ebbero avuto

futuro semplice		**futuro anteriore**	
io	avrò	io	avrò avuto
tu	avrai	tu	avrai avuto
egli	avrà	egli	avrà avuto
noi	avremo	noi	avremo avuto
voi	avrete	voi	avrete avuto
essi	avranno	essi	avranno avuto

CONGIUNTIVO

presente		**passato**	
che io	àbbia	che io	abbia avuto
che tu	àbbia	che tu	abbia avuto
che egli	àbbia	che egli	abbia avuto
che noi	abbiamo	che noi	abbiamo avuto
che voi	abbiate	che voi	abbiate avuto
che essi	àbbiano	che essi	abbiano avuto

imperfetto		**trapassato**	
che io	avessi	che io	avessi avuto
che tu	avessi	che tu	avessi avuto
che egli	avesse	che egli	avesse avuto
che noi	avéssimo	che noi	avessimo avuto
che voi	aveste	che voi	aveste avuto
che essi	avéssero	che essi	avessero avuto

CONDIZIONALE

presente		**passato**	
io	avrèi	io	avrei avuto
tu	avrésti	tu	avresti avuto
egli	avrèbbe	egli	avrebbe avuto
noi	avrémmo	noi	avremmo avuto
voi	avréste	voi	avreste avuto
essi	avrèbbero	essi	avrebbero avuto

IMPERATIVO

presente		**futuro**	
—		—	
abbi	tu	avrai	tu
àbbia	egli	avrà	egli
abbiamo	noi	avremo	noi
abbiate	voi	avrete	voi
àbbiano	essi	avranno	essi

INFINITO

presente	**passato**
avére	avere avuto

PARTICIPIO

presente	**passato**
avente	avuto

GERUNDIO

presente	**passato**
avendo	avendo avuto

Il participio presente *avente* non è di uso molto comune, tranne in alcune espressioni del linguaggio giuridico come *gli aventi diritto*, *gli aventi causa*. Esiste un'altra forma di participio presente ottenuta dal congiuntivo *abbia* anziché dall'infinito *avere*, ed è *abbiente*, che però ha perso il suo valore verbale per assumere quello di aggettivo o aggettivo sostantivato nel significato di 'possidente': *una famiglia abbiente*; *gli abbienti e i non abbienti*.

Oltre alla funzione di ausiliare, il verbo *avere* ha anche quella di predicato verbale nel significato di 'possedere': *ha una bella casa*.

7.7.2. Coniugazione dei verbi regolari

Se un verbo conserva immutata la radice in tutte le sue forme e vi aggiunge le normali desinenze della sua coniugazione, si dice che è **regolare**. Vediamo ora le tre coniugazioni regolari di forma attiva, prendendo come modello i verbi *amare*, *temere* e *servire*.

Prima coniugazione: am-are

INDICATIVO

presente		**passato prossimo**	
io	am-o	io	ho amato
tu	am-i	tu	hai amato
egli	am-a	egli	ha amato
noi	am-iamo	noi	abbiamo amato
voi	am-ate	voi	avete amato
essi	àm-ano	essi	hanno amato

imperfetto		**trapassato prossimo**	
io	am-avo	io	avevo amato
tu	am-avi	tu	avevi amato
egli	am-ava	egli	aveva amato
noi	am-avamo	noi	avevamo amato
voi	am-avate	voi	avevate amato
essi	am-àvano	essi	avevano amato

passato remoto		**trapassato remoto**	
io	am-ai	io	ebbi amato
tu	am-asti	tu	avesti amato
egli	am-ò	egli	ebbe amato
noi	am-ammo	noi	avemmo amato
voi	am-aste	voi	aveste amato
essi	am-àrono	essi	ebbero amato

futuro semplice		**futuro anteriore**	
io	am-erò	io	avrò amato
tu	am-erai	tu	avrai amato
egli	am-erà	egli	avrà amato
noi	am-eremo	noi	avremo amato
voi	am-erete	voi	avrete amato
essi	am-eranno	essi	avranno amato

CONGIUNTIVO

presente		passato	
che io	am-i	che io	abbia amato
che tu	am-i	che tu	abbia amato
che egli	am-i	che egli	abbia amato
che noi	am-iamo	che noi	abbiamo amato
che voi	am-iate	che voi	abbiate amato
che essi	àm-ino	che essi	abbiano amato

imperfetto		trapassato	
che io	am-assi	che io	avessi amato
che tu	am-assi	che tu	avessi amato
che egli	am-asse	che egli	avesse amato
che noi	am-àssimo	che noi	avessimo amato
che voi	am-aste	che voi	aveste amato
che essi	am-àssero	che essi	avessero amato

CONDIZIONALE

presente		passato	
io	am-erèi	io	avrei amato
tu	am-erésti	tu	avresti amato
egli	am-erèbbe	egli	avrebbe amato
noi	am-erémmo	noi	avremmo amato
voi	am-eréste	voi	avreste amato
essi	am-erèbbero	essi	avrebbero amato

IMPERATIVO

presente		futuro	
—		—	
am-a	tu	am-erai	tu
am-i	egli	am-erà	egli
am-iamo	noi	am-eremo	noi
am-ate	voi	am-erete	voi
àm-ino	essi	am-eranno	essi

INFINITO

presente	passato
am-are	avere amato

PARTICIPIO

presente	passato
am-ante	am-ato

GERUNDIO

presente	passato
am-ando	avendo amato

• I verbi che terminano con *-care* e *-gare*, per mantenere la consonante velare (cioè /k/ e /g/), hanno bisogno di una *h* fra la radice e le desinenze che cominciano per *e* o per *i*: *caric-o, caric-h-erò, caric-h-i*; *preg-o, preg-h-eremo, preg-h-iamo.*
• I verbi uscenti in *-gnare* conservano la *i* delle desinenze *-iamo*, *-iate* dell'indicativo e congiuntivo presente: si scrive cioè *bagn-iamo, (che) sogn-iate*, e non *bagn-amo, (che) sogn-ate.*
• I verbi che terminano con *-ciare* e *-giare*, quando la desinenza comincia per *e* o per *i*, perdono la *i* grafica che non è più necessaria per rappresentare il suono palatale (cioè /tʃ/ e /dʒ/): *falci-o, falc-erò, falc-i*; *mangi-o, mang-eremo, mang-iamo.*
• I verbi che terminano con *-gliare* perdono la *i* grafica quando la desinenza comincia per *i*, mentre la mantengono in tutti gli altri casi: *consigli-o, consigl-i, consigl-ino, consigli-erò.*
• I verbi terminanti con *-iare*, che nella prima persona singolare dell'indicativo presente hanno l'accento sulla *i* (come *invìo, oblìo, scìo*), mantengono sempre la *i* del tema, purché questa sia tonica, anche se la desinenza comincia per *i*: *invì-i, invì-ino.* La *i* del tema cade quando viene a trovarsi in posizione atona dinanzi a desinenza che cominci per *i*: *inv-iàmo, inv-iàte.*
• I verbi uscenti in *-iare*, che nella prima persona singolare dell'indicativo presente non hanno l'accento sulla *i* (come *dilànio, sgónfio, stùdio*), perdono la *i* del tema davanti alle desinenze che cominciano per *i*: *dilan-i, dilan-iamo, dilan-iate, dilan-ino.* Le due *i* si conservano qualora occorra evitare possibili ambiguità: si scriverà, per esempio, *odii* (dal verbo *odiare*) per non confonderlo con *odi* (dal verbo *udire*).
• I verbi che presentano nel tema il dittongo mobile *uo* lo conservano quando è in sillaba tonica, lo semplificano in *o* quando l'accento si sposta sulla desinenza: *suòno, suòni, suòna, suònano*; ma: *soniàmo, sonàte, sonàvo, sonerò.* Tuttavia alcuni verbi tendono a eliminare il dittongo in tutte le voci (*giòco, giòchi, giòca, giòcano*), altri invece tendono a conservarlo (*tuonàva, tuonò, tuonerà*); il dittongo, inoltre, si mantiene quando potrebbe sorgere qualche confusione tra forme verbali diverse: così, ad esempio, si dice *nuotavo* (voce del verbo *nuotare*) per distinguerlo da *notavo* (voce del verbo *notare*).

Seconda coniugazione: tem-ere

INDICATIVO

presente		passato prossimo	
io	tem-o	io	ho temuto
tu	tem-i	tu	hai temuto
egli	tem-e	egli	ha temuto
noi	tem-iamo	noi	abbiamo temuto
voi	tem-ete	voi	avete temuto
essi	tém-ono	essi	hanno temuto

imperfetto		**trapassato prossimo**	
io	tem-evo	io	avevo temuto
tu	tem-evi	tu	avevi temuto
egli	tem-eva	egli	aveva temuto
noi	tem-evamo	noi	avevamo temuto
voi	tem-evate	voi	avevate temuto
essi	tem-évano	essi	avevano temuto

passato remoto		**trapassato remoto**	
io	tem-éi (temètti)	io	ebbi temuto
tu	tem-esti	tu	avesti temuto
egli	tem-é (temètte)	egli	ebbe temuto
noi	tem-emmo	noi	avemmo temuto
voi	tem-este	voi	aveste temuto
essi	tem-érono (temèttero)	essi	ebbero temuto

futuro semplice		**futuro anteriore**	
io	tem-erò	io	avrò temuto
tu	tem-erai	tu	avrai temuto
egli	tem-erà	egli	avrà temuto
noi	tem-eremo	noi	avremo temuto
voi	tem-erete	voi	avrete temuto
essi	tem-eranno	essi	avranno temuto

CONGIUNTIVO

presente		**passato**	
che io	tem-a	che io	abbia temuto
che tu	tem-a	che tu	abbia temuto
che egli	tem-a	che egli	abbia temuto
che noi	tem-iamo	che noi	abbiamo temuto
che voi	tem-iate	che voi	abbiate temuto
che essi	tém-ano	che essi	abbiano temuto

imperfetto		**trapassato**	
che io	tem-essi	che io	avessi temuto
che tu	tem-essi	che tu	avessi temuto
che egli	tem-esse	che egli	avesse temuto
che noi	tem-éssimo	che noi	avessimo temuto
che voi	tem-este	che voi	aveste temuto
che essi	tem-éssero	che essi	avessero temuto

CONDIZIONALE

presente		passato	
io	tem-erèi	io	avrei temuto
tu	tem-erésti	tu	avresti temuto
egli	tem-erèbbe	egli	avrebbe temuto
noi	tem-erémmo	noi	avremmo temuto
voi	tem-eréste	voi	avreste temuto
essi	tem-erèbbero	essi	avrebbero temuto

IMPERATIVO

presente		futuro	
—		—	
tem-i	tu	tem-erai	tu
tem-a	egli	tem-erà	egli
tem-iamo	noi	tem-eremo	noi
tem-ete	voi	tem-erete	voi
tém-ano	essi	tem-eranno	essi

INFINITO

presente	passato
tem-ére	avere temuto

PARTICIPIO

presente	passato
tem-ente	tem-uto

GERUNDIO

presente	passato
tem-endo	avendo temuto

- Come si vede dal prospetto, nella prima e terza persona singolare e nella terza plurale del passato remoto, le desinenze *-éi*, *-é*, *-érono* possono essere sostituite rispettivamente da *-ètti*, *-ètte*, *-èttero*; ma si preferisce non usare questa seconda forma quando la radice verbale finisce in *t*: *potei* (non: *potetti*), *riflettei* (non: *riflettetti*).
- I verbi in *-cere* e *-gere*, come *vincere* e *porgere* (cioè con /tʃ/ e /dʒ/), modificano il suono palatale in velare (cioè /k/ e /g/) davanti a desinenze che cominciano per *a* o per *o*: *vinc-o*, *vinc-a*; *porg-ono*, *porg-ano*. Ma alcuni verbi (per esempio *cuocere*) conservano sempre il suono palatale inserendo una *i* grafica fra la radice e le desinenze che cominciano per *a* o per *o*: *cuoc-i-o*, *cuoc-i-ano*. Il mantenimento della pronuncia palatale, e la conseguente aggiunta della *i* grafica, si hanno costantemente nelle forme del participio passato in *-uto* dei verbi in *-cere*: *piac-i-uto*, *tac-i-uto*, *noc-i-uto*, *cresc-i-uto*.

• Valgono anche per la seconda coniugazione le considerazioni fatte per la prima sul dittongo mobile: in genere si ha *uo* in sillaba tonica, *o* in sillaba atona: *muòvo*, *muòvi*, *muòve*, *muòvono*; ma: *moviàmo*, *movéte*, *movéva*, *movésse*. C'è da aggiungere che il dittongo si perde anche quando, pur essendo la *o* accentata, la sillaba è chiusa, cioè finisce in consonante: *mòs-si*.
• Alcuni verbi, come *possedere* e *tenere*, cambiano in *ie* la *e* del tema nel caso in cui questa venga a trovarsi in posizione tonica e in sillaba aperta, cioè terminante in vocale: *possièdo*, *possièdono*, *tièni*, *tiène*; ma: *possediàmo*, *possedéte*, *tèngo*, *tèngono* (nelle forme *tèng-o* e *tèng-ono* il dittongo non compare perché la *e*, pur essendo in posizione tonica, si trova in sillaba chiusa).
• I verbi uscenti in *-gnere* conservano la *i* delle desinenze *-iamo*, *-iate* dell'indicativo e congiuntivo presente: *spegniamo*, *(che) spegn-iate*; non *spegn-amo*, *(che) spegn-ate*.

Terza coniugazione: serv-ire

INDICATIVO

presente		**passato prossimo**	
io	serv-o	io	ho servito
tu	serv-i	tu	hai servito
egli	serv-e	egli	ha servito
noi	serv-iamo	noi	abbiamo servito
voi	serv-ite	voi	avete servito
essi	sèrv-ono	essi	hanno servito
imperfetto		**trapassato prossimo**	
io	serv-ivo	io	avevo servito
tu	serv-ivi	tu	avevi servito
egli	serv-iva	egli	aveva servito
noi	serv-ivamo	noi	avevamo servito
voi	serv-ivate	voi	avevate servito
essi	serv-ìvano	essi	avevano servito
passato remoto		**trapassato remoto**	
io	serv-ii	io	ebbi servito
tu	serv-isti	tu	avesti servito
egli	serv-ì	egli	ebbe servito
noi	serv-immo	noi	avemmo servito
voi	serv-iste	voi	aveste servito
essi	serv-ìrono	essi	ebbero servito
futuro semplice		**futuro anteriore**	
io	serv-irò	io	avrò servito
tu	serv-irai	tu	avrai servito
egli	serv-irà	egli	avrà servito
noi	serv-iremo	noi	avremo servito
voi	serv-irete	voi	avrete servito
essi	serv-iranno	essi	avranno servito

CONGIUNTIVO

presente		passato	
che io	serv-a	che io	abbia servito
che tu	serv-a	che tu	abbia servito
che egli	serv-a	che egli	abbia servito
che noi	serv-iamo	che noi	abbiamo servito
che voi	serv-iate	che voi	abbiate servito
che essi	sèrv-ano	che essi	abbiano servito

imperfetto		trapassato	
che io	serv-issi	che io	avessi servito
che tu	serv-issi	che tu	avessi servito
che egli	serv-isse	che egli	avesse servito
che noi	serv-ìssimo	che noi	avessimo servito
che voi	serv-iste	che voi	aveste servito
che essi	serv-ìssero	che essi	avessero servito

CONDIZIONALE

presente		passato	
io	serv-irèi	io	avrei servito
tu	serv-irésti	tu	avresti servito
egli	serv-irèbbe	egli	avrebbe servito
noi	serv-irémmo	noi	avremmo servito
voi	serv-iréste	voi	avreste servito
essi	serv-irèbbero	essi	avrebbero servito

IMPERATIVO

presente		futuro	
—		—	
serv-i	tu	serv-irai	tu
serv-a	egli	serv-irà	egli
serv-iamo	noi	serv-iremo	noi
serv-ite	voi	serv-irete	voi
sèrv-ano	essi	serv-iranno	essi

INFINITO

presente	passato
serv-ire	avere servito

PARTICIPIO

presente	passato
serv-ente	serv-ito

GERUNDIO

presente	passato
serv-endo	avendo servito

Molti verbi della terza coniugazione inseriscono fra radice e desinenza il suffisso *-isc-*; ciò avviene nella prima, seconda, terza persona singolare e terza plurale del presente indicativo e congiuntivo, e nella seconda, terza singolare e terza plurale del presente imperativo (tutte le altre forme sono identiche a quelle di *servire*):

Indicativo presente		**Congiuntivo presente**		**Imperativo presente**	
io	un-*isc*-o	che io	un-*isc*-a	—	
tu	un-*isc*-i	che tu	un-*isc*-a	un-*isc*-i	tu
egli	un-*isc*-e	che egli	un-*isc*-a	un-*isc*-a	egli
noi	un-iamo	che noi	un-iamo	un-iamo	noi
voi	un-ite	che voi	un-iate	un-ite	voi
essi	un-*ìsc*-ono	che essi	un-*isc*-ano	un-*isc*-ano	essi

Questi verbi sono chiamati **incoativi** per analogia con la terminazione in *-sco* dei verbi incoativi latini (*augesco* 'cresco', *senesco* 'invecchio' ecc.), che originariamente indicavano un'azione o uno stato nel suo inizio (*inchoare* significa in latino 'cominciare').

Seguono questo tipo di coniugazione con *-isc-* i verbi *agire*, *capire*, *finire*, *ammonire*, *obbedire*, *percepire*, *scolpire*, *sparire* ecc.

Alcuni verbi ammettono ambedue le forme, con suffisso e senza suffisso; per esempio: *applaudire* (*applaudo* e *applaudisco*), *assorbire* (*assorbo* e *assorbisco*), *mentire* (*mento* e *mentisco*), *nutrire* (*nutro* e *nutrisco*), *tossire* (*tosso* e *tossisco*), *inghiottire* (*inghiotto* e *inghiottisco*).

• I verbi in *-cire* e *-gire* seguono generalmente il tipo di flessione col suffisso *-isc-* e ciò impedisce che le consonanti *c* e *g* s'incontrino con le vocali delle desinenze: *farc-isc-o*, *farc-isc-a*; *ag-isc-ono*, *ag-isc-ano*. Casi particolari sono quelli dei verbi *cucire* e *fuggire*: il primo mantiene sempre il suono palatale e per questo inserisce una *i* grafica fra la radice e le desinenze che cominciano per *a* o per *o*: *cuc-i-o*, *cuc-i-ano*; il secondo modifica il suono palatale in velare davanti alle desinenze che cominciano per *a* o per *o*: *fugg-o*, *fugg-ano*.
• Alcuni verbi della terza coniugazione hanno due forme di participio presente, una regolare in *-ente* e una in *-iente*: *dormente* e *dormiente*. Altri presentano solo la forma in *-iente*: *obbediente*.

7.7.3. Coniugazione dei verbi intransitivi

La coniugazione dei verbi intransitivi che nei tempi composti vogliono l'ausiliare *avere* è identica a quella dei verbi transitivi. Per gli intransitivi che richiedono l'ausiliare *essere*, la differenza di coniugazione riguarda soltanto i tempi composti. Si noti che quando l'ausiliare è *avere* il participio passato rimane invariato, mentre quando l'ausiliare è *essere* concorda in genere e numero con il soggetto:

*Mario ha cors***o**; *Maria ha cors***o**;
*Carlo e Mario hanno cors***o**; *Carla e Maria hanno cors***o**;
*Mario è partit***o**; *Maria è partit***a**;
*Carlo e Mario sono partit***i**; *Carla e Maria sono partit***e**.

Esemplifichiamo adesso la coniugazione dei tempi composti di due verbi intransitivi, *dormire* e *andare*, di cui il primo richiede l'ausiliare *avere*, il secondo *essere*:

INDICATIVO

passato prossimo

io	ho dormito	io	sono andato, -a
noi	abbiamo dormito	noi	siamo andati, -e

trapassato prossimo

io	avevo dormito	io	ero andato, -a
noi	avevamo dormito	noi	eravamo andati, -e

trapassato remoto

io	ebbi dormito	io	fui andato, -a
noi	avemmo dormito	noi	fummo andati, -e

futuro anteriore

io	avrò dormito	io	sarò andato, -a
noi	avremo dormito	noi	saremo andati, -e

CONGIUNTIVO

passato

che io	abbia dormito	che io	sia andato, -a
che noi	abbiamo dormito	che noi	siamo andati, -e

trapassato

che io	avessi dormito	che io	fossi andato, -a
che noi	avessimo dormito	che noi	fossimo andati, -e

CONDIZIONALE

passato

io	avrei dormito	io	sarei andato, -a
noi	avremmo dormito	noi	saremmo andati, -e

INFINITO

passato

avere dormito	essere andato, -a, -i, -e

GERUNDIO

passato

avendo dormito	essendo andato, -a, -i, -e

7.7.4. Coniugazione passiva

Nella coniugazione passiva, le voci verbali sono costituite dalle forme dell'ausiliare *essere* seguite dal participio passato del verbo da coniugare.

Il participio passato si accorda in genere e numero con il soggetto:
*Paolo è stat***o** *promoss***o**;
*Paola è stat***a** *promoss***a**;
*Giovanni e Paolo sono stat***i** *promoss***i**;
*Giovanna e Paola sono stat***e** *promoss***e**.

Diamo ora un modello di coniugazione passiva, precisando che essa è uguale per tutte e tre le coniugazioni:

INDICATIVO

presente		**passato prossimo**	
io	sono lodato	io	sono stato lodato
tu	sei lodato	tu	sei stato lodato
egli	è lodato	egli	è stato lodato
noi	siamo lodati	noi	siamo stati lodati
voi	siete lodati	voi	siete stati lodati
essi	sono lodati	essi	sono stati lodati

imperfetto		**trapassato prossimo**	
io	ero lodato	io	ero stato lodato
tu	eri lodato	tu	eri stato lodato
egli	era lodato	egli	era stato lodato
noi	eravamo lodati	noi	eravamo stati lodati
voi	eravate lodati	voi	eravate stati lodati
essi	erano lodati	essi	erano stati lodati

passato remoto		**trapassato remoto**	
io	fui lodato	io	fui stato lodato
tu	fosti lodato	tu	fosti stato lodato
egli	fu lodato	egli	fu stato lodato
noi	fummo lodati	noi	fummo stati lodati
voi	foste lodati	voi	foste stati lodati
essi	furono lodati	essi	furono stati lodati

futuro semplice		**futuro anteriore**	
io	sarò lodato	io	sarò stato lodato
tu	sarai lodato	tu	sarai stato lodato
egli	sarà lodato	egli	sarà stato lodato
noi	saremo lodati	noi	saremo stati lodati
voi	sarete lodati	voi	sarete stati lodati
essi	saranno lodati	essi	saranno stati lodati

CONGIUNTIVO

presente		**passato**	
che io	sia lodato	che io	sia stato lodato
che tu	sia lodato	che tu	sia stato lodato
che egli	sia lodato	che egli	sia stato lodato
che noi	siamo lodati	che noi	siamo stati lodati
che voi	siate lodati	che voi	siate stati lodati
che essi	siano lodati	che essi	siano stati lodati

imperfetto		**trapassato**	
che io	fossi lodato	che io	fossi stato lodato
che tu	fossi lodato	che tu	fossi stato lodato
che egli	fosse lodato	che egli	fosse stato lodato
che noi	fossimo lodati	che noi	fossimo stati lodati
che voi	foste lodati	che voi	foste stati lodati
che essi	fossero lodati	che essi	fossero stati lodati

CONDIZIONALE

presente		**passato**	
io	sarei lodato	io	sarei stato lodato
tu	saresti lodato	tu	saresti stato lodato
egli	sarebbe lodato	egli	sarebbe stato lodato
noi	saremmo lodati	noi	saremmo stati lodati
voi	sareste lodati	voi	sareste stati lodati
essi	sarebbero lodati	essi	sarebbero stati lodati

IMPERATIVO

presente		futuro	
—		—	
sii lodato	tu	sarai lodato	tu
sia lodato	egli	sarà lodato	egli
siamo lodati	noi	saremo lodati	noi
siate lodati	voi	sarete lodati	voi
siano lodati	essi	saranno lodati	essi

INFINITO

presente	passato
essere lodato	essere stato lodato

PARTICIPIO

presente	passato
(essente lodato)	(stato) lodato

GERUNDIO

presente	passato
essendo lodato	essendo stato lodato

Oltre che con l'ausiliare *essere*, il passivo si può formare:

- con il verbo *venire*, però esclusivamente nei tempi semplici: *io vengo lodato* = io sono lodato; nei tempi composti soltanto: *io sono stato lodato*;

- con il verbo *andare*, quando è unito al participio passato di verbi come *perdere*, *smarrire*, *sprecare* (*i documenti andarono smarriti* = i documenti furono smarriti) o quando si vuole esprimere un'idea di necessità (*questo lavoro va fatto meglio* = questo lavoro deve essere fatto meglio);

- con la particella pronominale *si*, che si premette alle voci attive dei verbi transitivi, ma limitatamente alla terza persona singolare e plurale dei tempi semplici (*si* passivante): *la carne si vende* (= è venduta) *a caro prezzo*; *non si accettano* (= non sono accettati) *assegni*.

Inoltre la particella pronominale *si*, premessa alle voci della terza persona singolare e plurale dei tempi semplici passivi, attribuisce a questi valore di tempi composti: *si è sprecato* (= è stato sprecato) *troppo tempo*.

7.7.5. Coniugazione riflessiva

La caratteristica della coniugazione riflessiva è che le voci verbali sono precedute dalle particelle pronominali *mi*, *ti*, *si*, *ci*, *vi*: *mi lavo*, *ti lavavi*, *si lavò* ecc. Tali particelle seguono il verbo e si uniscono ad esso nei modi indefiniti e nell'imperativo presente, esclusa la terza persona singolare e plurale: *lavarsi*, *lavatosi*, *lavandosi*; *làvati*, *laviamoci*, *lavatevi*.

Nella forma negativa della seconda persona singolare e plurale dell'imperativo presente, la particella pronominale può essere indifferentemente proclitica o enclitica: *non ti lavare* o *non lavarti*, *non vi lavate* o *non lavatevi*. Si può scegliere tra costruzione proclitica e costruzione enclitica anche quando un infinito è retto da un verbo servile: *ti voglio fare un regalo* o *voglio farti un regalo*.

I tempi composti dei verbi riflessivi si formano con l'ausiliare *essere*; di conseguenza il participio passato concorda in genere e numero con il soggetto: *Daniele si è lavato*; *Daniela si è lavata*. Se il riflessivo è accompagnato da un verbo servile, si ha l'ausiliare *essere* quando la particella pronominale è proclitica (*si è voluto lavare*), l'ausiliare *avere* quando è enclitica (*ha voluto lavarsi*).

Ricordiamo che la coniugazione dei verbi intransitivi pronominali è identica a quella dei verbi riflessivi.

Diamo ora la coniugazione completa del verbo *lavarsi*:

INDICATIVO

presente		**passato prossimo**	
io	mi lavo	io	mi sono lavato
tu	ti lavi	tu	ti sei lavato
egli	si lava	egli	si è lavato
noi	ci laviamo	noi	ci siamo lavati
voi	vi lavate	voi	vi siete lavati
essi	si lavano	essi	si sono lavati
imperfetto		**trapassato prossimo**	
io	mi lavavo	io	mi ero lavato
tu	ti lavavi	tu	ti eri lavato
egli	si lavava	egli	si era lavato
noi	ci lavavamo	noi	ci eravamo lavati
voi	vi lavavate	voi	vi eravate lavati
essi	si lavavano	essi	si erano lavati
passato remoto		**trapassato remoto**	
io	mi lavai	io	mi fui lavato
tu	ti lavasti	tu	ti fosti lavato
egli	si lavò	egli	si fu lavato
noi	ci lavammo	noi	ci fummo lavati
voi	vi lavaste	voi	vi foste lavati
essi	si lavarono	essi	si furono lavati

futuro semplice		**futuro anteriore**	
io	mi laverò	io	mi sarò lavato
tu	ti laverai	tu	ti sarai lavato
egli	si laverà	egli	si sarà lavato
noi	ci laveremo	noi	ci saremo lavati
voi	vi laverete	voi	vi sarete lavati
essi	si laveranno	essi	si saranno lavati

CONGIUNTIVO

presente		**passato**	
che io	mi lavi	che io	mi sia lavato
che tu	ti lavi	che tu	ti sia lavato
che egli	si lavi	che egli	si sia lavato
che noi	ci laviamo	che noi	ci siamo lavati
che voi	vi laviate	che voi	vi siate lavati
che essi	si lavino	che essi	si siano lavati

imperfetto		**trapassato**	
che io	mi lavassi	che io	mi fossi lavato
che tu	ti lavassi	che tu	ti fossi lavato
che egli	si lavasse	che egli	si fosse lavato
che noi	ci lavassimo	che noi	ci fossimo lavati
che voi	vi lavaste	che voi	vi foste lavati
che essi	si lavassero	che essi	si fossero lavati

CONDIZIONALE

presente		**passato**	
io	mi laverei	io	mi sarei lavato
tu	ti laveresti	tu	ti saresti lavato
egli	si laverebbe	egli	si sarebbe lavato
noi	ci laveremmo	noi	ci saremmo lavati
voi	vi lavereste	voi	vi sareste lavati
essi	si laverebbero	essi	si sarebbero lavati

IMPERATIVO

presente		**futuro**	
—		—	
làvati	tu	ti laverai	tu
si lavi	egli	si laverà	egli
laviamoci	noi	ci laveremo	noi
lavatevi	voi	vi laverete	voi
si lavino	essi	si laveranno	essi

INFINITO	
presente	**passato**
lavarsi (lavarmi, lavarti, lavarci, lavarvi)	essersi lavato (essermi lavato, esserti lavato, esserci lavati, esservi lavati, essersi lavati)

PARTICIPIO	
presente	**passato**
lavantesi (lavantisi)	lavatosi (lavatomi, lavatoti, lavatici, lavativi, lavatisi)

GERUNDIO	
presente	**passato**
lavandosi (lavandomi, lavandoti, lavandoci, lavandovi)	essendosi lavato (essendomi lavato, essendoti lavato, essendoci lavati, essendovi lavati, essendosi lavati)

7.8. VERBI IMPERSONALI

Si dicono **impersonali** quei verbi che non hanno un soggetto determinato e si usano soltanto nei modi indefiniti e nella terza persona singolare dei tempi di modo finito:

comincia a nevicare, *sta nevicando*; *nevica*, *nevicava*, *nevicò*, *nevicherà*.

Per lo più si tratta di verbi che indicano fenomeni atmosferici: *piove*, *diluvia*, *grandina*, *tuona*, *lampeggia*, *albeggia*, *annotta*. Adoperati in senso figurato, questi verbi diventano personali: *piovevano le critiche*; *una voce tuonò all'improvviso*.
Anche il verbo *fare* può essere costruito impersonalmente in frasi come *fa freddo*, *fa caldo*.

Ci sono poi verbi e locuzioni verbali che si usano spesso, ma non sempre, senza soggetto e quindi in forma impersonale:

accadere, *avvenire*, *succedere*, *capitare*, *bisognare*, *convenire*, *occorrere*, *sembrare*, *parere*, *importare*, *necessitare*; *essere necessario*, *essere opportuno*, *essere indubbio*, *essere certo*, *essere evidente*, *essere chiaro*.

Per esempio: *bisogna affrettarsi*; *sembra che tutto proceda bene*; *è necessario avere pazienza*; *è opportuno che tu parta subito*. In realtà in questi casi il soggetto esiste ed è rappresentato da una proposizione di modo finito o infinito (v. PROPOSIZIONE SOGGETTIVA, 11.2.3).

Si noti che qualunque verbo può essere usato impersonalmente premettendo la particella pronominale *si* alla terza persona singolare di ogni tempo:

si dice, si racconta, si vocifera, si mormora, si pensa, si vedrà, si vive, si muore.

Per la forma impersonale dei verbi riflessivi e pronominali, nei quali è già presente la particella *si*, si ricorre alla particella *ci*: *ci si lava*, *ci si sveglia*, *ci si accorse*, *ci si pentì*. *Si* e *ci* hanno la funzione di sostituire un pronome indefinito del tipo di *uno*, *qualcuno*, *un tale*; infatti *si dice*, *ci si accorse* equivalgono a 'qualcuno dice', 'qualcuno si accorse'.

I tempi composti dei verbi impersonali si formano con l'ausiliare *essere*. Tuttavia, i verbi che indicano fenomeni atmosferici possono usare anche l'ausiliare *avere*: *ieri è piovuto*; *ha piovuto tutta la notte*.

7.9. VERBI SERVILI E VERBI FRASEOLOGICI

Non solo gli ausiliari *essere* e *avere*, ma anche i verbi servili e i verbi fraseologici servono come "appoggio" ad altri verbi.

Verbi servili

Sono *dovere*, *potere*, *volere*; questi verbi reggono l'infinito di un altro verbo, del quale indicano una particolare "modalità" (rispettivamente, la necessità, la possibilità, la volontà):

sono dovuto tornare	(necessità)
non ho potuto aiutarlo	(possibilità)
Rita vuole dormire	(volontà)

A sottolineare lo stretto legame tra il verbo servile e il verbo che lo segue, il primo ha per lo più l'ausiliare del secondo: *sono tornato* / *sono dovuto* (*potuto*, *voluto*) *tornare*; *ho aiutato* / *ho potuto* (*dovuto*, *voluto*) *aiutare*.
Ma è frequente trovare i verbi servili con l'ausiliare *avere*, anche quando il verbo che reggono richiede l'ausiliare *essere*: *sono tornato* / *ho dovuto (potuto, voluto) tornare*. In particolare, i verbi servili hanno l'ausiliare *avere* quando sono seguiti dal verbo *essere*: *ho dovuto (potuto, voluto) essere magnanimo*.

Oltre a *dovere*, *potere*, *volere*, reggono l'infinito anche altri verbi come *sapere* (nel significato di 'essere capace di'), *preferire*, *osare*, *desiderare* ecc.:

so parlare inglese;
preferirei andarci da solo;
non osa chiedertelo;
desideravamo tornare a casa.

Verbi fraseologici

Sono quelli come *stare*, *cominciare*, *iniziare*, *continuare*, *seguitare*, *finire*, *smettere*, che, usati davanti a un altro verbo (per lo più all'infinito, ma anche al gerundio), ne definiscono un particolare "aspetto" (v. 7.0.):

sto parlando	(azione durativa)
sto per parlare	(azione ingressiva)
cominciai a parlare	(inizio dell'azione)
continuai a parlare	(proseguimento dell'azione)
smisi di parlare	(fine dell'azione).

Vi sono varie locuzioni con valore fraseologico: *essere sul punto di*, *andare avanti a*, ecc.

7.10. VERBI DIFETTIVI

Vengono comunemente chiamati **difettivi** (dal latino *deficere* 'mancare') i verbi che mancano di alcune voci, o perché cadute in disuso o perché mai esistite.

Ecco i verbi difettivi più comuni, con l'indicazione delle forme di un certo uso (spesso solo letterario, o ristretto a espressioni particolari):

Addirsi — *Indicativo pres.* si addice, si addicono; *imperf.* si addiceva, si addicevano. *Congiuntivo pres.* si addica, si addicano; *imperf.* si addicesse, si addicessero.

Aggradare — *Indicativo pres.* aggrada.

Calére — *Indicativo pres.* cale.

Consùmere — *Indicativo pass. rem.* consunsi, consunse, consunsero. *Participio pass.* consunto.

Fallare — *Indicativo pres.* falla. *Participio pass.* fallato.

Fèrvere — *Indicativo pres.* fèrve, fèrvono; *imperf.* ferveva, fervevano. *Participio pres.* fervente. *Gerundio pres.* fervendo.

Ostare — *Indicativo pres.* òsta.

Prùdere — *Indicativo pres.* prude, prudono; *imperf.* prudeva, prudevano; *fut.* pruderà, pruderanno. *Congiuntivo pres.* pruda, prudano; *imperf.* prudesse, prudessero. *Condizionale pres.* pruderebbe, pruderebbero. *Gerundio pres.* prudendo.

Solére — *Indicativo pres.* sòglio, suòli, suòle, sogliamo, solete, sògliono; *imperf.* solevo, solevi, ecc. *Congiuntivo pres.* sòglia, sogliamo, sogliate, sògliano; *imperf.* solessi, ecc. *Participio pass.* sòlito. *Gerundio pres.* solendo.

Tàngere — *Indicativo pres.* tange. *Participio pres.* tangente.

Ùrgere — *Indicativo pres.* urge, urgono; *imperf.* urgeva, urgevano; *fut.* urgerà, urgeranno. *Congiuntivo pres.* urga, urgano; *imperf.* urgesse, urgessero. *Condizionale pres.* urgerebbe, urgerebbero. *Participio pres.* urgente. *Gerundio pres.* urgendo.

Vèrtere *Indicativo pres.* vèrte, vèrtono; *imperf.* verteva, vertevano; *passato rem.* verté, verterono; *fut.* verterà, verteranno. *Congiuntivo pres.* vèrta, vèrtano; *imperf.* vertesse, vertessero. *Condizionale pres.* verterebbe, verterebbero. *Participio pres.* vertente. *Gerundio pres.* vertendo.

Vìgere *Indicativo pres.* vige, vigono; *imperf.* vigeva, vigevano; *fut.* vigerà, vigeranno. *Congiuntivo pres.* viga, vigano; *imperf.* vigesse, vigessero. *Condizionale pres.* vigerebbe, vigerebbero. *Participio pres.* vigente. *Gerundio pres.* vigendo.

Dei verbi *ardire*, *atterrire*, *marcire*, che hanno coniugazione regolare, non si usano alcune forme (*ardiamo*, *ardiate*, *ardente*; *atterriamo*, *atterriate*; *marciamo*, *marciate*) perché coincidono con quelle dei verbi *ardere*, *atterrare*, *marciare*. In questi casi, per evitare possibilità di equivoci, si ricorre a verbi sinonimi quali *osare*, *spaventare*, *imputridire*.

Nel numero dei verbi difettivi vanno anche inclusi quei verbi come *convèrgere*, *discèrnere*, *esìmere* che, mancando del participio passato, non possono formare i tempi composti.

7.11. VERBI SOVRABBONDANTI

Alcuni verbi possono appartenere a due coniugazioni diverse e per questo vengono chiamati **sovrabbondanti**.

Una parte di essi ha nelle due forme significato pressoché identico:

compiere e *compire*, *adempiere* e *adempire*, *empiere* (*riempiere*) e *empire* (*riempire*), *dimagrare* e *dimagrire*, *annerare* e *annerire*, *ammansare* e *ammansire*, *intorbidare* e *intorbidire*, *starnutare* e *starnutire*.

Altri, invece, cambiando coniugazione, cambiano anche significato e sono coppie di verbi diversi:

arrossare ('rendere rosso') e *arrossire* ('divenire rosso'), *imboscare* ('nascondere') e *imboschire* ('piantare un bosco'), *fallare* ('sbagliare') e *fallire* ('far fallimento'), *abbrunare* ('mettere il lutto') e *abbrunire* ('divenire bruno').

7.12. VERBI IRREGOLARI

Si dicono **irregolari** quei verbi che non seguono, nella flessione, lo schema tipico della coniugazione a cui appartengono. L'irregolarità può consistere:

- nel cambiamento della radice: *and-are*, *vad-o*;
- nel cambiamento delle normali desinenze: *cad-di* invece di *cad-ei* o *cad-etti*;
- nel cambiamento sia della radice sia delle desinenze: *viv-ere*, *vis-si*.

I verbi irregolari della prima coniugazione sono soltanto quattro: *andare*, *dare*, *fare*, *stare* (ma *fare*, che deriva dal latino *fàcere*, mostra in parecchie forme le desinenze caratteristiche della seconda coniugazione: *facevo*, *facessi*, *facendo*).

Molto più numerosi sono i verbi irregolari della seconda coniugazione, che si è soliti dividere in due gruppi: verbi in *-ére* (con *e* tonica, come *valére*) e verbi in *-ere* (con *e* atona, come *accèndere*). I primi hanno un maggior numero di forme anomale e inoltre alterano generalmente la radice in alcune voci del presente indicativo e congiuntivo: *vàlg-o*, *vàlg-a*. I secondi, invece, limitano la propria irregolarità al passato remoto (e precisamente alla prima e terza persona singolare e alla terza plurale) e al participio passato: *accés-i*, *accés-e*, *accés-ero*; *accés-o*.

Non molti sono i verbi irregolari della terza coniugazione, i quali presentano per lo più (al pari dei verbi in *-ére*) alterazioni della radice in determinate forme del presente indicativo e congiuntivo: *ven-ire*, *veng-o*, *veng-a*.

Diamo qui di seguito un elenco dei verbi irregolari di uso più frequente.

Verbi irregolari della prima coniugazione

Andare

Indicativo pres. vado (non com. vo), vai, va, andiamo, andate, vanno; *imperf.* andavo, andavi, ecc.; *pass. rem.* andai, andasti, ecc.; *fut.* andrò, andrai, ecc. *Congiuntivo pres.* vada, vada, vada, andiamo, andiate, vadano; *imperf.* andassi, ecc. *Condizionale pres.* andrei, andresti, ecc. *Imperativo pres.* va' (vai), vada, andiamo, andate, vadano. *Participio pres.* andante; *pass.* andato. *Gerundio pres.* andando.

Dare

Indicativo pres. do, dai, dà, diamo, date, danno; *imperf.* davo, davi, ecc.; *pass. rem.* dièdi (dètti), désti, dième (dètte), démmo, déste, dièdero (dèttero); *fut.* darò, darai, ecc. *Congiuntivo pres.* dia, dia, dia, diamo, diate, diano; *imperf.* déssi, déssi, désse, déssimo, déste, déssero. *Condizionale pres.* darei, daresti, ecc. *Imperativo pres.* da' (dai), dia, diamo, date, diano. *Participio pres.* dante (raro); *pass.* dato. *Gerundio pres.* dando.

Ausiliare avere.

Fare

Indicativo pres. faccio (non com. fo), fai, fa, facciamo, fate, fanno; *imperf.* facevo, facevi, ecc.; *pass. rem.* féci, facesti, féce, facemmo, faceste, fécero; *fut.* farò, farai, ecc. *Congiuntivo pres.* faccia, faccia, faccia, facciamo, facciate, facciano; *imperf.* facessi, facessi, facesse, facessimo, faceste, facessero. *Condizionale pres.* farei, faresti, ecc. *Imperativo pres.* fa' (fai), faccia, facciamo, fate, facciano. *Participio pres.* facente; *pass.* fatto. *Gerundio pres.* facendo.

Ausiliare avere.

Come *fare* si coniugano: *assuefare*, *contraffare*, *rifare*, *sopraffare*, *stupefare*, *tumefare*, ecc. Alcuni composti, accanto alle voci che seguono la coniugazione di *fare*, ne possiedono altre autonome, come *disfare* che nell'indicativo pres. ha *dìsfo* e *dìsfa*, e *soddisfare* che ha forme regolari nell'indicativo pres. (*soddìsfo*), nel futuro (*soddisferò*) e nel congiuntivo pres. (*soddìsfi*).

Stare

Indicativo pres. sto, stai, sta, stiamo, state, stanno: *imperf.* stavo, stavi, ecc.; *pass. rem.* stètti, stésti, stètte, stémmo, stéste, stèttero; *fut.* starò, starai, ecc. *Congiuntivo pres.* stia, stia, stia, stiamo, stiate, stiano; *imperf.* stéssi, stéssi, stésse, stéssimo, stéste, stéssero. *Condizionale pres.* starei, staresti, ecc. *Imperativo pres.* sta' (stai), stia, stiamo, state, stiano. *Participio pres.* stante; *pass.* stato. *Gerundio pres.* stando.

Ausiliare essere.

Si comportano come *stare*: *ristare*, *soprastare*, *sottostare*. I composti *constare*, *contrastare*, *costare*, *prestare*, *restare*, *sostare*, *sovrastare* seguono la coniugazione regolare.

Verbi irregolari della seconda coniugazione

a) In *-ére*:

Cadére

Indicativo pass. rem. caddi, cadesti, cadde, cademmo, cadeste, caddero; *fut.* cadrò, cadrai, ecc. *Condizionale pres.* cadrei, cadresti, ecc. In tutti gli altri tempi segue la coniugazione regolare.

Ausiliare essere

Si comportano come *cadére*: *accadére*, *decadére*, *scadére*, ecc.

Dolére (dolérsi)

Indicativo pres. mi dòlgo, ti duòli, si duòle, ci doliamo (dogliamo), vi dolete, si dòlgono; *imperf.* mi dolevo, ti dolevi, ecc.; *pass. rem.* mi dòlsi, ti dolesti, si dòlse, ci dolemmo, vi doleste, si dòlsero; *fut.* mi dorrò, ti dorrai, si dorrà, ci dorremo, vi dorrete, si dorranno. *Congiuntivo pres.* mi dòlga, ti dòlga, si dòlga, ci doliamo (dogliamo), vi doliate (dogliate), si dòlgano; *imperf.* mi dolessi, ti dolessi, ecc. *Condizionale pres.* mi dorrei, ti dorresti, si dorrebbe, ci dorremmo, vi dorreste, si dorrebbero. *Imperativo pres.* duòliti, si dòlga, dogliamoci (doliamoci), doletevi, si dòlgano. *Participio pres.* dolente; *pass.* doluto (dolutosi). *Gerundio pres.* dolendo (dolendosi).

Ausiliare essere.

Dovére

Indicativo pres. dèvo (dèbbo), dèvi, dève, dobbiamo, dovete, dèvono (dèbbono); *imperf.* dovevo, dovevi, ecc.; *pass. rem.* dovéi (dovètti), dovesti, ecc.; *fut.* dovrò, dovrai, ecc. *Congiuntivo pres.* dèva (dèbba), dèva, dèva, dobbiamo, dobbiate, dèvano (dèbbano); *imperf.* dovessi, dovessi, ecc. *Condizionale pres.* dovrei, dovresti, ecc. *Imperativo pres.* (manca). *Participio pres.* (manca); *pass.* dovuto. *Gerundio pres.* dovendo.

Ausiliare avere.

Giacére

Indicativo pres. giaccio, giaci, giace, giacciamo (giaciamo), giacete, giacciono; *pass. rem.* giacqui, giacesti, giacque, giacemmo, giaceste, giacquero. *Congiuntivo pres.* giaccia, giaccia, giaccia, giacciamo (giaciamo), giacciate (giaciate), giacciano. *Imperativo pres.* giaci, giaccia, giacciamo (giaciamo), giacete, giacciano.

Ausiliare avere.

Godére

Ha coniugazione regolare in tutti i tempi, tranne per la forma del futuro e del condizionale: *godrò*; *godrei*.
Ausiliare avere.

Parére *Indicativo pres.* paio, pari, pare, paiamo, parete, paiono; *imperf.* parevo, parevi, ecc.; *pass. rem.* parvi, paresti, parve, paremmo, pareste, parvero; *fut.* parrò, parrai, parrà, parremo, parrete, parranno. *Congiuntivo pres.* paia, paia, paia, paiamo, paiate, paiano; *imperf.* paressi, paressi, ecc. *Condizionale pres.* parrei, parresti, parrebbe, parremmo, parreste, parrebbero. *Imperativo pres.* (manca). *Participio pres.* parvente (raro); *pass.* parso. *Gerundio pres.* parendo.

Ausiliare essere.

Persuadére *Indicativo pass. rem.* persuasi, persuadesti, persuase, persuademmo, persuadeste, persuasero. *Participio pass.* persuaso.

Ausiliare avere.

Come *persuadére* si coniuga *dissuadére.*

Piacére *Indicativo pres.* piaccio, piaci, piace, piacciamo (piaciamo), piacete, piacciono; *pass. rem.* piacqui, piacesti, piacque, piacemmo, piaceste, piacquero. *Congiuntivo pres.* piaccia, piaccia, piaccia, piacciamo (piaciamo), piacciate (piaciate), piacciano. *Imperativo pres.* piaci, piaccia, piacciamo, piacete, piacciono.

Ausiliare essere.

Seguono la coniugazione di *piacére*: *compiacére* (*compiacersi*), *dispiacére*, *spiacére.*

Potére *Indicativo pres.* posso, puoi, può, possiamo, potete, possono; *imperf.* potevo, potevi, ecc.; *pass. rem.* potéi, potesti, ecc.; *fut.* potrò, potrai, ecc. *Congiuntivo pres.* possa, possa, possa, possiamo, possiate, possano; *imperf.* potessi, ecc. *Condizionale pres.* potrei, potresti, ecc. *Imperativo pres.* (manca). *Participio pres.* potente (con valore di aggettivo o sostantivo); *pass.* potuto.

Ausiliare avere.

Rimanére *Indicativo pres.* rimango, rimani, rimane, rimaniamo, rimanete, rimangono; *imperf.* rimanevo, rimanevi, ecc.; *pass. rem.* rimasi, rimanesti, rimase, rimanemmo, rimaneste, rimasero; *fut.* rimarrò, rimarrai, ecc. *Congiuntivo pres.* rimanga, rimanga, rimanga, rimaniamo, rimaniate, rimangano; *imperf.* rimanessi, ecc. *Condizionale pres.* rimarrei, rimarresti, ecc. *Imperativo pres.* rimani, rimanga, rimaniamo, rimanete, rimangano. *Participio pres.* rimanente; *pass.* rimasto. *Gerundio pres.* rimanendo.

Ausiliare essere.

Sapére *Indicativo pres.* so, sai, sa, sappiamo, sapete, sanno; *imperf.* sapevo, sapevi, ecc.; *pass. rem.* séppi, sapesti, séppe, sapemmo, sapeste, séppero; *fut.* saprò, saprai, ecc. *Congiuntivo pres.* sappia, sappia, sappia, sappiamo, sappiate, sappiano; *imperf.* sapessi, ecc. *Condi-*

zionale pres. saprei, sapresti, ecc. *Imperativo pres.* sappi, sappia, sappiamo, sappiate, sappiano. *Participio pres.* sapiente (con valore di aggettivo o sostantivo); *pass.* saputo. *Gerundio pres.* sapendo.

Ausiliare avere.

Sedére (sedérsi) *Indicativo pres.* sièdo (sèggo), sièdi, siède, sediamo, sedete, sièdono (sèggono). *Congiuntivo pres.* sièda (sègga), sièda (sègga), sièda (sègga), sediamo, sediate, sièdano (sèggano). *Imperativo pres.* sièdi, sièda (sègga), sediamo, sedete, sièdano (sèggano).

Ausiliare essere.

Come *sedére* si coniuga *possedére.*

Tacére *Indicativo pres.* taccio, taci, tace, taciamo, tacete, tacciono; *pass. rem.* tacqui, tacesti, tacque, tacemmo, taceste, tacquero. *Congiuntivo pres.* taccia, taccia, taccia, taciamo, taciate, tacciano. *Imperativo pres.* taci, taccia, tacciamo, tacete, tacciano.

Ausiliare avere.

Tenére *Indicativo pres.* tèngo, tièni, tiène, teniamo, tenete, tèngono; *imperf.* tenevo, tenevi, ecc.; *pass. rem.* ténni, tenesti, ténne, tenemmo, teneste, ténnero; *fut.* terrò, terrai, ecc. *Congiuntivo pres.* tènga, tènga, tènga, teniamo, teniate, tèngano; *imperf.* tenessi, ecc. *Condizionale pres.* terrei, terresti, ecc. *Imperativo pres.* tièni, tènga, teniamo, tenete, tèngano. *Participio pres.* tenente; *pass.* tenuto. *Gerundio pres.* tenendo.

Ausiliare avere.

Tutti i composti seguono la coniugazione di *tenére*: *appartenére*, *contenére*, *ottenére*, *trattenére*, ecc.

Valére *Indicativo pres.* valgo, vali, vale, valiamo, valete, valgono; *imperf.* valevo, valevi, ecc.; *pass. rem.* valsi, valesti, valse, valemmo, valeste, valsero; *fut.* varrò, varrai, varrà, varremo, varrete, varranno. *Congiuntivo pres.* valga, valga, valga, valiamo, valiate, valgano; *imperf.* valessi, ecc. *Condizionale pres.* varrei, varresti, varrebbe, varremmo, varreste, varrebbero. *Imperativo pres.* vali, valga, valiamo, valete, valgano. *Participio pres.* valente; *pass.* valso. *Gerundio pres.* valendo.

Ausiliare essere.

Si comportano come *valére* tutti i suoi composti: *equivalére*, *prevalére*, *rivalérsi*, ecc.

Vedére *Indicativo pres.* védo, védi, ecc.; *imperf.* vedevo, vedevi, ecc.; *pass. rem.* vidi, vedesti, vide, vedemmo, vedeste, videro; *fut.* vedrò, vedrai, ecc. *Condizionale pres.* vedrei, vedresti, ecc. *Imperativo pres.* védi, véda, vediamo, vedete, védano. *Participio pres.* vedente; *pass.* visto (veduto). *Gerundio pres.* vedendo.

Ausiliare avere.

I composti di *vedére* (*avvedérsi*, *intravedére*, ecc.) seguono la sua coniugazione, ma *prevedére* e *provvedére* al futuro e al condizionale hanno la forma non sincopata (*prevederò*, *provvederei*, ecc.).

Volére

Indicativo pres. vòglio, vuòi, vuòle, vogliamo, volete, vògliono; *imperf.* volevo, volevi, ecc.; *pass. rem.* vòlli, volesti, vòlle, volemmo, voleste, vòllero; *fut.* vorrò, vorrai, vorrà, vorremo, vorrete, vorranno. *Congiuntivo pres.* vòglia, vòglia, vòglia, vogliamo, vogliate, vògliano; *imperf.* volessi, ecc. *Condizionale pres.* vorrei, vorresti, vorrebbe, vorremmo, vorreste, vorrebbero. *Imperativo pres.* vògli, vòglia, vogliamo, vogliate, vògliano. *Participio pres.* volente; *pass.* voluto. *Gerundio pres.* volendo.

Ausiliare avere.

b) In *-ere*:

Accèndere

Indicativo pass. rem. accési, accendesti, accése, accendemmo, accendeste, accésero. *Participio pass.* accéso.

Ausiliare avere.

Acclùdere

Indicativo pass. rem. acclusi, accludesti, accluse, accludemmo, accludeste, acclusero. *Participio pass.* accluso.

Ausiliare avere.

Come *acclùdere* si coniugano: *esclùdere*, *inclùdere*, *occlùdere*, *preclùdere*.

Accòrgersi

Indicativo pass. rem. mi accòrsi, ti accorgesti, si accòrse, ci accorgemmo, vi accorgeste, si accòrsero. *Participio pass.* accòrtosi.

Ausiliare essere.

Afflìggere

Indicativo pass. rem. afflissi, affliggesti, afflisse, affliggemmo, affliggeste, afflissero. *Participio pass.* afflitto.

Ausiliare avere.

Come *afflìggere* si coniuga *inflìggere*.

Allùdere

Indicativo pass. rem. allusi, alludesti, alluse, alludemmo, alludeste, allusero. *Participio pass.* alluso.

Ausiliare avere.

Come *allùdere* si coniugano: *delùdere*, *disillùdere*, *elùdere*, *illùdere*, *prelùdere*.

Annèttere

Indicativo pass. rem. annettéi (annèssi), annettesti, annetté (annèsse), annettemmo, annetteste, annettérono (annèssero). *Participio pass.* annèsso.

Ausiliare avere.

Come *annèttere* si coniugano: *riannèttere*, *riconnèttere*, *sconnèttere*.

Appèndere *Indicativo pass. rem.* appési, appendesti, appése, appendemmo, appendeste, appésero. *Participio pass.* appéso.

Ausiliare avere.

Come *appèndere* si coniugano: *dipèndere*, *sospèndere*, *spèndere*, *vilipèndere*.

Àrdere *Indicativo pass. rem.* arsi, ardesti, arse, ardemmo, ardeste, arsero. *Participio pass.* arso.

Ausiliare avere se è usato transitivamente, essere se è usato intransitivamente.

Assòlvere *Indicativo pass. rem.* assòlsi, assolvesti, assòlse, assolvemmo, assolveste, assòlsero. *Participio pass.* assòlto.

Ausiliare avere.

Come *assòlvere* si coniugano: *dissòlvere* e *risòlvere*.

Assùmere *Indicativo pass. rem.* assunsi, assumesti, assunse, assumemmo, assumeste, assunsero. *Participio pass.* assunto.

Ausiliare avere.

Come *assùmere* si coniugano: *riassùmere*, *desùmere*, *presùmere*.

Attìngere *Indicativo pass. rem.* attinsi, attingesti, attinse, attingemmo, attingeste, attinsero. *Participio pass.* attinto.

Ausiliare avere.

Bére *Indicativo pres.* bévo, bévi, béve, beviamo, bevete, bévono; *imperf.* bevevo, bevevi, ecc.; *pass. rem.* bévvi (bevéi, bevètti), bevesti, bévve (bevé, bevètte), bevemmo, beveste, bévvero (bevérono, bevèttero); *fut.* berrò, berrai, ecc. *Congiuntivo pres.* béva, béva, ecc.; *imperf.* bevessi, ecc. *Condizionale pres.* berrei, berresti, ecc. *Imperativo pres.* bévi, béva, beviamo, bevete, bévano. *Participio pres.* bevente; *pass.* bevuto. *Gerundio pres.* bevendo.

Ausiliare avere.

Bére è la forma sincopata di *bévere*.

Chièdere *Indicativo pass. rem.* chièsi, chiedesti, chièse, chiedemmo, chiedeste, chièsero. *Participio pass.* chièsto.

Ausiliare avere.

Chiùdere *Indicativo pass. rem.* chiusi, chiudesti, chiuse, chiudemmo, chiudeste, chiusero. *Participio pass.* chiuso.

Ausiliare avere.

Si comportano come *chiudere*: *dischiùdere*, *richiùdere*, *socchiùdere*, ecc.

Cìngere *Indicativo pass. rem.* cinsi, cingesti, cinse, cingemmo, cingeste, cinsero. *Participio pass.* cinto.

Ausiliare avere.

Come *cìngere* si coniugano: *accìngersi, recìngere*, ecc.

Cògliere *Indicativo pres.* còlgo, cògli, còglie, cogliamo, cogliete, còlgono; *imperf.* coglievo, coglievi, ecc.; *pass. rem.* còlsi, cogliesti, còlse, cogliemmo, coglieste, còlsero; *fut.* coglierò, coglierai, ecc. *Congiuntivo pres.* còlga, còlga, còlga, cogliamo, cogliate, còlgano; *imperf.* cogliessi, ecc. *Condizionale pres.* coglierei, coglieresti, ecc. *Participio pres.* cogliente; *pass.* còlto. *Gerundio pres.* cogliendo.

Ausiliare avere.

Come *cògliere* si coniugano: *accògliere* e *raccògliere*.

Comprìmere *Indicativo pass. rem.* comprèssi, comprimesti, comprèsse, comprimemmo, comprimeste, comprèssero. *Participio pass.* comprèsso.

Ausiliare avere.

Come *comprìmere* si coniugano: *deprìmere, esprìmere, imprìmere, opprìmere, reprìmere, sopprìmere.*

Concèdere *Indicativo pass. rem.* concèssi, concedesti, concèsse, concedemmo, concedeste, concèssero. *Participio pass.* concèsso.

Ausiliare avere.

Condurre *Indicativo pres.* conduco, conduci, conduce, conduciamo, conducete, conducono; *imperf.* conducevo, conducevi, ecc.; *pass. rem.* condussi, conducesti, condusse, conducemmo, conduceste, condussero; *fut.* condurrò, condurrai, condurrà, condurremo, condurrete, condurranno. *Congiuntivo pres.* conduca, conduca, conduca, conduciamo, conduciate, conducano; *imperf.* conducessi, ecc. *Condizionale pres.* condurrei, condurresti, condurrebbe, condurremmo, condurreste, condurrebbero. *Imperativo pres.* conduci, conduca, conduciamo, conducete, conducano. *Participio pres.* conducente; *pass.* condótto. *Gerundio pres.* conducendo.

Ausiliare avere.

Condurre è la forma sincopata di *condùcere*. Seguono la coniugazione di *condurre*: *addurre, dedurre, indurre, introdurre, produrre, ridurre, sedurre, tradurre.*

Conóscere *Indicativo pass. rem.* conóbbi, conoscesti, conóbbe, conoscemmo, conosceste, conóbbero. *Participio pass.* conosciuto.

Ausiliare avere.

Come *conóscere* si coniuga *riconóscere.*

Contùndere *Indicativo pass. rem.* contusi, contundesti, contuse, contundemmo, contundeste, contusero. *Participio pass.* contuso.

Ausiliare avere.

Convèrgere *Indicativo pass. rem.* convèrsi, convergesti, convèrse, convergemmo, convergeste, convèrsero. *Participio pass.* convèrso (*raro*).

Ausiliare essere.

Come *convèrgere* si coniuga *divèrgere*, che però manca del participio passato.

Córrere *Indicativo pass. rem.* córsi, corresti, córse, corremmo, correste, córsero. *Participio pass.* córso.

Ausiliare avere o essere.

Tutti i composti si coniugano come *córrere*: *accórrere*, *percórrere*, *soccórrere*, ecc.

Créscere *Indicativo pass. rem.* crébbi, crescesti, crébbe, crescemmo, cresceste, crébbero. *Participio pass.* cresciuto.

Ausiliare essere; solo nei casi in cui è usato transitivamente assume l'ausiliare avere.

Come *créscere* si coniugano: *accréscere*, *decréscere*, *incréscere*, *rincréscere*.

Cuòcere *Indicativo pres.* cuòcio, cuòci, cuòce, cociamo, cocete, cuòciono; *imperf.* cocevo, cocevi, ecc.; *pass. rem.* còssi, cocesti, còsse, cocemmo, coceste, còssero; *fut.* cocerò, cocerai, ecc. *Congiuntivo pres.* cuòcia, cuòcia, cuòcia, cociamo, cociate, cuòciano; *imperf.* cocessi, ecc. *Condizionale pres.* cocerei, coceresti, ecc. *Imperativo pres.* cuòci, cuòcia, cociamo, cocete, cuòciano. *Participio pres.* cocente; *pass.* còtto (cociuto, *raro*). *Gerundio pres.* cocendo.

Ausiliare avere.

Sono molto usate e anzi tendono a prevalere le forme che conservano il dittongo: *cuociamo*, *cuocevo*, *cuocerò*, *cuocessi*, *cuocerei*, ecc.

Decìdere *Indicativo pass. rem.* decisi, decidesti, decise, decidemmo, decideste, decisero. *Participio pass.* deciso.

Ausiliare avere.

Come *decìdere* si coniugano: *incìdere*, *coincìdere*, *circoncìdere*, *recìdere*, *uccìdere*.

Devòlvere È irregolare solo il participio passato: *devoluto*.

Ausiliare avere

Come *devòlvere* si comporta *evòlvere*.

Difèndere *Indicativo pass. rem.* difési, difendesti, difése, difendemmo, difendeste, difésero. *Participio pass.* diféso.

Ausiliare avere.

Come *difèndere* si coniuga *offèndere*.

Dipìngere *Indicativo pass. rem.* dipinsi, dipingesti, dipinse, dipingemmo, dipingeste, dipinsero. *Participio pass.* dipinto.

Ausiliare avere.

Dirìgere *Indicativo pass. rem.* dirèssi, dirigesti, dirèsse, dirigemmo, dirigeste, dirèssero. *Participio pass.* dirètto.

Ausiliare avere.

Come *dirìgere* si coniuga *erìgere*.

Discùtere *Indicativo pass. rem.* discussi, discutesti, discusse, discutemmo, discuteste, discussero. *Participio pass.* discusso.

Ausiliare avere.

Come *discùtere* si coniuga *incùtere*.

Distìnguere *Indicativo pass. rem.* distinsi, distinguesti, distinse, distinguemmo, distingueste, distinsero. *Participio pass.* distinto.

Ausiliare avere.

Come *distìnguere* si coniuga *estìnguere*.

Divìdere *Indicativo pass. rem.* divisi, dividesti, divise, dividemmo, divideste, divisero. *Participio pass.* diviso.

Ausiliare avere.

Come *divìdere* si coniugano: *condivìdere*, *suddivìdere*.

Eccèllere *Indicativo pass. rem.* eccèlsi, eccellesti, eccèlse, eccellemmo, eccelleste, eccèlsero. *Participio pass.* eccèlso.

Ausiliare avere.

Elìdere *Indicativo pass. rem.* elisi, elidesti, elise, elidemmo, elideste, elisero. *Participio pass.* eliso.

Ausiliare avere.

Nel pass. rem. ha anche le forme regolari (*elidéi*, ecc.).

Emèrgere *Indicativo pass. rem.* emèrsi, emergesti, emèrse, emergemmo, emergeste, emèrsero. *Participio pass.* emèrso.

Ausiliare essere.

Come *emèrgere* si coniugano: *immèrgere* e *sommèrgere*.

Esìstere È irregolare solo il participio passato: *esistito*.

Ausiliare essere.

Come *esìstere* si coniugano: *assìstere*, *desìstere*, *resìstere*.

Espèllere *Indicativo pass. rem.* espulsi, espellesti, espulse, espellemmo, espelleste, espulsero. *Participio pass.* espulso.

Ausiliare avere.

Figgere *Indicativo pass. rem.* fissi, figgesti, fisse, figgemmo, figgeste, fissero. *Participio pass.* fitto.

Ausiliare avere.

Alcuni composti hanno il participio pass. in *-fitto*: *configgere* (*confitto*), *sconfiggere* (*sconfitto*), *trafiggere* (*trafitto*). Altri, invece, lo hanno in *-fisso*: *affiggere* (*affisso*), *crocifiggere* (*crocifisso*), *infiggere* (*infisso*), *prefiggere* (*prefisso*).

Fingere *Indicativo pass. rem.* finsi, fingesti, finse, fingemmo, fingeste finsero. *Participio pass.* finto.

Ausiliare avere.

Flèttere *Indicativo pass. rem.* flettéi (flèssi), flettesti,ametté (flèsse), flettemmo, fletteste, flettérono (flèssero). *Participio pass.* flèsso.

Ausiliare avere.

Fóndere *Indicativo pass. rem.* fusi, fondesti, fuse, fondemmo, fondeste, fusero. *Participio pass.* fuso.

Ausiliare avere.

Come *fóndere* si coniugano: *confóndere*, *diffóndere*, *infóndere*, ecc.

Fràngere *Indicativo pass. rem.* fransi, frangesti, franse, frangemmo, frangeste, fransero. *Participio pass.* franto.

Ausiliare avere.

Come *fràngere* si coniuga *infràngere*.

Frìggere *Indicativo pass. rem.* frissi, friggesti, frisse, friggemmo, friggeste, frissero. *Participio pass.* fritto.

Ausiliare avere.

Fùngere *Indicativo pass. rem.* funsi, fungesti, funse, fungemmo, fungeste, funsero. *Participio pass.* funto (*raro*).

Ausiliare avere.

Giùngere *Indicativo pass. rem.* giunsi, giungesti, giunse, giungemmo, giungeste, giunsero. *Participio pass.* giunto.

Ausiliare essere.

Come *giùngere* si coniugano: *aggiùngere*, *raggiùngere*, *soggiùngere*, ecc.

Indùlgere *Indicativo pass. rem.* indulsi, indulgesti, indulse, indulgemmo, indulgeste, indulsero. *Participio pass.* indulto (*raro*).

Ausiliare avere.

Intrìdere *Indicativo pass. rem.* intrisi, intridesti, intrise, intridemmo, intrideste, intrisero. *Participio pass.* intriso.

Ausiliare avere.

Invàdere *Indicativo pass. rem.* invasi, invadesti, invase, invademmo, invadeste, invasero. *Participio pass.* invaso.

Ausiliare avere.

Come *invàdere* si coniugano: *evàdere* e *pervàdere*.

Lèdere *Indicativo pass. rem.* lési, ledesti, lése, ledemmo, ledeste, lésero. *Participio pass.* léso.

Ausiliare avere.

Lèggere *Indicativo pass. rem.* lèssi, leggesti, lèsse, leggemmo, leggeste, lèssero. *Participio pass.* lètto.

Ausiliare avere.

Come *lèggere* si coniugano: *elèggere*, *rilèggere*.

Méttere *Indicativo pass. rem.* misi, mettesti, mise, mettemmo, metteste, misero. *Participio pass.* mésso.

Ausiliare avere.

Come *méttere* si coniugano: *amméttere*, *ométtere*, *perméttere*, *trasméttere*, ecc.

Mòrdere *Indicativo pass. rem.* mòrsi, mordesti, mòrse, mordemmo, mordeste, mòrsero. *Participio pass.* mòrso.

Ausiliare avere.

Mùngere *Indicativo pass. rem.* munsi, mungesti, munse, mungemmo, mungeste, munsero. *Participio pass.* munto.

Ausiliare avere.

Muòvere *Indicativo pass. rem.* mòssi, movesti, mòsse, movemmo, moveste, mòssero. *Participio pass.* mòsso.

Ausiliare avere.

Sono frequenti anche le forme col dittongo (*muoviamo*, *muovevo*, *muoverei*, ecc.). Come *muòvere* si coniugano: *commuòvere*, *promuòvere*, *smuòvere*, ecc.

Nàscere *Indicativo pass. rem.* nacqui, nascesti, nacque, nascemmo, nasceste, nacquero. *Participio pass.* nato.

Ausiliare essere.

Nascóndere *Indicativo pass. rem.* nascósi, nascondesti, nascóse, nascondemmo, nascondeste, nascósero. *Participio pass.* nascósto.

Ausiliare avere.

Nuòcere *Indicativo pres.* nòccio, nuoci, nuoce, nociamo, nocete, nòcciono; *imperf.* nocevo, nocevi, ecc.; *pass. rem.* nòcqui, nocesti, nòcque, nocemmo, noceste, nòcquero; *fut.* nocerò, nocerai, ecc. *Congiuntivo pres.* nòccia, nòccia, nòccia, nociamo, nociate, nòcciano; *imperf.* nocessi, ecc. *Condizionale pres.* nocerei, noceresti, ecc. *Imperativo pres.* nuòci, nòccia, nociamo, nocete, nòcciano. *Participio pres.* nocente; *pass.* nociuto. *Gerundio pres.* nocendo.

Ausiliare avere.

Sono usate anche le forme col dittongo (*nuoccio*, *nuocevo*, *nuocerò*, ecc.).

Pèrdere *Indicativo pass. rem.* pèrsi, perdesti, pèrse, perdemmo, perdeste, pèrsero. *Participio pass.* pèrso (perduto).

Ausiliare avere.

Al pass. rem. anche le forme *perdéi* o *perdètti*, *perdé* o *perdètte*, *perdérono* o *perdèttero*. Come *pèrdere* si coniugano: *dispèrdere*, *spèrdere*.

Piàngere *Indicativo pass. rem.* piansi, piangesti, pianse, piangemmo, piangeste, piansero. *Participio pass.* pianto.

Ausiliare avere.

Come *piàngere* si coniugano: *compiàngere*, *rimpiàngere*.

Piòvere *Indicativo pass. rem.* piòvvi, piovesti, piòvve, piovemmo, pioveste, piòvvero. *Participio pass.* piovuto.

Ausiliare essere o avere.

Come gli altri verbi che indicano fenomeni atmosferici (*diluviare*, *grandinare*, *nevicare*, ecc.), è per lo più usato impersonalmente.

Pòrgere *Indicativo pass. rem.* pòrsi, porgesti, pòrse, porgemmo, porgeste, pòrsero. *Participio pass.* pòrto.

Ausiliare avere.

Come *pòrgere* si coniuga *spòrgere*.

Pórre *Indicativo pres.* póngo, póni, póne, poniamo, ponete, póngono; *imperf.* ponevo, ponevi, ecc.; *pass. rem.* pósi, ponesti, póse, ponemmo, poneste, pósero; *fut.* porrò, porrai, ecc. *Congiuntivo pres.* pónga, pónga, pónga, poniamo, poniate, póngano; *imperf.* ponessi, ecc. *Condizionale pres.* porrei, porresti, ecc. *Imperativo pres.* póni, pónga, poniamo, ponete, póngano. *Participio pres.* ponente; *pass.* pósto. *Gerundio pres.* ponendo.

Ausiliare avere.

Pórre è la forma sincopata di *pónere*. Si coniugano come *pórre*: *antepórre*, *depórre*, *oppórre*, *suppórre*, ecc.

Prèndere *Indicativo pass. rem.* prési, prendesti, prése, prendemmo, prendeste, présero. *Participio pass.* préso.

Ausiliare avere.

Come *prèndere* si coniugano: *apprèndere*, *riprèndere*, *sorprèndere*, ecc.

Protèggere *Indicativo pass. rem.* protèssi, proteggesti, protèsse, proteggemmo, proteggeste, protèssero. *Participio pass.* protètto.

Ausiliare avere.

Pùngere *Indicativo pass. rem.* punsi, pungesti, punse, pungemmo, pungeste, punsero. *Participio pass.* punto.

Ausiliare avere.

Come *pùngere* si coniugano: *compùngere*, *espùngere*, *trapùngere*.

Ràdere *Indicativo pass. rem.* rasi, radesti, rase, rademmo, radeste, rasero. *Participio pass.* raso.

Ausiliare avere.

Redìgere *Indicativo pass. rem.* redassi, redigesti, redasse, redigemmo, redigeste, redassero. *Participio pass.* redatto.

Ausiliare avere.

Al pass. rem. si usano anche le forme regolari: *redigéi* ecc.

Redìmere *Indicativo pass. rem.* redènsi, redimesti, redènse, redimemmo, redimeste, redènsero. *Participio pass.* redènto.

Ausiliare avere.

Règgere *Indicativo pass. rem.* rèssi, reggesti, rèsse, reggemmo, reggeste, rèssero. *Participio pass.* rètto.

Ausiliare avere.

Come *règgere* si coniugano: *corrèggere*, *sorrèggere*.

Rèndere *Indicativo pass. rem.* rési, rendesti, rése, rendemmo, rendeste, résero. *Participio pass.* réso.

Ausiliare avere.

Come *rèndere* si coniuga *arrèndersi*.

Rìdere *Indicativo pass. rem.* risi, ridesti, rise, ridemmo, rideste, risero. *Participio pass.* riso.

Ausiliare avere.

Come *rìdere* si coniugano: *arrìdere*, *derìdere*, *irrìdere*, *sorrìdere*.

Rifùlgere *Indicativo pass. rem.* rifulsi, rifulgesti, rifulse, rifulgemmo, rifulgeste, rifulsero. *Participio pass.* rifulso.

Ausiliare avere.

Rispóndere *Indicativo pass. rem.* rispósi, rispondesti, rispóse, rispondemmo, rispondeste, rispósero. *Participio pass.* rispósto.

Ausiliare avere.

Come *rispóndere* si coniuga *corrispóndere.*

Ródere *Indicativo pass. rem.* rósi, rodesti, róse, rodemmo, rodeste, rósero. *Participio pass.* róso.

Ausiliare avere.

Come *ródere* si coniuga *corródere.*

Rómpere *Indicativo pass. rem.* ruppi, rompesti, ruppe, rompemmo, rompeste, ruppero. *Participio pass.* rótto.

Ausiliare avere.

Come *rómpere* si coniugano: *corrómpere, interrómpere, irrómpere, prorómpere.*

Scégliere *Indicativo pres.* scélgo, scégli, scéglie, scegliamo, scegliete, scélgono; *imperf.* sceglievo, sceglievi, ecc.; *pass. rem.* scélsi, scegliesti, scélse, scegliemmo, sceglieste, scélsero; *fut.* sceglierò, sceglierai, ecc. *Congiuntivo pres.* scélga, scélga, scélga, scegliamo scegliate, scélgano; *imperf.* scegliessi, ecc. *Condizionale pres.* sceglierei, sceglieresti, ecc. *Imperativo pres.* scégli, scélga, scegliamo, scegliete, scélgano. *Participio pres.* scegliente; *pass.* scélto. *Gerundio pres.* scegliendo.

Ausiliare avere.

Come *scégliere* si coniugano: *prescégliere, trascégliere.*

Scéndere *Indicativo pass. rem.* scési, scendesti, scése, scendemmo, scendeste, scésero. *Participio pass.* scéso.

Ausiliare essere; quando è usato transitivamente assume l'ausiliare avere.

Come *scéndere* si coniugano: *ascéndere, discéndere, trascéndere*, ecc.

Scìndere *Indicativo pass. rem.* scissi, scindesti, scisse, scindemmo, scindeste, scissero. *Participio pass.* scisso.

Ausiliare avere.

Come *scìndere* si coniuga *rescìndere.*

Sciògliere *Indicativo pres.* sciòlgo, sciògli, sciòglie, sciogliamo, sciogliete, sciòlgono; *imperf.* scioglievo, scioglievi, ecc.; *pass. rem.* sciòlsi, sciogliesti, sciòlse, sciogliemmo, scioglieste, sciòlsero; *fut.* scioglierò, scioglierai, ecc. *Congiuntivo pres.* sciòlga, sciòlga, sciòlga, sciogliamo, sciogliate, sciòlgano; *imperf.* sciogliessi, ecc. *Condizionale pres.* scioglierei, sciogliereste, ecc. *Imperativo pres.* sciògli, sciòlga, sciogliamo, sciogliete, sciòlgano. *Participio pres.* sciogliente; *pass.* sciòlto. *Gerundio pres.* sciogliendo.

Ausiliare avere.

Come *sciògliere* si coniugano: *disciògliere*, *prosciògliere*.

Scrìvere

Indicativo pass. rem. scrissi, scrivesti, scrisse, scrivemmo, scriveste, scrissero. *Participio pass.* scritto.

Ausiliare avere.

Come *scrìvere* si coniugano: *descrìvere*, *prescrìvere*, *trascrìvere*, ecc.

Scuòtere

Indicativo pass. rem. scòssi, scotesti, scòsse, scotemmo, scoteste, scòssero. *Participio pass.* scòsso.

Ausiliare avere.

Come *scuòtere* si coniugano: *percuòtere* e *riscuòtere*.

Sórgere

Indicativo pass. rem. sórsi, sorgesti, sórse, sorgemmo, sorgeste, sórsero. *Participio pass.* sórto.

Ausiliare essere.

Come *sórgere* si coniugano: *insórgere*, *risórgere*.

Spàndere

Indicativo pass. rem. spansi, spandesti, spanse, spandemmo, spandeste, spansero. *Participio pass.* spanso.

Ausiliare avere.

Nel pass. rem. sono più comuni le forme regolari: *spandéi*, ecc. Come *spàndere* si coniuga *espàndere*.

Spèngere

Indicativo pass. rem. spènsi, spengesti, spènse, spengemmo, spengeste, spènsero. *Participio pass.* spènto.

Ausiliare avere.

Fuori della Toscana è più comune la variante *spègnere* (o *spégnere*), che prende le forme di *spèngere* nel participio pass. e in alcune voci dell'indicativo pres. (*spèngo, spèngono*), del pass. rem. (*spènsi, spènse, spènsero*), del congiuntivo pres. (*spènga, spèngano*); in tutte le altre forme si coniuga con la radice *spegn-* (*spègni*, *spègne*, *spegniàmo*, *spegnéte*; *spegnésti*, *spegnémmo*, *spegnéste*; *spegniàmo*, *spegniàte*; *spegnévo*, *spegnerò*, *spegnerèi*, *spegnéssi*, ecc.).

Spìngere

Indicativo pass. rem. spinsi, spingesti, spinse, spingemmo, spingeste, spinsero. *Participio pass.* spinto.

Ausiliare avere.

Strìngere

Indicativo pass. rem. strinsi, stringesti, strinse, stringemmo, stringeste, strinsero. *Participio pass.* strétto.

Ausiliare avere

Come *strìngere* si coniugano: *astrìngere*, *costrìngere*, *restrìngere* e *ristrìngere*.

Strùggere *Indicativo pass. rem.* strussi, struggesti, strusse, struggemmo, struggeste, strussero. *Participio pass.* strutto.

Ausiliare avere.

Come *strùggere* si coniuga *distrùggere.*

Svèllere *Indicativo pass. rem.* svèlsi, svellesti, svèlse, svellemmo, svelleste, svèlsero. *Participio pass.* svèlto.

Ausiliare avere.

All'indicativo pres. ha anche le forme (non com.) *svèlgo, svèlgono,* e al congiuntivo pres. *svèlga, svèlgano.* Come *svèllere* si coniuga *divèllere.*

Tèndere *Indicativo pass. rem.* tési, tendesti, tése, tendemmo, tendeste, tésero. *Participio pass.* téso.

Ausiliare avere.

Come *tèndere* si coniugano: *attèndere, estèndere, protèndere, stèndere,* ecc.

Tèrgere *Indicativo pass. rem.* tèrsi, tergesti, tèrse, tergemmo, tergeste, tèrsero. *Participio pass.* tèrso.

Ausiliare avere.

Come *tèrgere* si coniuga *detèrgere.*

Tìngere *Indicativo pass. rem.* tinsi, tingesti, tinse, tingemmo, tingeste, tinsero. *Participio pass.* tinto.

Ausiliare avere.

Come *tìngere* si coniugano: *intìngere* e *ritìngere.*

Tògliere *Indicativo pres.* tòlgo, tògli, tòglie, togliamo, togliete, tòlgono; *imperf.* toglievo, toglievi, ecc.; *pass. rem.* tòlsi, togliesti, tòlse, togliemmo, toglieste, tòlsero; *fut.* toglierò, toglierai, ecc. *Congiuntivo pres.* tòlga, tòlga, tòlga, togliamo, togliate, tòlgano; *imperf.* togliessi, ecc. *Condizionale pres.* toglierei, toglieresti, ecc. *Imperativo pres.* tògli, tòlga, togliamo, togliete, tòlgano. *Participio pres.* togliente; *pass.* tòlto. *Gerundio pres.* togliendo.

Ausiliare avere.

Come *tògliere* si coniuga *distògliere.*

Tràrre *Indicativo pres.* traggo, trai, trae, traiamo, traete, traggono; *imperf.* traevo, traevi, ecc.; *pass. rem.* trassi, traesti, trasse, traemmo, traeste, trassero; *fut.* trarrò, trarrai, ecc. *Congiuntivo pres.* tragga, tragga, tragga, traiamo, traiate, traggano; *imperf.* traessi, ecc. *Condizionale pres.* trarrei, trarresti, ecc. *Imperativo pres.* trai, tragga, traiamo, traete, traggano. *Participio pres.* traente; *pass.* tratto. *Gerundio pres.* traendo.

Ausiliare avere.

Tràrre è forma sincopata da *tràere.* Come *tràrre* si coniugano: *astràrre, contràrre, protràrre,* ecc.

Ùngere *Indicativo pass. rem.* unsi, ungesti, unse, ungemmo, ungeste, unsero. *Participio pass.* unto.

Ausiliare avere.

Vìncere *Indicativo pass. rem.* vinsi, vincesti, vinse, vincemmo, vinceste, vinsero. *Participio pass.* vinto.

Ausiliare avere.

Come *vìncere* si coniugano: *avvìncere*, *convìncere*.

Vìvere *Indicativo pass. rem.* vissi, vivesti, visse, vivemmo, viveste, vissero; *fut.* vivrò, vivrai, ecc. *Condizionale pres.* vivrei, vivresti, ecc. *Participio pass.* vissuto.

Ausiliare essere; quando è usato transitivamente assume l'ausiliare avere.

Come *vìvere* si coniugano: *convìvere*, *sopravvìvere*.

Vòlgere *Indicativo pass. rem.* vòlsi, volgesti, vòlse, volgemmo, volgeste, vòlsero. *Participio pass.* vòlto.

Ausiliare avere.

Come *vòlgere* si coniugano: *avvòlgere*, *invòlgere*, *rivòlgere*, *sconvòlgere*, *travòlgere*, ecc.

Verbi irregolari della terza coniugazione

Apparire *Indicativo pres.* appaio, appari, appare, appariamo, apparite, appaiono; *imperf.* apparivo, apparivi, ecc.; *pass. rem.* apparvi, apparisti, apparve, apparimmo, appariste, apparvero; *fut.* apparirò, apparirai, ecc. *Congiuntivo pres.* appaia, appaia, appaia, appariamo, appariate, appaiano; *imperf.* apparissi, ecc. *Condizionale pres.* apparirei, appariresti, ecc. *Imperativo pres.* appari, appaia, appariamo, apparite, appaiano. *Participio pres.* apparente; *pass.* apparso. *Gerundio pres.* apparendo.

Ausiliare essere.

Aprire *Indicativo pass. rem.* apèrsi (aprii), apristi, apèrse (aprì), aprimmo, apriste, apèrsero (aprirono). *Participio pass.* apèrto.

Ausiliare avere.

Come *aprire* si coniugano: *coprire*, *ricoprire*, *riscoprire*, *scoprire*

Dire *Indicativo pres.* dico, dici, dice, diciamo, dite, dicono; *imperf.* dicevo, dicevi, ecc.; *pass. rem.* dissi, dicesti, disse, dicemmo, diceste, dissero; *fut.* dirò, dirai, ecc. *Congiuntivo pres.* dica, dica, dica, diciamo, diciate, dicano; *imperf.* dicessi, ecc. *Condizionale pres.* direi, diresti, ecc. *Imperativo pres.* di', dica, diciamo, dite, dicano. *Participio pres.* dicente; *pass.* detto. *Gerundio pres.* dicendo.

Ausiliare avere.

Dire è la forma sincopata di *dìcere*. Come *dire* si coniugano: *benedire*, *contraddire*, *disdire*, *maledire*, *predire*, *ridire*.

Morire

Indicativo pres. muòio, muòri, muòre, moriamo, morite, muòiono; *imperf.* morivo, morivi, ecc.; *pass. rem.* morii, moristi, ecc.; *fut.* morrò, morrai (morirò, morirai), ecc. *Congiuntivo pres.* muòia, muòia, muòia, moriamo, moriate, muòiano; *imperf.* morissi, ecc. *Condizionale pres.* morrei, morresti (morirei, moriresti), ecc. *Imperativo pres.* muòri, muòia, moriamo, morite, muòiano. *Participio pres.* morente; *pass.* mòrto. *Gerundio pres.* morendo.

Ausiliare essere.

Offrire

Indicativo pass. rem. offèrsi (offrii), offristi, offèrse (offrì), offrimmo, offriste, offèrsero (offrirono). *Participio pres.* offerente; *pass.* offèrto.

Ausiliare avere.

Come *offrire* si coniuga *soffrire*.

Salire

Indicativo pres. salgo, sali, sale, saliamo, salite, salgono. *Congiuntivo pres.* salga, salga, salga, saliamo, saliate, salgano. *Imperativo pres.* sali, salga, saliamo, salite, salgano.

Ausiliare essere; quando è usato transitivamente assume l'ausiliare avere.

Udire

Indicativo pres. òdo, òdi, òde, udiamo, udite, òdono; *imperf.* udivo, udivi, ecc.; *pass. rem.* udii, udisti, ecc.; *fut.* udirò, udirai (udrò, udrai), ecc. *Congiuntivo pres.* òda, òda, òda, udiamo, udiate, òdano; *imperf.* udissi, ecc. *Condizionale pres.* udirei, udiresti (udrei, udresti), ecc. *Imperativo pres.* òdi, òda, udiamo, udite, òdano. *Participio pres.* udente o udiente (rari); *pass.* udito. *Gerundio pres.* udendo.

Ausiliare avere.

Uscire

Indicativo pres. èsco, èsci, èsce, usciamo, uscite, èscono. *Congiuntivo pres.* èsca, èsca, èsca, usciamo, usciate, èscano. *Imperativo pres.* èsci, èsca, usciamo, uscite, èscano.

Ausiliare essere.

Le forme con la *e* (che sono tutte quelle accentate sulla radice) derivano dalla variante non comune *escire*. Come *uscire* si coniuga *riuscire*.

Venire

Indicativo pres. vèngo, vièni, viène, veniamo, venite, vèngono; *imperf.* venivo, venivi, ecc.; *pass. rem.* vénni, venisti, vénne, venimmo, veniste, vénnero; *fut.* verrò, verrai, ecc. *Congiuntivo pres.* vènga, vènga, vènga, veniamo, veniate, vengano; *imperf.*

venissi, ecc. *Condizionale pres.* verrei, verresti, ecc. *Imperativo pres.* vièni, vènga, veniamo, venite, vèngano. *Participio pres.* veniente; *pass.* venuto. *Gerundio pres.* venendo.

Ausiliare essere.

Come *venire* si coniugano: *avvenire*, *convenire*, *divenire*, *provenire*, ecc.

7.13. USO DEI MODI E DEI TEMPI

Abbiamo già parlato del concetto di modo e di tempo; esaminiamo adesso uno per uno i vari modi e i vari tempi.

7.13.1. Modi finiti

L'**indicativo** è il modo della realtà, della certezza, della constatazione e dell'esposizione obiettiva, o presentata come tale:

me ne vado (sicuramente)

Il **congiuntivo** è il modo della possibilità, del desiderio o del timore, dell'opinione soggettiva o del dubbio, del verosimile o dell'irreale; viene usato generalmente in proposizioni dipendenti da verbi che esprimono incertezza, giudizio personale, partecipazione affettiva:

sembra che se ne vada
preferisco che se ne vada } (ma non è certo)

Anche il **condizionale** indica fatti, azioni, modi di essere in cui prevale l'aspetto di eventualità, subordinata a una condizione (di qui il nome):

me ne andrei (se potessi)

L'**imperativo**, infine, è il modo del comando, dell'invito, dell'esortazione, dell'ammonimento, dell'invocazione:

vattene! (è un ordine, un consiglio ecc.)

7.13.2. Modi indefiniti

L'**infinito** indica genericamente l'azione espressa dal verbo senza determinazioni di persona e di numero:

studiare, *leggere*, *partire*.

Il **participio** può svolgere sia la funzione di verbo sia quella di aggettivo (inoltre, al pari degli aggettivi, assume anche valore di sostantivo). Il participio presente determina solo il numero, mentre il participio passato determina sia il numero sia il genere:

facente, *facenti*; *vedente*, *vedenti*; *insegnante*, *insegnanti*;

preso, *presa*, *presi*, *prese*; *nato*, *nata*, *nati*, *nate*; *candidato*, *candidata*, *candidati*, *candidate*.

A differenza di quanto accade per i modi finiti, il participio non segnala la persona.

Il **gerundio** indica un fatto che si svolge in rapporto a un altro, espresso nella proposizione reggente da un verbo di modo finito:

sbagliando s'impara; *l'ho incontrato tornando a casa*; *discutevamo passeggiando*.

7.13.3. Tempi dell'indicativo

L'indicativo è l'unico modo verbale che abbia specificati nei suoi vari tempi — semplici (presente, imperfetto, passato remoto, futuro) e composti (passato prossimo, trapassato prossimo, trapassato remoto, futuro anteriore) — i tre fondamentali punti di riferimento cronologici in cui un fatto avviene: l'anteriorità, nelle sue molteplici articolazioni (imperfetto, passato prossimo, passato remoto, trapassato prossimo, trapassato remoto); la contemporaneità (presente); la posteriorità (futuro semplice e futuro anteriore).

Il presente

Il **presente** indica il fatto, l'azione, il modo di essere che si svolgono o sussistono nel momento stesso in cui si parla: *faccio una passeggiata*.

Il presente è dunque il tempo della contemporaneità; ma bisogna aggiungere che si tratta di una contemporaneità relativa, da mettere in rapporto a un punto di riferimento cronologico che può collocarsi anche nel passato (*giusto ieri faccio una passeggiata e incappo in un acquazzone*) o nel futuro (*domani faccio una passeggiata*).

Si usa spesso il presente per esprimere la consuetudine, l'iterazione, la regolarità con cui si verificano determinati fatti: *il rapido per Napoli parte alle diciassette*; *vedo Luigi tutti i giorni*.

Inoltre il presente, in quanto "non-passato" e "non-futuro", è in grado di significare ciò che si avvera sempre, le verità atemporali: *la luna gira intorno alla terra*; *la rosa è un fiore*. Nei proverbi e negli aforismi il presente vuole indicare appunto la perenne validità di quanto viene affermato: *chi dorme non piglia pesci*; *il lupo perde il pelo ma non il vizio*.

Il *presente storico* è un passato in forma di presente, è quasi un modo per far rivivere il passato nel presente; serve a conferire maggiore efficacia alla narrazione dei fatti, ad attualizzarli: *Leopardi nasce a Recanati nel 1798*; *Cesare dà l'ordine di avanzare*.

L'imperfetto

L'**imperfetto** esprime la durata o la ripetizione nel passato:

la pioggia cadeva ininterrottamente da due giorni; *venivano a trovarci quasi tutte le settimane*.

Il cosiddetto *imperfetto storico* o *cronistico* serve a dare un tono epico alla narrazione: *nel 1968 scoppiava la contestazione studentesca*.

L'imperfetto può anche assumere un valore modale diverso da quello proprio dell'indicativo: *facevi meglio a stare zitto*; *potevano almeno dircelo prima*. Questo imperfetto è comune nel parlato; in una varietà più formale della lingua troviamo invece il condizionale passato (*facevi* = avresti fatto; *potevano* = avrebbero potuto).

Il passato prossimo

Il **passato prossimo**, formato dal presente di un ausiliare (*essere* o *avere*) e dal participio passato del verbo, esprime un fatto compiuto nel passato, ma che ha una qualche relazione col presente:

è andato via poco fa; *l'unificazione italiana è avvenuta nel secolo scorso.*

Nel primo esempio il fatto è accaduto da breve tempo; nel secondo è accaduto da molto tempo, ma le sue conseguenze durano nel presente. Il passato prossimo è in effetti un *presente anteriore*, che solo nel discorso acquista il senso di un vero e proprio passato; si confrontino frasi come:

ho quasi finito
ho finito proprio in questo momento
ho finito da molto tempo.

Anche senza l'accompagnamento di avverbi o di locuzioni avverbiali, il passato prossimo può equivalere in qualche caso a un futuro anteriore, presentando il fatto come compiuto nel futuro: *un ultimo sforzo e ho finito* (= avrò finito).

Il passato remoto

Il **passato remoto** indica un'azione conclusa nel passato, prescindendo dal suo svolgimento e dai suoi eventuali rapporti col presente. Si noti la differenza tra:

[1] *Moravia scrisse* Gli indifferenti *dal 1925 al 1928*
[2] *Moravia scriveva* Gli indifferenti *tra il 1925 e il 1928*
[3] *Moravia ha scritto* Gli indifferenti.

Nella frase [1] il passato remoto *scrisse* mette in rilievo l'aprirsi e il chiudersi dell'azione, il suo inizio e la sua fine. Nella frase [2] l'imperfetto *scriveva* sottolinea lo svolgimento dell'azione entro i limiti temporali indicati. Nella frase [3] il passato prossimo *ha scritto* esprime insieme la compiutezza dell'azione e la sua "attualità": Moravia è autore di questo libro, questo libro esiste, possiamo leggerlo.

Nella lingua contemporanea il passato remoto viene spesso sostituito dal passato prossimo: *l'anno scorso sono andato a Venezia.* Particolarmente nel parlato, il prevalere del passato prossimo rispetto al passato remoto si giustifica con l'esigenza di avvicinare i fatti al momento della narrazione, con ragioni cioè di immediatezza espressiva. Si noti che questo uso del passato prossimo al posto del passato remoto, ora sempre più generalizzato, è tipico dell'Italia settentrionale; nel meridione si ricorre invece al passato remoto anche riferendosi a fatti avvenuti in un tempo vicinissimo al presente: *arrivai un quarto d'ora fa.*

Il trapassato prossimo e il trapassato remoto

Il **trapassato prossimo** (o *piuccheperfetto*), formato dall'imperfetto di un ausiliare (*essere* o *avere*) e dal participio passato del verbo, indica un fatto del passato, anteriore a un altro fatto pure del passato:

mi ero appena addormentato, quando bussarono alla porta.

Il **trapassato remoto**, formato dal passato remoto di un ausiliare (*essere* o *avere*) e dal participio passato del verbo, indica un fatto anteriore al passato remoto. Il trapassato remoto ha un uso più limitato del trapassato prossimo; infatti, mentre questo si può incontrare sia nelle proposizioni principali sia nelle proposizioni subordinate, il trapassato remoto oggi si trova solo nelle proposizioni temporali introdotte da *quando*, *dopo che*, *non appena*, *appena* (*che*):

non appena se ne fu andato, vennero a cercarlo.

Il futuro semplice e **il futuro anteriore**

Il **futuro semplice** indica un fatto che deve ancora verificarsi o giungere a compimento:

arriverò domani; *terminerò il lavoro entro una settimana.*

Il **futuro anteriore**, formato dal futuro semplice di un ausiliare (*essere* o *avere*) e dal participio passato del verbo, indica un evento futuro, anteriore a un altro pure del futuro; è quindi una sorta di "passato nel futuro":

quando lo avrai visto, te ne renderai conto.

Sia il futuro semplice sia il futuro anteriore possono assumere valori modali diversi da quelli propri dell'indicativo: *imparerai a memoria questa poesia* (valore di imperativo); *saranno state le nove* (il futuro esprime qui un dubbio, una supposizione).

7.13.4. Tempi del congiuntivo

I tempi del congiuntivo sono quattro: **presente**, **imperfetto**, **passato**, **trapassato**. Il congiuntivo viene usato soprattutto nelle proposizioni dipendenti. In quelle indipendenti — nelle quali il congiuntivo può esprimere volontà, dubbio, concessione — i due tempi semplici (presente e imperfetto) si usano con riferimento al presente:

dica
pure ciò che vuole
dicesse

I due tempi composti (passato e trapassato) si usano invece con riferimento al passato:

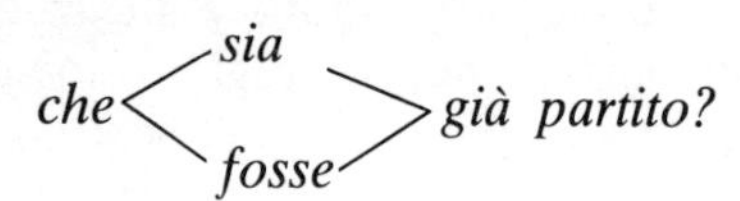

Per la scelta del tempo nelle proposizioni dipendenti, si veda il capitolo della sintassi (11.3.).

7.13.5. Tempi del condizionale

Il condizionale ha due tempi: uno semplice, il **presente**, e uno composto, il **passato**.

Col presente si indica l'eventualità nel presente, col passato l'eventualità nel passato:

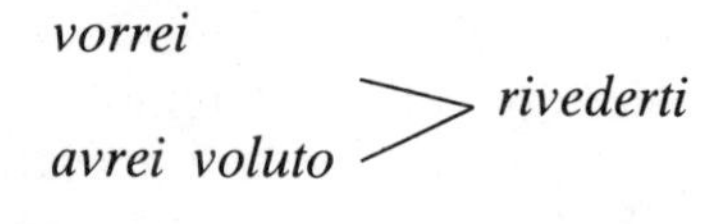

7.13.6. Tempi dell'imperativo

L'imperativo ha due tempi, il **presente** e il **futuro**:

esci subito di qui!; *farai quello che dico io!*.

L'imperativo manca della prima persona singolare.
Tutte le voci dell'imperativo sia presente sia futuro coincidono con quelle del presente e del futuro di altri modi; solo i verbi appartenenti alla prima coniugazione hanno la seconda persona singolare dell'imperativo presente che non può essere confusa con la seconda persona di nessun altro tempo: *studia*, *mangia*, *parla*.
Nella forma negativa, la seconda persona singolare dell'imperativo presente si esprime con l'infinito presente preceduto dalla negazione *non*:

non cantare, *non correre*, *non partire*.

7.13.7. Tempi dell'infinito

I tempi dell'infinito sono due: uno semplice, il **presente** (*andare*, *vedere*, *finire*); e uno composto, il **passato** (*essere andato*, *aver visto*, *aver finito*).
L'infinito si usa soprattutto in frasi subordinate: il presente indica un rapporto di contemporaneità o di posteriorità rispetto al tempo del verbo della reggente; il passato indica un rapporto di anteriorità:

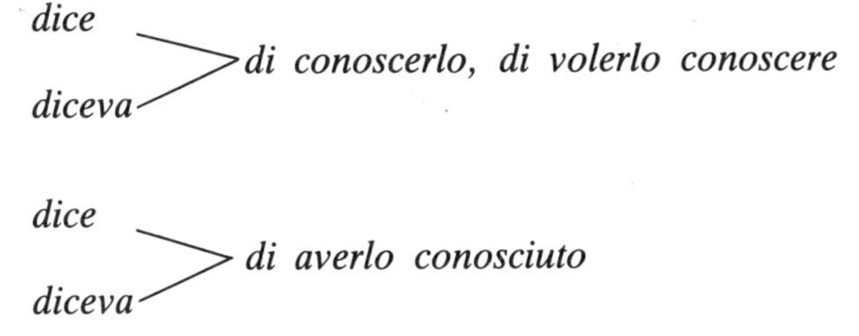

Preceduto dalla negazione *non*, l'infinito presente può acquistare il valore di imperativo: *non farlo!*; *non dire sciocchezze!*; *non ridere*. Ha lo stesso valore, anche senza la negazione, in avvisi, cartelli, insegne: *tenere la destra*; *moderare la velocità*; *gettare i rifiuti nel cestino*.
Spesso l'infinito presente svolge la funzione di sostantivo: *tra il dire e il fare c'è di mezzo il mare*; e si pensi a infiniti come *dovere*, *piacere*, *avere*, trasformatisi in sostantivi forniti anche di plurale: *il dovere/i doveri*; *il piacere/i piaceri*; *l'avere/gli averi*.

7.13.8. Tempi del participio

Il participio ha due tempi: il **presente** e il **passato**.
Come gli aggettivi in *-e*, il **participio presente** ha una forma per il maschile e il femminile singolare (*amante*, *vincente*, *partente*) e una per il maschile e il femminile plurale (*amanti*, *vincenti*, *partenti*). È usato sempre più raramente nel suo valore verbale; participi quali *ardente*, *splendente*, *avvincente*, *arrogante*, *sorridente* o quali *studente*, *cantante*, *insegnante*, *emigrante*, *dirigente* sono oggi sentiti soltanto come aggettivi e sostantivi.

Il participio presente con valore verbale si ritrova oggi soltanto nella lingua burocratica, che si compiace spesso di un tono ricercato e perfino aulico; si va da un esempio come: *il presidente la commissione*, a espressioni più complesse come: *immobili non costituenti beni strumentali*, *imprese fruenti del regime di contabilità semplificata* (in luogo di *che non costituiscono*, *che fruiscono*).

Il **participio passato** si comporta come gli aggettivi in *-o*: *lodato*, *lodata*, *lodati*, *lodate*. Si usa insieme con gli ausiliari *essere* e *avere* nelle forme composte della coniugazione verbale: *sono andato*, *hai visto*, *è preso*. Ha spesso funzione di aggettivo o di sostantivo: *uno stimato professionista*, *il candidato eletto*; *l'imputato*, *i vinti*, *uno sconosciuto*.

Il participio passato ha valore attivo con i verbi intransitivi: *partiti di mattina, arrivarono a notte fonda* (*partiti* = essendo partiti, sebbene fossero partiti); ha invece valore passivo con i verbi transitivi: *non mi piace la minestra riscaldata* (*riscaldata* = che è stata riscaldata).

Concordanza del participio passato:

- quando è accompagnato dall'ausiliare *essere*, il participio passato concorda in genere e numero con il nome cui si riferisce: *tua madre è venut***a** *ieri*; ma con i verbi transitivi pronominali o riflessivi apparenti il participio può concordare sia con il soggetto sia con il complemento oggetto: *i ragazzi si sono lavat***i** (o *lavat***e**) *le mani*;
- quando è accompagnato dall'ausiliare *avere*, il participio passato rimane di solito invariato: *Maria ha comprat***o** *due gonne*. Tuttavia, se è preceduto dal complemento oggetto, il participio può concordare con questo in genere e numero: *le due gonne che Maria ha comprat***e** (ma è più comune la forma invariata: *ha comprat***o**); la concordanza con il complemento oggetto è però obbligatoria nel caso che questo sia rappresentato dai pronomi *lo*, *la*, *li*, *le*: *Maria ha visto due gonne e le ha comprat***e**.

7.13.9. Tempi del gerundio

Il gerundio ha due tempi: il **presente** (*cantando*, *leggendo*, *udendo*) e il **passato** (*avendo cantato*, *avendo letto*, *avendo udito*).

Il **gerundio presente** trova impiego in proposizioni subordinate (dette appunto *gerundive*): *discutevamo camminando*, dove *camminando* è una gerundiva con valore temporale (= mentre camminavamo).

Contribuisce a formare le perifrasi verbali *andare* + gerundio e *stare* + gerundio, che esprimono un'azione progressiva e durativa, considerata cioè nel suo progredire e nella sua durata: *il tempo va migliorando*; *sto studiando*.

Molti gerundi presenti hanno subìto un processo di nominalizzazione: *laureando*, *reverendo* e, nel linguaggio musicale, *crescendo*, *diminuendo*.

Il **gerundio passato** non è molto usato; in genere viene sostituito con frasi esplicite: si dice *è stato promosso perché ha studiato* piuttosto che *avendo studiato è stato promosso*.

7.14. INSERTI

7.14.1. Lo stile nominale

Abbiamo detto che il verbo è il centro sintattico della frase (v. 7.0.). Si tratta di una convinzione ben radicata nella tradizione grammaticale antica e moderna. Come mai allora si fa uso normalmente di frasi prive di verbo? Vediamo qualche esempio scelto a caso:

1. *a Roma tutto tranquillo,* **2.** *laggiù niente di nuovo,* **3.** *tu in ufficio e tua moglie a zonzo,* **4.** *niente giornali oggi? niente giornali,* **5.** *che seccatore, quel tuo parente!,* **6.** *inutile discutere di queste cose!,* **7.** *tanti saluti a voi tutti,* **8.** *via da casa mia!,* **9.** *un chilo di patate, per favore,* **10.** *lunedì chiuso per riposo settimanale,* **11.** *a me una bistecca, a mia moglie una sogliola,* **12.** *treni e aerei: nuovi aumenti,* **13.** *il Presidente del Consiglio a Palermo,* **14.** *trattative interrotte: scioperi in vista,* **15.** *Medio Oriente, ancora tensione,* **16.** *in due con le armi spianate e via mezzo miliardo.*

In tutte le frasi ora citate manca il verbo: la notizia, il comando, l'interrogazione si fondano per lo più su nomi (accompagnati da aggettivi, preposizioni, avverbi ecc.). Pertanto tali frasi sono dette nominali e il fenomeno è detto **stile nominale**. Si può scegliere liberamente tra *a Roma è tutto tranquillo* e *a Roma tutto tranquillo*. Lo stile nominale ha un uso facoltativo; presenta tuttavia vari problemi. Innanzi tutto appare strano che si definisca il verbo come uno dei costituenti fondamentali della frase (v. 2.1.), il suo centro sintattico, mentre esistono di fatto delle frasi prive di verbo. «Ma il verbo è sottinteso» risponderà qualcuno. Molti studiosi ritengono a ragione che la nozione di "sottinteso" sia una specie di sotterfugio: spiega ma non convince. Che dire poi del fatto che in molte frasi nominali è possibile sottintendere più di un verbo? Certo nella maggior parte degli esempi citati possiamo sottintendere *essere*. Tuttavia in **3** possiamo sottintendere anche il verbo *andare*, in **9** si sottintende *mi dia* (o *datemi*, *dammi*), in **11** *porti*, in **16** *arrivano* (*si presentano*, *compaiono* ecc.) e *scappano*, in **12** c'è una certa libertà di scelta: gli aumenti *si prevedono*, oppure *sono stati fissati* (*ci saranno* o *ci sono*). La decisione dipende dal contesto: bisogna leggere l'articolo del giornale che ha come titolo la frase nominale citata in **12**.

Il prevalere del nome sul verbo è un fenomeno che riguarda molti settori dell'italiano contemporaneo (così come di altre lingue di oggi). Nei **titoli dei giornali**, nella prosa burocratica e in quella scientifica si afferma un principio di economia di mezzi linguistici. Si sfruttano in pieno i nomi e i rapporti tra nomi, aggettivi, preposizioni, avverbi ecc. Intanto la classe dei verbi si riduce a pochi elementi che esprimono le nozioni di tempo, persona e modo: ci si riduce fondamentalmente al verbo *essere*; e questo, in un secondo tempo e in determinate circostanze, può essere eliminato. Possiamo immaginare la seguente trafila che porta allo stile nominale:

A	B	C
sono stati fissati nuovi aumenti →	*ci sono nuovi aumenti* →	*nuovi aumenti;*
stabiliti		
imposti		
ecc.		

si va da un massimo di chiarezza presente in **A** (si veda il diverso significato dei tre verbi) all'opacità di **C** (dove, a differenza di **B**, manca perfino la definizione del tempo verbale: *ci sono* o *ci saranno* i nuovi aumenti?). Possiamo dire dunque che nella stampa (e in genere nelle comunicazioni di massa) l'uso dello stile nominale fa comodo a chi vuole essere reticente.

Nella **lingua letteraria**, invece, lo stile nominale ha una funzione espressiva: serve a rendere con efficacia e immediatezza una descrizione oppure si carica di un particolare valore espressivo, come accade in questo passo del *Notturno* di D'Annunzio:

Il bacino di San Marco, azzurro.
Il cielo da per tutto.
Stupore, disperazione.
Il velo immobile delle lacrime.
Silenzio.
Il battito del motore.
Ecco i Giardini.
Si volta nel canale.
A destra la ripa con gli alberi nudi, qualcosa di funebre e di remoto.

7.14.2. A proposito del passivo

Poiché l'italiano possiede verbi nella forma attiva e in quella passiva si potrebbe pensare che anche le altre lingue si comportino nella stessa maniera. Ma le cose non vanno così.

L'indoeuropeo non possedeva un vero e proprio passivo, mentre il greco antico aveva tre forme: **attivo**, **passivo** e **medio**. Quest'ultimo esprimeva una più intensa partecipazione del soggetto all'azione; così, per esempio, accanto a *lýō* 'sciolgo', c'era *lýomai* 'mi sciolgo', ma anche 'sciolgo per me', 'sciolgo nel mio interesse', 'sono io a sciogliere'.

Il passivo non è usato con la stessa frequenza in tutte le lingue che lo possiedono. In latino erano normali frasi come: *dicĕris pauper esse* e *iubēmur pro patria mori*, che letteralmente si traducono 'tu sei detto essere povero' e 'siamo comandati di morire per la patria': frasi quasi impossibili in italiano che preferisce altre strutture: *si dice* (*dicono*) *che tu sia povero*, *ci si comanda* (*ci comandano*) *di morire per la patria*.

Allo stesso modo l'inglese ricorre al passivo in tutti quei casi in cui l'italiano ricorre al *si* passivante:

english spoken	*si parla inglese*
John is assumed to be rich	*si pensa che Giovanni sia ricco*
it will be seen that...	*si vedrà che...*

In inglese si ricorre a una costruzione con il passivo che è estranea alla nostra lingua: *these books I was given by my mother*, letteralmente 'questi libri io fui dato da mia madre', costruzione analoga a quella del latino *puer donatus est libro*, letteralmente 'il ragazzo fu donato di un libro'. In italiano avremo rispettivamente: 'mia madre mi diede questi libri', "al ragazzo fu donato un libro'.

Diversamente da altre lingue l'italiano può esprimere il passivo anche con i verbi *venire* e *andare* (v. 7.7.4.).

Si noti infine che non è nella norma l'uso passivo di *avere*: **due fari sono avuti da ogni automobile* (anche se tale verbo è transitivo); al contrario il verbo intransitivo *obbedire* ha una forma passiva: *il maestro è ubbidito dagli alunni* (allo stesso modo si comportano gli intransitivi *ottemperare*, *ovviare*, *rimediare*).

Sempre a proposito dell'inglese, notiamo che questa lingua, a differenza dell'italiano, non possiede **intransitivi pronominali**. Confrontiamo, per esempio, le diverse costruzioni dei verbi *avvicinarsi*, *ribellarsi* e dei corrispondenti inglesi *to approach* e *to rebel*:

I approach the house (*to approach* è transitivo)	*Mi avvicino alla casa* (*avvicinarsi* è intransitivo pronominale)
The soldier rebelled against the captain (*to rebel* è intransitivo)	*Il soldato si ribellò al capitano* (*ribellarsi* è intransitivo pronominale)

7.14.3. Il modo e la modalità

Come abbiamo visto (v. 7.6.1.), i modi verbali sono un mezzo per esprimere la **soggettività** del parlante; per esempio: *viene* (realtà), *verrebbe* (possibilità), *venga* (ordine). Tale soggettività può esprimersi anche con mezzi diversi rispetto alla flessione verbale: vale a dire può fare a meno dei modi verbali e servirsi di avverbi (*forse*, *probabilmente*, *sicuramente*), di locuzioni (*a mio parere*, *senza dubbio* ecc.), di espressioni verbali (*mi pare che*, *suppongo che*, *può darsi che*, *mi auguro che*, *voglio che* ecc.), dei verbi *potere* e *dovere* che in particolari circostanze possono assumere un valore suppositivo e potenziale (*Giovanna deve essere uscita* 'è probabile che sia uscita'). Dunque la soggettività del parlante può essere espressa con modi verbali (cioè mediante la morfologia) oppure con mezzi lessicali. Consideriamo ora la seguente tabella, nella quale la **modalità** (termine con il quale i linguisti indicano la soggettività del parlante, il suo atteggiamento riguardo all'enunciato che egli stesso produce) è rappresentata con modi verbali, nella prima colonna, con mezzi lessicali, nella seconda colonna:

modalità	espressa con modi verbali	espressa con mezzi lessicali
realtà	*verrà*	*sono sicuro che verrà*
interrogazione	*verrà?*	*domando se verrà*
ordine	*venga!*	*ordino che venga*
esclamazione	*lui, venire!*	*mi stupisco* (*sono contento*, *non mi piace affatto*) *che lui venga*

Il linguista svizzero Charles Bally (1865-1947) ha distinto la modalità della frase, legata alla soggettività del parlante, dai modi verbali.

D'altra parte va ricordato che i modi verbali non conservano sempre lo stesso valore. L'indicativo non esprime soltanto la realtà di un evento, ma anche la sua possibilità (o probabilità): *ora Mario avrà finito i suoi compiti*; nell'italiano parlato l'indicativo può esprimere anche l'irrealtà: *se lo prendevo lo conciavo per le feste*; infine l'indicativo può esprimere un ordine: *adesso mi lascerete tranquillo!* Oltre che per dare ordini (*vada!*), il congiuntivo serve per esprimere rincrescimento (*l'avessi saputo prima!*) e per sottolineare un rapporto di subordinazione già espresso mediante la congiunzione *che* (*spero che tu venga*). Ricordiamo ancora che si può ammonire mediante un'interrogativa del tipo *quante volte ti ho detto di non mangiare troppi dolci?* Ovviamente la soggettività del parlante (la modalità) si manifesta nella lingua parlata anche mediante un'opportuna **intonazione**, che non è possibile rappresentare nella lingua scritta (la quale possiede soltanto il punto interrogativo, quello esclamativo, i puntini di sospensione).

In italiano l'interrogazione è rappresentata soltanto dalla intonazione: *Maria è venuta?* In altre lingue l'**interrogazione** si vale anche di altri fattori; in tedesco l'ordine delle parole: *kommt er?* 'viene (egli)?'; in inglese l'uso dell'ausiliare *to do* 'fare': *does he come?* 'viene (egli)?'; in latino l'uso di una particella interrogativa: *Paulus vēnit***ne**? 'è venuto Paolo?' e *Paulus***ne** *vēnit?* 'è Paolo che è venuto?' (rispetto a *Paulus vēnit* 'Paolo è venuto').

Nelle lingue romanze si ritrovano quattro modi: indicativo, congiuntivo, condizionale, imperativo. Nel congiuntivo lo spagnolo presenta una particolarità: possiede un futuro del congiuntivo.

Nel latino non esisteva il condizionale: la possibilità (probabilità) era espressa mediante il congiuntivo. Il greco antico aveva l'indicativo, il congiuntivo, l'ottativo e l'imperativo; l'**ottativo** serviva ad esprimere un augurio, un desiderio (dal lat. *optare* 'desiderare'). In inglese i modi morfologici sono quasi del tutto scomparsi: l'imperativo semplice ha le stesse forme dell'indicativo; il congiuntivo si è conservato soltanto nel verbo *to be* 'essere': *if I were* 'se io fossi' (cfr. *I was* 'io ero'). Il tedesco conserva l'indicativo e l'imperativo e soltanto qualche residuo del congiuntivo.

7.14.4. I verbi difficili

La coniugazione dei verbi rappresenta uno dei settori più ricchi di forme della nostra grammatica. I cosiddetti verbi irregolari hanno spesso forme del tutto imprevedibili (per es. *vado* e *andiamo*, che traggono origine da due diversi verbi latini); inoltre non sono rari i casi di più forme concorrenti per una stessa funzione. La **polimorfia** della coniugazione verbale è ancora viva nell'italiano di oggi; basti pensare a *diedi* e *diedero* accanto a *detti* e *dettero*, ad *apersi* e *apersero* accanto ad *aprii* e *aprirono*; abbiamo addirittura tre forme del passato remoto di *bere: bevvi, bevei, bevetti* (anche se la seconda e la terza sono meno usate, il fenomeno appare significativo).

Vero è che la morfologia verbale è un terreno in movimento anche in tempi recenti. La forma dell'imperfetto indicativo è mutata nell'Ottocento: il tipo *io amava* (più vicino al latino AMABAM) fu sostituito con il tipo toscano *io amavo* (nel quale la *-o*, ripresa dal presente, era divenuta il contrassegno della prima persona rispetto alla terza *egli amava*). Tale sostituzione fu operata nel 1840 dal Manzoni che trasformò in *-o* tutte le *-a* della precedente edizione dei *Promessi Sposi*. L'estensione del dittongo mobile ai casi in cui la sillaba non è accentata è oggi comune: dunque si ha *suonàre* come *io suòno*, non *sonàre* diverso da *io suòno* (v. 14.3.1.); ma a tale livellamento si oppongono i puristi.

Nella lingua antica la polimorfia verbale era molto più estesa: per es. accanto a *ho* si trovano *hoe, aggio* e *abbo* (lat. HABEO); accanto ad *ha* si trovano *hae* ed *ave* (lat. HABET); *abbiamo* si alterna con *avemo, vanno* con *vonno*. I motivi di questa ricchezza sono da ricercare sia nel confluire di tradizioni regionali nel fiorentino letterario sia nelle oscillazioni presenti in quest'ultimo, che non ha propriamente i caratteri di una lingua standard (v. 1.6.6.).

Poiché la nostra prima lingua poetica è nata in Sicilia (v. Appendice II.1.), non ci deve stupire il fatto che forme verbali di tipo meridionale abbiano avuto fortuna presso autori toscani (per es. il condizionale *avria* 'avrei'). Inoltre è da considerare che ai poeti faceva comodo, per le esigenze della rima, poter scegliere tra diverse forme verbali.

Le forme verbali antiche che abbiamo citato e le altre innumerevoli che si potrebbero ricordare (come per es. l'imperfetto con desinenza ridotta *temea* 'temeva', *venia* 'veniva') sono, per così dire, "vocaboli poetici": appartengono a una lingua nobile la quale, benché oggi sia estinta, dovrebbe essere conosciuta da tutte le persone colte che amano la poesia.

Alcune di queste forme verbali antiche e poetiche sono simili a forme dialettali odierne o addirittura coincidono con queste ultime: per es. *vo* 'vado' è vivo in Toscana e *avemo* 'abbiamo' è presente nei dialetti centrali. Questa è una riprova che tra dialetto e lingua non esistono confini invalicabili e che una stessa forma può essere considerata, a seconda del contesto e della situazione, poetica oppure dialettale.

La polimorfia verbale dipende anche dal fatto che accanto a forme corrette dal punto di vista etimologico nascono delle forme analogiche: per es. *diedi* deriva regolarmente dal lat. DEDI, ma l'antica forma *detti* è nata per analogia sul modello di *stetti*, passato remoto del frequentissimo *stare*. In realtà il passato remoto in *-etti* si è esteso per analogia a molti verbi che originariamente non lo possedevano: *vendere - vendetti, cedere - cedetti, perdere - perdetti*. La forma *persi* (oggi più frequente) è nata a sua volta per analogia, cioè sul modello dei perfetti latini in -SI: lo stesso fenomeno si è avuto con altri verbi italiani: *accendere - accesi, rispondere - risposi, nascondere - nascosi, correre - corsi* ecc.

7.14.5. Deficit

«Il deficit marcia verso i 130 mila miliardi»: è l'allarmato titolo di un giornale di questi giorni. Un dizionario del secolo scorso, alla voce *deficit*, riportava il seguente esempio: «Tutti gli anni ci troviamo un deficit di qualche centinaio di lire». Aggiungendo numerosi zeri a tale cifra, la frase del lessicografo ottocentesco andrebbe bene ancora oggi. Dunque il *deficit*, al contrario di ciò che potrebbe sembrare, è una vecchia conoscenza della nostra lingua (e della nostra economia).

Il termine *deficit* appare per la prima volta in Francia verso la metà del Cinquecento. Si tratta di un latinismo: *déficit* (pronuncia francese *defisìt*) è la terza persona singolare dell'indicativo presente del verbo latino *deficĕre* 'mancare'; quindi vuol dire, alla lettera, 'manca'. In un primo tempo il vocabolo francese appariva negli inventari per segnalare gli articoli mancanti; successivamente, nel corso del Settecento, cambia di significato e diventa un tecnicismo finanziario.

L'introduzione di *deficit* in Italia va messa in rapporto con le notizie sul grave dissesto finanziario che colpì la Francia alla vigilia della Rivoluzione. Intorno al 1790 il termine doveva essere già abbastanza diffuso nel nostro paese, se Vittorio Alfieri poteva parlare di *deficit* non solo nel senso proprio di 'eccedenza del passivo sull'attivo in un bilancio', ma anche nel senso figurato di 'danno, perdita, fallimento morale': «*deficit*, non solamente di denari, ma di tutte quelle mercanzie, cioè senno, previdenza, coraggio, religione, onore ecc., con le quali altre volte si governavano gli Stati» (V. Alfieri, *Il Misogallo*).

In quanto franco-latinismo, *deficit* era biasimato dai puristi dell'Ottocento. Uno di loro, Filippo Ugolini, osservava: «Parlandosi di conti e di amministrazioni, par che alcuni non possano fare a meno di questo latinismo, a cui si può ben supplire con le parole *mancanza, manco* (sostantivo), *scemamento*». Qualcun altro avrebbe invece preferito *disavanzo*, una parola di antica tradizione, attestata già nel Trecento, e ancora oggi usata spesso in alternativa a *deficit* (*disavanzo pubblico, disavanzo del bilancio statale*).

Ma le recriminazioni dei puristi e l'esistenza di termini concorrenti non riuscirono ad impedire l'affermazione di *deficit*. Del resto, in uno dei più famosi e intransigenti vocabolari puristici, il *Lessico dell'infima e corrotta italianità* di Fanfani e Arlìa (1881), si legge: «Non diremo che la voce sia da condannare assolutamente, perché altre voci latine sono comunemente usate, come *transeat, exequatur, placet*».

Da *deficit* si è ricavato l'aggettivo *deficitario*, che muove anch'esso da un modello francese: *déficitaire*. La prima attestazione di *déficitaire* risale al 1909, mentre *deficitario* è documentato dal 1935, nella settima edizione del *Dizionario moderno* del Panzini (è significativo che nell'edizione precedente, del 1931, il termine non fosse ancora registrato). Anche in questo caso, come accade sempre alle parole che contano, si è sviluppato un senso metaforico: *alimentazione deficitaria*, ad esempio, significa 'alimentazione insufficiente, inferiore al necessario'.

7.14.6. Ripetere le parole?

Le ripetizioni — si dice — sono inutili e brutte, rendono il discorso pesante e monotono, denotano povertà lessicale e scarsa abilità costruttiva. Tutto vero, indubbiamente, ma solo in alcuni casi e per determinati tipi di discorso. Nella lingua parlata le ripetizioni si rivelano spesso efficaci e necessarie: ad esempio, quando alla radio o alla televisione l'annunciatore legge il notiziario e riferisce di un avvenimento, non è male che ricordi frequentemente il soggetto dell'azione. Chi ascolta può aver acceso la radio o la televisione mentre la trasmissione è già in corso: di qui l'opportunità di ripetere più volte l'argomento principale del discorso.

La situazione è del tutto diversa nel caso della lingua scritta; qui, infatti, la possibilità di controllare un passo che non si è capito bene o anche di rileggere l'intero testo fa diventare superflue e fastidiose le ripetizioni. Sostituendo una parola con un pronome o con un sinonimo appropriato, variando accortamente le strutture sintattiche, non solo otteniamo uno stile più elegante, ma al tempo stesso aggiungiamo stimoli e dimensioni alla lettura.

Trovare un buon sinonimo non è sempre facile. Conviene evitare l'uso dei "sostituti generali", quelle parole *passe-partout* tanto frequenti nella lingua parlata e familiare: «dammi quel *coso*», «reggi quest'*affare*». Ma non sono consigliabili nemmeno certe formule artificiose che si ritrovano talora nella prosa giornalistica, come *manto bianco* (o *nevoso*) e *soffice coltre* al posto di *neve*. Spesso i migliori sinonimi sono quelli più semplici e chiari: *Dante = il poeta, I Malavoglia = il romanzo, l'Italia = il nostro Paese, il Presidente della Repubblica = il Capo dello Stato, Paolo Rossi = il giocatore.*

A volte è possibile eliminare una ripetizione mediante un diverso collegamento tra le parti che compongono un passo. La frase

sono certo **che** *la proposta* **che** *hai avanzato avrà successo*

presenta una congiunzione *che* seguìta a breve distanza da un *che* pronome relativo; si può eliminare la ripetizione sopprimendo la relativa e trasformandola in attributo:

sono certo che la proposta da te avanzata avrà successo;

oppure facendo della reggente *sono certo* un'incidentale:

la proposta da te avanzata — ne sono certo — avrà successo;

oppure semplificando il costrutto:

la tua proposta avrà certamente successo.

Ma non dimentichiamo che la ripetizione può essere anche un raffinato espediente stilistico, un mezzo per dare rilievo espressivo all'elemento ripetuto; si osservi, per esempio, quale effetto umoristico il Manzoni ha saputo trarre dalla ripetizione di un aggettivo molto comune in una celebre descrizione del suo romanzo: «Don Abbondio stava, come abbiamo detto, sur una *vecchia* seggiola, ravvolto in una *vecchia* zimarra, con in capo una *vecchia* papalina» (*I Promessi Sposi*, cap. VIII).

8. L'AVVERBIO

8.0. L'avverbio è la parte invariabile del discorso che, secondo l'etimologia (lat. *adverbium*), si pone 'accanto al verbo', per specificarne il significato. La sua funzione tradizionale è quindi analoga a quella svolta dall'aggettivo nei riguardi del nome; tale analogia appare chiaramente confrontando enunciati come:

ha *un amore immenso* per gli animali
ama immensamente gli animali

In realtà la definizione dell'avverbio come determinante del verbo è molto limitativa; l'avverbio serve a determinare varie altre unità grammaticali, come:

un aggettivo: « *molto* lieto »;
un diverso avverbio: « *troppo* tardi »;
un nome: « la *quasi* totalità »;
un complemento: « una persona di grande intelligenza e *soprattutto* di grande umanità »;
un'intera frase: « *certamente*, Mario abita in questa casa » (che non è la stessa cosa di: « Mario abita *certamente* in questa casa », dove l'avverbio è collegato in modo diretto al verbo).

8.1. FORMAZIONE DELL'AVVERBIO

Dal punto di vista della loro formazione, gli avverbi si distinguono in *semplici* (o *primitivi*), *composti* e *derivati*.

Sono **semplici** quelli che hanno una forma propria, autonoma, non derivata da altre parole; per esempio: *mai*, *forse*, *bene*, *dove*, *più*, *qui*, *assai*, *già*.

Sono **composti** quelli che risultano dalla fusione di due o più parole diverse (si tratta cioè, in origine, di locuzioni avverbiali); per esempio: *almeno* (*al meno*), *invero* (*in vero*), *dappertutto* (*da per tutto*), *infatti* (*in fatti*), *perfino* (*per fino*).

Sono **derivati** tutti quelli che hanno origine da un'altra parola, trasformata in avverbio attraverso l'aggiunta di un suffisso (*-mente*, *-oni*: *allegro* → *allegramente*, *ciondolare* → *ciondoloni*) o attraverso una semplice modificazione funzionale, senza che muti la forma della parola stessa (è questo il caso dell'aggettivo usato con valore avverbiale: « parlar *chiaro* », « camminare *veloce* »).

Le **locuzioni avverbiali**, infine, sono sequenze fisse di elementi che per il loro significato e per la loro funzione equivalgono ad avverbi: *all'improvviso*, *di* *frequente*, *per di qua*, *press'a poco*, *poco fa*, *a più non posso*, *d'ora in poi* ecc. Si noti che una locuzione avverbiale può spesso essere sostituita con un avverbio: *all'improvviso* = *improvvisamente*, *di frequente* = *frequentemente*.

8.1.1. Avverbi derivati

La maggior parte degli avverbi derivati si ottiene aggiungendo il suffisso **-mente** al femminile degli aggettivi in *-o*: *certa-mente*, *rara-mente*, *ultima-mente*; o all'unica forma singolare degli aggettivi in *-e*: *forte-mente*, *grande-mente*, *veloce-mente*, con l'avvertenza che se l'ultima sillaba di questi aggettivi è *-le* o *-re* si elimina la *e* finale: *general-mente*, *celer-mente*.

Forme particolari sono:

benevolmente	(invece di *benevola-mente*)
ridicolmente	(invece di *ridicola-mente*)
leggermente	(invece di *leggera-mente*)
violentemente	(invece di *violenta-mente*)
parimenti	(invece di *pari-mente*)
altrimenti	(invece di *altra-mente*)

Sono rare o antiquate le forme *ridicolamente*, *parimente*, *altramente*.

Gli avverbi indicanti una particolare posizione del corpo vengono spesso formati con il suffisso **-oni**, che si aggiunge a una base nominale o verbale: *bocca* → *bocc-oni*, *ginocchio* → *ginocchi-oni*, *tastare* → *tast-oni*, *ciondolare* → *ciondol-oni*, *ruzzolare* → *ruzzol-oni*, *tentare* → *tent-oni*; alcuni di questi avverbi si usano anche con la preposizione *a*: *a tastoni*, *a tentoni*.

8.2. TIPI DI AVVERBI

Secondo il loro significato, gli avverbi si distinguono in:
a) avverbi *di modo* (o *qualificativi*)
b) avverbi *di luogo*
c) avverbi *di tempo*
d) avverbi *di giudizio*
e) avverbi *di quantità*
f) avverbi *interrogativi*

8.2.1. Avverbi di modo (o qualificativi)

Indicano appunto il modo in cui si svolge un evento. Appartengono a questo tipo:

- gli avverbi in *-mente*: *calorosamente*, *lievemente*, *agevolmente*;
- gli avverbi in *-oni*: *penzoloni*, *balzelloni*, *cavalcioni*;
- gli avverbi che si ottengono ricorrendo alla forma maschile singolare dell'aggettivo qualificativo: «parlare *chiaro*», «guardare *storto*», «rispondere *giusto*»;
- alcuni altri avverbi: *bene*, *male*, *volentieri* ecc.

Locuzioni avverbiali di modo sono: *all'impazzata*, *a più non posso*, *di buon grado*, *di corsa*, *di sicuro*, *di solito*, *in fretta*, *in un batter d'occhio* ecc.

8.2.2. Avverbi di luogo

Esprimono una determinazione di luogo:

qui, *qua*, *quaggiù*, *quassù* (che indicano un luogo vicino a chi parla);

lì, *là*, *laggiù*, *lassù* (che indicano un luogo lontano sia da chi parla sia da chi ascolta);

fuori, *dentro*, *dietro*, *davanti*, *oltre*, *presso*, *sopra*, *sotto*, *vicino*, *lontano*, *dappertutto*, *altrove* ecc.

Gli avverbi *costì* e *costà*, che indicano (al pari degli ancora più rari e antiquati *costassù* e *costaggiù*) un luogo vicino a chi ascolta, sono ormai adoperati solo in Toscana; di uso poco comune è anche *colà*, che equivale a 'là'. Si noti che tra *qui*, *costì*, *lì* (come tra *qua*, *costà*, *là*) c'è la stessa differenza che abbiamo visto tra i dimostrativi *questo*, *codesto*, *quello*.

Anche le particelle *ci*, *vi*, *ne*, di cui si è già parlato a proposito dei pronomi (v. 6.1.3.), possono essere usate come avverbi di luogo: *ci* e *vi* (ma *vi* è meno comune) valgono 'in questo, in quel luogo'; *ne* vale 'da questo, da quel luogo'. Per esempio: *ci vado*; *ci vengo*; *me ne vado*; *ne sto uscendo*.

Locuzioni avverbiali di luogo sono: *di qua*, *di là*, *di sopra*, *di sotto*, *in su*, *in giù*, *per di qua*, *per di là* ecc.

8.2.3. Avverbi di tempo

Esprimono una determinazione di tempo:

ora, *adesso*, *oggi*, *allora*, *prima*, *dopo*, *ieri*, *domani*, *poi*, *ancora*, *presto*, *tardi*, *sempre*, *mai*, *già*, *talora*, *finora* ecc.

L'avverbio *mai* è usato talora nel significato di 'qualche volta': *l'hai visto mai?*; *se mai capiti a Roma, vieni a trovarmi*. Più spesso serve a rafforzare la negazione: *non obbedisce mai*. Con valore negativo si usa anche in espressioni ellittiche (*questo mai!*) o preposto al verbo in frasi di tono enfatico (*mai che arrivi puntuale*) o da solo in risposte di reciso diniego («*Ti arrendi?*» «*Mai!*»).

Locuzioni avverbiali di tempo sono: *un giorno*, *d'un tratto*, *di quando in quando*, *per tempo*, *di buon'ora* ecc.

8.2.4. Avverbi di giudizio

Servono per affermare, negare o mettere in dubbio un evento; sono perciò chiamati anche:

- avverbi di affermazione: *certo*, *certamente*, *sicuro*, *sicuramente*, *proprio*, *appunto*. Come si vede, molti di questi avverbi sono ottenuti da aggettivi: *verrà certo anche lui*; *« è proprio vero? » « sicuro! »*;

- avverbi di negazione: *non*, *neanche*, *nemmeno*, *neppure*. Si noti che *neanche*, *nemmeno*, *neppure* si costruiscono con la negazione *non* quando seguono il verbo (*non lo voglio nemmeno vedere*), mentre si usano da soli quando lo precedono (*nemmeno lo voglio vedere*);

- avverbi di dubbio: *forse*, *quasi*, *probabilmente*, *eventualmente*.

Sì e *no*, classificati tradizionalmente tra gli avverbi di affermazione e di negazione, in realtà hanno piuttosto una funzione sostitutiva, analoga a quella dei pronomi; non servono cioè a determinare altre unità grammaticali (funzione propria degli avverbi), ma servono invece a sostituire un'intera frase: «*L'hai visto?*» «*Sì* (= 'l'ho visto')», o «*No* (= 'non l'ho visto')».

Locuzioni avverbiali di giudizio sono: *di sicuro*, *di certo*, *per l'appunto*, *neanche per idea*, *senza dubbio* ecc.

8.2.5. Avverbi di quantità

Indicano in modo non preciso, indefinito, una quantità:

molto, *poco*, *tanto*, *troppo*, *alquanto*, *altrettanto*, *parecchio*, *assai*, *abbastanza*, *nulla*, *niente*, *più*, *meno*, *quanto*, *grandemente*, *appena* ecc.

Come si vede, molti aggettivi indefiniti, nella forma maschile singolare, assumono funzione di avverbi di quantità: *studia molto*; *mangia poco*; *lavora tanto*; *parla troppo*.

Gli avverbi *tanto* e *quanto* sono spesso usati come correlativi: *non s'impegna tanto quanto potrebbe*.

L'avverbio *affatto* significa 'interamente, del tutto': *è affatto privo di malizia*; *un'opinione affatto diversa*; ma più che in questo senso è oggi usato come rafforzativo della negazione: *non ho affatto sonno* (cioè 'non ho sonno per niente'). Da tale impiego in frasi negative deriva il senso negativo attribuito ad *affatto*, in particolare nelle risposte: «*Hai caldo?*» «*Affatto!* (= 'per niente')».

Locuzioni avverbiali di quantità sono: *press'a poco*, *all'incirca*, *né più né meno* ecc.

8.2.6. Avverbi interrogativi

Introducono una domanda che può riguardare:

- il modo: *come?*;
- il luogo: *dove?*;
- il tempo: *quando?*;
- la misura o il valore: *quanto?*;
- la causa: *perché?*

Sono usati nelle interrogazioni dirette: *come stai?*; nelle interrogazioni indirette funzionano come congiunzioni subordinanti: *dimmi quando torni*.

Come si è già accennato parlando dei pronomi relativi, gli avverbi *dove*, *ove*, *donde* e *onde* (ma le ultime tre forme sono di uso letterario), oltre ad avere funzione interrogativa, possono avere anche funzione relativa: *quella è la casa dove* (= in cui) *abitiamo*.

8.3. GRADI E ALTERAZIONI DELL'AVVERBIO

Come gli aggettivi, anche numerosi avverbi hanno il comparativo e il superlativo. Si tratta principalmente degli avverbi di modo (con l'esclusione del tipo in *-oni*) e di alcuni avverbi di tempo e di luogo:

fortemente, *più fortemente*, *fortissimamente*;
tardi, *più tardi*, *tardissimo*;
lontano, *più lontano*, *lontanissimo*.

Alcuni avverbi hanno forme organiche di comparativo e superlativo (al pari degli aggettivi corrispondenti). Per esempio:

bene	*meglio*	*ottimamente* o *benissimo*
male	*peggio*	*pessimamente* o *malissimo*
molto	*più*	*moltissimo*
poco	*meno*	*pochissimo*
grandemente	*maggiormente*	*massimamente*

Vi sono avverbi che hanno pure forme alterate (dividiamo con un trattino la base avverbiale e il suffisso alterativo): *bene* → *ben-ino*, *ben-one*; *male* → *mal-uccio*, *mal-accio*; *poco* → *poc(h)-ino*, *poc(h)-etto*; *tardi* → *tard-ino*, *tard-uccio*; *presto* → *prest-ino*, *prest-uccio* ecc.

8.4. POSIZIONE DELL'AVVERBIO

L'avverbio occupa in genere un posto vicino alla parola cui si riferisce. Di solito l'avverbio si colloca prima dell'aggettivo (diciamo *sono troppo stanco*, piuttosto che *sono stanco troppo*) e dopo il verbo (diciamo *abita lontano*, piuttosto che *lontano abita*). In molti casi, però, la posizione è libera; si noti per esempio, la mobilità dell'avverbio in queste frasi:

improvvisamente, *scoppiò un temporale*
scoppiò improvvisamente *un temporale*
scoppiò un temporale, improvvisamente

Assai può precedere o, meno comunemente, seguire l'aggettivo (o l'avverbio): *assai svelto*, *svelto assai* (*assai presto*, *presto assai*).

La successione "avverbio + verbo", frequente soprattutto nella lingua letteraria e poetica, ha l'effetto di dare enfasi al primo elemento: *molto si prodigò per il bene della comunità*; *volli, sempre volli, fortissimamente volli*.

8.5. INSERTI

8.5.1. L'origine di un avverbio

L'avverbio di modo che termina con il suffisso *-mente* deriva da un **sintagma latino** formato da un aggettivo e dal sostantivo MENTE (ablativo del nome femminile MENS, MENTIS 'intenzione, sentimento'): per esempio, DEVOTA MENTE significava 'con intenzione devota, con sentimento devoto', SANA MENTE 'con intenzione sana (buona)' e così via.

Questo tipo di sintagma fu usato di frequente in epoca tarda, soprattutto da autori cristiani. L'uso ricorrente fece sì che il secondo elemento del sintagma perdesse sia la sua qualità di nome sia il suo valore semantico fino a diventare un semplice suffisso. Nacque così l'avverbio: *devotamente*, *sanamente*, *fortemente* ecc. In ogni modo questo avverbio conserva una precisa testimonianza del suo stato precedente di sintagma: il genere femminile dell'aggettivo (*devotamente*, non *devotomente*, essendo MENTE, come si è detto, femminile).

Rispetto all'italiano, lo spagnolo conserva una traccia in più del precedente sintagma latino; in spagnolo si dice *voluntaria y animosamente*, *rápida y definitivamente* ecc., vale a dire in una coppia di avverbi soltanto il secondo possiede il suffisso; il primo avverbio si presenta nella forma di aggettivo (come era in latino). Nella nostra lingua abbiamo invece: *volontariamente e coraggiosamente*, *rapidamente e definitivamente*.

L'avverbio in -MENTE sostituì nel latino volgare gli avverbi in -E e in -ITER del latino classico: per esempio DEVOTE sostituito da DEVOTAMENTE, SINGULARITER sostituito da SOLAMENTE. Tuttavia alcuni dei vecchi avverbi sopravvissero: BĔNE, MALE, TARDE, PURE si sono conservati; cfr. *bene*, *male*, *tardi* e *pure*.

Molti avverbi di uso comune del latino classico andarono perduti; ma altri se ne formarono mediante perifrasi, per esempio: AD SATIS > *assai*, *IN SĬMUL > *insieme*, DE ŬBI > *dove*, DUM INTERIM > *mentre*, DE MANE > *domani*, *ECCU INDE > *quindi*.

8.5.2. Vestire giovane

In italiano, come in altre lingue romanze, l'aggettivo può essere usato con funzione avverbiale: *parlare forte*, *camminare piano*, *lavorare sodo*, *guardare fisso* ecc.; per tale via si è giunti ai tipi più recenti: *votate socialista* (affermatosi nei primi decenni del Novecento nel linguaggio politico) e *vestite giovane* (linguaggio pubblicitario dei nostri giorni).

È opportuno ricordare che il latino conosceva l'uso dell'aggettivo neutro come avverbio: un uso che, nonostante l'ostilità dei grammatici del tempo, ritroviamo anche nei poeti classici: MAGNUM CLAMAT 'risuona fortemente' è un'espressione usata da Virgilio (*Georgiche* 3, 238).

In realtà, poiché si ritrova anche nel greco, nel sanscrito e nelle lingue slave, l'uso dell'aggettivo con funzione di avverbio è certamente di origine indoeuropea.

8.5.3. Tanti modi di dire « sì »

In latino l'affermazione o la negazione erano realizzate ripetendo il termine sul quale verteva la domanda: TUUSNE HIC LIBER EST? MEUS EST 'è tuo questo libro? sì'; TULLIUMNE VIDISTI? NON VIDI 'hai visto Tullio? no'. Spesso le parole ripetute erano accompagnate da un avverbio rafforzativo: CERTE, IMMO, ITA, SIC ecc. Talvolta il solo avverbio era sufficiente per esprimere l'affermazione. Con tale funzione SIC nel latino tardo prese il sopravvento rispetto agli altri avverbi: TUUS HIC LIBER EST? SIC. Questa è l'origine della nostra particella affermativa.

Analogamente, per negare, si poteva rispondere soltanto con il NON: di qui deriva il nostro *no*.

Nel latino classico la doppia negazione corrispondeva ad una affermazione, contrariamente a quanto avviene spesso in italiano: infatti NEMO ĘST significa 'non c'è nessuno'; mentre NEMO NON EST vale 'nessuno manca', 'ci sono tutti'. Tuttavia nel latino volgare si tendeva a rafforzare una negazione con un'altra negazione: di qui l'origine della doppia negazione in italiano: *il maestro* **non** *diede i libri a* **nessuno**.

Un uso enfatico della doppia negazione si ha in espressioni del tipo: « non mi è ignoto che... » (= so che...), « non posso non meravigliarmi di... » (= mi meraviglio di...) ecc.

Un'altra tendenza che si è affermata dapprima nel latino volgare e che si è tramandata poi alle lingue romanze, consiste nel rafforzare la negazione con un nome che indica un qualcosa di piccola dimensione e di poco valore; per esempio: *mica* (propriamente 'briciola'), *punto* e *goccia* (in Toscana), *brisa* (propriamente 'briciola', in Emilia), *minga* (variante locale di *mica*, in Lombardia). Ricordiamo ancora il francese *pas* (dal latino PASSUM): *je ne vais pas* letteralmente '(io) non vado di un passo', cioè '(io) non vado', *je ne parle pas* '(io) non parlo'. Talvolta queste particelle hanno finito per assumere da sole il peso della negazione; così nel milanese *düra minga* 'non dura' e nel francese parlato *faut pas* 'non bisogna', in luogo di *il ne faut pas*.

8.5.4. Sull'avverbio

Negli ultimi anni i linguisti hanno cercato di ridefinire la categoria grammaticale dell'avverbio, sotto la cui etichetta vengono in genere comprese forme di diversa origine e funzione. Tradizionalmente sono considerati avverbi:

1. forme unitarie ereditate dal latino, come *sotto* (da SUBTUS), *là* (da ILLAC);
2. sintagmi preposizionali, denominati «locuzioni avverbiali», come *a lungo, di continuo*;
3. sintagmi anticamente scomponibili, poi cristallizzati, come *indietro* (*in dietro*), *dappertutto* (*da per tutto*, grafia possibile ancora oggi);
4. parole-frasi come *ecco!, finalmente!*;
5. elementi "modalizzatori", cioè capaci di indicare il modo in cui il parlante giudica il proprio discorso, come *forse, indubbiamente*;
6. "particelle" pre- e post-verbali come *ci, vi, ne*;
7. "connettivi", ossia elementi che realizzano la coesione di un testo, come *appunto, insomma*.

I confini della categoria appaiono di conseguenza piuttosto incerti. Tra l'altro non risultano sempre chiare le differenze tra le «locuzioni avverbiali» e altri sintagmi preposizionali; così il sintagma *in terra* non è ritenuto una locuzione avverbiale, anche se in certi contesti equivale all'avverbio di luogo *giù*: «è caduto *in terra*» = «è caduto *giù*». A volte, poi, intere proposizioni svolgono una funzione analoga a quella di un avverbio: «continuò *come se non si curasse di nulla*» è del tutto simile a «continuò *incurantemente*».

Gli studi più recenti tendono ad una nuova classificazione degli avverbi, fondata su criteri di analisi essenzialmente sintattici. Si è notato, ad esempio, che alcuni avverbi mutano di significato in rapporto alla loro posizione nella frase: si confronti il diverso valore di *incredibilmente* in «incredibilmente, Giulio studia» e in «Giulio studia incredibilmente». Altri avverbi, invece, non presentano questa caratteristica; è il caso di *affrettatamente*, che può essere spostato con assoluta libertà mantenendo sempre il suo valore di 'in modo affrettato':

Affrettatamente Luigi uscì di casa
Luigi affrettatamente uscì di casa
Luigi uscì affrettatamente di casa
Luigi uscì di casa affrettatamente.

Più in generale, è stata proposta una distinzione degli avverbi in tre gruppi:

1. avverbi che hanno un raggio d'influenza maggiore della singola frase, come *dunque* in «dunque, non posso essere d'accordo» (dove l'avverbio rinvia al discorso precedente);
2. avverbi che hanno un raggio d'influenza su tutta la frase, come *certamente* in «certamente Simona partirà»;
3. Avverbi che hanno un raggio d'influenza su una parte della frase, come *chiaramente* in «Mario ha parlato chiaramente» (dove l'avverbio si riferisce al verbo *ha parlato*).

8.5.5. Il linguaggio giuridico

Le critiche sulla corruzione e sulla rozzezza del linguaggio giuridico italiano risalgono ai primi decenni del secolo scorso. In particolare i puristi si opponevano all'uso di vocaboli «mozzi» o malformati e di latinismi crudi. Sostantivi privi di suffisso come *revoca, rimborso, rialzo* dovevano essere sostituiti con *rivocazione, rimborsazione, rialzamento*. Verbi ricavati da sostantivi, come *petizionare* da *petizione* e *relazionare* da *relazione*, erano considerati «un errore massiccio» (Fanfani-Arlìa). Al latinismo *optare* molti preferivano la variante italianizzata *ottare*. La storia ha dato torto ai puristi: oggi infatti sono di uso comune — non soltanto nel linguaggio giuridico — sostantivi come *ammortizzo, ripristino, scorporo, rimpasto, rilancio*; verbi come *disdettare, dimissionare* e *referenziare* hanno conquistato la stampa; i latinismi poi non scandalizzano più nessuno.

Nel nostro secolo e soprattutto negli ultimi decenni i modelli linguistici sono in gran parte mutati: in molti ambienti il linguaggio giuridico è considerato prestigioso, tanto che vocaboli ed espressioni dei nostri codici e della nostra giurisprudenza sono ripresi ed imitati dai burocrati e dagli uomini politici. Si vuole imitare soprattutto la precisione e la univocità delle formulazioni legislative, ma il risultato è spesso un modo di esprimersi tronfio e bizzarro.

Se in un primo tempo il linguaggio giuridico è oggetto di preoccupazioni formali, successivamente appare in primo piano un problema di maggior rilievo: la funzionalità della lingua usata dai legislatori in rapporto ai contenuti giuridici. A ben vedere, il problema si racchiude in una domanda: il linguaggio giuridico deve possedere una propria specificità? Vale a dire: tale linguaggio deve distinguersi, mediante un formalizzazione spinta, dalla lingua comune?

Diversamente da altri Paesi europei, l'Italia non possiede un linguaggio giuridico molto formalizzato: in tale campo la nostra terminologia non è rigida, ma fluida. Ciò rappresenta un vantaggio: infatti si presuppone sempre la necessità dell'interpretazione della legge da parte del giudice; inoltre i nostri termini giuridici, che spesso rinviano al valore comune delle parole, possono per tale motivo adeguarsi più facilmente alle nuove situazioni create dal progresso sociale e dallo sviluppo delle conoscenze.

La formazione del linguaggio giuridico italiano risente molto dell'influsso del latino, lingua predominante nelle formulazioni legislative fino alla metà del Settecento (anche se statuti e ordinamenti in volgare appaiono fin dal Duecento e dal Trecento). Antichi latinismi giuridici sono, per es., *curatela, legalità, molestare, processo, sequestrare*; termini tecnici tuttora in uso, come *fideiussione* e *usufrutto*, sono composti che hanno un carattere latino.

Poiché la legislazione francese servì da modello alla nostra, è naturale che in italiano siano entrati francesismi come *avallo, controllare* (e *controllore*), *processo verbale, retroattivo*; all'origine tutti questi francesismi avevano un valore tecnico. L'assenza di una lingua italiana standard al momento delle prime codificazioni del nostro diritto ha spinto i legislatori italiani a riprendere vocaboli ed espressioni dal latino, dal francese e dal tedesco. Per quanto riguarda quest'ultima lingua notiamo che essa ha fornito vari calchi al linguaggio giuridico italiano.

In una prospettiva storica occorre ricordare che il decadere di antichi istituti giuridici ha comportato la scomparsa dei termini corrispondenti. Con la sconfitta dei Longobardi ad opera dei Franchi vennero meno il *launegildo* 'prezzo simbolico usato per stabilire un vincolo giuridico', il *guidrigildo* 'somma pagata dall'uccisore come risarcimento alla famiglia dell'ucciso' e la *faida* 'diritto alla vendetta privata'. Quest'ultimo termine è usato ancora oggi in italiano con il significato più generico di 'vendetta, come debito d'onore tra famiglie e consorterie'; i primi due termini sono usati soltanto dagli storici del diritto.

8.5.6. Diritto e ius

All'italiano *diritto* 'complesso di norme che regolano i rapporti sociali' corrisponde il latino IŪS, IŪRIS, che significava propriamene 'formula religiosa avente valore di legge'; IŪDEX, IŪDĬCIS 'giudice' (da IŪS DICĔRE) era 'colui che dice la formula di giustizia'. IŪS, vocabolo collegato etimologicamente al verbo IURARE 'giurare', era il diritto umano, mentre FĀS era il diritto religioso; alle origini anche LĒX, LĒGIS indicava la legge religiosa.

IŪS, IŪRIS è sopravvissuto nel latinismo *giure*, oltre che in una famiglia di derivati e di composti: *giuridico, giurista, giurisprudenza, giurisdizione* ecc. IŪS scomparve nel latino tardo e fu sostituito dall'aggettivo DĪRĒCTU(M), il quale accanto al significato di base 'diritto, che procede in linea retta', ne aveva sviluppati altri due: 'destro, posto a destra' e 'giusto'. Si ricordino rispettivamente le espressioni: *a dritta e a manca* (dove *dritta* sta per mano dritta, cioè la destra) e *coscienza diritta, dirittura morale*; una piccola differenza formale, la conservazione o caduta della prima *i* (atona), contribuisce a tener distinti i due significati.

Da DĪRĒCTU(M) traggono dunque origine l'it. *diritto* e *dritto*, entrambi usati come aggettivi e come sostantivi; nel linguaggio familiare *dritto* possiede anche il significato di «furbo, astuto».

Anche il francese *droit*, tratto da DĪRĒCTU(M), significa 'diritto' e 'destro' (aggettivi) e 'legge, giurisprudenza' (sostantivo). Gli stessi significati sono presenti nello spagnolo *derecho*, nell'inglese *right* e nel tedesco *recht*.

9. LA PREPOSIZIONE

9.0. Le preposizioni sono parole invariabili che servono a collegare e a raccordare tra loro i costituenti della proposizione:

vado **a** *casa* **di** *Maria*

o a raccordare tra loro due o più proposizioni:

vado a casa di Maria **per** *studiare.*

L'esempio mette bene in risalto la **funzione subordinante** delle preposizioni, che introducono un "complemento" del verbo, del sostantivo o dell'intera proposizione. In particolare:

il gruppo preposizionale *a casa* dipende dal verbo *vado*, di cui è un complemento;

il gruppo preposizionale *di Maria* dipende dal sostantivo *casa*, di cui è un complemento;

il gruppo preposizionale *per studiare* è una proposizione finale implicita (corrispondente a un complemento di fine: 'per studio'), che dipende dalla proposizione principale *vado a casa di Maria.*

Nel passaggio dalla singola proposizione *vado a casa di Maria* alla frase biproposizionale *vado a casa di Maria per studiare*, si precisa l'analogia funzionale tra le preposizioni e le congiunzioni subordinative (v. 10.2). Le prime introducono una subordinata implicita (cioè con un verbo di modo indefinito): *digli di tornare*; le seconde introducono invece una subordinata esplicita (cioè con un verbo di modo finito): *digli che torni.*

Le preposizioni statisticamente più frequenti sono:

- **di** (può elidersi davanti ad altra vocale, in particolare davanti a *i*: *d'impeto*, *d'Italia*, *d'Oriente*, *d'estate*);
- **a** (si può avere *ad*, con *d* eufonica, davanti ad altra vocale, in particolare davanti ad *a*: *ad Andrea*, *ad aspettare*, *ad esempio*).

Seguono per frequenza d'uso: **da**, **in**, **con**, **su**, **per**, **tra** (**fra**).
L'altissima frequenza di queste preposizioni corrisponde alla varietà dei

significati che esse esprimono e all'ampia gamma di relazioni che sono in grado di stabilire tra i costituenti della frase; il valore specifico che nei diversi contesti assume una preposizione come *di* o come *a* è avvertibile solamente in rapporto ai vocaboli con cui la preposizione fa gruppo, e cambia secondo la natura di essi.

Questa molteplicità di funzioni sul piano semantico e sintattico appare poi con una particolare evidenza in contesti ambigui. Consideriamo, per esempio, la preposizione *di*. In *l'amore del padre* possiamo vedere, a seconda del contesto, sia un genitivo soggettivo sia un genitivo oggettivo; tale sintagma può valere sia 'il padre ama qualcuno', sia 'qualcuno ama il padre'. Un esempio storico di ambiguità: l'espressione dantesca *perdere il ben dell'intelletto* (*Inferno*, III, 18), è divenuta proverbiale nel senso di 'perdere quel bene che è l'intelletto, perdere la ragione'; mentre Dante si riferiva invece alle anime dell'Inferno, e intendeva *ben dell'intelletto* nel senso di 'bene proprio dell'intelletto, quello che è bene per l'intelletto', cioè la contemplazione di Dio, esclusa ai dannati. Una diversa interpretazione della preposizione articolata *dell'* muta profondamente il significato complessivo del sintagma.

Di, *a*, *da*, *in*, *con*, *su*, *per*, *tra* (*fra*) sono chiamate **preposizioni semplici**; queste preposizioni (eccetto *tra* e *fra*) unendosi all'articolo determinativo danno luogo alle cosiddette **preposizioni articolate** (v. 3.4.).

9.1. LA PREPOSIZIONE « DI »

È la preposizione di gran lunga più frequente e anche quella più "elastica": nella maggior parte dei casi indica solo un collegamento, un rapporto tra due costituenti della frase. Tale valore generico e molto comprensivo spiega l'alta frequenza d'uso, la quale, nello stesso tempo, contribuisce a favorire un allargamento e una diversificazione sempre maggiore degli impieghi.

Ordiniamo l'esemplificazione degli usi, per questa come per le altre preposizioni, distinguendo i vari complementi introdotti; a parte consideriamo i nessi di preposizione + infinito e le locuzioni preposizionali, avverbiali, congiuntive.

Le classificazioni che seguono, come altre usate nelle grammatiche, hanno soprattutto un'utilità didattica: suggeriscono cioè un tipo di interpretazione e costringono all'analisi. Certo i criteri di interpretazione possono apparire di volta in volta soggettivi, schematici, tradizionali ed altro ancora; non ci riferiamo soltanto agli "scolastici" complementi di origine, colpa, pena, stima, prezzo, ma anche all'intercambiabilità tra vari complementi: per esempio, causa/modo, causa/mezzo e mezzo/modo. Del resto la nozione stessa di complemento ha fondamenti teorici non molto sicuri (v. 2.8.3.). L'importante è capire che vi sono altri possibili punti di vista, altre possibilità di analisi fondate su criteri linguistici (v. ad esempio 9.10.).

La preposizione *di* regge i seguenti complementi:

specificazione: *l'albero dell'ulivo*; *l'automobile di mio padre*; *gli impiegati del comune*; *la cupola di Michelangelo*; *la partenza del treno* (specificazione soggettiva); *il timore della guerra* (specificazione oggettiva). In funzione appositiva: *quel matto di Giorgio*; *che splendore di ragazza!*. Nel linguaggio commerciale e pubblicitario, in quello burocratico e giornalistico, la preposizione *di* viene spesso omessa: *rivendita sali e tabacchi*; *scalo merci*; *giornale radio*;

partitivo: *molti di noi*; *una parte della squadra*; *niente di tutto ciò*; dopo un superlativo relativo: *il più intelligente di tutti*;

denominazione: *la città di Firenze*; *il mese di febbraio*;

paragone: *è più bravo di me*; *oggi fa meno freddo di ieri*;

moto da luogo: *esco di casa presto*. Correlato con *in*: *girare di città in città*; *andare di male in peggio* o *di bene in meglio*. Ha valore distributivo nelle espressioni *di tre in tre*, *di dieci in dieci* ecc.;

moto per luogo: *passiamo di qui*;

moto a luogo: *vado di qua*;

stato in luogo: *dormo di là*;

origine, provenienza: *sono di Roma*; *un giovane di buona famiglia*. Ad indicare la paternità: *Rossi Mario di Antonio* (da tale uso sono nati molti cognomi: *Di Pietro*, *Di Stefano* ecc.);

argomento: *un libro di filosofia*; *parlare di affari*. In titoli di opere: *"Dei delitti e delle pene"*;

materia: *una statua di marmo*; *un foglio di carta*;

mezzo: *vivere d'espedienti*; *ungere una padella di burro*;

modo: *ridere di gusto*; *arrivare di corsa*; *bere d'un fiato*;

fine: *questo ti serva d'esempio*; *cintura di sicurezza*;

causa: *tremare di freddo*; *piangere di gioia*;

abbondanza: *una valigia piena di roba*; *un compito zeppo d'errori*;

privazione: *un ragionamento privo di logica*; *i giovani mancano d'esperienza*;

qualità: *un orologio di alta precisione*; *un uomo di bassa statura*;

tempo: *di notte*; *d'estate*. In correlazione con *in*: *di giorno in giorno*; *di ora in ora*;

età: *un bambino di dieci mesi*;

colpa: *imputato di omicidio*; *accusare qualcuno di truffa*;

pena: *fu multato di diecimila lire*;

stima, prezzo: *un appartamento di cento milioni*; *un quadro di valore*;

limitazione: *soffrire di fegato*; *svelto di mano*;

quantità, misura: *un sacco di un quintale*; *un grattacielo di cento metri*.

Seguita da un verbo all'infinito, la preposizione *di* introduce le seguenti proposizioni:

proposizione soggettiva: *mi sembra di averlo già conosciuto*; *non mi riesce di parlargli*;

proposizione oggettiva: *sono sicuro di avere ragione*; *spero di rivederti presto*; *credo di far bene* (o, meno comunemente, *credo far bene*);

proposizione finale: *vi prego di fare silenzio* (o, meno comunemente, *vi prego far silenzio*);

proposizione causale: *sono dolente di non potermi trattenere*;

proposizione consecutiva: *è degno di essere ricordato*.

Forma **locuzioni preposizionali**: *prima di*, *dopo di*, *fuori di*, *invece di*, *per mezzo di*, *a causa di*, *di là da* ecc.; **locuzioni avverbiali**: *di qua*, *di là*, *di sopra*, *di sotto*, *di rado*, *di frequente*, *di nascosto*, *di recente* ecc.; **locuzioni congiuntive**: *di modo che*, *dopo di che* ecc.

9.2. LA PREPOSIZIONE « A »

Il valore fondamentale della preposizione **a** è quello di 'direzione'. All'altissima frequenza della preposizione corrisponde una vasta gamma di significati e di usi, nei quali il riferimento alla 'direzione' appare sempre più vago. In tal senso, si può dire che la preposizione *a* ha assunto una funzione analoga e complementare a quella della preposizione *di*, indicante un rapporto generico tra due elementi della frase.

La preposizione *a* regge i seguenti complementi:

termine: *regalare un disco a un amico*; *chiedilo a Roberto*;
stato in luogo: *abitare a Roma*; *restare a casa*. Col significato di 'presso, in': *sono impiegato al Ministero degli Esteri*;
moto a luogo: *vado a Firenze*; *non vengo al cinema con voi*;
tempo: *svegliarsi all'alba*; *arrivò a mezzogiorno*;
età: *Leopardi morì a trentanove anni*;
modo: *parlare a voce bassa*; *imparare a memoria*. Sull'esempio francese nelle locuzioni *uova al tegamino*, *pasta al sugo*, *bistecca ai ferri* e simili, per *uova nel tegamino*, *pasta col sugo*, *bistecca sui ferri* e simili;
mezzo: *andare a piedi*; *barca a vela*;
causa: *a quella notizia, cambiò umore*; *rise alla battuta*;
fine: *è destinato a grandi imprese*; *andare a caccia*;
vantaggio (o **svantaggio**): *un alimento che fa bene* (o *male*) *al fegato*;
limitazione: *a nostro avviso*; *coraggioso a parole*;
qualità: *una gonna a pieghe*; *una villa a due piani*;
prezzo, misura: *vendere a mille lire l'etto*; *andare a cento chilometri l'ora*;
pena: *condannare all'ergastolo*;
predicativo: *eleggere a presidente dell'assemblea*; *prendere a modello*;
distributivo: *disporsi a due a due*;
distanza: *abita a cento metri da casa mia*.

Seguita da un verbo all'infinito, la preposizione *a* introduce le seguenti proposizioni:

proposizione causale: *hai fatto male ad andare via*;
proposizione condizionale: *a dire la verità, le cose non stanno in questo modo*;
proposizione finale: *vado a lavorare*; *cosa vuoi darmi a intendere?*;
proposizione temporale: *al vederlo, mi rassicurai*;
proposizione limitativa: *più facile a dirsi che a farsi*.

Contribuisce a formare **locuzioni preposizionali**: *fino a*, *vicino a*, *davanti a*, *dietro a*, *oltre a*, *intorno a*, *in mezzo a*, *di fronte a*, *di fianco a*, *a favore di*, *al di là di*, *ad opera di*, *a seguito di* ecc.; **locuzioni avverbiali**: *a stento*, *a caso*, *a tentoni*, *a precipizio*, *a poco a poco*, *a goccia a goccia* ecc.

9.3. LA PREPOSIZIONE « DA »

Il valore fondamentale della preposizione **da** è quello di 'provenienza'. Tuttavia *da* ha anche altre funzioni; per esempio, indica lo stato in luogo e il moto a luogo.

La preposizione *da* regge i seguenti complementi:

moto da luogo: *vengo da Milano*. In correlazione con le preposizioni *a* e *in*: *si è trasferito da Roma a Firenze*; *cadere dalla padella nella brace*;

moto a luogo: *arrivo subito da te*;

stato in luogo: *ti aspetto dall'avvocato*;

moto per luogo: *sono fuggiti dall'uscita di servizio*;

agente e **causa efficiente**: *è stimato da tutti*; *la barca fu travolta dalle onde*;

causa: *piangeva dalla gioia*;

separazione, allontanamento: *i Pirenei dividono la Spagna dalla Francia*; *non riesce a staccarsi da quegli amici*;

origine, provenienza: *la lingua italiana deriva dal latino*; *ho appreso la notizia dai giornali*. Nei nomi di persona: *Francesca da Rimini*; *Leonardo da Vinci*;

tempo: *non lo vedo da molti anni*. In correlazione con la preposizione *a*: *lavorare dalla mattina alla sera*;

mezzo: *giudico le persone dai fatti, non dalle chiacchiere*;

fine: *carte da gioco*; *sala da pranzo*; *spazzolino da denti*; *abito da sera*; *uva da tavola*; *occhiali da sole*; *servizio da caffè;*

qualità: *una ragazza dagli occhi azzurri*; *un uomo dal cuore d'oro*;

limitazione: *zoppo da una gamba*;

stima, prezzo: *un'automobile da sette milioni*. In correlazione con la preposizione *in* vale 'a partire da': *giacche da cinquantamila in su*. In correlazione con la preposizione *a* ha un valore analogo: *avrà dai quaranta ai cinquant'anni*;

modo: *agire da galantuomo*; *trattare da amico*. Con il significato di 'degno di', 'che si addice a': *un pranzo da re*; *parole da insensato*. In unione con un pronome personale: *lo farò da me*, da solo, per conto mio;

predicativo: *fare da padre*; *fungere da presidente*.

Seguita da un verbo all'infinito, la preposizione *da* introduce le seguenti proposizioni:

proposizione consecutiva: *ho una fame da morire*; *c'è da diventare matti*; *fa un caldo da impazzire*;

proposizione finale: *dammi un libro da leggere*; *che cosa vuoi da bere?*

Forma **locuzioni preposizionali**: *da parte di*, *fuori da*, *fino da*, *di qua da*, *di là da* ecc; **locuzioni avverbiali**: *da vicino*, *da lontano*, *da capo*, *da parte*, *da meno*, *da per tutto* (o *dappertutto*); si elide in *d'altronde*, *d'altro canto*, *d'ora in poi* e in poche altre locuzioni simili.

9.4. LA PREPOSIZIONE « IN »

Il valore fondamentale della preposizione **in** è quello di 'collocazione' nello spazio o nel tempo.

La preposizione *in* regge i seguenti complementi:

stato in luogo: *sto in ufficio*; *vivo in città*; *abito in via Cairoli*; *ha una casa in Sardegna*; *diamoci appuntamento in piazza*; *ho molta fiducia in te*; *sento nell'animo una grande nostalgia*;

moto a luogo: *quest'estate vado in Francia*; *scendo in cantina*; *il rientro in Italia*; *che idee ti sei messo in testa?* Indica movimento entro uno spazio circoscritto: *passeggiare in giardino*; *un inseguimento nella macchia*. Con verbi che esprimono mutamento: *uomini trasformati in bestie*; *cambiare lire in dollari*; *ridurre in cenere*. In correlazione con *di* indica passaggio (nel luogo, nel tempo, nella condizione): *andare di città in città*; *rimandare di giorno in giorno*; *andiamo di bene in meglio!* Con valore distributivo: *di tre in tre*; *di dieci in dieci*;

tempo determinato: *sono nato nel 1950*; *verrò in estate*; *ci rivedremo nel mese di maggio*;

tempo continuato (indica il periodo entro cui si compie un fatto): *finirò il lavoro in due settimane*; *un libro che si legge in poche ore*;

modo: *essere in dubbio*; *stare in ansia*; *vivere in solitudine*; *trovarsi in pericolo*; *un'anima in pena*; *un'occhiata in cagnesco*; *una serata in allegria*. Con i nomi di vestiario: *stare in pigiama*; *verrò in abito da sera*; *una ragazza in calzoncini corti*; *un bimbo in fasce*. Indica il modo di cucinare alcune vivande: *riso in bianco*; *patate in umido*; *lepre in salmì*. Indica partizione, divisione: *tagliare in due*; *farsi in quattro*. Si prepone al cognome del marito per indicare lo stato coniugale di una donna: *Carla Rossi in Esposito*, cioè coniugata con Esposito;

limitazione: *bravo in matematica*; *perfezionarsi nel francese*; *commerciare in tessuti*; *dottore in lettere*;

mezzo: *andare in treno*; *pagare in contanti*;

materia: *mobili in noce*; *scultura in bronzo*; *rilegare in cuoio*;

fine: *venire in soccorso*; *mandare in omaggio*; *una festa in onore del figlio*;

causa: *tormentarsi nel rimorso*; *gioire nel ricordo di qualcosa*;

stima: *tenere in grande considerazione*;

predicativo: *prendere in moglie una straniera*.

Seguita da un verbo all'infinito, la preposizione *in* equivale a un gerundio: *nel correre* (= 'correndo'), *ho inciampato*; *nel dirlo* (= 'dicendolo'), *sorrise*.

Forma **locuzioni preposizionali**: *in cima a*, *in base a*, *in relazione a*, *in seguito a*, *in quanto a*, *in mezzo a*, *in ragione di*, *in compagnia di*, *in virtù di*, *in cambio di*, *in conseguenza di*, *in considerazione di*, *in armonia con* ecc.; **locuzioni avverbiali**: *in qua*, *in là*, *in su*, *in giù*, *in basso*, *in alto*, *in dentro*, *in fuori*, *in avanti*, *in fondo*, *in conclusione*, *in apparenza*, *in realtà*, *in effetti*, *in breve*, *in fretta e furia*, *di tanto in tanto*, *di quando in quando* ecc.; **locuzioni congiuntive**: *in quanto*, *nel caso che*, *nel tempo che*, *nell'istante che*, *nella maniera che*, *in modo che*, *nel senso che* ecc.

9.5. LA PREPOSIZIONE « CON »

Il valore fondamentale di **con** è quello di 'addizione, partecipazione'.

La preposizione *con* regge i seguenti complementi:

compagnia e **unione**: *vado con lui*; *arrosto con patate*. È spesso rafforzata da *insieme*: *farò il viaggio insieme con un amico* (o *insieme a un amico*);

relazione: *ho un appuntamento con il medico*; *combattere con i nemici*; *sposarsi con una straniera*;

mezzo: *battere con un martello*; *arrivare con l'aereo*;

modo: *guardare con attenzione*; *lavorare con impegno*;

qualità: *una ragazza con i capelli biondi*;

causa: *con l'inflazione che c'è, il denaro vale sempre meno*; *con questo caldo è difficile lavorare*;

limitazione: *come va con lo studio?*

tempo: *le rondini se ne vanno coi primi freddi.*

Nell'uso familiare ha talvolta valore avversativo o concessivo ('malgrado, nonostante'): *con tutta la buona volontà, non posso proprio acconsentire.*

9.6. LA PREPOSIZIONE « SU »

Indica fondamentalmente 'contiguità, approssimazione' e 'posizione superiore'.

La preposizione **su** regge i seguenti complementi:

stato in luogo: *il libro è sul tavolo*; *un neo sulla guancia*; *siediti su questa poltrona*. Indica vicinanza: *una casa sul mare*. Indica la sfera sulla quale si estende il comando, l'autorità: *esercita il suo dominio su molti popoli*;

moto a luogo: *andiamo sul terrazzo*; *rimetti la penna sulla mia scrivania*. Può valere sia 'verso': *le finestre guardano sul giardino*; sia 'contro': *la pioggia batte sui vetri*;

argomento: *hanno discusso sulla situazione economica*; *una mostra sul Rinascimento fiorentino*;

tempo determinato (indica approssimazione, con il significato di 'intorno a', 'verso'): *vediamoci sul tardi*; *sul far del mattino, della sera*;

tempo continuato (con il significato di 'circa'): *ho lavorato sulle cinque ore*; *rimarrò fuori casa sui quindici giorni*;

età (indica approssimazione): *un uomo sui quarant'anni*; *una signora sulla cinquantina*;

stima, prezzo (indica approssimazione): *costa sulle diecimila lire*;

quantità, misura (indica approssimazione): *peso sui settanta chili*;

modo: *lavorare su ordinazione*; *un abito su misura*;

distributivo: *tre analfabeti su cento abitanti.*

9.7. LA PREPOSIZIONE « PER »

Il valore fondamentale della preposizione **per** è quello di 'tramite'.

La preposizione *per* regge i seguenti complementi:

moto per luogo: *passare per Milano*; *uscire per la porta*;

moto a luogo: *partire per l'America*; *l'autobus per la stazione*. Può indicare destinazione: *una lettera per te*; o inclinazione: *ha una grande passione per la musica*;

stato in luogo: *era seduto per terra*;

tempo continuato: *ho lavorato per tutta la notte*;

tempo determinato: *l'appuntamento è fissato per stasera*;

mezzo: *comunicare per telefono*; *capire per intuizione*;

causa: *tremare per il freddo*; *soffrire per la lontananza*;

fine: *combattere per la libertà*; *un impianto per la lavorazione della seta*; *per esempio*;

vantaggio (o **svantaggio**): *meglio* (o *peggio*) *per loro*; *fare sacrifici per i figli*;

modo: *chiamare per ordine alfabetico*; *raccontare l'accaduto per filo e per segno*;

prezzo, stima, misura: *per quanto hai venduto l'automobile?*; *danni per oltre un miliardo*; *la strada si snodava per vari chilometri*;

limitazione: *per me ha ragione*; *per questa volta ti perdono*;

distributivo: *in fila per due*; *dividersi per classi*. Può indicare successione: *giorno per giorno*; o percentuale: *l'interesse del 5 per cento* (scritto anche: 5%). Indica l'operazione matematica della moltiplicazione: *due per tre è uguale a sei*;

colpa, pena: *sarà processato per furto*; *una condanna per omicidio*; *fu multato per cinquemila lire*;

predicativo: *fu dato per disperso*; *versare un milione per caparra*;

sostituzione: *capire una cosa per un'altra*.

Seguita da un verbo all'infinito, la preposizione *per* introduce le seguenti proposizioni:

proposizione finale: *rallentò il passo per non destare sospetti*; *farò il possibile per aiutarti*;

proposizione causale: *è stato arrestato per aver emesso assegni a vuoto*; *lo sgridarono per aver fatto chiasso*;

proposizione consecutiva: *è troppo bello per essere vero*; *sei abbastanza grande per capire*.

Hanno valore concessivo costruzioni del tipo: *per gridare che facessimo, nessuno ci rispose*.

Forma numerose **locuzioni avverbiali**: *per ora*, *per il momento*, *per l'avvenire*, *per sempre*, *per tempo*, *per lungo*, *per largo*, *per di qui*, *per di là*, *per l'appunto*, *per contro*, *per caso*, *per poco*, *per lo più*, *per lo meno* (o *perlomeno*), *per di più* ecc.; e varie **locuzioni congiuntive**: *per la qual cosa*, *per il fatto che*, *per via che*, *per quanto* ecc.

9.8. LE PREPOSIZIONI « TRA » E « FRA »

Indicano una posizione intermedia tra due elementi (per questo sono spesso correlate alla congiunzione *e*: *un ponte* tra *una riva* e *l'altra del fiume*).

Non vi sono differenze di significato tra le due forme; la scelta dell'una o dell'altra è determinata soprattutto da ragioni eufoniche: si preferisce dire *fra travi* e *tra frati*, per evitare che si incontrino gruppi di suoni identici.

Le preposizioni *tra* e *fra* reggono i seguenti complementi:

stato in luogo (con il significato di 'in mezzo a'): *tra due monti si stende una vallata*; *una casa tra gli alberi*;

moto a luogo: *torna tra noi*;

moto per luogo: *un raggio di luce passava tra le imposte socchiuse*;

distanza: *tra due chilometri c'è un benzinaio*;

tempo: *arriverà tra due ore*; *sono libero tra le otto e le nove*; *parlare tra il sonno*;

relazione: *una discussione tra amici*; *si consultarono tra loro*;

compagnia: *ama stare fra gli altri*;

partitivo: *sei il migliore tra i miei amici*; *alcuni tra i presenti protestarono*.

In alcune frasi, *tra tutti* significa 'in tutto, complessivamente': *tra tutti saranno un centinaio*. In particolari espressioni la preposizione *tra* (*fra*) ha un valore causale: *fra la casa e i bambini non trovo mai il tempo di uscire*.

9.9. ALTRE PREPOSIZIONI

Le preposizioni *di*, *a*, *da*, *in*, *con*, *su*, *per*, *tra* (*fra*), sulle quali ci siamo finora soffermati, hanno particolare importanza, perché svolgono una grande quantità di funzioni e vengono quindi usate molto frequentemente.

Accanto a queste preposizioni, ve ne sono numerose altre che presentano impieghi meno variati e diffusione meno larga, correlatamente a una maggiore specificità di valori:

davanti, *dietro*, *contro*, *dopo*, *prima*, *insieme*, *sopra*, *sotto*, *dentro*, *fuori*; *lungo*, *vicino*, *lontano*, *salvo*, *secondo*; *durante*, *mediante*, *nonostante*, *rasente*, *escluso*, *eccetto*, *tranne* ecc.

Molte grammatiche definiscono **preposizioni improprie** queste forme, che sono anche (o sono state in passato) avverbi, aggettivi, verbi; mentre definiscono **preposizioni proprie** quelle che hanno solo funzione preposizionale, e cioè: *di*, *a*, *da*, *in*, *con*, *su*, *per*, *tra/fra* (*su* ha anche funzione avverbiale, ma per consuetudine viene considerata tra le preposizioni proprie). Diamo ora alcuni esempi di preposizioni-avverbi, di preposizioni-aggettivi, di preposizioni-verbi, mettendo in evidenza le diverse funzioni.

Il gruppo più cospicuo è quelle delle preposizioni-avverbi (*davanti*, *dietro*, *contro*, *dopo*, *prima*, *insieme*, *sopra*, *sotto*, *dentro*, *fuori* ecc.);

l'ho rivisto dopo *molto tempo* (funzione preposizionale)
l'ho rivisto un'altra volta, dopo (funzione avverbiale)

Meno numerose le preposizioni-aggettivi (*lungo*, *vicino*, *lontano*, *salvo*, *secondo* ecc.):

camminare lungo *la riva* (funzione preposizionale)
un lungo *cammino* (funzione aggettivale)

Vi sono poi alcuni verbi, in genere participi, che oggi funzionano quasi esclusivamente come preposizioni (*durante*, *mediante*, *nonostante*, *rasente*, *escluso*, *eccetto* ecc.):

durante *la sua vita* (funzione preposizionale)
vita natural durante (funzione participiale)

Fra tali preposizioni-verbi, un caso particolare è quello di *tranne*, dall'imperativo di *trarre* (*tranne* = 'traine').

Come si fa a riconoscere se una certa forma è usata come preposizione o ha una funzione diversa? Si rileggano gli esempi precedenti: ciò che caratterizza e distingue le preposizioni è il fatto di stabilire un rapporto tra due parole o tra due gruppi di parole; in particolare, abbiamo visto che la preposizione introduce un "complemento" del verbo, del sostantivo o dell'intera proposizione (v. 9.0.). Se manca tale "complemento", una cosa è certa: non abbiamo a che fare con una preposizione.

Alcune di queste preposizioni possono associarsi ad altre preposizioni (soprattutto ad *a* e *di*), formando le **locuzioni preposizionali**:

vicino a, *accanto a*, *davanti a*, *dietro a*, *prima di*, *dopo di*, *fuori di*, *dentro di*, *insieme con* (o *insieme a*), *lontano da* ecc.

Molte locuzioni preposizionali risultano dall'unione di preposizioni e di sostantivi:

in cima a, *in capo a*, *in mezzo a*, *in base a*, *in quanto a*, *in confronto a*, *a fianco di*, *al cospetto di*, *nel mezzo di*, *per causa di*, *in conseguenza di*, *a forza di*, *per mezzo di*, *per opera di*, *a meno di*, *al pari di*, *a dispetto di*, *a favore di*, *per conto di*, *in cambio di*, *al fine di* ecc.

Le locuzioni preposizionali hanno la stessa funzione delle preposizioni, come appare da questi esempi:

l'ha ucciso per mezzo di *un pugnale* / *l'ha ucciso* con *un pugnale*; *l'ha fatto* al fine di *aiutarti* / *l'ha fatto* per aiutarti.

Si noti però che preposizione e locuzione preposizionale non sono sempre intercambiabili: per esempio, possiamo dire indifferentemente *il ponte è costruito dagli operai* o *da parte degli operai*, mentre non possiamo dire *la costruzione del ponte dagli operai*, ma soltanto *la costruzione del ponte da parte degli operai*.

9.10. INSERTI

9.10.1. Le preposizioni avanzano

Nelle *Vite dei Cesari* Svetonio narra che l'imperatore Augusto nel parlare non esitava ad aggiungere preposizioni ai verbi e a ripetere più volte le congiunzioni. « La mancanza di preposizioni e di congiunzioni — commenta lo storico — rende un po' oscuro il discorso, anche se ne accresce la bellezza ».

In realtà le preoccupazioni grammaticali dell'imperatore (amante della chiarezza più che dell'eleganza verbale) riflettevano una crisi della lingua latina che si manifestava in un punto vitale della sua struttura. Nel latino classico i rapporti tra le parole erano resi mediante i casi della **declinazione** (per esempio, FILĬUS PATRIS 'il figlio del padre') e mediante un uso combinato di preposizioni e di casi (per esempio, EO IN URBEM 'vado nella città').

Tuttavia nel latino classico il sistema dei casi non era certo perfetto. Nelle declinazioni spesso la stessa forma rappresentava più funzioni. Vediamo qualche esempio di tale fenomeno: ROSAE è genitivo sing., dativo sing., nominativo pl., vocativo pl. (cioè 'della rosa', 'alla rosa', 'le rose', 'o rose'); DOMĬNO è dativo e ablativo sing. ('al padrone', 'con il padrone') così come ANIMĀLI, neutro della terza declinazione ('all'animale', 'con l'animale'). Avverto che qui, per brevità, do soltanto una delle possibili traduzioni dell'ablativo latino. Ma continuiamo: al plurale in tutte le declinazioni dativo e ablativo coincidono: ROSIS, DOMĬNIS, CIVIBUS ('alle rose', 'con le rose'; 'ai padroni', 'con i padroni'; 'ai cittadini', 'con i cittadini'); sempre al plurale nominativo, accusativo e vocativo coincidono nella terza, quarta e quinta declinazione: LEGES, MANUS, RES ('le leggi', 'o leggi'; 'le mani', 'o mani'; 'le cose', 'o cose'); il nominativo, l'accusativo e il vocativo dei nomi neutri coincidevano: TEMPLUM, ANĬMAL, GENU ('il tempio', 'o tempio'; 'l'animale', 'o animale'; 'il ginocchio', 'o ginocchio'). Che una stessa forma possa avere due o più valori è una possibile fonte di ambiguità, almeno in certe condizioni (quando cioè il contesto non aiuti sufficientemente).

Tale situazione peggiorò irrimediabilmente quando nell'evoluzione del latino si produssero due fenomeni:

1. la caduta delle consonanti finali;
2. la fine della distinzione tra vocali brevi e vocali lunghe.

In tal modo vennero meno molte distinzioni: per esempio, tra nominativo e accusativo singolare della prima e della seconda declinazione: ROSA in luogo dell'opposizione ROSA / ROSAM; DOMINU in luogo dell'opposizione DOMĬNUS / DOMĬNUM; analogamente nella terza declinazione veniva meno la distinzione tra genitivo e dativo singolare (LEGI in luogo di LEGIS e LEGI), tra accusativo e ablativo singolare (LEGE in luogo di LEGEM e LEGE). Al tempo stesso, scomparsa la differenza tra vocale breve e vocale lunga, ROSĂ (nominativo singolare) si confondeva con ROSĀ (ablativo singolare), MANŬS (nominativo e vocativo sing.) si confondeva con MANŪS (genitivo sing.; nominativo, accusativo e vocativo pl.).

Si ebbe un vero e proprio collasso della morfologia: le declinazioni scomparvero. Per indicare le funzioni prima indicate dai casi la lingua ricorse a due mezzi:

1. indicò con le **preposizioni** tutti quei complementi che nel latino classico erano indicati soltanto con i casi; per esempio:

FILIUS PATRIS	FILIU DE PADRE	*il figlio del padre*
DO PANEM MATRI	DO PANE AD MATRE	*do il pane alla madre*
ARATRO TERRAM ARO	ARO TERRA CUM ARATRO	*aro la terra con l'aratro*

2. indicò con la sola posizione il soggetto e il complemento oggetto: il soggetto precede il verbo; il complemento oggetto lo segue; all'ordine libero (possibile per la presenza delle desinenze) si sostituisce l'**ordine fisso**: soggetto - verbo - oggetto:

PETRUS PAULUM AMAT		
PAULUM PETRUS AMAT	PETRU AMA PAULU	*Pietro ama Paolo*
AMAT PETRUS PAULUM ecc.		

Abbiamo visto che due fenomeni di carattere fonetico (la caduta delle consonanti finali, la scomparsa dell'opposizione tra vocali brevi e vocali lunghe) provocano una sorta di reazione a catena. La morfologia ne risulta profondamente innovata: si estende l'uso delle preposizioni già esistenti; nascono nuove preposizioni (v.9.10.3.). Ne risulta innovata anche la sintassi: si afferma l'ordine diretto "soggetto + verbo + complemento oggetto"; nascono nuove strutture dei sintagmi e delle proposizioni.

9.10.2. La continuità di un processo

Il collasso della declinazione latina non è che l'ultimo atto di un processo che è presente fin dagli inizi della storia del latino. Infatti la tendenza a ridurre il numero dei casi è molto antica. Come altre lingue indoeuropee, il latino arcaico possedeva altri due casi (oltre a quelli del latino classico): lo strumentale e il locativo, i quali in seguito si fusero con l'ablativo e, rispettivamente, con il genitivo.

Ricordiamo ancora che nel latino classico il genitivo e l'accusativo non avevano funzioni esattamente definite; si prestavano a usi poco coerenti. Per tali motivi si sviluppò sempre più la tendenza a precisare la funzione dei casi mediante le preposizioni. Queste ultime, nella storia del latino, diventavano sempre più importanti; i casi invece perdevano gradualmente di importanza. Accanto a costrutti arcaici (senza preposizione) come EO DOMUM 'vado a casa' e DOMO VENIO 'vengo da casa' il latino classico possiede costrutti con preposizione: EO IN URBEM 'vado nella città' e EX URBE VENIO 'vengo dalla città'. Fin dal latino antico appaiono costrutti analitici che preannunciano quelli che saranno propri del latino volgare (v. 1.3.5.); così per esempio ritroviamo DIMIDIUM DE PRAEDA 'metà della preda' (in luogo di DIMIDIUM PRAEDAE), Plauto scrisse nella commedia *Captivi* (al verso 1019): HUNC AD CARNIFĬCEM DABO 'consegnerò questo al carnefice' (in luogo del dativo CARNIFĬCI usa AD e l'accusativo CARNIFĬCEM).

In conclusione c'è una continuità di tendenze (sviluppo delle preposizioni e della sintassi analitica) che attraversa la storia del latino e giunge alle lingue romanze.

9.10.3. Le nuove preposizioni

Il passaggio dal latino classico al latino volgare (e alle lingue romanze) segna non soltanto l'estendersi dell'uso delle preposizioni già esistenti, segna anche la nascita di nuove preposizioni.

Delle preposizioni latine alcune si conservano (per esempio: AD, DE, CUM, CONTRA, IN, SUPRA ecc.); altre si perdono (per esempio: AB, APUD, ERGA, OB, PRAE, PRO, PROPTER ecc.).

Molto importanti sono le preposizioni di nuova formazione: DE + AB (e forse DE + AD) > *da*, AD + ABANTE > *avanti*, DE + INTRO > *dentro*, DE + RETRO > *dietro*, DE + POST > *dopo*, IN + ANTE > *innanzi*; ci sono preposizioni italiane nate dalla fusione di una preposizione e di un nome: *accanto* (*a canto*), *allato* (*a lato*), *dirimpetto* (*di in petto*).

Dal punto di vista delle origini le preposizioni sono state inizialmente degli avverbi; gli scambi tra le due categorie sono frequenti nella storia linguistica: per esempio in latino classico SUBTUS e FORIS erano avverbi; in italiano *sotto* e *fuori* (ricavati dai precedenti) sono avverbi e preposizioni.

9.10.4. Preposizioni in movimento

L'italiano di oggi dimostra una certa tendenza a modificare l'uso di alcune preposizioni. Tale fenomeno appare soprattutto nel linguaggio dei giornali che riproduce costruzioni affermatesi nella lingua comune o in altri linguaggi settoriali. Ecco una serie di esempi nei quali s'intravedono forse i futuri svolgimenti di questo settore della morfologia.

La preposizione *a* si espande a scapito di *con* e di altre preposizioni: *attentato al plastico*, *letto a scomparsa*, *precipitazioni a carattere temporalesco*, *zona vincolata a verde*, *basta agli sprechi*, e perfino *l'alibi a Pietro (a = a favore di*). Diverso è il caso di *abito a via Dante* in luogo di *in via Dante*: l'uso della preposizione *a*, normale a Roma, si è diffuso ampiamente; si tratta quindi, almeno alle origini, di un regionalismo.

Notevole è anche l'uso di *su* in determinati contesti: *segnare su rigore* (linguaggio sportivo); *la rottura delle trattative è avvenuta sul rifiuto da parte dell'azienda di pagare gli anticipi*; *pomeriggio piuttosto animato specie sugli assicurativi* (linguaggio della borsa). Nel linguaggio burocratico si nota talvolta l'uso esteso di *circa*: *il ministro si è detto d'accordo circa la continuazione del dialogo*.

Il linguista svizzero Henry Frey ha scritto un saggio dal titolo *La grammatica degli errori* in cui si sostiene la tesi che gli "errori" di oggi preannunciano i caratteri che la lingua assumerà domani.

9.10.5. Il caso del caso

Il linguista Charles J. Fillmore in un saggio intitolato *Il caso del caso* ha proposto di riprendere la categoria grammaticale dei casi (svincolata dalla sua espressione formale di desinenze aggiunte ai sostantivi; per esempio: *domin*-**us**, *domin*-**i**, *domin*-**o**) e di introdurla come un principio che fa comprendere meglio il funzionamento di una grammatica trasformazionale (v. 1.1.11.). In questo senso si parlerà dunque di "casi" anche per lingue come l'inglese, il francese, l'italiano ecc., che non possiedono declinazioni. Scrive Fillmore: « Le nozioni di caso comprendono un insieme di concetti universali, presumibilmente innati, indicanti certi tipi di giudizio che gli esseri umani sono in grado di dare sugli eventi che si verificano attorno a loro, giudizi su questioni come chi l'ha fatto, a chi è capitato, che cosa è cambiato ».

9.10.6. Il linguaggio della burocrazia

Il linguaggio della burocrazia appare spesso complicato e oscuro. Ciò dipende in parte dalla necessità di usare termini tecnici che non si possono sempre sostituire con vocaboli della lingua comune. Tuttavia complicazioni e oscurità dipendono soprattutto dal deliberato proposito di usare un italiano difficile, ricco di tecnicismi e di formule altisonanti, di periodi lunghi e complessi. La ricerca del "precisionismo" e della univocità dei termini spinge il burocrate ad imitare il linguaggio giuridico (v. 8.5.5.); ma i risultati non sono incoraggianti: troppo spesso le scelte linguistiche del burocrate risultano non funzionali e incomprensibili per la maggior parte dei cittadini. Eppure, per il funzionario di un ministero l'uso di una lingua semplice, accessibile a tutti, rappresenterebbe agli occhi di molti una perdita di prestigio: il potere non può fare a meno di distinguersi anche mediante il linguaggio.

La corrente di scambi tra i linguaggi burocratico, giuridico e politico è attiva in tutte le direzioni. Per alcuni, il primo sarebbe un sottoprodotto del secondo. È facile constatare che le stesse parole ed espressioni ricorrono nelle circolari ministeriali, negli studi degli avvocati e nei discorsi degli uomini politici. Il linguaggio burocratico, che Italo Calvino ha definito un'*antilingua* (proprio per l'avversione alle parole comuni), ha influenzato in modo notevole la stampa quotidiana e periodica; purtroppo è entrato anche nel mondo della scuola e perfino nel parlare di ogni giorno.

Anche l'uomo della strada vuole *effettuare*, non più *fare* una gita; l'agricoltore non *pianta* più un albero, lo *mette a dimora*; sulle spiagge inquinate i cartelli non dicono «Vietato fare il bagno», ma «Divieto di balneazione»; la macchinetta posta nei mezzi pubblici non *annulla* il biglietto del viaggiatore, lo *oblitera*. Il linguaggio burocratico rifugge dai verbi più comuni come *essere, avere, stare, fare, dare, andare, venire, apparire, usare*; al loro posto troviamo infatti verbi come: *situarsi, porsi, presentare, riferirsi, effettuare, conferire, emergere, realizzare, usufruire*. Vediamo alcuni esempi di sostituzioni "burocratiche": «conferire importanza» invece di «dare importanza, «costituire una minaccia» invece di «essere una minaccia»; «emergono nuove proposte» invece di «ci sono»; «il signor Rossi usufruisce dell'ascensore» invece di «usa».

Al posto della preposizione *per* il linguaggio burocratico preferisce la locuzione *al fine di*; altre locuzioni "burocratiche" sono: *a livello di, a seguito di, in forza di, in sede di*. Si ricorre spesso a coppie di sinonimi o quasi sinonimi: *entro e non oltre il giorno X*. Il richiamo tra le varie parti di un testo è compiuto mediante gli aggettivi *sottoscritto, predetto, suddetto, infrascritto, sullodato* e mediante espressioni come: *il nominativo in margine, la delega in calce, il documento in allegato*. Il linguaggio burocratico usa con diverso significato vocaboli comuni; per esempio, *ripetere* 'chiedere qualcosa a titolo di restituzione' è un latinismo semantico: *ripetere il pagamento di una somma non dovuta*.

I nomi astratti e gli aggettivi o participi di forma latineggiante ricorrono frequentemente nel linguaggio burocratico, che è chiamato anche «burocratese». Ecco un passo riguardante la denuncia dei redditi:

> *Poiché la definitività dell'accertamento rende esperibile l'azione penale, secondo la normativa in vigore sino al 31 dicembre 1982, per le suddette fattispecie gli Uffici dovranno trasmettere esauriente rapporto alla competente Autorità giudiziaria ai sensi dell'art. 31 ...*

Il linguaggio giuridico e quello burocratico mirano a definire comportamenti, situazioni ed eventi in maniera rigorosamente inequivocabile; pertanto fanno un largo uso di serie di vocaboli che coprono per così dire ogni possibilità espressiva relativa ad un determinato campo: «ogni domanda, richiesta, proposta, suggerimento, commento sarà oggetto di esame preventivo da parte dell'apposita commissione».

Altri caratteri del "burocratese" sono: l'uso ricorrente dei verbi impersonali, dei passivi, dei modali (per es. nelle formule «si è potuto constatare», «si è dovuto rilevare«); la predilezione per l'espressione negativa e per la litote («*Non* c'è dubbio che un servizio di vigilanza e di custodia, come quello espletato dalle SS.LL., è tale da *non* rendere difficili ed impedire tali atti criminosi, e ciò a causa di un'osservanza *non* sempre puntuale dell'orario di servizio...»); la presenza di particolari espressioni come *corre l'obbligo di* o *porre in essere*.

9.10.7. Quando è nato l'italiano

Lentamente il latino parlato nelle diverse province dell'Impero romano si trasformò, dando origine alle moderne lingue romanze: il portoghese, lo spagnolo, il francese, l'italiano, il rumeno (v. 1.3.). Per molto tempo, però, la lingua scritta rimase il latino. C'era insomma una lingua della cultura distinta dal "volgare", mezzo di comunicazione del popolo, ma proprio anche dell'uso quotidiano di ogni fascia sociale.

Una prima affermazione del volgare, abbastanza ampia e significativa, si ha in Italia nel Duecento: sono numerosi in questo secolo i trattatisti, i narratori, i poeti e — fatto non meno importante — i notai che si servono nelle loro scritture del volgare, o meglio di uno tra i molti volgari o dialetti locali. Ma già in precedenza, a partire dai secoli IX e X, affiorano qua e là per l'Italia interessanti testimonianze scritte della lingua che effettivamente si parlava.

Intorno all'anno 800 qualcuno scrive un indovinello in una lingua mista di latino e di volgare veneto: è il primo documento della nostra lingua, e anche il primo componimento della nostra letteratura. L'indovinello veronese — chiamato così perché si trova in un manoscritto della Biblioteca Capitolare di Verona — svolge un paragone tra l'azione dello scrivere e quella dell'arare:

Se pareba boves, alba pratalia araba,
albo versorio teneba et negro semen seminaba;

cioè: «Spingeva avanti i buoi (= le dita), arava prati bianchi (= la pergamena), teneva un aratro bianco (= la penna d'oca) e seminava un seme nero (= l'inchiostro)». È facile, a questo punto, la soluzione dell'indovinello: si tratta dello scrittore, il quale con le dita, simili ai buoi del contadino, tiene la penna (l'aratro bianco) con cui scrive sul foglio (il prato bianco), seminando il seme nero dell'inchiostro. La lingua del componimento non può ancora definirsi propriamente volgare: è piuttosto latino medievale con alcuni volgarismi, come la caduta della *-t* finale nei verbi *pareba, araba, teneba, seminaba*, o come l'uso di *albo, versorio, negro* invece di *album, versorium, nigrum*.

Un'utilizzazione più consapevole del volgare si ha in una breve iscrizione del IX secolo. Nella catacomba romana di Commodilla un religioso graffia su un affresco questa scritta:

Non dicere ille secrita a bboce;

cioè: «Non dire le *secrete* ad alta voce». Le *secrete* sono le 'preghiere segrete' della messa, che devono essere recitate silenziosamente: la frase è diretta quindi a un celebrante "distratto", per richiamarlo al rispetto della regola liturgica. Dal punto di vista linguistico, è importante il fatto che *ille* abbia qui funzione di articolo, e non di dimostrativo come in latino; la forma *dicere* per 'dire' è quella tipica dell'antico dialetto di Roma.

Risale al 960 il plàcito ('sentenza') di Capua. Nel mese di marzo di quell'anno, il giudice della città campana deve decidere su una lite tra l'abate di Montecassino, famoso e ricco monastero benedettino tuttora esistente, e il nobile Rodelgrimo, originario di Aquino. Secondo Rodelgrimo, il monastero occupa illecitamente alcune terre di sua proprietà; ma l'abate porta tre testimoni che pronunciano davanti al gudice il seguente giuramento:

Sao ko kelle terre, per kelle fini que ki contene, trenta anni le possette parte Sancti Benedicti.

La frase, che è in un dialetto molto simile al napoletano, vuol dire: «So che quelle terre, entro quei confini di cui si parla qui, le possedette trent'anni il monastero di San Benedetto». Dimenticavamo: l'abate, grazie alla testimonianza, vinse la causa.

Il verbale del processo, conservato nell'abbazia di Montecassino, è scritto in latino; l'uso del volgare, limitato alla formula di giuramento, deriva in questo caso da una duplice esigenza: trascrivere fedelmente le parole dei testimoni, consentire a tutti di capirle. Abbiamo così l'esempio più antico di una contrapposizione netta tra latino e volgare all'interno dello stesso documento. Il plàcito di Capua può dirsi l'atto di nascita della nostra lingua.

9.10.8. «Una bibita bella fresca»

L'italiano conosce un modo particolare di rafforzare il significato dell'aggettivo. Se io dico, per esempio: «vorrei una bibita bella fresca» oppure «Giovanni è un bell'ignorante», intendo dire che la bibita deve essere *molto fresca* e che Giovanni è *molto ignorante*. Questo tipo di superlativo (v. 5.2.5.) ricorre soprattutto nella lingua parlata, ma è presente anche nella narrativa moderna. Vediamone altri esempi: «bello grosso», «bello grasso», «bello spesso», «bello alto», «bello liscio». Consideriamo due aspetti del fenomeno. «Un signore bello grasso» è un signore *molto grasso*, ma «un signore bello e grasso» è un'espressione che ha un altro significato: c'è la bellezza e la grassezza. *Bello* può rafforzare soltanto un certo tipo di aggettivi; non posso dire: «Giovanni è bello studioso, è bello intelligente, è bello disinteressato».

Il tipo di superlativo ora esaminato è analogo a quello che vede *bello* collegato mediante la congiunzione *e* a un participio passato: «sono arrivato tardi; il negozio era *bello e chiuso*», cioè definitivamente, del tutto chiuso; cfr. ancora: *bell'e morto, bello e andato*.

Insieme con questi esempi possiamo ricordare la coppia di aggettivi *bello e buono*: «quel tizio è un imbecille bello e buono» equivale a dire: «è del tutto imbecille». Un valore rafforzativo c'è anche nell'espressione *bello che*: «in pochi minuti mi ritrovai bello che legato», cioè del tutto legato; comune nella lingua parlata è l'espressione «bello che fregato».

A dir la verità, *bello* è al centro di una costellazione di modi di dire che nascono da un bisogno di espressività. Consideriamo due casi: «*il bello è che* non ricordo più nulla», cioè «la cosa strana è che...»; «*sul più bello* la pioggia cominciò a cadere fitta fitta», cioè nel momento più interessante della storia.

Se leggiamo nel dizionario la voce *bello* ci rendiamo conto che questo aggettivo possiede molti significati e sfumature di significato: non ci stupisce che un bisogno di espressività lo abbia piegato anche a una funzione grammaticale (*bello* equivale a *molto*) e lo abbia fatto entrare in varie espressioni idiomatiche.

9.10.9. Una classificazione non tradizionale

In 9.1. abbiamo accennato al fatto che le preposizioni potrebbero essere classificate secondo altri punti di vista. Di solito i linguisti distinguono le parti del discorso in due grandi categorie: le parole "piene" (che hanno un valore lessicale, cioè semantico) e le parole "vuote" (che hanno soltanto un valore grammaticale). Le preposizioni sembrerebbero appartenere alla seconda categoria. In realtà esse possiedono al tempo stesso i due valori. Vediamo perché.

Di ha un valore grammaticale rispetto a una parola "piena"; per es. rispetto al verbo *venire* nella frase: «ti prego *di* venire»; ma *di* dimostra di avere un valore lessicale se confrontiamo questa preposizione con altre preposizioni: per es. «il libro *di* Mario», «sono uscito *con* Mario», «*dietro* Mario c'era Luigi». Alcuni obiettano tuttavia che una preposizione apparirà più o meno "concreta" a seconda dell'elemento cui essa si riferisce. In ogni modo appare certo che alcune locuzioni preposizionali hanno un valore lessicale (cioè semantico) più evidente: *in cima a, in confronto a, per opera di* ecc.

Forse è possibile disporre le preposizioni e le locuzioni preposizionali in una successione graduale; ai due punti estremi avremo, da una parte, le preposizioni "più lessicali", dall'altra le preposizioni "più grammaticali". Queste ultime sono sicuramente *di* e *a*: si è parlato di preposizioni "incolori". Tale appare *di* quando: 1) serve come elemento di giunzione tra un verbo reggente e l'infinito («ti prego *di* venire»); 2) quando forma un complemento che ha funzione di aggettivo («un uomo *di* valore», «una posizione *di* forza»; 3) in espressioni come «che c'è *di* nuovo?», «che mi dici *di* bello?».

Alcuni linguisti hanno tentato di ridurre i molteplici valori delle preposizioni *di* e *a* a due valori fondamentali: il risultato sono state due formule troppo astratte per costituire un utile strumento di analisi. Altri hanno proposto una categoria intermedia; si avrebbero dunque: preposizioni "concrete" (per es. *dopo, avanti, verso*); preposizioni "semiconcrete" (per es. *con, in, per, su*); preposizioni «astratte» (*di, a*). Talvolta le preposizioni "astratte" possono essere sostituite con altre meno "astratte"; consideriamo due sintagmi: *la passione di Mario* e *la passione della moto*; se li unifichiamo in un sintagma più esteso non possiamo certo proporre: *la passione di Mario della moto*; dovremo dire piuttosto: *la passione di Mario per la moto*. Dalla preposizione *di* siamo passati alla preposizione *per*. È un invito a riflettere sulle "costrizioni" del testo nella scelta delle preposizioni.

Innumerevoli sono i problemi sollevati dallo studio delle preposizioni: ne ricorderemo soltanto tre.

Se confrontiamo tra loro questi sintagmi: «mancare il bersaglio», «mancare a un appuntamento», «mancare di coraggio», «mancare verso qualcuno», ci rendiamo conto come le preposizioni (con il loro alternarsi) contribuiscano a fondare diversi significati.

La preposizione *di* dimostra di essere un elemento di giunzione molto "flessibile" al quale si possono connettere elementi diversi: «il ricordo *di* Mario» (da intendere come "qualcuno ricorda Mario" oppure "Mario ricorda qualcuno"), «il ricordo *di* aver visto qualcuno», «il ricordo *di* come eravamo da ragazzi».

Soprattutto nei testi scientifici e nella stampa si è diffusa negli ultimi anni una costruzione che si potrebbe chiamare «due preposizioni per un solo sostantivo»; eccone due esempi: «i treni *da* e *per* Milano», «*a causa della*, e *attraverso la* crisi economica». Una costruzione che consente di esprimersi in modo più sintetico, ma della quale sarà bene non abusare.

10. LA CONGIUNZIONE E L'INTERIEZIONE

10.0. Le **congiunzioni** sono parole invariabili che uniscono due o più termini in una proposizione o due o più proposizioni in una frase (o periodo). Le congiunzioni, permettendo di trasformare in una sola frase due o più frasi di partenza, svolgono un ruolo fondamentale per l'organizzazione e l'articolazione del discorso. Ad esempio, la frase:

devo andare a Parigi e a Londra per lavoro

è il risultato di un'operazione sintattica di trasformazione delle due frasi:

devo andare a Parigi per lavoro
devo andare a Londra per lavoro

che, unite per mezzo della congiunzione *e*, diventano:

devo andare a Parigi per lavoro
e
devo andare a Londra per lavoro

da cui si ha, con l'unificazione degli elementi identici:

devo andare a Parigi e a Londra per lavoro.

A seconda della funzione sintattica che esse svolgono nella frase, si distinguono due tipi di congiunzioni:

le **congiunzioni coordinative**, che uniscono proposizioni o parti di proposizione sintatticamente equivalenti;

le **congiunzioni subordinative**, che uniscono proposizioni sintatticamente non equivalenti (in particolare, mettono in rapporto di dipendenza le proposizioni subordinate rispetto alle proposizioni reggenti).

Una congiunzione coordinativa è, per esempio, la *e* della frase precedente *devo andare a Parigi e a Londra per lavoro*, dove gli elementi messi in rapporto dalla congiunzione (*a Parigi*, *a Londra*) si equivalgono dal punto di vista sintattico: rappresentano entrambi il complemento di moto a luogo. In pratica, "coordinare" significa accostare due termini sintatticamente omogenei: due attributi dello stesso sostantivo (*una strada lunga e diritta*), due soggetti dello stesso verbo

(*Sergio e Claudio scrivono*), due verbi con lo stesso soggetto (*Sergio legge e scrive*), due proposizioni dipendenti dalla stessa principale (*verrò domani, se ci siete e non disturbo*), e così via.

Esempi di congiunzioni subordinative sono *perché*, *quando*, *se* nelle frasi:

non esco perché piove
non esco quando piove
non esco se piove.

Qui la principale *non esco* si trova su un piano diverso rispetto alle subordinate *perché / quando / se piove*: queste ultime aggiungono una determinazione (causale, temporale, condizionale), sono come un "complemento" della principale. Appare evidente, in tal senso, l'analogia tra le congiunzioni subordinative e le preposizioni: la proposizione causale *perché piove*, introdotta dalla congiunzione *perché*, equivale a un complemento di causa *per la pioggia*, introdotto dalla preposizione *per* (v. in proposito anche 10.2.).

Nel seguente enunciato:

Sandra era una ragazza molto orgogliosa, che non sopportava di fare brutte figure. Quel giorno, però, *non aveva potuto prepararsi come avrebbe voluto*

la congiunzione *però* collega non due proposizioni o due parti di proposizione, ma due frasi diverse, delle quali altrimenti non sarebbe ben chiaro il rapporto. Possiamo quindi dire che le congiunzioni sono fattori di **collegamento**, di **raccordo** e di **coesione**, operanti a tutti i livelli del discorso.

Rispetto alla forma, le congiunzioni si distinguono in:

semplici, se sono formate da una sola parola: *e*, *o*, *ma*, *come*, *che*, *né* ecc.;
composte, se sono formate da due o più parole unite insieme: *oppure*, *neanche*, *sebbene*, *allorché*, *nondimeno* ecc.
locuzioni congiuntive, se sono formate da più parole scritte separatamente: *per il fatto che*, *di modo che*, *dal momento che*, *per la qual cosa* ecc.

10.1. CONGIUNZIONI COORDINATIVE

A seconda del loro significato e, quindi, del tipo di rapporto che stabiliscono tra i termini da esse collegati, le **congiunzioni coordinative** possono essere:

- **copulative** (dal lat. *copulare* 'accoppiare, unire'), che segnalano un collegamento puro e semplice: *e* (davanti ad altra vocale, in particolare davanti a *e*, si può avere *ed*, con *d* eufonica), *anche*, *pure*, *né*, *neppure*, *neanche*, *nemmeno*, *nonché* ecc.
Esempi:
va bene in tutto, anche in matematica; *non posso, né voglio aiutarlo*; *entra ed esce in continuazione*;

- **disgiuntive**, che segnalano separazione tra i termini collegati, ed esclusione di uno tra essi: *o*, *oppure*, *ovvero* ecc.

Esempi:

vuoi un'aranciata o un aperitivo?; *stasera che fai, rimani a casa oppure esci?*

■ **avversative**, che segnalano contrapposizione: *ma*, *però*, *tuttavia*, *nondimeno*, *eppure*, *anzi*, *piuttosto*, *bensì*, ecc.

Esempi:

siamo andati al cinema, ma il film non ci è piaciuto; *ci sono poche probabilità, tuttavia tenteremo*;

■ **dichiarative** o **esplicative**, che segnalano una dichiarazione, una spiegazione: *cioè*, *vale a dire*, *infatti*, *invero*, *ossia* ecc.

Esempi:

è un misogino, cioè odia le donne; *tornerò fra quattro mesi, vale a dire alla fine di maggio*;

■ **conclusive**, che segnalano una conclusione, una conseguenza: *dunque*, *quindi*, *ebbene*, *perciò*, *pertanto*, *allora* ecc.

Esempi:

Cartesio diceva « penso, dunque sono »; *oggi fa molto freddo, perciò copriti bene*;

■ **correlative**, che stabiliscono una corrispondenza o una relazione tra due o più elementi: *e ... e (... e)*, *o ... o*, *né ... né*, *sia ... sia*, *non solo ... ma anche* ecc. Come si vede, alcune di queste non sono altro che congiunzioni copulative o disgiuntive usate in coppia.

Esempi:

mi piace sia la musica leggera sia la musica classica; *è un lavoro non solo interessante, ma anche redditizio.*

Analogamente alle preposizioni, anche le congiunzioni hanno in vari casi più significati e funzioni. Così, per esempio, *e* può valere: 'invece' (*pensavamo che lavorasse, e lui stava a zonzo*), 'eppure' (*era infrangibile, e si ruppe*), 'perciò' (*fa piacere a voi, e io lo farò*). La congiunzione *anzi* può essere oppositiva (*non mi ha voluto dar retta, anzi ha fatto tutto il contrario*) o rafforzativa (*è una persona intelligente, anzi è un genio*). La congiunzione *o*, oltre al suo più tipico valore disgiuntivo (*prendere o lasciare*), ha talvolta un valore esplicativo (*la semiologia, o scienza dei segni*).

10.2. CONGIUNZIONI SUBORDINATIVE

Le **congiunzioni subordinative** collegano due proposizioni, una delle quali è subordinata all'altra, dipende dall'altra o da un termine di essa. Per esempio, nella frase *non ci vedo perché è buio*, la proposizione *perché è buio* è subordinata, dipende da *non ci vedo*; si dice pure che *perché è buio* è retta da *non ci vedo* (e quest'ultima proposizione si chiama **principale** o **reggente** o **sovraordinata**, mentre l'altra si chiama **secondaria** o **dipendente** o **subordinata**).

A seconda del loro significato e, quindi, del tipo di rapporto che esse stabiliscono, le congiunzioni subordinative si possono dividere in:

■ **dichiarative**, che introducono una dichiarazione: *che*, *come*.

Esempi:

afferma che non ha visto niente; *i suoi modi rivelavano come fosse una persona raffinata*;

- **condizionali**, che indicano una condizione, senza la quale il fatto espresso nella principale non potrebbe realizzarsi: *se*, *purché*, *qualora*, *a condizione che*, *a patto che*, *nel caso che*, *supposto che* ecc.

Esempi:
se fossi in te, agirei diversamente; *sono disposto a perdonarlo, purché si dimostri pentito*;

- **causali**, che indicano una causa, una ragione, un motivo: *perché*, *poiché*, *giacché*, *siccome*, *visto che*, *dal momento che*, *dato che*, *per il fatto che* ecc.

Esempi:
non è venuto perché si sentiva poco bene; *siccome è tardi prenderò un tassì*;

- **finali**, che indicano il fine per il quale un fatto si realizza o tende a realizzarsi: *affinché*, *perché*, *acciocché*, *che* ecc.

Esempi:
ho dato queste disposizioni affinché fossero applicate; *parlo a voce alta perché tutti mi possano sentire*;

- **concessive**, che indicano una concessione, negando nello stesso tempo la conseguenza che se ne può trarre: *benché*, *seppure*, *sebbene*, *ancorché*, *per quanto*, *quantunque*, *malgrado che*, *nonostante che*, *anche se* ecc.

Esempi:
benché fosse giugno, faceva freddo: *quantunque avessimo camminato molto, non eravamo affatto stanchi*;

- **consecutive**, che indicano la conseguenza di quello che è stato detto nella principale (dove, il più delle volte, si trova un termine correlativo, o *antecedente* della consecutiva): *così ... che*, *tanto ... che*, *di maniera* (*di modo*) *che*, *a tal punto che*, *talmente che* ecc.

Esempi:
aveva così fame che divorò tutto in un secondo; *ero stanco a tal punto che non mi reggevo in piedi*;

- **temporali**, che indicano una circostanza di tempo: *quando*, *come*, *appena che*, *dopo che*, *prima che*, *allorché*, *mentre*, *finché*, *ogni volta che* ecc.

Esempi:
quando l'ho visto, gli sono corso incontro; *dobbiamo prendere una decisione, prima che sia troppo tardi*;

- **comparative**, che stabiliscono una comparazione: *come* (spesso in correlazione con *così*), *più che*, *meno che*, *meglio che*, *peggio che*, *tanto quanto*, *tanto più ... quanto meno* ecc.

Esempi:
non è poi così furbo come credevo; *vale tanto quanto pesa*;

- **modali**, che indicano una circostanza di modo: *come*, *come se*, *quasi*, *nel modo che* ecc.

Esempi:
fa' come se fossi a casa tua; *urlava quasi fosse impazzito*;

- **interrogative indirette**, che introducono una domanda o un dubbio: *se*, *come*, *quando*, *perché*, *quanto* ecc.

Esempi:
dimmi perché, come e quando è successo; *non so se partirò;*

■ **avversative**, che introducono una contrapposizione: *quando*, *mentre*, *laddove* ecc.
Esempi:

hai agito con precipitazione, mentre avresti dovuto aspettare;

■ **eccettuative**, **esclusive**, **limitative**, che esprimono un'eccezione, un'esclusione o una limitazione a quanto è affermato nella principale: *fuorché*, *tranne che*, *eccetto che*, *salvo che*, *a meno che*, *senza che*, *per quanto*, *per quello che* ecc.
Esempi:

non fa niente tutto il giorno, fuorché divertirsi; *per domani abbiamo in programma una gita, a meno che non si metta a piovere*; *senza che ce ne accorgessimo, s'è fatto tardi*; *per quanto ne so, dovrebbe tornare oggi.*

Hanno una funzione di collegamento tra due proposizioni diverse anche i **pronomi relativi** (v. 6.5.) e i **pronomi** e gli **aggettivi interrogativi** quando introducono un'interrogativa indiretta (v. 6.6 e 5.3.4.).

Abbiamo già accennato all'analogia tra le congiunzioni subordinative e le preposizioni, osservando che nella frase *non esco perché piove* la proposizione causale *perché piove*, introdotta dalla congiunzione *perché*, equivale al gruppo di "preposizione + nome" *per la pioggia*. Se confrontiamo ora le due frasi:

ti dico che lo conosco
ti dico di conoscerlo

ci accorgiamo che anch'esse si equivalgono. Dunque una proposizione subordinata (in questo caso: *che lo conosco*) introdotta da una congiunzione (*che*) può essere trasformata in una proposizione subordinata (*di conoscerlo*) introdotta da una preposizione (*di*), sostituendo il verbo di modo finito (*lo conosco*) con lo stesso verbo usato al modo infinito (*conoscerlo*).

Volendo dare una classificazione più precisa delle preposizioni e delle congiunzioni, bisognerebbe chiamarle tutte insieme **elementi di rapporto** e suddividerle quindi in **elementi coordinanti** (= congiunzioni coordinative) ed **elementi subordinanti**; questi ultimi andrebbero a loro volta distinti in elementi subordinanti un nome o una proposizione con verbo all'infinito (= preposizioni) ed elementi subordinanti una proposizione con verbo di modo finito (= congiunzioni subordinative).

10.2.1. Funzioni di: che, come, mentre, perché, quando, se

Una stessa congiunzione può stabilire vari rapporti tra la proposizione principale e quella dipendente. Vediamo le diverse funzioni delle congiunzioni subordinative di maggior uso: *che*, *come*, *mentre*, *perché*, *quando*, *se*.

Che

La congiunzione *che* può avere funzione:

dichiarativa: *ti dico che hai torto*;
causale: *prendi l'ombrello che piove*;
finale: *dillo chiaro che tutti capiscano*;
consecutiva: *era così preoccupato che non è riuscito a dormire*;
temporale: *sono anni che non lo vedo*;

comparativa: *è stato più facile che non credessi*;
eccettuativa: *non pensa che a giocare*;
limitativa: *che io sappia, non abita più qui.*

Che può anche essere:
- pronome relativo: *guardava dalla finestra le persone che passavano*;
- pronome interrogativo: *che vuoi?*; *non so che fare*;
- aggettivo interrogativo: *che ora è?*; *dimmi che intenzioni hai*;
- pronome esclamativo: *che vedo!*;
- aggettivo esclamativo: *che idea!*

Come

La congiunzione *come* può avere funzione:

comparativa: *non è poi così intelligente come credevo*;
modale: *rispettalo come fosse tuo padre*;
temporale: *come lo vide, gli corse incontro*;
dichiarativa: *gli raccontò come non andasse d'accordo con il capoufficio*;
interrogativa indiretta: *mi chiedo come possa essere accaduto.*

Mentre

La congiunzione *mentre* può avere funzione:

temporale: *l'ho incontrato mentre stavo tornando a casa*;
avversativa: *è sempre insoddisfatto e scontento, mentre potrebbe essere felice.*

Perché

La congiunzione *perché* può avere funzione:

causale: *non l'ho comprato perché costava troppo*;
finale: *lo dico perché si sappia*;
consecutiva: *è troppo furbo perché ci possa cascare*;
interrogativa indiretta: *vorrei sapere perché non mi rispondi.*

Quando

La congiunzione *quando* può avere funzione:

temporale: *quando parlo, ti prego di non interrompermi*;
avversativa: *pretende le mie scuse, quando dovrebbe essere lui a scusarsi con me*;
condizionale: *quando avessimo bisogno di aiuto, potremmo rivolgerci a lui*;
causale: *è sciocco da parte tua insistere, quando sai benissimo di aver torto*;
interrogativa indiretta: *domandagli quando verrà.*

Se

La congiunzione *se* può avere funzione:

condizionale: *se ci sono delle novità, avvertitemi subito*;
causale: *se è qui, vuol dire che qualcuno lo ha chiamato*;
concessiva: *non lo vorrei neanche se me lo regalassero*;
interrogativa indiretta: *sono incerto se partire oggi o domani*.

10.3. L'INTERIEZIONE

L'interiezione è una parola invariabile che serve ad esprimere una reazione improvvisa dell'animo: gioia, dolore, sdegno, sorpresa, paura, minaccia, disappunto, rabbia, impazienza, incoraggiamento, disprezzo ecc.

È pronunciata con un tono enfatico che nella scrittura viene generalmente reso con il punto esclamativo: *oh!*, *ahi!*, *ohimè!*, *puah!* Spesso il punto esclamativo si trova al termine della frase che segue, e in questo caso dopo l'interiezione si pone una virgola: *diamine, state esagerando!* Se il tono della frase è insieme di meraviglia e di domanda, al punto esclamativo si può unire quello interrogativo: *come?!*

Tradizionalmente si suole considerare l'interiezione come la nona parte del discorso. Ma a differenza delle altre parti del discorso l'interiezione non ha alcun legame sintattico con la proposizione nella quale si trova, costituendo già di per se stessa una frase.

10.3.1 Tipi di interiezione

Secondo la forma, le interiezioni si distinguono in:

- **interiezioni proprie,** così dette perché hanno solamente la funzione di interiezione: *ah!*, *eh!*, *oh!*, *ahi!*, *ehi!*, *ohi!*, *mah!*, *urrà!*, *ahimè!*, *ohimè!* ecc.;

- **interiezioni improprie**, così dette perché sono altre parti del discorso (sostantivi, aggettivi, avverbi, verbi) usate con funzione di interiezione: *coraggio!*, *peccato!*, *animo!*, *bravo!*, *giusto!*, *zitto!*, *bene!*, *presto!*, *via!*, *fuori!*, *evviva!*, *viva!*, *basta!* ecc.;

- **locuzioni interiettive** o **esclamative**, così dette perché sono formate da gruppi di parole o da vere e proprie proposizioni: *Dio mio!*, *santo cielo!*, *per amor del cielo!*, *povero me!*, *per carità!*, *Dio ce ne scampi e liberi!* ecc.

Si possono avvicinare alle interiezioni le **voci onomatopeiche**, che sono espressioni in grado di riprodurre o imitare con il gioco delle loro vocali e consonanti particolari suoni o rumori. Così *tic-tac* indica il ritmo dell'orologio, *din-don* il suono della campana, *patatrac* il rumore di qualcosa che cade, *eccì* lo starnuto, *miao* il miagolìo del gatto, *bau-bau* l'abbaiare del cane ecc.

10.4. INSERTI

10.4.1. L'importanza delle congiunzioni

La sintassi del periodo non può fare a meno delle congiunzioni, che sono lo strumento fondamentale per produrre frasi complesse e variamente strutturate. Alcuni linguisti vedono un'analogia tra le preposizioni e le congiunzioni: entrambe, sia pure su piani diversi, mettono in rapporto tra loro elementi semplici formando insiemi più estesi. Consideriamo qualche aspetto riguardante la posizione e le funzioni di alcune congiunzioni.

Nelle lingue europee moderne la congiunzione coordinativa normalmente precede l'elemento che essa congiunge: *Mario e Giovanni*, *carne o pesce*; così anche in latino: MONS ET VALLIS 'il monte e la valle', ALBUS AUT NIGER 'bianco o nero'; ma il latino possiede anche -QUE 'e' e -VE 'o', congiunzioni che seguono l'elemento congiunto e si fondono con esso quasi fossero dei suffissi: MONS VALLISQUE 'il monte e la valle', PLUS MINUSVE 'più o meno'. A ben vedere, congiunzioni coordinative posposte esistono anche in italiano: cfr., per esempio, *però* nella frase seguente: *tu sei sicuro dell'onestà di Guido: io, però, ho qualche dubbio*.

È importante ricordare che in certi casi taluni rapporti semantici che intercorrono tra i componenti della frase si possono esprimere anche senza ricorrere alle congiunzioni subordinative; cfr., per esempio:

è stanco perché ha fatto una lunga passeggiata	*è stanco: ha fatto una lunga passeggiata*
arrivò in ufficio quando gli impiegati erano usciti	*arrivò in ufficio; gli impiegati erano usciti*

Nella colonna di destra la semplice coordinazione può ben rappresentare il rapporto di causalità e il rapporto di tempo, indicati nella colonna di sinistra mediante le congiunzioni *perché* e *quando* (v. 11.2.).

È difficile classificare le congiunzioni per vari motivi:

1. talvolta la stessa congiunzione può svolgere funzioni diverse; per esempio, *quando* ha valore temporale e, più raramente, condizionale; *perché* ha valore causale, ma anche finale; entrambe poi sono usate nelle proposizioni interrogative dirette e indirette;

2. i confini tra congiunzioni, avverbi e preposizioni sono talvolta incerti; per es. *dopo* è congiunzione in *uscirò dopo aver pranzato*, è avverbio in *uscirò dopo*, è preposizione in *uscirò dopo il nostro colloquio*; *come* è avverbio interrogativo e congiunzione; *appena* è avverbio di tempo e congiunzione;

3. esistono locuzioni congiuntive e congiunzioni composte ricavate da preposizioni (*senza che*), da avverbi (*man mano che*), da verbi (*provvisto che* e cfr. anche l'antico *avvenga che* 'benché'), da sintagmi (*tutte le volte che*, *a condizione che*).

10.4.2. Congiunzioni vecchie e nuove

Il latino volgare e le lingue romanze hanno eliminato molte congiunzioni antiche, ma ne hanno creato delle nuove. Nell'ambito delle congiunzioni coordinanti si è mantenuto ET (it. *e*), ma si sono perdute le altre copulative AC, ATQUE, -QUE. Per quanto riguarda le disgiuntive si è mantenuto AUT (it. *o*), mentre è caduto VEL. Si sono perdute le avversative SED, AT, VERUM, AUTEM, CETERUM; al loro posto sono subentrate *ma* (dal lat. MAGIS con mutamento di valore) e *però* (dal lat. PER HOC).

La nostra congiunzione subordinativa *che* deriva da QUID, che nel tardo latino volgare aveva sostituito QUOD in tale funzione; a sua volta QUOD subordinativo (cfr. per es. GAUDEO QUOD VALES 'sono contento che stai bene') si era esteso a spese di UT subordinativo (usato nel latino classico con i verbi volitivi VOLO UT VENIAS 'voglio che tu venga', divenuto poi VOLO QUOD VENIAS) e a spese dell'accusativo con l'infinito (v. 11.5.2.).

Nell'Italia meridionale (dalla Sicilia all'Abruzzo) si usa come congiunzione subordinativa *ca* (dal lat. QUIA). Mentre in italiano c'è un unico *che* subordinativo con valore dichiarativo (*penso che verrà*) e con valore finale (*voglio che lui mangi*), nel meridione d'Italia si distingue tra *ca* (congiunzione che introduce una dichiarativa) e *chi* (congiunzione che introduce una finale); cfr. per es. il siciliano *pensu ca vèni* 'penso che verrà' e *vògghiu chi mmanciassi* 'voglio che lui mangi'.

L'italiano e le altre lingue romanze hanno eliminato le antiche congiunzioni subordinative (le finali UT, NE e QUO, le concessive QUAMVIS, ETSI, LICET, QUAMQUAM, il polivalente CUM ecc.) ed hanno creato varie congiunzioni subordinative mediante la combinazione:

preposizione + *che* (lat. QUID)

Per esempio: *perché*, *poiché*, *dacché*, *finché*, *dopo che*. In luogo della preposizione può esserci un altro elemento (una congiunzione o un avverbio); per esempio: *mentre che*, *prima che*, *subito che*. In tal modo le nostre congiunzioni subordinative acquistano una sorta di contrassegno distintivo (il *che*): alla varietà del latino subentra una certa uniformità.

10.4.3. I mass media e la lingua italiana

A partire dall'ultimo dopoguerra i vari mezzi di comunicazione di massa hanno contribuito in modo rilevante al diffondersi di una lingua comune. Per rendersi conto esattamente della portata di questo fenomeno bisogna ricordare tuttavia che i mass media agiscono sul pubblico in modo differenziato.

La pagina scritta del giornale ha il vantaggio di poter essere percorsa più volte dallo sguardo del lettore, il quale può scegliere gli argomenti, leggere in tutto o in parte gli articoli, rileggere le parti che più lo interessano. La stampa possiede una grande estensione di contenuti, come la televisione e la radio; ma questi due media impongono determinati argomenti in un ordine determinato all'ascoltatore il quale, a differenza del lettore, non ha alcuna libertà di scelta salvo quella di interrompere la trasmissione.

Associando la parola all'immagine in movimento, la televisione ha una maggiore efficacia rappresentativa; il telegiornale ha inoltre il vantaggio di fornire notizie più fresche e tempestive. Tuttavia con la televisione si ha spesso un accumulo passivo di notizie: l'ascoltatore è "narcotizzato" dalla successione rapida delle immagini; il discorso in diretta, «il fiume di parole» passa velocemente al di sopra della sua testa. È stato osservato giustamente che quindici minuti di lettura del giornale possono valere assai più di un tempo doppio o triplo dedicato alla televisione. La lettura personalizzata e critica del giornale rende di più sia sul piano dei contenuti sia sul piano dei modelli linguistici che sono proposti all'imitazione del lettore.

Anche nel cinema l'associzione parola-immagine in movimento ha una grande efficacia. Rispetto alla televisione il repertorio dei temi è in genere più circoscritto; la situazione comunicativa è diversa: vedere un film ha comportato, soprattutto nei decenni passati, l'uscire di casa, vedersi con gli amici, occupare "spazi sociali" (ai giorni nostri i film trasmessi dalla televisione hanno modificato in gran parte tale quadro di riferimento).

Sulla televisione il cinema ha avuto e ha ancora oggi un singolare vantaggio: si propone innanzi tutto di divertire. Negli anni Cinquanta e Sessanta il cinema in Italia ha svolto il ruolo che in passato era proprio della letteratura; in particolare il cinema è stato il continuatore di generi letterari minori, come il romanzo rosa, il giallo, il *feuilleton*. Naturalmente su un piano diverso si pone il film d'arte: da Visconti a Fellini, da Antonioni a Pasolini.

Negli anni Cinquanta e Sessanta gli Italiani che non hanno letto libri e giornali, hanno frequentato le sale cinematografiche (e dal 1954 hanno cominciato a fruire dei programmi televisivi: v. 0.2.). Anche per tali vie l'italiano è diventato lingua comune.

Le innovazioni linguistiche portate dal cinema non sono quantitativamente confrontabili con quelle proposte dalla stampa. Il cinema con le sue battute necessariamente brevi diffonde poche parole e poche espressioni, ma le diffonde ampiamente e con maggiore successo di quanto non accada agli altri mezzi di comunicazione di massa.

10.4.4. Il cinema: tra dialetto e lingua

Quisquiglie, eziandio, è d'uopo sono le parole letterarie di cui Totò si serve per contestare il discorso aulico di cui è ricca la lingua ufficiale, per prendere in giro coloro che parlano difficile quando non ce n'è assolutamente bisogno. Anche Ettore Petrolini (1886-1936) si era preso gioco dei paroloni altisonanti, che egli era solito deformare con effetti irresistibilmente comici. Tuttavia nel dopoguerra la parodia dell'italiano letterario avviene in un nuovo contesto storico. Negli anni Cinquanta il nostro cinema vive l'avventura di un grande mutamento linguistico: gli Italiani abbandonano progressivamente i dialetti e cominciano a parlare la lingua comune. Allora il cinema, spettacolo popolare per eccellenza, comincia la sua ricerca di nuovi temi e di nuove forme linguistiche. Opponendosi alla lingua artificiosa ed irreale dei «telefoni bianchi», il cinema neorealista dà spazio alle varietà regionali e ai dialetti. *Roma città aperta* (1945) di Roberto Rossellini e *Ladri di biciclette* (1948) di Vittorio De Sica sono film riusciti perché i loro personaggi parlano una lingua reale, adeguata alle situazioni e agli ambienti.

Tuttavia non si può dire che da un cinema in lingua si passi ad un cinema in dialetto. Si dirà piuttosto che in quegli anni nasce un nuovo modo di esprimersi, «un nuovo folclore unitario». Più che proporre il dialetto come mezzo espressivo, il nuovo cinema vuole rivalutare il parlato (che in quegli anni è largamente influenzato dal dialetto), il plurilinguismo, una maggiore libertà espressiva. Paradossalmente l'uso del dialetto ne dimostra i limiti. Pertanto appare significativo il fatto che il dialetto più sfruttato dal cinema sia il romanesco, un dialetto che per motivi storici ben noti appare privo di caratteri formali molto spiccati; un dialetto compreso facilmente da tutti gli Italiani, tanto da poter essere considerato una sorta di parlata popolare comune dell'Italia.

Nel cinema neorealista non mancano incertezze (nel riprendere e imitare tratti dialettali) e non mancano ricadute nell'italiano letterario. Una svolta, anche sul piano linguistico, è rappresentata dal film di Federico Fellini, *Otto e mezzo* (1960): qui la ricerca riguarda soprattutto i diversi livelli del parlato, il quale diventa un mezzo espressivo molto efficace per rendere i caratteri dei vari personaggi della vicenda; per la prima volta il rapporto italiano-dialetto passa decisamente in secondo piano.

Il nostro cinema ha dato prestigio all'italiano parlato e popolare, cioè alle parole comuni, a una sintassi fatta di frasi brevi e spezzate, di rapide anticipazioni e di ellissi. Il cinema contribuisce alla formazione di un nuovo modello di lingua, che si contrappone sia all'italiano letterario sia all'italiano burocratico (v. 9.10.6.); più tardi anche la radiotelevisione e, parzialmente, la stampa seguiranno questa via.

L'uso di doppiare i film stranieri prima di immetterli nel circuito nazionale è un carattere che distingue l'Italia dagli altri Paesi d'Europa e dagli Stati Uniti. In una prima fase la traduzione (soprattutto dall'inglese) comportava la sostituzione della lingua parlata dell'originale con un italiano tradizionale, ricco di elementi letterari. Successivamente però il prestigio guadagnato dallo stile parlato ha fatto sì che si fornissero traduzioni più adeguate sul piano espressivo. L'operazione ha prodotto qualche eccesso: calchi dall'inglese e un uso eccessivo di "parolacce", assenti spesso dall'originale, ma comode per riprodurre, alla buona e facilmente, i caratteri dello *slang*.

10.4.5. Il Vocabolario della Crusca

A partire dai primi decenni del Cinquecento, in concomitanza con il definitivo assestamento della lingua letteraria, si cominciò a discutere sulle radici e sui modelli dell'italiano, a fissarne le norme attraverso vari tentativi di sistemazione e di codificazione grammaticale.

Pietro Bembo, nelle *Prose della volgar lingua* (1525), propugna la necessità di fondarsi sul toscano letterario arcaico, rappresentato in particolare dal Boccaccio per la prosa e dal Petrarca per la poesia; il suo gusto aristocratico gli fa invece mettere da parte Dante, che talvolta adopera forme «rozze e disonorate». Veniva in tal modo stabilito anche per il volgare una sorta di cànone d'imitazione, così come avevano fatto per il latino gli umanisti, i quali avevano additato in Cicerone e in Virgilio i fondamentali punti di riferimento stilistico-linguistici.

Le tesi del Bembo — dapprima fortemente contrastate dai sostenitori del toscano moderno (Machiavelli, Tolomei) o di una lingua letteraria composita, superregionale (Castiglione, Trissino) — finirono per affermarsi trionfalmente, anche perché garantivano ai letterati di un'Italia afflitta dalla disgregazione politica, culturale e linguistica un prestigioso modello unitario. È significativo, in tal senso, che il Bembo non fosse fiorentino ma veneziano, e quindi particolarmente sensibile al problema di superare i limiti del proprio dialetto nativo.

Il più solenne riconoscimento all'indirizzo bembiano fu dato nella stessa Firenze da un'istituzione che sarebbe rimasta per qualche secolo il supremo tribunale della nostra lingua letteraria: ci riferiamo all'Accademia della Crusca, fondata verso la fine del Cinquecento da un gruppo di dotti che si proponevano di distinguere la «farina» dalla «crusca», cioè le parole buone da quelle non buone. Il tipo di lingua vagheggiato da Leonardo Salviati (Firenze 1540-1589), il maggiore teorico del sodalizio, e poi dai compilatori del *Vocabolario degli Accademici della Crusca* (1612), è appunto il fiorentino dei grandi trecentisti. Su Dante, Petrarca, Boccaccio (ma anche su altri scrittori fiorentini del Trecento, come lo storico Giovanni Villani) si fondano gli spogli per il Vocabolario; di alcuni autori non fiorentini sono citate solo le voci «belle, significative e dell'uso nostro»; parole e accezioni della lingua moderna, scritta e parlata, vengono eliminate o trattate in appendice ai lemmi principali.

Il *Vocabolario degli Accademici della Crusca*, che molti criticarono per l'eccessiva intransigenza delle sue scelte puristiche e arcaizzanti, rappresenta tuttavia la prima grande impresa lessicografica europea: ai suoi criteri di lemmatizzazione e di definizione s'ispireranno largamente, per i loro vocabolari nazionali, gli accademici di Francia (1694), quelli spagnoli (1726-1739) e l'inglese S. Johnson (1755). In Italia il *Vocabolario* divenne presto «la pietra di paragone della norma linguistica», come ha scritto Bruno Migliorini, grazie anche alle riedizioni più o meno aggiornate e ampliate: ben due già nel Seicento (1623 e 1691), una nel Settecento (1729-1738), l'ultima, incompleta, tra l'Otto e il Novecento (1863-1923).

Fondata nel 1583, l'Accademia della Crusca ha superato da poco i quattro secoli d'età, ma è ancora un'istituzione culturale attiva. Abbandonate le originarie finalità normative, svolge oggi compiti di ricerca filologica e scientifica, applicando tra l'altro all'analisi lessicale le più moderne tecniche e metodologie di elaborazione elettronica.

11. LA SINTASSI DELLA FRASE COMPLESSA

11.0. Questa parte della sintassi, detta anche **sintassi del periodo**, studia le relazioni che intercorrono tra strutture sintattiche semplici (**proposizioni**), le quali combinandosi tra loro formano strutture più complesse (**frasi** o **periodi**).

La frase è un messaggio completo, mentre la proposizione è una parte della frase complessa, così come il sintagma (v. 2.1.3.) è una parte della proposizione.

Una frase può essere composta di una sola proposizione indipendente (frase semplice o monoproposizionale); è questo il caso, per esempio, della frase *Paolo ha comprato un'automobile nuova*, dove abbiamo un soggetto (*Paolo*), un predicato verbale (*ha comprato*), un complemento oggetto fornito di un attributo (*un'automobile nuova*).

Ma soprattutto nella lingua scritta si hanno frasi composte di due, tre o più proposizioni (frasi bi-, tri-, pluriproposizionali). In queste frasi le diverse proposizioni sono tra loro in rapporto di coordinazione e di subordinazione:

si ha **coordinazione** in una frase come *Paolo ha comprato un'automobile nuova e ha venduto quella vecchia*, nella quale la proposizione *Paolo ha comprato un'automobile* e la proposizione *ha venduto quella vecchia* si trovano, sintatticamente, sullo stesso piano, senza che una dipenda dall'altra;

si ha invece **subordinazione** in una frase come *Paolo ha comprato un'automobile nuova, dopo aver venduto quella vecchia*, nella quale è possibile distinguere tra una proposizione principale o sovraordinata o reggente (*Paolo ha comprato un'automobile nuova*) e una proposizione secondaria o subordinata o dipendente (*dopo aver venduto quella vecchia*).

La coordinazione e la subordinazione prendono anche il nome, rispettivamente, di **paratassi** e **ipotassi** (dal greco *pará* 'accanto', *hypó* 'sotto' e *táxis* 'disposizione'). La lingua parlata ricorre per lo più alla coordinazione (o paratassi); mentre la subordinazione (o ipotassi), caratterizzata dall'intreccio di proposizioni gerarchicamente ordinate, s'incontra spesso nella lingua scritta.

11.1. LA COORDINAZIONE

Due o più proposizioni collegate tra loro in modo che ciascuna rimanga autonoma dall'altra o dalle altre si dicono **coordinate**.

Consideriamo in primo luogo la coordinazione tra proposizioni indipendenti.

Nella frase:

piove e non ho l'ombrello

la prima parte *piove* e la seconda parte *non ho l'ombrello*, unite dalla congiunzione *e*, sono coordinate. Esse si trovano infatti su un piano di parità sintattica; anche sopprimendo una delle due, l'altra conserverebbe inalterate la propria autonomia strutturale e la propria compiutezza di significato.

Sui diversi tipi di proposizioni indipendenti (enunciative, volitive, interrogative, esclamative) v. 2.6. Delle proposizioni incidentali parleremo tra breve (v. 11.2.20.).

Quando si tratta non più di proposizioni indipendenti ma di proposizioni dipendenti, le coordinate presentano le stesse caratteristiche. In

non esco perché sta piovendo e (perché) non ho l'ombrello

le due proposizioni dipendenti coordinate si trovano su un piano di parità rispetto alla principale *non esco*, e ciascuna delle due potrebbe essere soppressa senza compromettere la struttura sintattica della frase (*non esco perché sta piovendo*, *non esco perché non ho l'ombrello*). Si noti che il più delle volte la congiunzione subordinante (nel nostro caso *perché*) non viene ripetuta davanti alla seconda delle due proposizioni dipendenti coordinate.

Secondo il diverso tipo di rapporto che lega i termini coordinati, si distinguono diversi tipi di coordinazione:

- una **coordinazione copulativa**, ottenuta per mezzo di congiunzioni copulative (come *e*, *né*), che stabiliscono tra i termini coordinati un rapporto del tipo **A e B**: *lascio qui l'automobile e proseguo a piedi*; *non so se è partito né se partirà*;

- una **coordinazione avversativa**, ottenuta per mezzo di congiunzioni avversative (come *ma*, *però*, *tuttavia*, *eppure*, *anzi*, *bensì*, *invece*), che stabiliscono tra i termini coordinati un rapporto del tipo **A però B**: *lo avevo messo in guardia*, *ma non mi diede ascolto*, *anzi fece il contrario*; *tuttavia lo giustifico*; v. anche 11.5.

- una **coordinazione disgiuntiva**, ottenuta per mezzo di congiunzioni disgiuntive (come *o*, *oppure*, *ovvero*), che stabiliscono tra i termini coordinati un rapporto del tipo **A o B** (l'uno esclude l'altro): *è ancora qui o è già andato via?*;

- una **coordinazione conclusiva**, ottenuta per mezzo di congiunzioni conclusive (come *quindi*, *dunque*, *pertanto*), le quali introducono una proposizione che completa e conclude la precedente, secondo il tipo **A quindi B**: *più persone l'hanno visto in città, quindi è sicuramente tornato*; *«penso, quindi sono» è la prova cartesiana dell'esistenza*;

- una **coordinazione dichiarativa** o **esplicativa**, ottenuta per mezzo di congiunzioni dichiarative o esplicative (come *infatti*, *cioè*), le quali introducono una proposizione che conferma, giustifica, dimostra la precedente (tipo **A infatti B**), oppure la chiarisce (tipo **A cioè B**): *siamo in ritardo, infatti non c'è più nessuno*; *Luisa è mia cognata, cioè ha sposato mio fratello*.

La coordinazione copulativa, avversativa e disgiuntiva può essere rafforzata da **particelle correlative** (*e ... e*, *né ... né*, *non solo ... ma*, *o ... o*):

né parla né lascia parlare;
non solo l'ho detto, ma l'ho ripetuto molte volte;
o te ne vai tu, o me ne vado io.

La coordinazione può avvenire anche per mezzo di pronomi o avverbi posti in correlazione:

chi arriva, chi parte;
ora dice una cosa, ora ne dice un'altra;
alcuni studiano, altri giocano.

La coordinazione per **asindeto** (greco *asýndeton* 'non legato') è ottenuta senza l'ausilio di alcun tipo di congiunzione: *scesi le scale, uscii dal portone, chiamai un tassì*.

Opposto all'asindeto è il **polisindeto** (greco *polysýndeton* 'legato molte volte'), che consiste nel collegare le proposizioni con congiunzioni ripetute. Con questo tipo di coordinazione si ottiene una maggiore enfasi: *se io me ne vado, e tu te ne vai, e lui se ne va, qui chi ci resta?*

11.2. LA SUBORDINAZIONE

La fusione di più proposizioni in un periodo può avvenire non solo mediante la coordinazione ma anche mediante la **subordinazione**.

Le proposizioni coordinate hanno, all'interno del periodo, una perfetta autonomia grammaticale; ciascuna di esse costituisce un'unità sintattica e semantica compiuta. Si può dire *il cane abbaia e il gatto miagola*, ma si potrebbe dire soltanto *il cane abbaia*, o anche soltanto *il gatto miagola*.

Al contrario, la proposizione subordinata non può stare da sola, ha bisogno di un'altra proposizione a cui appoggiarsi. Per esempio, nella frase:

leggi il libro che ti ho consigliato

leggi il libro è la proposizione **principale** o **sovraordinata** o **reggente** della **secondaria** o **subordinata** o **dipendente** *che ti ho consigliato*; questa dipende in particolare da *il libro*.

Una rigida distinzione tra coordinata e subordinata non è sempre possibile. La frase *non vengo: sono stanco* (= non vengo perché sono stanco) ci offre un esempio tutt'altro che raro di "coordinazione subordinante". La congiunzione *perché* della frase *non vengo perché sono stanco* è una "marca formale" che sottolinea il rapporto di causalità, lo rende esplicito.

In uno stesso periodo si possono avere diverse proposizioni subordinate. Così, nella frase *dimmi quando partirà e quando arriverà* abbiamo una principale (*dimmi*) e due subordinate (*quando partirà*, *quando arriverà*); queste ultime, d'altro canto, sono anche coordinate tra loro. Osserviamo il seguente schema, nel quale le frecce verticali (↓) indicano subordinazione e le frecce orizzontali (↔) indicano coordinazione:

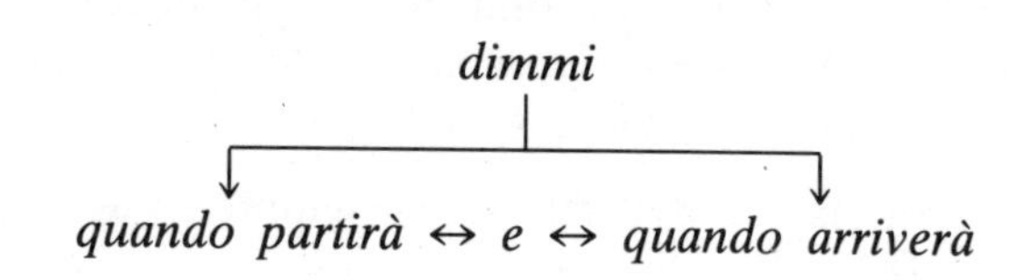

Diversamente, nella frase *domandagli se ha saputo che Mario è a Roma* la seconda subordinata (*che Mario è a Roma*) non dipende direttamente dalla principale (*domandagli*), ma dalla prima subordinata (*se ha saputo*), secondo lo schema:

domandagli
↓
se ha saputo
↓
che Mario è a Roma

Le proposizioni che dipendono direttamente dalla principale (come, nel nostro caso, *se ha saputo*) si chiamano **subordinate di primo grado**, quelle che dipendono dalle subordinate di primo grado (come *che Mario è a Roma*) si chiamano **subordinate di secondo grado**, e così via. Mentre una proposizione principale può essere reggente ma non può essere in nessun caso dipendente, una proposizione subordinata può essere nello stesso tempo dipendente e reggente: nell'esempio citato, la subordinata di primo grado *se ha saputo*, dipendente dalla principale *domandagli*, è a sua volta reggente della subordinata di secondo grado *che Mario è a Roma*.

11.2.1. Subordinate esplicite e implicite

In espressioni come *penso che gli dirò tutto* e *penso di dirgli tutto* le subordinate *che gli dirò tutto* e *di dirgli tutto* hanno lo stesso significato. Ma in altri contesti *di dirgli tutto* può assumere sensi diversi: *pensa di dirgli tutto* e *pensavo di dirgli tutto*, per esempio, equivalgono rispettivamente a *pensa che gli dirà tutto* e *pensavo che (io) gli avrei detto tutto*:

		che gli dirò tutto
di dirgli tutto	=	*che gli dirà tutto*
		che gli avrei detto tutto, ecc.

La molteplicità dei valori che di volta in volta attribuiamo alla subordinata *di dirgli tutto* si spiega con la sua forma implicita: con il fatto cioè che in essa manca un verbo di forma finita, dal senso determinato in modo univoco.

Si chiamano **implicite** (dal lat. *implicitus* 'chiuso') le subordinate che hanno il verbo di modo indefinito (infinito, gerundio, participio), come:

lascialo parlare;
anche volendo non potrei;
rimasto solo, riprese il suo lavoro.

Si chiamano invece **esplicite** (dal lat. *explicitus* 'aperto') le subordinate che hanno il verbo di modo finito (indicativo, congiuntivo, condizionale), come:

lascia che parli;
anche se volessi non potrei;
quando fu rimasto solo, riprese il suo lavoro.

Nella maggior parte dei casi, per avere una subordinata implicita è necessario che il soggetto della reggente e il soggetto della dipendente coincidano. Così, per esempio, la frase [io] *penso che* [io] *gli dirò tutto* (soggetto uguale) può essere trasformata in *penso di dirgli tutto*; al contrario, la frase [io] *penso che* [tu] *gli dirai tutto* (soggetto diverso) non può subire un'analoga trasformazione. Abbiamo dunque questa differente situazione, secondo che il soggetto della dipendente sia uguale o diverso rispetto al soggetto della reggente:

	SUBORDINATA ESPLICITA	SUBORDINATA IMPLICITA
SOGGETTO UGUALE	penso *che gli dirò tutto* pensa *che gli dirà tutto*	penso *di dirgli tutto* pensa *di dirgli tutto*
SOGGETTO DIVERSO	penso *che gli dirai tutto* pensa *che gli dirò tutto*	— —

Vediamo ora i diversi tipi di proposizioni subordinate.

11.2.2. Proposizioni oggettive

Svolgono la funzione di complemento oggetto della proposizione reggente: *ti dico che è la verità*; *pensano che io abbia torto*; *spero che non si preoccupi*; *ricordati di prendere le chiavi*.

La proposizione oggettiva può dipendere da:

- verbi di significato affermativo, dichiarativo: *dire*, *affermare*, *dichiarare*, *informare*, *comunicare*, *narrare*, *raccontare*, *negare*, *confessare*, *giurare*, *promettere*, *annunciare*, *riferire*, *scrivere*, e locuzioni verbali di significato equivalente, come *dare notizia*, *comunicazione*;
- verbi che indicano una percezione o un ricordo: *vedere*, *udire*, *sentire*, *ascoltare*, *percepire*, *ricordare*, *rammentare*, *dimenticare*, e locuzioni verbali di significato equivalente, come *avere l'impressione*, *venire alla mente*;
- verbi esprimenti giudizio, opinione, dubbio: *pensare*, *credere*, *stimare*, *ritenere*, *giudicare*, *sostenere*, *reputare*, *dubitare*, *supporre*, *ipotizzare*, *sospettare*, e locuzioni verbali come *essere dell'idea*, *avere la convinzione*, *il dubbio*, *il sospetto*;
- verbi esprimenti volontà, desiderio o impedimento, timore: *volere*, *desiderare*, *sperare*, *preferire*, *ordinare*, *comandare*, *permettere*, *concedere*, *vietare*, *impedire*, *proibire*, *temere*, e locuzioni verbali come *avere desiderio*, *paura*;
- verbi che indicano un sentimento: *godere*, *rallegrarsi*, *meravigliarsi*, *lamentarsi*, *sdegnarsi*, *rammaricarsi*, *dispiacersi*, *dolersi*, e locuzioni verbali come *essere lieto*, *avere piacere*, *rammarico*, *meraviglia*.

Un tipo particolare di proposizioni oggettive sono quelle rette da un nome (*la gioia di rivederti*, *la fretta di partire*) o da un aggettivo (*lieto di conoscerla*, *capace di intendere e di volere*).

Le proposizioni oggettive esplicite sono introdotte dalla congiunzione subordinante **che** e hanno il verbo al modo indicativo o congiuntivo o condizionale. Reggono l'indicativo i verbi che esprimono certezza, realtà:

ti dico che avete risolto il problema;
vedo che c'è molta gente.

I restanti verbi, e gli stessi verbi esprimenti certezza quando vengono usati in forma negativa, reggono in generale il congiuntivo:

credo che le cose stiano diversamente;
spero che non se la prenda;
mi meraviglio che tu sia ancora qui;
non dico che abbiate risolto il problema;
non vedo che male ci sia.

Ma soprattutto nella lingua parlata si usa frequentemente l'indicativo al posto del congiuntivo:

credo che le cose stanno diversamente;
non vedo che male c'è.

Si usa il modo condizionale quando l'azione espressa dall'oggettiva è legata a una condizione, a un'ipotesi, talora anche sottintesa:

ti dico che avresti fatto meglio, se ti fossi scusato subito;
non credo che sarei all'altezza.

Le proposizioni oggettive possono essere introdotte anche da **come**, seguito per lo più dal congiuntivo; si tratta però di una costruzione poco comune:

gli raccontò come non andasse d'accordo con il capufficio.

L'oggettiva implicita è introdotta dalla preposizione **di** (sulla funzione subordinativa delle preposizioni, v. 10.2.) e ha il verbo all'infinito, con lo stesso soggetto della reggente: *ritengo di aver agito correttamente* (soggetto della reggente e della subordinata: *io*). È necessaria invece la forma esplicita quando il soggetto è diverso: *ritengo che abbiano agito correttamente* (soggetto della reggente: *io*; della subordinata: *essi*).

Con i verbi *comandare*, *ordinare*, *permettere*, *proibire*, *vietare*, *chiedere*, e con altri ancora di significato analogo, si può avere la forma implicita anche se il soggetto della reggente e il soggetto dell'oggettiva non coincidono:

ordinò ai soldati che cessassero il fuoco	*ordinò ai soldati di cessare il fuoco*
chiedo che se ne vada	*gli chiedo di andarsene*
permetto che i bambini guardino la televisione	*permetto ai bambini di guardare la televisione*

In questi casi il soggetto dell'oggettiva implicita s'identifica con il complemento di termine della principale (*ai soldati*, *gli* 'a lui', *ai bambini*).

Alcuni verbi, come *ascoltare*, *sentire*, *vedere*, *guardare* ecc., hanno l'oggettiva implicita con l'infinito senza *di*: *sentivano cantare gli uccelli*; *vedo la nave allontanarsi*. In questi casi l'oggettiva implicita può essere risolta sia in un'oggettiva esplicita sia in una relativa:

sentivano cantare gli uccelli
sentivano che gli uccelli cantavano
sentivano gli uccelli che cantavano

vedo la nave allontanarsi
vedo che la nave si allontana
vedo la nave che si allontana.

11.2.3. Proposizioni soggettive

Svolgono la funzione di soggetto della proposizione reggente:

conviene che io vada; *è meglio che ci rassegniamo*; *mi sembra di aver capito*; *è ora di muoversi.*

La proposizione soggettiva può dipendere da:

- verbi impersonali: *accade, avviene, bisogna, capita, conviene, occorre, pare, risulta, sembra* ecc.
- verbi usati impersonalmente: *si dice, si crede, si narra, si racconta, si spera, si pensa* ecc.
- espressioni impersonali costituite da una voce del verbo *essere* unita a un aggettivo o a un sostantivo: *è ora, è tempo* ("locuzioni temporali"), *è bene, è male, è bello, è giusto, è necessario, è opportuno, è noto* ("predicati neutri") ecc.

La forma della soggettiva è del tutto simile a quella dell'oggettiva; del resto il parlante comune non distingue tra i due tipi. Si può riconoscere la proposizione soggettiva facendo caso al valore impersonale del verbo reggente:

SOGGETTIVA: *si spera* *che migliori*

OGGETTIVA: *speriamo* *che migliori.*

Anche per l'uso dei modi, e in particolare dell'indicativo o del congiuntivo, ci si regola come per le oggettive.
Si noti la differenza tra:

si dice che sei stato tu (la cosa viene data per certa)
e
si dice che sia stato tu (la cosa appare dubbia).

In alcuni casi, e sempre che il verbo della subordinata sia al congiuntivo, si può fare a meno del *che*: *risulta (che) sia partito*; *dicono (che) abbia paura*. Tale costruzione è utile soprattutto per evitare una ripetizione a breve distanza di due *che*: *ci sembra (che) sia opportuno che...*

La soggettiva implicita ha l'infinito con o senza **di**:

è ora di andare; *si spera di ritrovarli*;
conviene aspettare; *è opportuno dirglielo.*

11.2.4. Proposizioni dichiarative

Servono a "dichiarare", a spiegare un pronome dimostrativo, completando il senso della principale:

in **ciò** *l'uomo si distingue dalle bestie,* **che** *ha l'uso della ragione.*

Il dimostrativo può essere accompagnato da un sostantivo come *argomento, fatto, circostanza, punto*: *su questo punto ti sbagli, che io fossi presente*; *su questo fatto tutti concordano, che la cosa va risolta al più presto*. Talvolta il dimostrativo manca, e il sostantivo regge da solo la proposizione dichiarativa: *il fatto che siamo tutti qui testimonia il nostro affetto per te* (o, nella forma implicita, *il fatto di essere tutti qui...*).

Le proposizioni dichiarative sono introdotte, come appare dagli esempi, dalla congiunzione **che** con il verbo all'indicativo o al congiuntivo, oppure da **di** con il verbo all'infinito.

Le dichiarative possono considerarsi una variante delle oggettive e soggettive; tant'è vero che questi tre tipi di proposizioni vengono spesso riuniti sotto la comune denominazione di proposizioni dichiarative (o anche **completive**: v. 11.5.3.).

11.2.5. Proposizioni causali

Indicano la causa per cui avviene quanto è espresso nella principale:

non l'ho comprato perché non mi piaceva; *poiché avete già deciso, non voglio insistere ulteriormente*; *giacché le cose stanno in questo modo, è consigliabile aspettare*; *visto che non c'è, vado via*; *siccome non c'erano novità, non ti ho telefonato*; *avvicìnati, ché (*o *che) voglio vederti meglio*; *fu punito per aver trasgredito la legge*; *conoscendo le difficoltà eravamo molto prudenti.*

Le causali esplicite sono introdotte principalmente da **perché**, **poiché**, **giacché**, **siccome**, **ché** o, senza accento, **che** (si vedano gli esempi precedenti). In luogo di queste congiunzioni subordinanti si possono avere varie locuzioni congiuntive che esprimono il rapporto di causalità: **per il fatto che**, **per il motivo che**, **dal momento che**, **dato che**, **visto che**, **considerato che**, **in quanto (che)** ecc.

Il modo del verbo nelle causali esplicite è l'indicativo.

Talvolta si usa il condizionale per esprimere una possibilità, un'ipotesi, un desiderio non sicuramente realizzabile e simili: *smettila, perché potrei stancarmi*; *passate a casa mia, perché vorrei rivedervi.*

Si ricorre invece al congiuntivo dopo **non perché**, **non che**, **non già che**, per esprimere una causa possibile ma non effettiva: *non perché mi piaccia contraddirti...*; *non che sia peggio di tanti altri...* Spesso a questa causa possibile ma negata, segue la causa vera, secondo lo schema:

non perché + congiuntivo... *ma perché* + indicativo,

come nel seguente esempio:

glielo dirò non perché voglia delle scuse, ma perché preferisco che sappia come la penso.

Nella forma implicita la proposizione causale può aversi:

- con **per** e l'infinito (in genere solo quando il soggetto è lo stesso nella reggente e nella subordinata): *si prese un raffreddore per aver viaggiato col finestrino aperto*;
- con il gerundio, presente o passato, o con il participio passato: *facendo caldo, mi tolsi la giacca*; *offeso dal suo atteggiamento, non lo salutai.*

Si può esprimere la causalità anche con la semplice giustapposizione delle due frasi e, graficamente, con un uso particolare della punteggiatura: *non ho potuto avvertirlo: non l'ho visto*, che significa 'non ho potuto avvertirlo perché non l'ho visto' (v. 11.2.).

11.2.6. Proposizioni finali

Indicano con quale fine viene compiuta e verso quale obiettivo tende l'azione espressa nella proposizione reggente:

sottrasse il documento, affinché non si potesse divulgarlo; *torno a dirlo perché ve ne ricordiate*; *prendo la carta e la penna per scrivere.*

Le congiunzioni che introducono le finali esplicite sono **perché** e **affinché**; quest'ultima è di tono più sostenuto. Meno frequente, e di uso letterario, **acciocché**; ormai desueta la locuzione **a che**: *ho impartito disposizioni precise acciocché non sbagliassero*; *abbiamo lavorato sodo a che tutto si risolvesse.*

Come si vede dagli esempi, il modo del verbo nelle finali esplicite è sempre il congiuntivo.

La finale implicita è introdotta dalle preposizioni **per**, **a**, **di**, **da** seguite dal verbo all'infinito: *si deve mangiare per vivere e non vivere per mangiare*; *preparatevi a partire*; *ho già fatto un tentativo di convincerlo*; *dammi un libro da leggere.* Può essere introdotta anche da locuzioni congiuntive come: **allo scopo di**, **al fine di**, **in modo di** (o **da**) ecc.: *l'ho fatto allo scopo di aiutarlo.*

11.2.7. Proposizioni consecutive

Indicano la conseguenza di quanto espresso nella proposizione reggente:

parlava così piano che non riuscivo a sentirlo; *era tale la mia stanchezza che mi addormentai subito*; *la proposta è talmente assurda da non meritare alcuna considerazione.*

La consecutiva esplicita è introdotta da **che**, cui corrispondono nella reggente gli avverbi **così** (o il letterario **sì**), **tanto**, **talmente** ecc., o gli aggettivi **tale**, **siffatto**, **simile** ecc. Come si vede dagli esempi, le due proposizioni, subordinata e reggente, stabiliscono una correlazione, che può essere espressa anche in un'unica parola o locuzione, come **sicché**, **cosicché**, **talché**, **di modo che**, **al punto che**, **a tal segno che** ecc.: *non ho ancora finito, sicché sono costretto a tornare*; *sono arrivato in anticipo, di modo che devo aspettare.*

Il modo del verbo è generalmente l'indicativo. Si usa il congiuntivo quando la conseguenza è solo ipotetica, possibile: *gli parlerò in modo che non si faccia troppe illusioni.* Si ricorre talvolta al condizionale quando si sottintende una condizione, o si vuole esprimere comunque una conseguenza non certa, potenziale: *è così buono che non farebbe male a una mosca.*

La consecutiva implicita ha l'infinito retto dalle preposizioni **da**, **per**, o da espressioni quali **degno di**, **atto a**, **indegno di**, **inetto a**: *ho una fame da morire*; *è abbastanza intelligente per capire*; *è uno spunto degno di essere approfondito*; *questi sistemi non sono atti a risolvere il nostro problema.*

11.2.8. Proposizioni temporali

Esprimono una relazione di tempo tra la subordinata e la reggente. È possibile distinguere tre categorie di rapporti temporali, in base alla collocazione cronologica dell'azione espressa dalla reggente rispetto a quella espressa dalla subordinata: la **contemporaneità**, la **posteriorità**, l'**anteriorità**.

Contemporaneità

Se l'azione della subordinata è contemporanea a quella della reggente, si usano **quando** (la più frequente tra le congiunzioni temporali), **allorché**, **allorquando**, **come**, **mentre**; oppure le locuzioni **al tempo in cui**, **nel momento che** ecc. Il modo del verbo è in questi casi l'indicativo:

quando c'è il sole, mi piace passeggiare; *quando ero piccolo non abitavo qui*; *mentre lo ascoltavo, prendevo appunti*; *questi fatti accaddero al tempo in cui non ci conoscevamo*.

Si può talvolta usare il congiuntivo per esprimere un'azione futura, considerata possibile o probabile: *me ne andrò quando tu me lo chieda*. Qui la subordinata *me lo chieda* ha insieme un valore temporale e un valore condizionale: può significare cioè 'quando tu me lo chiederai' ma anche 'se tu me lo chiederai', 'purché tu me lo chieda'.

Le temporali implicite della contemporaneità si costruiscono con il gerundio presente: *passeggiando* (= mentre passeggiavamo) *discutevamo*; oppure con **in** e l'infinito: *nell'andar via* (= quando andò via) *ci abbracciò tutti*.

Queste costruzioni con il gerundio e con l'infinito sono possibili soltanto quando il soggetto della subordinata e quello della reggente coincidono; altrimenti si ricorre alla forma esplicita: *mentre passeggiavate, noi discutevamo* (non *passeggiando*...); *quando andammo via, egli ci abbracciò tutti* (non *nell'andar via*...).

In alcune espressioni, le temporali implicite della contemporaneità sono introdotte da **a** e **su** con l'infinito del verbo: *al primo vederlo* (= appena l'ho visto), *l'ho riconosciuto*; *partimmo sul sorgere del sole* (= mentre il sole stava sorgendo). Come si vede, in questi casi il soggetto della subordinata può essere diverso dal soggetto della principale.

Posteriorità

La locuzione congiuntiva più frequente per indicare la posteriorità dell'azione espressa nella reggente rispetto a quella espressa nella subordinata è **dopo che**, seguita dal verbo all'indicativo:

dopo che l'ebbi visto, mi ricordai di lui; *mi sentirò più soddisfatto solamente dopo che avrò finito questo lavoro*.

Per l'uso del congiuntivo, valgono le considerazioni fatte in precedenza; si noti la differenza tra queste due frasi:

preferirei partire dopo che il problema sia stato risolto (non è certo che sarà risolto);

preferisco partire dopo che il problema sarà stato risolto (si ritiene che sarà risolto).

Anche **quando** può indicare posteriorità oltre che contemporaneità: *quando cominciò a parlare, tutti fecero silenzio*; *quando lo vidi corsi da lui*. La stessa cosa può dirsi per le temporali introdotte da **come**; questa congiunzione, al pari di **(non) appena**, indica piuttosto la rapidità nella successione, la posteriorità immediata: *(non) appena cominciò a parlare, tutti fecero silenzio*; *come lo vidi, corsi da lui*. Con **dacché**, **da quando** si esprime il punto di partenza nel tempo: *dacché* (*da quando*) *è partito, non abbiamo sue notizie*.

Le temporali implicite della posteriorità sono introdotte da **dopo** (meno comunemente **dopo di**) con l'infinito del verbo: *dopo aver finito i compiti potrai uscire*. Anche in questo caso la forma implicita è possibile solo se il soggetto della temporale è lo stesso della reggente.

È molto frequente la temporale implicita col participio passato, anche preceduto da **una volta**: *(una volta) superato questo problema, tutto si aggiusterà*.

In questo esempio il participio ha un suo soggetto (*questo problema*), diverso dal soggetto della principale (*tutto*), rispetto alla quale è sintatticamente autonomo; si chiama perciò **participio assoluto** (dal latino *absolutus* 'sciolto'). Non è più assoluto quando il soggetto è lo stesso: *vinti dalla stanchezza, si misero a dormire*.

Si noti anche la costruzione "participio passato + *che* + ausiliare *avere* o *essere*": *concluso che ebbe di parlare, si diresse in fretta verso l'uscita*; *arrivato che fu a Londra, cercò un posto dove alloggiare*.

Anteriorità

Quando l'azione espressa dalla reggente è anteriore all'azione espressa dalla subordinata, questa ha **prima che** e il congiuntivo:

andiamo via prima che torni; *si misero in cammino prima che facesse giorno*.

Si ha invece l'indicativo quando *prima che* ha il valore di 'appena':

fammi sapere qualcosa prima che puoi (= appena puoi).

Per indicare il punto d'arrivo nel tempo si usa la congiunzione **finché**, che vuole per lo più il congiuntivo: *lo aspetterò finché non venga* (ma anche *lo aspetterò finché non verrà*). Sono analoghe a *finché* le locuzioni congiuntive **fino a che**, **fin quando**, **fino a quando**.

Nella forma implicita, abbiamo **prima di** e **fino a** con l'infinito del verbo: *prima di uscire, voglio finire quel lavoro*; *rise fino a star male*.

Come si è detto, le temporali implicite sono in genere possibili solo quando il soggetto della principale è quello della subordinata coincidono. Eppure, sarebbe possibile dire: *prima di uscire, voglio finire quel lavoro*, intendendo 'prima che **noi** usciamo, **io** voglio finire quel lavoro'.

In ognuna delle tre categorie temporali (contemporaneità, posteriorità, anteriorità) può presentarsi una circostanza iterativa, caratterizzata cioè dal periodico ripetersi dell'azione. Le locuzioni più usate per esprimere la **periodicità** (o **iteratività**) sono **ogni volta che**, **ogni qual volta** (comune la forma unita **ogniqualvolta**), **tutte le volte che**: *ogni volta che* (*ogniqualvolta*, *tutte le volte che*) *passa da queste parti viene a farmi visita*.

11.2.9. Proposizioni comparative

Stabiliscono un rapporto comparativo con la reggente:

il diavolo non è così brutto come si dipinge; *ci mette più impegno di quanto mi aspettassi*; *abbiamo meno tempo di quello che sarebbe necessario*.

I tre diversi esempi ci mostrano i possibili tipi di frasi comparative:

- proposizioni comparative di **uguaglianza**: **così ... come**, **tanto ... quanto**, **tale ... quale**;

■ proposizioni comparative di **maggioranza**: **più ... di quanto**, **più ... che**, **più ... di come**, **più ... di quello che**;

■ proposizioni comparative di **minoranza**: **meno ... di quanto**, **meno ... che**, **meno ... di come**, **meno ... di quello che**.

Al posto di *più* e *meno* si possono avere **meglio** e **peggio**; qualche volta *più* viene sostituito da **maggiormente**.

Il rapporto di uguaglianza viene anche espresso senza l'avverbio o il pronome correlativo nella principale: *il diavolo non è brutto come si dipinge* (invece di *così brutto*).

I modi del verbo nella proposizione comparativa di uguaglianza sono l'indicativo e il condizionale; quest'ultimo esprime una possibilità ipotetica: *mi sono comportato con lui come avrei fatto con chiunque altro.*

Le comparative di maggioranza e di minoranza hanno il verbo al modo indicativo o congiuntivo o condizionale: *il problema è più complesso di quanto pensavo / di quanto (non) pensassi / di quanto (non) avrei pensato.*

Come si vede, si può avere prima del verbo un **non**, che ha valore rafforzativo invece che negativo.

Nella forma implicita, la correlazione è data da **più che**, **piuttosto che** (anche solo **che**), **piuttosto di**: *più che parlare, gridava*; *preferisco fare una passeggiata (piuttosto) che starmene in casa*; *morirebbe, piuttosto di riconoscere uno sbaglio.*

Le comparative possono stabilire con la principale non soltanto un rapporto di **grado** (uguaglianza, maggioranza, minoranza) ma anche un rapporto di **analogia**, di somiglianza concettuale. Le **similitudini** letterarie si fondano appunto su un'analogia tra la principale e la comparativa, come nel seguente esempio dantesco: *e sì ver'* [= verso] *noi aguzzavan le ciglia / come 'l vecchio sartor fa ne la cruna.*

11.2.10. Proposizioni condizionali (periodo ipotetico)

Il periodo ipotetico è formato da due proposizioni in stretta correlazione tra loro (anche per l'uso dei modi e dei tempi verbali), di cui una esprime la condizione necessaria per l'avverarsi di quanto è affermato nell'altra:

se comincia a parlare, non la finisce più; *se continuerà a piovere, resteremo in casa*; *mi farebbe piacere se ci fossi anche tu*; *se dovessi andar via, passerei prima a salutarti*; *andrei più spesso all'estero, se conoscessi le lingue*; *se fossi stato più gentile, avresti ottenuto quello che volevi.*

La proposizione subordinata condizionale (quella che esprime la condizione) viene chiamata **protasi** (dal greco *prótasis* 'premessa'); l'**apodosi** (dal greco *apódosis* 'conseguenza') è appunto la 'conseguenza' che si dichiara nella reggente:

PERIODO IPOTETICO

PROTASI		APODOSI
se continuerà a piovere	⟶	*resteremo a casa*

La congiunzione condizionale più comune è **se**; si usano anche **qualora**, **purché**, **ove**, e le locuzioni **posto che**, **ammesso che**, **a condizione che**, **a patto che**, **nel caso**

che, **nell'eventualità che**, **nell'ipotesi che** ecc. Con la congiunzione *se*, il modo del verbo è l'indicativo per esprimere un'ipotesi reale (*se comincia a parlare, non la finisce più*); è il congiuntivo per esprimere un'ipotesi possibile (*se dovessi andar via passerei prima a salutarti*) o irreale (*andrei più spesso all'estero, se conoscessi le lingue*). Quando la proposizione condizionale è introdotta da una congiunzione diversa da *se* o da una locuzione congiuntiva, il modo della protasi è sempre il congiuntivo. Infatti tutte le congiunzioni, eccetto *se*, e tutte le locuzioni congiuntive esprimono solo ipotesi possibili o irreali.

Vediamo ora la correlazione tra i modi verbali della protasi e dell'apodosi: con *se* possiamo avere l'indicativo in entrambe (realtà) o il congiuntivo nella prima e il condizionale nella seconda (possibilità, irrealtà); con *qualora*, *nel caso che*, *a patto che* ecc. l'apodosi può avere l'indicativo o il condizionale:

nel caso che continuasse a piovere, < *resterò in casa* / *resterei in casa*

Si notino le diverse sfumature di significato ottenute usando l'indicativo o il condizionale (*resterei in casa* vale all'incirca 'preferisco restare in casa').

L'uso del modo condizionale nella protasi, molto comune nelle varietà regionali d'italiano (*se potrei, lo farei*), non è corretto. Dopo il *se*, può avere il condizionale soltanto la proposizione interrogativa indiretta: *al posto tuo, non so se lo farei.*

Nella forma implicita, le proposizioni condizionali possono essere rappresentate da un gerundio, da un participio passato o da **a** + l'infinito del verbo:

applicandoti, potresti rendere molto di più (= se ti applicassi...)
sviluppata meglio, sarebbe un'ottima idea (= se fosse sviluppata meglio...)
a vederlo, non penseresti che è ricco (= se lo vedessi...)

11.2.11. Proposizioni concessive

Indicano il mancato verificarsi dell'effetto che potrebbe o dovrebbe conseguire a una determinata causa:

benché abbia fame, non mangerò.

In altri termini: c'è un fattore (la fame) che normalmente produce un certo effetto (la fame spinge a mangiare); ma nel caso specifico accade il contrario di quanto ci aspettiamo.

La concessiva è introdotta dalle congiunzioni **benché**, **sebbene**, **quantunque**, **nonostante**, **malgrado**, **ancorché** ecc.; o dalle locuzioni **per quanto**, **nonostante che**, **malgrado che**, **con tutto che**, **quand'anche** o **anche quando**, **anche se** ecc.; o da pronomi e aggettivi indefiniti come **chiunque**, **qualunque**, **checché**.

Spesso, a sottolineare il valore 'concessivo' dell'intero periodo, la reggente ha **tuttavia**, **nondimeno**, **pure**, **ugualmente**, **lo stesso** ecc.:

sebbene avessi ragione, tuttavia non ho voluto insistere; *per quanto sembri strano, nondimeno è la pura verità*; *checché tu ne dica, lo farò ugualmente.*

Come si può vedere dagli esempi, il modo del verbo nella proposizione concessiva è il congiuntivo; *anche se* e *con tutto che* reggono però l'indicativo: *anche se avevo ragione, non ho voluto insistere*; *con tutto che avevo ragione, non ho voluto insistere*. Si potrebbe dire: *con tutto che avessi ragione, non ho voluto insistere*; ma non si potrebbe dire: *anche se avessi ragione, non ho voluto insistere*.

Equivale a un'intera proposizione concessiva il pronome **chicchessia** (= chi che sia, qualunque persona sia): *non intendo rendere conto a chicchessia del mio comportamento*.

Una costruzione particolare è quella "*per* + aggettivo + *che* + congiuntivo di *essere*": *per gentile che sia* (= sebbene sia gentile), *non m'ispira simpatia*. Talvolta si ha anche "*per* + infinito + *che* + congiuntivo di *fare*": *per cercare che facesse* (= per quanto cercasse), *non riusciva a trovarlo*.

La concessiva implicita più comune è quella con **pur** e il gerundio: *pur non essendo d'accordo, mi attengo alla volontà della maggioranza*; *pur avendo fatto una corsa, perdemmo il treno*. Ha valore concessivo anche la locuzione **a costo di** seguita dall'infinito del verbo: *andrò fino in fondo, a costo di rimetterci*.

11.2.12. Proposizioni interrogative indirette

Esprimono una domanda o un dubbio:

dimmi perché l'hai fatto; non so se partire.

Un'interrogazione può essere realizzata in forma diretta:

quanti anni avrà?; *sono arrivati a casa?*;

oppure in forma indiretta:

non so quanti anni abbia; *mi chiedo se siano arrivati a casa*.

I verbi da cui può dipendere un'interrogativa indiretta sono tutti quelli che riguardano la sfera intellettiva e della comunicazione (*domandare*, *chiedere*, *dire*, *sapere*, *cercare*, *tentare*, *indovinare*, *ignorare*, *pensare*, *essere certo*, *incerto*, *non essere sicuro* ecc.). Reggono l'interrogativa indiretta anche sostantivi corrispondenti ai verbi citati, come: *domanda*, *ricerca*, *dubbio*, *problema*, *questione* ecc.

Le interrogative indirette sono simili alle proposizioni soggettive, oggettive e dichiarative. La differenza sta nel fatto che mentre le proposizioni soggettive, oggettive e dichiarative contengono un'enunciazione, le interrogative indirette esprimono un dubbio, una domanda. Così, per esempio, sia le prime sia le seconde possono dipendere da verbi come *dire*, *raccontare*, *narrare* ecc.; ma nelle interrogative indirette tali verbi compaiono per lo più con il modo imperativo o con la forma negativa. Vediamo appunto un esempio con l'imperativo in una proposizione interrogativa indiretta: *dimmi se c'è qualcuno in casa*. Nella risposta a questa domanda si ha invece un'oggettiva: *ti dico che non c'è nessuno*.

Possono introdurre un'interrogativa indiretta gli stessi elementi che introducono un'interrogativa diretta (**chi**, **che**, **che cosa**, **come**, **quando**, **dove**, **perché**, **quanto**, **quale** ecc.) e la congiunzione interrogativa **se**; il verbo ha il modo all'indicativo, al congiuntivo o anche al condizionale:

	che cosa aveva fatto
mi domandavo	*che cosa avesse fatto*
	che cosa avrebbe fatto

Nella forma implicita, queste proposizioni sono introdotte dagli stessi pronomi, aggettivi, avverbi o dalla congiunzione **se**, col verbo all'infinito: *non so quale scegliere* (o *a chi rivolgermi*, o *se credergli*, o *dove andare* ecc.).

Come le dirette, anche le proposizioni interrogative indirette possono porre un'alternativa: possono essere cioè **disgiuntive**. Nelle disgiuntive il primo termine è sempre introdotto dalla congiunzione **se**, il secondo dalle congiunzioni **o**, **oppure**: *sono incerto se partire o restare.*

11.2.13. Proposizioni relative

Sono rette da un pronome o da un avverbio relativo (**che**, **il quale**, **cui**, **dove**), che richiama nella subordinata un sostantivo (o anche un pronome) della principale; questo sostantivo, che funge da base della relativa, è detto **antecedente**:

PROPOSIZIONE PRINCIPALE		PROPOSIZIONE RELATIVA	
	ANTECEDENTE	PRON. RELATIVO	
ho visto	*un film*	*che*	*non mi è piaciuto*

Si distinguono due tipi di relative: la **determinativa** (o **limitativa**) e l'**appositiva** (o **esplicativa**).

La relativa **determinativa** serve a limitare o a precisare il senso dell'antecedente, che risulterebbe altrimenti incompiuto. C'è, in questo tipo di proposizione relativa, una componente "deittica", "dimostrativa" (v. 6.0.); per esempio, la frase:

prendo l'autobus che sta arrivando,

equivale a

prendo questo autobus (non un altro).

La relativa **appositiva** fornisce invece un'aggiunta di per sé non indispensabile alla compiutezza dell'antecedente:

prendo sempre l'autobus, che è il mezzo di trasporto più economico.

La relativa appositiva introduce cioè un elemento accessorio che spesso si presenta come una parentesi nel discorso, e per questo viene separata dall'antecedente per mezzo di una virgola, o proprio chiusa tra due virgole:

tutti i colleghi, che hanno fiducia in te, ti appoggeranno.

Si noti la differenza di significato tra questa frase e la seguente:

tutti i colleghi che hanno fiducia in te ti appoggeranno (solo loro, non gli altri).

In quest'ultima frase la relativa ha una funzione determinativa; il rapporto tra l'antecedente e la relativa è più stretto. Questo particolare carattere della proposizione relativa è sottolineato dall'assenza della virgola.

La proposizione relativa può indicare varie circostanze dell'azione espressa dalla principale, acquistando frequentemente un valore temporale, finale, consecutivo, causale, condizionale, concessivo:

temporale
è già un mese che (= da quando) *sono arrivato*

finale
cercavo qualcuno che (= affinché) *m'indicasse la strada*

consecutivo
non c'erano ragioni che (= tali che) *lo convincessero*

causale
mi raccomando a te, che (= perché) *sei più grande*

condizionale
chi (= se qualcuno) *vuole, può restare*

concessivo
tu, che (= sebbene) *avresti tanto da dire, non parli.*

In molti casi una separazione netta tra i diversi valori non è possibile; così, per esempio, nella frase citata *cercavo qualcuno che m'indicasse la strada*, il pronome *che* potrebbe avere sia un valore finale ('affinché') sia un valore consecutivo ('tale che', 'in grado di').

Quando due proposizioni relative sono coordinate tra loro, si può omettere il pronome nella seconda:

le persone che incontrammo e (che) io salutai sono miei vecchi amici;

ma con i complementi indiretti (*di cui*, *a cui*, *con cui*, *per cui*, *del quale*, *al quale*, *con il quale*, *per il quale* ecc.) in genere si ripete il pronome relativo: *l'amico di cui ti ho parlato e di cui ho piena fiducia.*

Inoltre il pronome relativo viene ripetuto quando cambia, nelle due proposizioni coordinate, il suo ruolo sintattico:

le persone che (oggetto) *incontrammo e che* (soggetto) *mi salutarono sono miei vecchi amici.*

Nella frase che segue la ripetizione del pronome relativo è richiesta non solo dal mutamento di funzione sintattica (come nel caso precedente), ma anche dal mutamento di forma del pronome stesso:

le persone che incontrammo e con cui mi fermai a parlare sono miei vecchi amici.

Il modo del verbo è l'indicativo quando il fatto espresso dalla relativa viene presentato come reale, certo; è il congiuntivo o il condizionale quando viene presentato come possibile, ipotetico, desiderato:

indicativo
cerco un libro che tratta di urbanistica (è un libro ben definito, l'ho già visto o comunque so che esiste)

congiuntivo
cerco un libro che tratti di urbanistica (è un qualsiasi libro di urbanistica, non so precisamente che libro sia)

indicativo
è un piacere che ti faccio volentieri (posso fartelo)

condizionale
è un piacere che ti farei volentieri (ma forse non potrò, o proprio non posso fartelo).

Si ha spesso la forma implicita in proposizioni relative come: *non ho nessuno a cui rivolgermi*; *hai trovato i colori con cui finire il disegno?*; *non ho altri amici dai quali fermarmi*. Queste proposizioni relative si possono trovare anche in una forma più analitica, nella quale interviene un verbo servile (*dovere*, *potere*): *non ho nessuno a cui possa rivolgermi*; *hai trovato i colori con cui devi finire il disegno?*; *non ho altri amici dai quali possa fermarmi*.

11.2.14. Proposizioni modali

Le proposizioni modali indicano il 'modo' in cui si svolge un'azione.
Nella forma esplicita sono introdotte da **come**, **secondo che**, **nel modo che**, **quasi che**, **come se** ecc. Il verbo ha l'indicativo quando la modale esprime un fatto certo, reale; ha invece il congiuntivo quando esprime un fatto ipotetico o irreale:

indicativo (realtà)
comportati nel modo che ritieni più opportuno

congiuntivo (irrealtà)
fai come se niente fosse.

Aggiungendo una particella correlativa, o semplicemente dandola per sottintesa, la proposizione modale esplicita può risolversi in una comparativa di uguaglianza: *ho agito così come mi hai suggerito*.
La proposizione modale può essere espressa anche in forma implicita, con il gerundio: *scappò via correndo*.
Nelle frasi in cui si trova il gerundio, si può qualche volta essere incerti tra il **valore modale** e il **valore strumentale**, così come qualche volta si è incerti nel distinguere tra loro, da un punto di vista logico, il complemento di modo e quello di mezzo (o strumento).

11.2.15. Proposizioni avversative

Indicano una situazione o una condizione opposta a quella espressa dalla principale.
Sono introdotte da **quando**, **mentre** (e **quando invece**, **mentre invece**), **laddove**; il verbo ha l'indicativo o il condizionale:

lo aspettavamo oggi, mentre invece arriverà domani; *ha voluto restare in casa, mentre io avrei preferito uscire*.

Nella forma implicita sono introdotte da **invece di**, **in luogo di**, **anziché** ecc., più l'infinito del verbo: *invece di ringraziarmi, fa l'offeso*.

Si noti la differenza tra questo ***mentre*** **temporale**:

Luigi studia mentre io lavoro

e questo ***mentre*** **avversativo**:

Luigi studia, mentre io lavoro.

Il diverso significato della seconda frase è ottenuto per mezzo della pausa più lunga tra *studia* e *mentre*.

11.2.16. Proposizioni esclusive

Esprimono un'esclusione rispetto a ciò che è detto nella principale.
Nella forma esplicita sono introdotte da **senza che**, e hanno il verbo al congiuntivo: *abbiamo fatto tardi, senza che ce ne rendessimo conto.*
Più comune la costruzione implicita, con **senza** e l'infinito: *abbiamo fatto tardi, senza rendercene conto.*
La proposizione esclusiva è quasi una variante negativa della modale: **senza che** ha infatti un valore simile a 'come se non'.

11.2.17. Proposizioni eccettuative

Avanzano un''eccezione', esprimono cioè una circostanza che limita il significato della principale.
Sono introdotte da **tranne che**, **eccetto che**, **salvo che**, **fuorché**, **se non che**, **a meno che non**; il verbo può avere l'indicativo (in particolare con **se non che**) o il congiuntivo:

ci conosciamo da molti anni, se non che ci vediamo raramente;
verrò a trovarti, a meno che qualcosa non me lo impedisca.

Nella forma implicita hanno l'infinito preceduto da **tranne che**, **eccetto che**, **salvo che**, **fuorché**: *sono disposto a tutto, fuorché chiedergli scusa.*
Spesso le proposizioni eccettuative sono precedute da un'affermazione generale e categorica, in cui possono comparire aggettivi e pronomi come *tutto*, *niente*, *ogni*, *qualunque*, *nessuno* e simili: *non dirò niente, tranne che non sia costretto.*

11.2.18. Proposizioni limitative

Esprimono una limitazione rispetto a ciò che viene affermato nella principale.
Sono introdotte da locuzioni come **per quanto**, **per quello che**: *per quanto ne so, stanno tutti bene.*
Nella forma implicita sono introdotte da **in quanto a** (o solo **quanto a**) più l'infinito del verbo: (*in*) *quanto a venirti incontro, mi sembra di averlo già fatto abbastanza.*
Sono molto comuni espressioni come **per quanto riguarda...** o **per quanto concerne...** o **per quanto si riferisce a...**
Si noti che *per quanto* ha valore concessivo, e non limitativo, in frasi come: *per quanto io faccia, non riesco a ricordarlo.*
Sono limitative alcune particolari proposizioni con **per**, **a** e l'infinito, del tipo di: *per essere intelligente*, *è intelligente*; *è facile a dirsi.*

11.2.19. Nominalizzazione delle subordinate

In alcune proposizioni subordinate è possibile attuare una sostituzione; il verbo della subordinata può essere sostituito con un nome:

Luisa capì che era necessario prendere l'iniziativa	*Luisa capì la necessità di prendere l'iniziativa*
il deputato dichiarò che era disponibile al dibattito	*il deputato dichiarò la propria disponibilità al dibattito*

si spera che migliori	*si spera in un suo miglioramento*
è necessario che tutti collaborino	*è necessaria la collaborazione di tutti*
sono preoccupato perché Mario è malato	*sono preoccupato per la malattia di Mario*

Quale differenza corre tra i due tipi sintattici? Nelle nominalizzazioni la cancellazione del verbo comporta al tempo stesso la cancellazione della persona; di qui la necessità di inserire talvolta nella nuova struttura un possessivo (v. alcuni degli esempi citati sopra).
La trasformazione che abbiamo ora descritto è possibile in alcuni casi, in altri no; non può essere attuata, per esempio, in:

penso che Sandro abbia ragione
ti chiedo se puoi uscire con me
mi pare che tu sia un po' matta.

11.2.20. Proposizioni incidentali

La proposizione incidentale si trova inserita nella frase tra due virgole, o anche tra due lineette o tra parentesi, senza che abbia alcun legame sintattico con le altre proposizioni; è una sorta di frattura che conferisce al discorso vivacità e snellezza:

Salvatore, è noto, studia molto
Lucia, te l'ho detto tante volte, è una brava ragazza
Mario — chiesi — è un medico?
Alcibiade (narrano gli storici) era molto ambizioso.

Si noti che tali frasi con incidentali possono essere trasformate in frasi con subordinate (oggettive, soggettive, interrogative indirette):

Salvatore, è noto, studia molto	*È noto che Salvatore studia molto*
Lucia — te l'ho detto tante volte — è una brava ragazza	*Ti ho detto tante volte che Lucia è una brava ragazza*
Mario — chiesi — è un medico?	*Chiesi se Mario fosse un medico*
Alcibiade (narrano gli storici) era molto ambizioso	*Gli storici narrano che Alcibiade era molto ambizioso.*

La scelta tra l'uno e l'altro tipo dipende da un'opportunità stilistica.

Confronta queste due frasi:

ci conosciamo — sbaglio? — da quattro anni;
ci conosciamo — non è vero? — da quattro anni.

La seconda frase può essere trasformata in *non è vero che ci conosciamo da quattro anni?*. Nella prima frase, invece, non è possibile eseguire un'analoga trasformazione, perché il verbo dell'incidentale (*sbagliare*) non può reggere una proposizione oggettiva.

Possono trovarsi come incidentali anche proposizioni introdotte da un elemento subordinante:

Paolo, come ti ho detto, è stato a Roma
Carla, se non sbaglio, ha vent'anni
La situazione — per parlare chiaro — è molto critica.

11.3. LA CONCORDANZA DEI TEMPI

Anche l'italiano ha, come il latino, una sua *consecutio temporum*, un insieme di norme che regolano l'uso dei tempi nelle proposizioni subordinate.

Mentre il tempo della principale ci informa sulla **cronologia assoluta** di un certo fatto (*fumo la pipa*, ora; *la fumavo*, prima; *la fumerò*, in seguito), il tempo della subordinata definisce la **cronologia relativa** di un fatto rispetto a un altro: non esprime quindi un valore temporale compiuto in sé, ma solo una **relazione temporale**, la relazione tra il tempo della subordinata e quello della reggente. Così, un imperfetto indicativo, che in una proposizione principale vale di norma come tempo passato, in una subordinata può esprimere un'azione anteriore rispetto alla reggente:

so che fumavi la pipa,

ma anche un'azione contemporanea:

sapevo che fumavi la pipa.

In quel complesso e armonico organismo di frasi strettamente collegate e sapientemente articolate, bilanciate, ritmate che formava il periodo latino in età classica tali norme erano piuttosto rigide; in italiano le cose stanno in modo un po' diverso: le corrispondenze tra i tempi della principale e i tempi della subordinata sono più elastiche, e i parlanti dispongono di una maggiore libertà di scelta.

Le subordinate con l'indicativo hanno normalmente lo stesso tempo che avrebbero se fosse indipendenti:

hai finito / so che hai finito
avevi finito / so (sapevo) che avevi finito
avrai finito / so che avrai finito.

Per i tempi delle subordinate al congiuntivo o al condizionale, ecco un quadro delle corrispondenze più usuali con i tempi della reggente:

REGGENTE	SUBORDINATA
presente o futuro *penso / penserò*	contemporaneità: congiuntivo o condizionale presente *che tu finisca / che tu finiresti* anteriorità: congiuntivo o condizionale passato *che tu abbia finito / che tu avresti finito* posteriorità: congiuntivo o condizionale presente, spesso in perifrasi verbali, o con espressioni come *in seguito*, *successivamente* *che tu finisca / che tu finiresti / che tu stia per finire / che tu potresti finire / che in seguito tu finisca*

REGGENTE	SUBORDINATA
	contemporaneità: congiuntivo imperfetto *che tu finissi*
passato *pensavo / pensai / ho pensato*	anteriorità: congiuntivo trapassato *che tu avessi finito*
	posteriorità: condizionale passato *che tu avresti finito*

Ma le possibilità concrete offerte dalla lingua sono più numerose di quelle che abbiamo sinteticamente indicato. Si consideri, per esempio, l'uso dell'imperfetto congiuntivo nelle subordinate. Normalmente esso indica una relazione di contemporaneità tra due azioni passate:

pensavo / ho pensato / pensai che fosse a scuola,

eppure lo potremmo trovare anche in dipendenza di un presente:

penso che fosse a scuola.

In questo caso l'imperfetto esprime una relazione d'anteriorità rispetto al presente, con un **aspetto durativo** che manca al congiuntivo passato:

penso che sia stato a scuola.

Ancora: ad un passato prossimo nella principale si fa comunemente seguire nella subordinata, per indicare un rapporto di contemporaneità, l'imperfetto congiuntivo:

ho temuto che quella notizia ti potesse dispiacere,

ma potremmo anche avere un presente congiuntivo, per sottolineare l'**attualità** del fatto:

ho temuto che questa notizia ti possa dispiacere.

Qui l'**attualizzazione** è ottenuta non solo sostituendo il presente all'imperfetto, ma anche attraverso l'uso del pronome dimostrativo *questa* invece di *quella*.

11.4. DISCORSO DIRETTO E DISCORSO INDIRETTO

Cristina mi disse:
« Vengo subito »

Cristina mi disse
che veniva subito

Nell'esempio a sinistra, la frase preceduta dai due punti e racchiusa tra due virgolette (ma potrebbero anche esserci due trattini: — *Vengo subito* —) è un **discorso diretto**, perché riporta direttamente, come furono pronunciate, le parole di Cristina. Queste stesse parole sono invece riferite nell'esempio di destra attraverso una proposizione dipendente dal verbo *dire*, cioè con un **discorso indiretto**.

Oltre al verbo *dire*, introducono sia il discorso diretto sia il discorso indiretto verbi come *domandare*, *chiedere*, *rispondere* e in generale tutti quelli di significato dichiarativo:

gli ho domandato: *« dove stai andando? »*	*gli ho domandato* *dove stesse andando*
chiedigli: *« Ti fa piacere? »*	*chiedigli* *se gli fa piacere*
Garibaldi rispose: *« Obbedisco »*	*Garibaldi rispose* *che obbediva*

Quando il verbo della proposizione reggente è al passato, la trasformazione del discorso diretto in discorso indiretto comporta un cambiamento nel verbo della proposizione dipendente.

Se nel discorso diretto vi è:	**nel discorso indiretto si ha:**
a) l'indicativo presente *Disse: « Me ne vado »*	l'indicativo imperfetto *Disse che se ne andava*
b) un tempo passato dell'indic. *Disse: « Me ne andai »*	il trapassato prossimo dell'indic. *Disse che se n'era andato*
c) un tempo futuro *Disse: « Me ne andrò »*	il condizionale passato *Disse che se ne sarebbe andato*
d) l'imperativo *Disse: « Vattene! »*	il congiuntivo imperfetto *Disse che se ne andasse*

Le interrogative, trasformandosi da dirette in indirette, mutano spesso il modo del verbo da indicativo in congiuntivo:

gli chiese: « Dove vai? »	*gli chiese dove* < *andasse* / *andava*

Quando il verbo della reggente è al presente o al futuro non si ha alcun cambiamento nei tempi passando dal discorso diretto al discorso indiretto:

dice: « Me ne vado »	*dice che se ne va*
dice: « Me ne andai »	*dice che se ne andò*
dice: « Me ne andrò »	*dice che se ne andrà*
dirà: « Me ne vado »	*dirà che se ne va*

In molti di questi casi e di quelli visti in precedenza, volgendo il discorso diretto in discorso indiretto si può usare la forma implicita: *dice* (o *dirà* o *disse*) *di andarsene*, *dice* (o *dirà* o *disse*) *di essere andato via.*

La scelta tra subordinata esplicita e subordinata implicita dipende da vari fattori (identità o meno del soggetto della reggente e della oggettiva, valore semantico del verbo reggente, possibile ambiguità della frase ecc.). È un problema complesso (v. anche 11.2.2.). Osserviamo questi esempi:

Maria ordina a Luigi: « Esci! »	*Maria ordina a Luigi di uscire*
Maria prega Luigi: « Aiutami! »	*Maria prega Luigi di aiutarlo*
Maria dice a Luigi: « Me ne vado »	{ *Maria dice a Luigi di andarsene* (frase ambigua: è Maria o Luigi che se ne va?) *Maria dice a Luigi che* **lei** *se ne va.*

Nel passaggio dal discorso diretto a quello indiretto, i pronomi di prima e di seconda persona (personali e possessivi) e le forme verbali di prima e di seconda persona diventano di terza persona, quando il verbo reggente è di terza persona:

dice: « Io me ne vado da casa tua » — *dice che egli se ne va da casa sua*

In questo esempio, *io* del discorso diretto diventa *egli* nel discorso indiretto, *me ne* diventa *se ne*, *vado* diventa *va*, *tua* diventa *sua*.

Altri cambiamenti possono risultare necessari: da *questo* a *quello*, da *qui* a *lì*, da *ora* ad *allora*, da *oggi* a *quel giorno*, da *ieri* a *il giorno prima*, da *domani* a *il giorno dopo* ecc.:

affermò: « Non mi piace questo quadro » — *affermò che non gli piaceva quel quadro*

disse: « Ora è tardi » — *disse che allora era tardi*

mi chiese: « Arriverai oggi stesso o domani? » — *mi chiese se sarei arrivato quel giorno stesso o il giorno dopo*

Talvolta, accade di dover aggiungere qualche parola (per esempio, un pronome) che nel discorso diretto è sottintesa, mentre nel discorso indiretto è indispensabile per la chiarezza della frase:

Ugo disse a Maria: « Guarda che bel lavoro ho fatto! » — *Ugo disse a Maria di guardare che bel lavoro* **egli** *aveva fatto.*

Non sempre si può rendere nel discorso indiretto l'espressività del discorso diretto; così, nel seguente esempio:

« Senti un po' », disse Mario, « hai fretta? »,

quel *senti un po'* è una formula tipica del parlato, che non può essere tradotta in discorso indiretto (la frase *Mario gli disse di sentirlo un po'* avrebbe un altro senso).
Ecco un caso diverso:

Maria si rivolge a Luigi: « Esci! » <
- **Maria si rivolge a Luigi di uscire*
- *Maria si rivolse a Luigi* **dicendogli** (**ordinandogli** ecc.) *di uscire*;

rivolgersi non può funzionare da reggente di una proposizione oggettiva; pertanto è necessario introdurre un verbo come *dire*, *ordinare*, *pregare* ecc. che funge quasi da didascalia. Vediamo ancora un altro caso:

lo sconosciuto avanzò tendendo la mano: « Mi chiamo Andrea » — *lo sconosciuto avanzò tendendo la mano* **e disse** *di chiamarsi Andrea*

Nell'esempio a sinistra il discorso diretto non è introdotto dal verbo *dire* o da un altro verbo di significato analogo: sono le stesse virgolette (nello scritto) e il contesto, l'intonazione (nel parlato) a chiarire che si tratta di un discorso diretto. Nell'esempio a destra è stato aggiunto un verbo dichiarativo (*disse*), del quale il discorso indiretto non può fare a meno.

Le proposizioni già subordinate nel discorso diretto, se implicite rimangono invariate:

mi disse: « Cerca di stargli vicino » — *mi disse di cercare di stargli vicino*;

se esplicite conservano lo stesso modo, mentre per il tempo seguono le regole già esposte:

mi disse:
« Parto immediatamente,
se è possibile »

mi disse
che partiva immediatamente,
se era possibile.

11.5. INSERTI

11.5.1. È difficile definire la frase

Notti dopo, Torino andò in fiamme. Durò più di un'ora. Ci pareva di avere sul capo i motori e gli scoppi. Caddero bombe anche in collina e nel Po. Un apparecchio mitragliò inferocito una batteria antiarea: si seppe l'indomani che diversi tedeschi erano morti.

— Siamo in mano ai tedeschi — dicevano tutti, — ci difendono loro. —

La sera dopo altra incursione più tremenda. Si sentivano le case crollare, tremare la terra. La gente scappava, tornarono a dormire nei boschi. Le mie donne pregarono fino all'alba, inginocchiate su un tappeto. Scesi a Torino l'indomani tra gli incendi, e dappertutto s'invocava la pace, la fine.

(Cesare Pavese, *Prima che il gallo canti*, cap. X)

Secondo una norma grafica, che considera il punto come il confine della frase, nel passo ora citato si contano undici frasi.

Normalmente il punto è il segno grafico che ci permette di individuare le frasi di un testo scritto. Nella lingua parlata invece le cose vanno diversamente: ci sono, è vero, le pause e l'intonazione, ma sono fattori variamente realizzabili da chi parla e variamente interpretabili da chi ascolta. Se proviamo a dettare il passo di Pavese a venti persone (senza indicare la punteggiatura), probabilmente non avremo due persone che metteranno i punti allo stesso modo. Senza dire poi degli altri segni d'interpunzione. All'inizio del passo potremmo avere, per esempio:

Notti dopo Torino andò in fiamme: durò più di un'ora; ci pareva di avere sul capo i motori e gli scoppi. Caddero bombe anche in collina e nel Po.

Con questa diversa punteggiatura avremmo allora due frasi, non quattro. Più oltre potremmo avere:

La gente scappava. Tornarono a dormire nei boschi.

E ancora:

Scesi a Torino l'indomani tra gli incendi. E dappertutto s'invocava la pace, la fine.

In entrambi i casi avremmo due frasi in luogo di una.

Si sa che, cambiando soltanto la punteggiatura, lo stesso testo scritto può assumere una diversa sfumatura di significato o addirittura un significato diverso. Inserire la punteggiatura in un testo che ne è privo equivale a interpretare tale testo. Ai fini dell'interpretazione è dunque importante individuare il confine tra una frase e l'altra.

Che cosa è una **frase**? O, se vogliamo, che cosa è un **periodo**? Questo secondo termine, del tutto equivalente al primo, è più usato con riferimento a un testo scritto (soprattutto ad un'opera letteraria); per esempio si dice: *Mario pronunciò due o tre frasi*, ma *i periodi del* Decameron *sono talvolta lunghi e complessi*. Della frase sono state date molte definizioni: uno studioso ne ha contate ben trecento! Dipende dal punto di vista in cui ci si pone.

Una prima difficoltà consiste nel confondere la frase con la **proposizione**; ciò accade per il fatto che possono esistere frasi ciascuna delle quali è composta di una sola proposizione: v. per esempio molte frasi del passo di Pavese. È difficile distinguere tra frase e proposizione se si rimane sul terreno dell'analisi meramente sintattica. Bisogna considerare il valore di ciò che viene pronunciato o scritto in rapporto al contesto, in rapporto alla **situazione comunicativa** (ciò che è conosciuto da chi produce il messaggio e da chi lo riceve). Prendiamo un enunciato come:

Andrea partirà per Milano questa sera con l'aereo.

Tale enunciato, se è interpretato come una proposizione, afferma soltanto che l'azione di 'partire' sarà compiuta da un certo agente, verso una certa meta, con un certo mezzo, in un certo tempo. In tal modo l'enunciato è interpretato senza altri riferimenti: è una parte di un tutto che non conosciamo. Lo stesso enunciato, interpretato come frase, lascia intendere che chi lo produce e chi lo riceve conosce la situazione in cui esso si sviluppa. Allo stesso modo *fuoco* può essere una parola (cioè il componente di un'unità più complesssa) oppure una frase (se è pronunciata in una determinata situazione con una certa intonazione, con una certa intenzione significativa: *Fuoco!*).

Insomma la frase può comprendere più di una proposizione; ma comunque è un'unità che appartiene ad un ordine diverso. La proposizione, come la parola, è un'unità della lingua: ha una dimensione universale (cioè si può applicare a infinite situazioni); la frase invece è l'unità del discorso (cioè di un qualcosa che è definito da un particolare contesto, da una particolare situazione). Ancora un esempio: *dare* e *libro* sono parole 'universali': si possono inserire in un numero infinito di frasi; invece l'enunciato *dammi quel libro!* diventa una frase quando si applica ad una particolare situazione comunicativa (si sa chi parla, chi ascolta; si sa di quale libro si tratta ecc.).

Considerando più a fondo il problema si dirà che la frase riguarda il discorso perché:

1. **attualizza** i suoi componenti (*Andrea* non è un nome proprio qualsiasi, è una persona nota a chi parla e a chi ascolta; *questa sera* si riferisce al presente di chi parla);

2. applica all'enunciato una certa **modalità** (v. 7.14.3.) che è affermativa nella frase riguardante *Andrea*, imperativa nella frase *dammi quel libro!*, interrogativa nella frase *mi dai quel libro?*, esclamativa nella frase *che film stupido!*;

3. attribuisce a qualcosa di noto (*Andrea*) qualcosa che non è ancora noto a chi ascolta (*partirà...*); con termini tecnici: attribuisce a un **tema** un **rèma** (dal gr. *rhēma* 'verbo').

L'ultimo di questi concetti ci aiuta a cogliere meglio la differenza tra una proposizione e una frase. Se consideriamo *Andrea partirà per Milano questa sera con l'aereo* una proposizione, diciamo che *Andrea* è il soggetto, *partirà* il predicato, *per Milano questa sera con l'aereo* tre complementi. Tale prospettiva è destinata a mutare se consideriamo lo stesso enunciato come una frase, cioè un'unità discorsiva definita da un contesto e da una situazione particolari. In questo caso il confine tra ciò che è già noto (*tema*) e ciò che all'inizio non è noto ma lo diventa nell'atto di produrre l'enunciato (*rèma*) varia a seconda della conoscenza e dell'intenzione di chi parla, a seconda della conoscenza di chi ascolta. Possiamo immaginare queste possibilità:

tema: *Andrea*
rèma: *partirà per Milano questa sera con l'aereo*

tema: *Andrea partirà*
rèma: *per Milano questa sera con l'aereo*

tema: *Andrea partirà per Milano*
rèma: *questa sera con l'aereo*

tema: *Andrea partirà per Milano questa sera*
rèma: *con l'aereo*

Il confine tra **tema** e **rèma** varia a seconda della situazione comunicativa.

La frase è considerata come la base della comunicazione. Anche dal punto di vista genetico la frase precede sempre i suoi componenti: la proposizione e la parola. Quando comincia a parlare il bambino usa sempre frasi, magari costituite da una sola parola, ma comunque frasi. La capacità di analizzare la frase nei suoi componenti si afferma più tardi.

Si ricordi che vi possono essere anche delle frasi senza verbo; sono le **frasi nominali** (v. 7.14.1.); nel passo di Pavese la settima è una frase nominale: *la sera dopo altra incursione più tremenda.*

11.5.2. Una costruzione latina

Una delle maggiori differenze tra il latino classico e l'italiano nel campo della subordinazione consiste nel fatto che nella prima di queste due lingue dopo i verbi dichiarativi (v. 11.2.2.) si usava il cosiddetto **accusativo con l'infinito**, mentre in italiano abbiamo la costruzione "*che* + verbo di modo finito". Costruzione propria del latino letterario, l'accusativo con l'infinito era invece ignoto alla lingua popolare, nella quale i verbi dichiarativi erano seguiti dalla costruzione "*quod* + verbo di modo finito". Ancora una volta, dunque, l'italiano prosegue una tendenza del latino volgare:

LATINO CLASSICO	LATINO VOLGARE	ITALIANO
dico te esse sapientem	*dico quod tu es sapiens*	*dico che tu sei sapiente*
narrabant Caesarem in Gallia fuisse	*narrabant quod Caesar in Gallia fuit*	*narravano che Cesare era stato in Gallia.*

Nell'evoluzione successiva del latino l'accusativo con l'infinito scomparve perché cedette alla concorrenza con le altre subordinate costruite con *quod*: *gaudeo*, *doleo*, *miror quod* 'godo, provo dolore, mi meraviglio che'.

Imitando la sintassi del latino classico i nostri scrittori del Trecento, e soprattutto del periodo umanistico e rinascimentale, ripristinarono la costruzione dell'accusativo con l'infinito, componendo frasi del tipo: *dico te essere sapiente*, *narravano Cesare essere stato in Gallia*. Dalla fine del Cinquecento la costruzione latineggiante cominciò a regredire; oggi la si ritrova raramente e soltanto in scritture di tono ricercato e accademico. È da ricordare tuttavia che nell'italiano contemporaneo questo tipo di subordinazione è usato in dipendenza di alcuni reggenti verbali: *fare*, *lasciare*, *vedere*, *udire*, *sentire*, a condizione però che l'oggetto del verbo reggente sia al tempo stesso soggetto dell'infinito dipendente: *ti lascio entrare in ufficio*, *vedo arrivare la nave*, *sento Maria cantare*.

11.5.3. Le classificazioni dei linguisti

Per quanto riguarda la classificazione delle proposizioni subordinate, i criteri proposti dai linguisti sono per lo più diversi da quelli in uso nelle grammatiche scolastiche. Alcuni linguisti distinguono tra:

proposizioni completive: svolgono la funzione di soggetto, complemento oggetto, attributo e apposizione;

proposizioni relative: sono contraddistinte formalmente dalla presenza del pronome relativo;

proposizioni circostanziali: hanno la funzione di un complemento di circostanza (proposizioni temporali, causali, consecutive, finali ecc.).

Altri propongono una classificazione fondata su criteri formali:

proposizioni congiuntive: sono introdotte da una congiunzione subordinante (*che*, *quando*, *come*, *se*, *perché*, *affinché*, *dopo che* ecc.);

proposizioni interrogative: sono introdotte da pronomi e congiunzioni interrogativi (*chi*, *quale*, *che cosa*, *quanto*, *quando*, *dove*, *perché*, *come*, *se* ecc.);

proposizioni relative: sono introdotte da pronomi relativi;

proposizioni participiali: hanno alla loro base un participio;

proposizioni gerundive: hanno alla loro base un gerundio;

proposizioni infinitive: hanno alla loro base un infinito.

Si noti che talvolta nelle proposizioni congiuntive può mancare la congiunzione subordinante: *penso sia partito*, che corrisponde all'inglese *I think he has left*; nella frase italiana la subordinazione è marcata dal solo congiuntivo.

11.5.4. Parole in primo piano

In italiano è normale l'ordine soggetto + verbo + oggetto:

io voglio la poltrona.

Questo modo di disporre le parole prende il nome di «costruzione diretta» ed è il tipo più comune, "non marcato" sul piano espressivo. Ma è possibile un ordine delle parole diverso, "marcato" o "enfatico", che serve a dare uno speciale rilievo a un elemento della frase:

la poltrona la voglio io.

L'oggetto *la poltrona* è trasferito al primo posto, è quasi isolato rispetto al resto della frase *la voglio io*. Proprio qui sta l'informazione nuova, che viene messa così in evidenza: *la voglio io* significa anche 'non fatevi illusioni, non ho intenzione di cedere la poltrona a nessuno'.

Collocando in una maniera piuttosto che in un'altra le parole, si suggerisce una particolare interpretazione, si stabiliscono rapporti tra ciò che si dice e ciò che si sottintende, si orienta il discorso verso determinati obiettivi. Non è un caso, quindi, che i costrutti enfatici siano molto frequenti nella lingua parlata, nell'interazione dialogica, soprattutto nelle domande e nelle risposte:

[1] *Del "Nome della rosa", voi che ne pensate?*
[2] *Non l'ho ancora letto, io.*
[3] *La trama l'ho trovata molto interessante.*

In [2] la posizione finale del soggetto *io* circoscrive al parlante il contenuto della frase e insieme prepara l'intervento dell'altro interlocutore; questi, anticipando in [3] l'oggetto *la trama*, sottolinea implicitamente un giudizio diverso per altri aspetti del romanzo di Umberto Eco.

Si noti che l'anteposizione dell'oggetto comporta la ripresa mediante un pronome:

i giornali **li** *ho già letti;*
quest'uomo, è bravo chi **lo** *capisce;*
*la ricevuta non buttar***la**.

Effetti analoghi si ottengono anche con costruzioni come:

li *ho già letti, i giornali;*
è bravo chi **lo** *capisce, quest'uomo;*
*non buttar***la***, la ricevuta.*

In questi casi il pronome precede anziché seguire l'oggetto, che si trova alla fine, dopo una pausa.

Un'altra struttura che ha lo scopo di richiamare l'attenzione di chi ascolta o legge su una parte del messaggio è costituita dalle «**frasi spezzate**», così chiamate perché "spezzano" un'unica frase di partenza in due segmenti diversi e collegati: *Marzia parte* diventa ad esempio *è Marzia che parte; i bambini piangono* diventa *sono i bambini che piangono*. Con tale procedimento è possibile mettere in evidenza varie parti della frase:

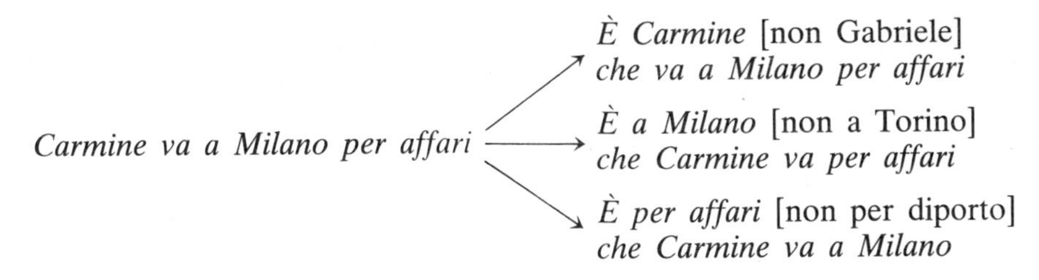

Anche questo è un tipo che s'incontra spesso nella lingua parlata. Il passaggio dalla frase di partenza alla frase spezzata richiede tre operazioni: 1) l'estrazione dalla frase di partenza di un elemento che si vuole mettere in risalto; 2) l'aggiunta del verbo *essere*, che si unisce all'elemento estratto per formare la proposizione principale; 3) il collegamento mediante *che* tra questa principale e il resto della frase.

11.5.5. Il linguaggio dei giornali

Il linguaggio dei giornali italiani può essere studiato da due punti di vista: in rapporto ai lettori e in rapporto ai linguaggi tecnico-scientifici e socio-professionali del nostro tempo. Spesso i giornalisti italiani non si mettono dalla parte dei loro lettori: riempiono i loro articoli di vocaboli ed espressioni tecniche, non spiegano sufficientemente i precedenti e le circostanze dei fatti narrati. Il risultato sono articoli comprensibili per lo più ad una cerchia ristretta di lettori, colti e già informati. Il grande pubblico preferisce ricorrere alla radio e alla televisione per conoscere e interpretare i fatti del giorno. Il grado di leggibilità dei nostri quotidiani rimane ancora insoddisfacente, anche se la situazione è migliorata negli ultimi anni: tale problema deve essere considerato nel quadro più generale dell'evoluzione dell'italiano contemporaneo e in rapporto ai problemi delle comunicazioni di massa (v. 10.4.3.).

Al tempo stesso bisogna riconoscere che la stampa è il crocevia dei diversi vocabolari tecnici e socio-professionali che sono propri della nostra civiltà. Infatti è soprattutto attraverso la stampa che termini della medicina, della biologia, della fisica, dell'informatica ecc., così come vocaboli ed espressioni usati dai politici, dagli economisti e dall'apparato amministrativo, penetrano di giorno in giorno nella lingua comune.

Il giornale non è soltanto un testimone di linguaggi elaborati in altre sedi; possiede proprie forme espressive e un proprio stile; questo e quelle cadono in un particolare contesto. Ciò significa che il giornale è un sistema di contenuti e di forme; la sua lingua non può essere studiata prescindendo dai suoi supporti materiali: i titoli, l'impaginazione, le immagini, l'esecuzione tipografica fanno parte dell'informazione. Una parte cospicua del lavoro del giornalista consiste nel riformulare discorsi pronunciati o scritti da altri (uomini politici, imprenditori, sindacalisti, tecnici ecc.) in modo tale che essi possano agevolmente inserirsi nelle pagine del giornale e risultino comprensibili ai lettori. Questa "riformulazione" comporta l'uso di particolari strumenti linguistici (come per es. modi di dire che servono a preannunciare o a richiamare la notizia, procedimenti di parafrasi e di illustrazione riguardanti vocaboli ed espressioni tecniche ecc.).

Nella stampa una posizione di primo piano è occupata dal **linguaggio politico**, il quale appare composto da diversi strati. C'è innanzi tutto un fondo di vocaboli di vecchia data e stabili, la maggior parte dei quali risale ai periodi storici che vedono la nascita e il consolidarsi del sistema parlamentare, l'affermarsi dei princìpi della Rivoluzione francese e di ideologie quali il liberalismo e il marxismo. Si tratta di vocaboli come *parlamento, assemblea, borghesia, proletariato* (v. 11.5.7.), *costituzione, destra* e *sinistra* (usati come sostantivi), *elezione, minoranza* e *maggioranza, mozione, reazione, socialismo* (v. 6.7.4.) ecc.

Al fondo di vocaboli permanenti del linguaggio politico si sovrappone uno strato di elementi più soggetti al mutamento: sono vocaboli che provengono dalla lingua comune ma che acquistano nei discorsi dei politici significati particolari: *apertura* e *chiusura, colloquio, dialogo, verifica, vertice* (o *incontro al vertice*). Qui ritroviamo anche espressioni come: *movimento politico, movimento di destra* (*di sinistra*), *linea politica, area democratica, base elettorale, asse del partito*. Il linguaggio politico si serve largamente di neologismi formati con suffissi quali *-ista, -ismo, -izzare, -logo* e *-logia*; con prefissi quali: *anti-, contro-, extra-, neo-, auto-, ultra-*.

Vi sono poi innovazioni contingenti e particolari del linguaggio politico; si tratta di espressioni non ufficiali, usate soprattutto nel discorso polemico:

carrozzone ministeriale, legge-truffa, governo fantoccio, crisi al buio, scivolamento a sinistra ecc. Per aumentare la sua efficacia il linguaggio politico (soprattutto quello usato dai giornalisti) si vale di espressioni metaforiche, di modi di dire, come per es. *il polverone, la maratona, il giro di valzer, la cassa di risonanza, i nodi al pettine, la patata bollente, la corsia preferenziale, il capo carismatico, la stanza dei bottoni.*

11.5.6. Indicativo o congiuntivo?

Abbiamo detto che l'indicativo è il modo della realtà, mentre il congiuntivo è il modo della possibilità (v. 7.13.1.). Poiché molte proposizioni subordinate esprimono non certezze ma opinioni e ipotesi, l'uso del congiuntivo è in esse frequente. Si prenda il caso delle proposizioni finali: per la loro stessa natura escludono la certezza (non si può sapere in anticipo se lo scopo sarà raggiunto), e infatti hanno sempre il congiuntivo.

Sono tuttavia numerose le subordinate con l'indicativo: *dice che tornerà domani; scusami se è tardi; vado via perché ho fretta.* Nella lingua parlata, ma sempre più anche in quella scritta, c'è una tendenza ad estendere l'uso dell'indicativo, e a dire quindi *non so se tu hai capito* (interrogativa indiretta) o *penso che è meglio* (oggettiva) invece di *non so se tu abbia capito, credo che sia meglio.* Anche nel periodo ipotetico dell'irrealtà o della possibilità al passato è frequente il tipo *se studiavi non ti bocciavano* per *se avessi studiato non ti avrebbero bocciato.*

Come si spiega l'avanzata dell'indicativo e il parallelo regresso del congiuntivo? Le ragioni di tale fenomeno sono molteplici e complesse; ne indicheremo qui alcune, di ordine storico, geografico-linguistico e funzionale.

1. Per vari tipi di subordinate l'uso dell'indicativo non manca di esempi antichi, e dei migliori autori: nel *Convivio* di Dante leggiamo un «credo che si mossero»; casi del genere si trovano anche nel Manzoni.

2. Il congiuntivo è un modo scarsamente vitale in ampie zone del nostro paese: così, ad esempio, nelle varietà regionali del Centro e del Mezzogiorno d'Italia.

3. La lingua parlata e popolare tende alla semplificazione del complicato sistema delle forme verbali; nel caso specifico dell'indicativo e del congiuntivo, la distinzione tra azione reale e azione possibile viene realizzata più chiaramente con mezzi lessicali (*sono certi che viene / pensano che viene*) che con l'impiego del diverso modo (*pensano che viene / pensano che venga*).

In questi casi è meglio usare l'indicativo o il congiuntivo? È come chiedersi se sia meglio vestire con la giacca e la cravatta o con i jeans e la maglietta. Adoperate il congiuntivo quando è necessaria un'elegante lingua in giacca e cravatta, ma fate pure ricorso all'indicativo quando vi serve una comoda lingua in jeans e maglietta.

11.5.7. Borghesia e proletariato

Nel Medioevo il termine *burgensis* indicava l'abitatore di un nucleo urbano o *burgus* 'borgo'. Quest'ultimo termine, derivante dal greco *pýrgos* 'torre' non senza influsso del germanico *burg* 'castello fortificato', fu usato con significati diversi: in Italia designò tra l'altro gli agglomerati che si andavano via via formando intorno alla città. In questi borghi o sobborghi cittadini visse dal Mille una popolazione attivissima, appunto i *burgenses*, dediti all'artigianato e al commercio; ad essi si contrapponevano sul piano sociale i *cives antiqui*, gli abitanti del centro, di origine feudale e magnatizia. L'ascesa del nuovo ceto dei *burgenses* è collegata da un lato allo sviluppo commerciale di cui furono espressione caratteristica le repubbliche marinare (Amalfi, Pisa, Genova e Venezia), dall'altro alla fioritura di associazioni di mercanti che rivendicavano la propria autonomia nei confronti del signore.

Il latino medievale *burgensis* è alla base del nostro *borghese*. Nell'italiano antico *borghese* significa 'abitante del borgo o della città'; il Malispini, nel Duecento, distingue inoltre il *borghese* dal *nobile* e dal *paesano* o 'contadino'. Il derivato *borghesia* si afferma solo nell'Ottocento; un dizionario politico del 1851 osserva: «*Borghesia*. È una parola che ci venne di Francia e che non è molto in uso se non nell'Italia settentrionale (Piemonte). Significa il *terzo stato*, ovvero quella parte di popolazione che sta tra il popolo e i nobili». Si tratta di una testimonianza interessante per due ragioni: perché sottolinea l'azione del modello francese *bourgeoisie* su *borghesia* e perché attesta la scarsa diffusione della parola ancora alla metà dell'Ottocento.

La fortuna di *borghesia* risale ai decenni successivi, ed è in stretto rapporto con la fortuna di *proletariato*: l'antagonismo tra la *borghesia* e il *proletariato* sarà uno dei temi fondamentali del marxismo. Si deve tener presente, a questo proposito, la tardiva conoscenza del pensiero marxista in Italia: la prima traduzione completa del *Manifesto del partito comunista*, ad opera di Pietro Gori, si ha addirittura nel 1891, oltre quarant'anni dopo la prima edizione tedesca. Nel *Manifesto del partito comunista* l'opposizione *borghesia/proletariato* è affermata in modo perentorio: «L'intera società si va scindendo sempre più in due grandi campi nemici, in due grandi classi contrapposte l'una all'altra: *borghesia* e *proletariato*».

Il destino del termine *proletariato* è parallelo a quello di *borghesia*: solo nella seconda metà dell'Ottocento i due vocaboli assumono una precisa e opposta identità socio-politica. Naturalmente, l'antagonismo tra *borghesia* e *proletariato* è sempre esistito, come è sempre esistito quello tra *ricchi* e *poveri*; ma con il marxismo questa dicotomia si tecnicizza, collegandosi alla dicotomia tra *capitale* e *lavoro*. Si parla così di *emancipazione* o di *affrancamento* del *proletariato* o del *lavoro* dall'*oppressione* o dallo *sfruttamento* della *borghesia* o del *capitale*: tutte parole-chiave dell'ideologia e della propaganda marxista.

Nella prima metà dell'Ottocento *proletario* ha ancora il suo antico significato storico di 'membro dell'ultima classe del popolo romano'. In un dizionario politico del 1849 si legge: «*Proletarj*. Nome collettivo di cittadini romani i quali per la loro povertà non poteano ajutare la repubblica che col far figli, ond'erano detti *proletarii*, da *prole*». In questo periodo si diffonde anche *proletariato*, sulla scia del francese *prolétariat*; il termine sta ad indicare il complesso degli individui più poveri, o anche la condizione sociale di tali individui. Una svolta nella storia del vocabolo si ha quando Marx nel *Manifesto del partito comunista* si serve di *proletariato* riferendosi alla «classe degli operai moderni», che hanno quale unica fonte di sussistenza la propria capacità di lavoro.

Come accade spesso alle parole fortunate, *borghese, borghesia* e *proletario, proletariato* hanno dato origine a derivati e ad espressioni particolari: *borghesismo, borghesume, imborghesire, piccola borghesia, media borghesia, alta borghesia; sottoproletariato, proletarizzare, dittatura del proletariato*.

11.5.8. Avversative e sostitutive

Abbiamo già parlato (v. 11.1.) di **coordinazione avversativa**, ottenuta per mezzo delle congiunzioni *ma, però, tuttavia, eppure, anzi, bensì* ecc. Bisogna precisare che queste congiunzioni stabiliscono in realtà due diversi tipi di rapporto: un rapporto di contrasto parziale e un rapporto di contrasto totale, o meglio di sostituzione.

Ecco due esempi di contrasto parziale:

[1] *i dati sono precisi, però sono incompleti*
[2] *speravo nel tuo aiuto, ma posso fare anche da solo.*

In entrambe le frasi l'avversativa non costituisce una negazione della proposizione precedente, ma soltanto una puntualizzazione, una limitazione, una modificazione.

Vediamo ora due esempi di rapporto sostitutivo:

[3] *i dati non sono imprecisi, bensì del tutto infondati*
[4] *non speravo nel tuo aiuto, anzi ero certo della tua indifferenza.*

Qui il primo termine del rapporto è negato e viene "sostituito" dal secondo: i linguisti parlano infatti di **coordinazione sostitutiva**, e distinguono questo tipo dal precedente, che rappresenta la vera e propria coordinazione avversativa.

La proposizione avversativa può essere introdotta dalle congiunzioni *però* (cfr. l'esempio [1]), *tuttavia, eppure*:

[5] *il film non può dirsi un capolavoro, tuttavia (eppure) gli attori recitano con grande impegno.*

La proposizione sostitutiva può essere introdotta dalle congiunzioni *bensì, anzi* (cfr. gli esempi [3] e [4]), *invece*:

[6] *i ragazzi non leggono i giornali, leggono invece i fumetti.*

La congiunzione *ma* può avere valore sia avversativo, come nell'esempio [2], sia sostitutivo:

[7] *Luigi non è intelligente ma stupido*;
[8] *i ragazzi non leggono i giornali ma i fumetti.*

Si osservi che in [7] e in [8] il verbo (*è, leggono*) non viene ripetuto dopo la congiunzione *ma*, usata con valore sostitutivo; anche nella frase [3] manca il verbo dopo la congiunzione sostitutiva *bensì*.

12. LA FORMAZIONE DELLE PAROLE

12.0. La **formazione delle parole** è quel complesso di trasformazioni per il quale si può passare da parole di base a **suffissati** (*orologio* → *orologiaio*), **prefissati** (*campionato* → *precampionato*) e **composti** (*fermare* e *carte* → *fermacarte*). Diversamente dal **prestito linguistico** (v. LESSICO, 13.9.), la formazione delle parole arricchisce dall'interno la lingua: infatti produce nuovi vocaboli (come *orologiaio*, *precampionato*, *fermacarte*) partendo da vocaboli che già esistono (nel caso specifico, *orologio*, *campionato*, *fermare* e *carte*).

Il **suffisso** è la particella che appare alla fine dei suffissati, per esempio *-aio* di *orologiaio*;

il **prefisso** è invece la particella che appare all'inizio dei prefissati, per esempio *pre-* di *precampionato*;

nel loro insieme, i suffissi e i prefissi vengono anche chiamati **affissi**: il suffisso *-aio* di *orologiaio* e il prefisso *pre-* di *precampionato* sono quindi due affissi;

i composti si formano mediante la **fusione** in una sola parola di almeno due parole: è questo il caso di *fermare* e *carte* in *fermacarte*.

Tutti i parlanti possono costruire, partendo da determinate **basi** e attuando le necessarie trasformazioni, intere serie di nuove parole, che con termine tecnico sono definite **neoformazioni**. Così, per esempio, *orologiaio*, *precampionato*, *fermacarte* sono neoformazioni derivate da *orologio*, *campionato*, *fermare* e *carte*. Per passare dalla base al nuovo vocabolo si seguono alcune **regole di trasformazione**, sulle quali ci soffermeremo particolarmente.

La formazione delle parole non consiste in una pura e semplice addizione di elementi: base + suffisso = suffissato, prefisso + base = prefissato, parola + parola = parola composta. Questo, in realtà, è solo l'aspetto esteriore del fenomeno. La formazione delle parole presuppone invece che il parlante abbia piena coscienza del **rapporto di significato** che lega la nuova parola alla sua base. Per esempio, tutti riconosceranno in parole come *scaffalatura* e *librone* un collegamento a *scaffale* e *libro*, ma nessuno penserà che *struttura* e *mattone* sono collegati a *strutto* e *matto*. Soltanto nel primo caso, infatti, possiamo formulare le equivalenze:

insieme di scaffali HA SIGNIFICATO UGUALE A *scaffalatura*
grosso libro HA SIGNIFICATO UGUALE A *librone*;

mentre nel secondo caso abbiamo:

insieme di strutto	HA SIGNIFICATO DIVERSO DA	*struttura*
grosso matto	HA SIGNIFICATO DIVERSO DA	*mattone.*

Come si vede, non possiamo spiegare la formazione delle parole considerando solo il rapporto formale che unisce una base a un affisso (*-ura*, *-one* o altri); è necessario considerare anche il rapporto tra i significati.

La formazione delle parole si divide in tre settori: la **suffissazione**, la **prefissazione**, la **composizione**.

12.1. LA SUFFISSAZIONE

La **suffissazione** consiste nell'aggiungere un affisso dopo la base: *forma* → *formale*, *formale* → *formalizzare*, *formalizzare* → *formalizzazione*.

Un aspetto fondamentale della suffissazione è il passaggio da una categoria ad un'altra di parole: un verbo può dar luogo a un nome o a un aggettivo; un nome a un verbo o a un aggettivo; un aggettivo a un verbo o a un nome. La suffissazione si ha anche all'interno della stessa categoria di parole: da un nome a un altro nome, da aggettivo ad aggettivo, da verbo a verbo (le trasformazioni da aggettivo ad aggettivo e da verbo a verbo avvengono solo nel settore specifico dell'**alterazione**: v. 12.1.8.).

Le neoformazioni che derivano da un nome si chiamano **denominali**, quelle che derivano da un aggettivo si chiamano **deaggettivali**, quelle che derivano da un verbo si chiamano **deverbali**. Inoltre, secondo che siano nomi, aggettivi o verbi, si dicono **nominali**, **aggettivali** o **verbali**.

Ecco uno schema generale della suffissazione; a sinistra poniamo la base, a destra il suffissato:

DENOMINALI	*orologio*	→	*orologiaio*	NOMINALE
	idea	→	*ideale*	AGGETTIVALE
	idea	→	*ideare*	VERBALE
DEAGGETTIVALI	*bello*	→	*bellezza*	NOMINALE
	verde	→	*verdastro*	AGGETTIVALE
	verde	→	*verdeggiare*	VERBALE
DEVERBALI	*operare*	→	*operazione*	NOMINALE
	operare	→	*operabile*	AGGETTIVALE
	cantare	→	*canticchiare*	VERBALE

Riguardo alla base il suffissato può essere: denominale, deaggettivale, deverbale. Riguardo alla propria natura il suffissato può essere: nominale, aggettivale, verbale. Per esempio, *orologiaio* è un suffissato nominale denominale: si tratta infatti di un nome che deriva da un altro nome; *operabile* è invece un suffissato aggettivale deverbale: si tratta infatti di un aggettivo che deriva da un verbo; e così via.

Nella tabella precedente sono indicati solo i nove tipi principali: bisogna aggiungere gli avverbi, che possono essere sia basi (*indietro* → *indietreggiare*) sia derivati (*veloce* → *velocemente*, *bocca* → *bocconi*).

È importante tener conto di alcune variazioni formali che talvolta possono intercorrere tra la base e il suffissato. Ricordiamo:

l'alternanza dittongo-vocale (il cosiddetto **dittongo mobile**: v. 14.3.1.): /jɛ/ - /e/ *lieto* → *letizia*; /wɔ/ - /o/ *nuovo* → *novità*;

l'alternanza occlusiva-affricata, nelle sue tre varietà: /t/ - /ts/ *potente* → *potenza;* /k/ - /tʃ/ *comico* → *comicità*: /g/ - /dʒ/ *mago* → *magia*;

le alternanze dovute alla conservazione nel suffissato di caratteri presenti nel latino, per esempio: *figlio* (lat. FILIUM) → *filiale*; *mese* (lat. MENSEM) → *mensile*; *chiaro* (lat. CLARUM) → *acclarare*.

In tutti questi casi come in altri (si ricordi in particolare l'importante settore dei prestiti dal greco: *crisi* → *critico*) si parla di **base modificata**.

Diamo ora un quadro delle linee principali della suffissazione nella nostra lingua; useremo per brevità le sigle **N** (= nome), **A** (= aggettivo), **V** (= verbo).

12.1.1. N → V

La trasformazione **N → V** può essere ottenuta con i suffissi:

-are, **-ire**: *arma* → *armare*, *canto* → *cantare*, *pittura* → *pitturare*, *sci* → *sciare*; *custode* → *custodire*, *veste* → *vestire*. Si possono considerare come varianti di *-are* sia **-iare** (*differenza* → *differenziare*) sia **-icare** (*neve* → *nevicare*);

-eggiare: *alba* → *albeggiare*, *onda* → *ondeggiare*, *scena* → *sceneggiare*, *schiaffo* → *schiaffeggiare*;

-izzare: *alcool* → *alcoolizzare*, *canale* → *canalizzare*, *lotto* → *lottizzare*, *scandalo* → *scandalizzare*;

-ificare: *nido* → *nidificare*, *pane* → *panificare*, *persona* → *personificare*, *pietra* → *pietrificare*.

Un caso particolare di derivazione è rappresentato dai **verbi parasintetici** (dal greco *pará* 'presso' e *syntithénai* 'mettere insieme'), nei quali si ha l'intervento simultaneo di un prefisso e di un suffisso: *cappuccio* → *in-cappucci-are*, *bandiera* → *s-bandier-are*. Distinguiamo i parasintetici a seconda dei prefissi:

a- + raddoppiamento della consonante: *bottone* → *abbottonare*, *casa* → *accasare*, *fetta* → *affettare*, *punta* → *appuntire*. Davanti a base che inizia con vocale si ha la forma eufonica **ad-**: *esca* → *adescare*, *opera* → *adoperare*;

de-: *caffeina* → *decaffeinare*, *cappotta* → *decappottare*;

in- (*i-*, *inn-*, *il-*, *im-*, *ir-*): *amore* → *innamorare*, *bottiglia* → *imbottigliare*, *lume* → *illuminare* (base modificata secondo il latino *lumen*, genitivo *luminis* 'lume, luce'), *ruggine* → *irrugginire*, *scatola* → *inscatolare*, *scheletro* → *ischeletrire*. Vi è anche il doppio prefisso *re* + *in* = **rin-** (*rim-*): *faccia* → *rinfacciare*, *patria* → *rimpatriare*;

s- privativo: *buccia* → *sbucciare*, *gozzo* → *sgozzare*, *natura* → *snaturare*, *polpa* → *spolpare*;

s- intensivo: *bandiera* → *sbandierare*, *facchino* → *sfacchinare*, *forbice* → *sforbiciare*;

di-: *ramo* → *diramare*, *vampa* → *divampare*;

dis-: *bosco* → *disboscare*, *colpa* → *discolpare*, *sangue* → *dissanguare*, *sete* → *dissetare*;

tra-, **tras-**, **trans-**: *vaso* → *travasare*, *morte* → *tramortire* (valore attenuativo); *bordo* → *trasbordare*; *sostanza* → *transustanziare* (base modificata secondo il latino *substantia* 'sostanza').

12.1.2. A → V

La trasformazione **A** → **V** può essere ottenuta con i suffissi:

-are, **-ire**: *attivo* → *attivare*, *calmo* → *calmare*, *gonfio* → *gonfiare*; *chiaro* → *chiarire*, *marcio* → *marcire*;

-izzare: *formale* → *formalizzare*, *fraterno* → *fraternizzare*, *stabile* → *stabilizzare*, *vivace* → *vivacizzare*;

-eggiare: *bianco* → *biancheggiare*, *grande* → *grandeggiare*, *largo* → *largheggiare*, *scarso* → *scarseggiare*;

-ificare: *beato* → *beatificare*, *dolce* → *dolcificare*, *intenso* → *intensificare*, *solido* → *solidificare*.

Numerosi sono i verbi parasintetici che derivano da aggettivi: *aspro* → *in-aspr-ire*, *bizzarro* → *s-bizzarr-ire*. Anche qui distinguiamo i parasintetici a seconda dei prefissi.

a-: *largo* → *allargare*, *profondo* → *approfondire*, *simile* → *assimilare*, *vicino* → *avvicinare*;

di-: *magro* → *dimagrire*, *rozzo* → *dirozzare*;

in-: *aspro* → *inasprire*, *brutto* → *imbruttire*, *grande* → *ingrandire*, *pallido* → *impallidire*;

s- privativo: *folto* → *sfoltire*, *paziente* → *spazientire*;

s- intensivo: *bizzarro* → *sbizzarrire*;

dis-: *acerbo* → *disacerbare*, *acido* → *disacidare*;

r(i)-: *allegro* → *rallegrare*; spesso è unito ad un altro prefisso: *caro* → *rincarare*, *giovane* → *ringiovanire*, *sereno* → *rasserenare*.

Il parlante di oggi considera *rallegrare* e *ringiovanire* come tratti direttamente da *allegro* e *giovane*, cioè come dei parasintetici; per lo storico della lingua, invece, questi verbi derivano da *allegrare* e *ingiovanire* (oggi non più in uso) e sono perciò dei prefissati verbali non parasintetici.

12.1.3. V → N

I nomi deverbali si distinguono in due specie:

1. nomi che indicano l'azione: *insegnare* → *insegnamento*;

2. nomi che indicano l'"agente", cioè la persona o la cosa che compie l'azione: *lavorare → lavoratore, potare → potatoio.*

I nomi deverbali che indicano l'azione possono essere ottenuti con i suffissi:

-zione: *circolare → circolazione, esportare → esportazione, lavorare → lavorazione, operare → operazione, punire → punizione.* Si può considerare una variante di *-zione* il suffisso **-sione**, che comporta un mutamento nella base (la base è costituita dal participio passato o da una forma colta): *accendere → accensione, aggredire → aggressione, dividere → divisione, invadere → invasione*;

-aggio: *atterrare → atterraggio, lavare → lavaggio, montare → montaggio, riciclare → riciclaggio*;

-mento: *cambiare → cambiamento, censire → censimento, insegnare → insegnamento, nutrire → nutrimento*;

-ura (la base è data dal participio passato): *chiudere → chiusura, cuocere → cottura, fornire → fornitura, leggere → lettura*;

-anza, **-enza**: *abbondare → abbondanza, adunare → adunanza, somigliare → somiglianza*; *compiacere → compiacenza, diffidare → diffidenza, dipendere → dipendenza*;

-ìo (indica azione continuata): *calpestare → calpestio, cigolare → cigolio, mormorare → mormorio, ronzare → ronzio*;

-ato, **-ito**, **-ata**, **-uta**, **-ita** ecc. (trasformazione mediante la forma del participio passato maschile o femminile): *tracciare → tracciato, ululare → ululato*; *ruggire → ruggito, udire → udito*; *nevicare → nevicata, telefonare → telefonata*; *cadere → caduta, spremere → spremuta*; *dormire → dormita, schiarire → schiarita*; *attendere → attesa, condurre → condotta, leggere → letta, sconfiggere → sconfitta*;

suffisso zero, cioè senza suffisso: *abbandonare → abbandono, comandare → comando, deliberare → delibera, rettificare → rettifica.* Talvolta accanto al deverbale con suffisso zero ce n'è un altro con suffisso pieno: *accumulo/accumulazione, delibera/deliberazione, prosiego/proseguimento, rettifica/rettificazione.*

I nomi deverbali che indicano l'agente possono essere ottenuti con i suffissi:

-tore/-trice: *giocare → giocatore (giocatrice), investigare → investigatore (investigatrice), lavorare → lavoratore (lavoratrice)*; spesso la base è data del participio passato: *correggere → correttore (correttrice), dirigere → direttore (direttrice), leggere → lettore (lettrice).* Il suffisso *-tore/-trice* è frequente in nomi del linguaggio tecnico-scientifico indicanti un apparecchio, uno strumento, una macchina ecc.: *amplificare → amplificatore, trasformare → trasformatore*; *calcolare → calcolatore (calcolatrice), mitragliare → mitragliatore (mitragliatrice)*; *copiare → copiatrice, trebbiare → trebbiatrice.* Variante di *-tore* è il suffisso **-sore**, che comporta un mutamento nella base (la base è costituita dal participio passato o da una forma colta): *difendere → difensore, invadere → invasore, opprimere → oppressore*; *comprimere → compressore, percuotere → percussore.* Spesso i nomi in *-tore/-trice* e in *-sore* sono usati anche come aggettivi: *lo studente lavoratore, agenzia investigatrice, l'avvocato difensore*; *un apparecchio amplificatore, una macchina copiatrice*;

-ante, **-ente**: *cantare* → *cantante*, *commerciare* → *commerciante*, *insegnare* → *insegnante*; *supplire* → *supplente*. Tra i nomi di cosa: *colorare* → *colorante*, *disinfettare* → *disinfettante*; *assorbire* → *assorbente*. Numerosi nomi in *-ante* e in *-ente* possono anche essere aggettivi: *corpo insegnante*, *carta assorbente*;

-ino: *arrotare* → *arrotino*, *imbiancare* → *imbianchino*, *spazzare* → *spazzino*. Tra i nomi di cosa: *colare* → *colino*, *frullare* → *frullino*, *temperare* → *temperino*;

-one (ha valore accrescitivo-spregiativo): *accattare* → *accattone*, *brontolare* → *brontolone*, *chiacchierare* → *chiacchierone*, *mangiare* → *mangione*;

-toio (forma nomi di strumenti e anche nomi di luogo): *appoggiare* → *appoggiatoio*, *essiccare* → *essiccatoio*, *galoppare* → *galoppatoio*, *potare* → *potatoio*;

-torio (ha prevalentemente valore locativo): *consultare* → *consultorio*, *dormire* → *dormitorio*;

-erìa (ha lo stesso valore del suffisso precedente): *distillare* → *distilleria*, *fondere* → *fonderia*.

12.1.4. V → A

La trasformazione **V** → **A** può essere ottenuta con i suffissi:

-ante, **-ente**: *abbondare* → *abbondante*, *incoraggiare* → *incoraggiante*, *somigliare* → *somigliante*; *compiacere* → *compiacente*, *diffidare* → *diffidente*. Spesso gli aggettivi in *-ante* e in *-ente* sono soggetti a nominalizzazione: *calmante*, *dipendente*, *lavorante*, *militante*, *partecipante*, *scioperante*;

-tore/-trice: si rimanda ai nomi deverbali che indicano l'agente (v. 12.1.3.);

-bile (forma aggettivi di senso passivo esprimenti possibilità): *giustificare* → *giustificabile* 'che può essere giustificato', *ossidare* → *ossidabile*, *realizzare* → *realizzabile*, *utilizzare* → *utilizzabile*;

-evole (forma aggettivi con valore passivo e con valore attivo): *ammirare* → *ammirevole* 'che deve essere ammirato', *biasimare* → *biasimevole*, *lodare* → *lodevole*; *girare* → *girevole* 'che gira', *mutare* → *mutevole*, *scorrere* → *scorrevole*;

-ivo (la base è data dal participio passato o da una forma colta): *detergere* → *detersivo*, *eludere* → *elusivo*, *fuggire* → *fuggitivo*, *permettere* → *permissivo*.

12.1.5. A → N

La trasformazione **A** → **N** può essere ottenuta con i suffissi:

-ezza: *alto* → *altezza*, *bello* → *bellezza*, *grande* → *grandezza*, *lungo* → *lunghezza*, *triste* → *tristezza*;

-ìa: *allegro* → *allegria*, *cortese* → *cortesia*, *folle* → *follia*, *geloso* → *gelosia*;

-ia: *concorde* → *concordia*, *insonne* → *insonnia*, *misero* → *miseria*, *superbo* → *superbia*;

-izia: *amico* → *amicizia*, *avaro* → *avarizia*, *furbo* → *furbizia*, *giusto* → *giustizia*;

-ità, **-età**, **-tà**: *breve* → *brevità*, *capace* → *capacità*, *felice* → *felicità*; *bonario* → *bonarietà*, *caparbio* → *caparbietà*; *fedele* → *fedeltà*, *nobile* → *nobiltà*;

-itudine: *alto* → *altitudine*, *grato* → *gratitudine*, *solo* → *solitudine*;

-ura: *alto* → *altura*, *bravo* → *bravura*, *fresco* → *frescura*, *lordo* → *lordura*;

-ore: *grigio* → *grigiore*, *gonfio* → *gonfiore*, *rosso* → *rossore*;

-aggine (ha valore negativo-spregiativo): *balordo* → *balordaggine*, *cocciuto* → *cocciutaggine*, *lungo* → *lungaggine*, *sfacciato* → *sfacciataggine*;

-erìa: *fantastico* → *fantasticheria*, *furbo* → *furberia*, *spilorcio* → *spilorceria*;

-ume (ha valore collettivo e si unisce per lo più ad aggettivi di senso spregiativo): *putrido* → *putridume*, *sudicio* → *sudiciume*, *vecchio* → *vecchiume*;

-anza, **-enza** (formano nomi derivati dai corrispondenti aggettivi in *-ante*, *-ente*): *arrogante* → *arroganza*, *elegante* → *eleganza*; *decente* → *decenza*, *paziente* → *pazienza*. Spesso gli aggettivi di base hanno alle spalle un verbo: (*abbondare*) *abbondante* → *abbondanza*, (*somigliare*) *somigliante* → *somiglianza*; (*compiacere*) *compiacente* → *compiacenza*, (*dipendere*) *dipendente* → *dipendenza*. In questi casi il nome può essere considerato sia deaggettivale sia deverbale (v. 12.1.3.);

-ismo, **-esimo** (formano nomi indicanti un movimento, un'ideologia, una disposizione dell'animo, un atteggiamento): *ateo* → *ateismo*, *fatale* → *fatalismo*, *sociale* → *socialismo*, *totalitario* → *totalitarismo*; *cristiano* → *cristianesimo*, *urbano* → *urbanesimo*;

suffisso zero (è un settore molto importante e riguarda sia gli aggettivi sia i participi): *il bello*, *il giusto*, *l'imponderabile*, *il* (*la*) *finale*, *la tangenziale*; *l'amante*, *il fabbricante*, *il ricavato*, *il ricevente*, *la sopraelevata*.

12.1.6. N → A

La trasformazione **N** → **A** può essere ottenuta con i suffissi:

-ato: *accidente* → *accidentato*, *dente* → *dentato*, *fortuna* → *fortunato*, *velluto* → *vellutato*;

-uto: *baffi* → *baffuto*, *occhiali* → *occhialuto*, *pancia* → *panciuto*, *punta* → *puntuto*;

-are: *crepuscolo* → *crepuscolare*, *popolo* → *popolare*, *saluto* → *salutare*, *secolo* → *secolare*;

-ario: *ferrovia* → *ferroviario*, *finanza* → *finanziario*, *testamento* → *testamentario*, *unità* → *unitario*;

-ale: *commercio* → *commerciale*, *industria* → *industriale*, *musica* → *musicale*, *posta* → *postale*;

-ano: *diocesi* → *diocesano*, *isola* → *isolano*, *mondo* → *mondano*, *paese* → *paesano*. Si noti che molti aggettivi in *-ano*, come per esempio *isolano* e *paesano*, hanno subìto un processo di nominalizzazione;

-aceo: *carta* → *cartaceo*, *erba* → *erbaceo*, *perla* → *perlaceo*;

-aneo, **-ineo**: *cute* → *cutaneo*, *istante* → *istantaneo*; *femmina* → *femmineo*, *fulmine* → *fulmineo*;

-igno: *ferro* → *ferrigno*, *sangue* → *sanguigno*;

-ile: *febbre* → *febbrile*, *giovane* → *giovanile*, *primavera* → *primaverile*, *signore* → *signorile*;

-ino: *bove* → *bovino*, *capra* → *caprino*, *mare* → *marino*, *sale* → *salino*;

-izio: *credito* → *creditizio*, *impiegato* → *impiegatizio*, *reddito* → *redditizio*;

-iero: *albergo* → *alberghiero*, *battaglia* → *battagliero*, *costa* → *costiero*, *petrolio* → *petroliero*;

-esco (ha per lo più un valore spregiativo): *avvocato* → *avvocatesco*, *bambino* → *bambinesco*, *carnevale* → *carnevalesco*, *polizia* → *poliziesco*;

-evole: *amico* → *amichevole*, *amore* → *amorevole*, *colpa* → *colpevole*, *onore* → *onorevole*;

-ivo: *abuso* → *abusivo*, *furto* → *furtivo*, *oggetto* → *oggettivo*, *sport* → *sportivo*;

-ico: *atomo* → *atomico*, *igiene* → *igienico*, *nord* → *nordico*, *panorama* → *panoramico*. In alcuni derivati *-ico* sostituisce il suffisso della base: *difterite* → *difterico*, *esotismo* → *esotico*, *prosodia* → *prosodico*. In altri derivati si ha una modificazione della base; il caso più frequente è *-(at)ico*: *diploma* → *diplomatico*, *dramma* → *drammatico*, *problema* → *problematico*; altre varietà possono essere esemplificate con: *analisi* → *analitico*, *energia* → *energetico*, *farmacia* → *farmaceutico*, *architettura* → *architettonico*;

-istico, **-astico**: *arte* → *artistico*, *calcio* → *calcistico*, *carattere* → *caratteristico*; *entusiasmo* → *entusiastico*, *orgia* → *orgiastico*. Molti aggettivi in *-istico* derivano dai corrispondenti nomi in *-ismo*; in questo caso si ha la sostituzione del suffisso: *automobilismo* → *automobilistico*, *giornalismo* → *giornalistico*, *idealismo* → *idealistico*, *realismo* → *realistico*. Si noti che aggettivi come *artistico*, *automobilistico*, *giornalistico*, *idealistico* ecc. possono anche considerarsi formati con il suffisso *-ico* qualora si prendano come base i nomi *artista*, *automobilista*, *giornalista*, *idealista* ecc.;

-ifico: *pace* → *pacifico*, *prole* → *prolifico*;

-torio (**-sorio**): *diffamazione* → *diffamatorio*, *infiammazione* → *infiammatorio*, *preparazione* → *preparatorio*; *divisione* → *divisorio*. Essendo presente un verbo dietro ognuna di queste trasformazioni (*diffamare - diffamazione - diffamatorio*), si può considerare l'aggettivo sia come denominale sia come deverbale;

-oso: *aria* → *arioso*, *muscolo* → *muscoloso*, *noia* → *noioso*, *odio* → *odioso*.

Gli aggettivi tratti da nomi di geografia si formano principalmente con i suffissi **-ano**, **-ino**, **-ese**: *Africa* → *africano*, *America* → *americano*, *Roma* → *romano*; *Parigi* → *parigino*, *Perugia* → *perugino*, *Tunisia* → *tunisino*; *Bologna* → *bolognese*, *Francia* → *francese*, *Milano* → *milanese*.

12.1.7. N → N

I nomi denominali si distinguono in cinque specie:

1. nomi che indicano un'attività considerata con riferimento all'agente: *benzina* → *benzinaio*;

2. nomi che indicano un'attività di fabbricazione, di commercio, di mansioni ecc. e il luogo dove si svolge tale attività: *acciaio* → *acciaieria*;

3. nomi che indicano uno strumento, un apparecchio, un utensile e simili: *dito* → *ditale*;

4. nomi che esprimono una quantità o hanno valore collettivo: *cucchiaio* → *cucchiaiata*;

5. nomi scientifici: *polmone* → *polmonite*.

I denominali che indicano un'attività considerata con riferimento all'agente possono essere ottenuti con i suffissi:

-aio: *benzina* → *benzinaio*, *bottega* → *bottegaio*, *giornale* → *giornalaio*, *orologio* → *orologiaio*;

-aro: *campana* → *campanaro*, *zampogna* → *zampognaro*. In alcuni casi è la variante regionale, soprattutto romanesca, di *-aio* (*benzinaio/benzinaro*) o di un altro suffisso (*tassista/tassinaro*); tra i neologismi provenienti da Roma ricordiamo: *borgata* → *borgataro*, *cinematografo* → *cinematografaro*, *palazzina* → *palazzinaro*;

-ario: *biblioteca* → *bibliotecario*, *milione* → *milionario*, *proprietà* → *proprietario*, *visione* → *visionario*. Alcuni nomi in *-ario*, come per esempio *milionario* e *visionario*, sono usati anche come aggettivi;

-aiolo: *arma* → *armaiolo*, *barca* → *barcaiolo*, *bosco* → *boscaiolo*, *donna* → *donnaiolo*;

-iere: *banca* → *banchiere*, *giardino* → *giardiniere*, *infermo* → *infermiere*, *magazzino* → *magazziniere*;

-ista: *auto* → *autista*, *bar* → *barista*, *dente* → *dentista*, *piano* → *pianista*. Molti nomi in *-ista* derivano dai corrispondenti nomi in *-ìa* e in *-ismo*; in questo caso si ha la sostituzione del suffisso: *economia* → *economista*, *fisionomia* → *fisionomista*; *altruismo* → *altruista*, *comunismo* → *comunista*, *femminismo* → *femminista*. Vi sono poi dei nomi in *-ista* che formalmente rinviano ad un aggettivo, ma in realtà hanno per base un'espressione costituita da un nome e un aggettivo: (*diritto*) *civile* → *civilista*, (*conto*) *corrente* → *correntista*, (*medicina*) *interna* → *internista*, (*corsa*) *veloce* → *velocista*;

-ano: *castello* → *castellano*, *guardia* → *guardiano*, *sagrestia* → *sagrestano*;

suffisso zero: *biografia* → *biografo*, *lessicologia* → *lessicologo*, *pedagogia* → *pedagogo*. Si noti che nomi come *biografo*, *lessicologo* ecc. possono considerarsi non solo derivati da *biografia*, *lessicologia* ecc., ma anche composti da *bio-* e *-grafo*, *lessico-* e *-logo* ecc. (v. 12.3.1.).

I denominali che indicano un'attività di fabbricazione, di commercio, di mansioni ecc. e il luogo dove si svolge tale attività possono essere ottenuti con i suffissi:

-erìa: *acciaio* → *acciaieria*, *birra* → *birreria*, *falegname* → *falegnameria*, *orologio* → *orologeria*;

-ificio: *calzature* → *calzaturificio*, *maglia* → *maglificio*, *pasta* → *pastificio*, *zucchero* → *zuccherificio*;

-aio (indica un luogo destinato a contenere o custodire qualcosa): *bagaglio* → *bagagliaio*, *grano* → *granaio*, *pollo* → *pollaio*;

-ile (ha lo stesso valore del suffisso precedente): *campana* → *campanile*, *cane* → *canile*, *fieno* → *fienile*;

-ato (indica dignità, carica, ufficio, stato): *ammiraglio* → *ammiragliato*, *commissario* → *commissariato*, *console* → *consolato*, *provveditore* → *provveditorato*. Per estensione indica anche il luogo dove si esercita la carica, l'ufficio: il *commissariato* è la 'sede del commissario'.

I denominali che indicano uno strumento, un apparecchio, un utensile e simili possono essere ottenuti con i suffissi:

-ale: *braccio* → *bracciale*, *dito* → *ditale*, *gamba* → *gambale*, *schiena* → *schienale*;

-ario: *formula* → *formulario*, *lampada* → *lampadario*, *scheda* → *schedario*, *vocabolo* → *vocabolario*;

-iere: *bilancia* → *bilanciere*, *brace* → *braciere*, *candela* → *candeliere*, *pallottola* → *pallottoliere*;

-iera: *antipasto* → *antipastiera*, *cartuccia* → *cartucciera*, *insalata* → *insalatiera*, *tè* → *teiera*.

I denominali che esprimono quantità o hanno valore collettivo possono essere ottenuti con i suffissi:

-ata[1] (ha tre diversi valori, come appare dall'esemplificazione): a) *cucchiaio* → *cucchiaiata* 'il contenuto di un cucchiaio', *pala* → *palata*, *secchio* → *secchiata*; b) *fiaccola* → *fiaccolata* 'insieme di fiaccole', *figlio* → *figliata*, *scalino* → *scalinata*; c) *bastone* → *bastonata* 'colpo inferto con un bastone', *coltello* → *coltellata*, *pugnale* → *pugnalata*. Sovente due di questi valori (il valore *a* e il valore *c*) si possono riscontrare in uno stesso nome: per esempio *borsata* significa sia 'ciò che può essere contenuto in una borsa' sia 'colpo inferto con la borsa' (cfr. *cucchiaiata*, *palata*, *secchiata* ecc.);

-ata[2]: *buffone* → *buffonata* 'atto proprio di un buffone', *canaglia* → *canagliata*, *pagliaccio* → *pagliacciata*. Talvolta ha valore intensivo: *fiamma* → *fiammata*, *onda* → *ondata*. Si noti la serie costituita con basi temporali: *anno* → *annata*, *giorno* → *giornata*, *mattina* → *mattinata*, *notte* → *nottata*, *sera* → *serata*;

-eto, **-eta** (indica un luogo dove si trovano determinate piante o colture oppure dove c'è abbondanza di qualcosa): *agrume* → *agrumeto*, *canna* → *canneto*, *frutto* → *frutteto*, *pino* → *pineta*, *sasso* → *sasseto*;

-ame: *bestia* → *bestiame*, *foglia* → *fogliame*, *pelle* → *pellame*, *scatola* → *scatolame*;

-aglia: *bosco* → *boscaglia*, *muro* → *muraglia*, *sterpo* → *sterpaglia*. Talvolta al valore collettivo si aggiunge un senso spregiativo: *gente* → *gentaglia*, *plebe* → *plebaglia*;

-iera: *costa* → *costiera*, *raggio* → *raggiera*, *scoglio* → *scogliera*, *tasto* → *tastiera*;

-erìa: *argento* → *argenteria*, *fanale* → *fanaleria*, *fante* → *fanteria*. Alcuni nomi in *-erìa* hanno, oltre al valore collettivo, anche un valore locativo: per esempio *cristalleria* può significare sia 'insieme di oggetti di cristallo' sia 'negozio di oggetti di cristallo'.

Per quanto riguarda i denominali del linguaggio scientifico, esaminiamo i suffissi più comuni in alcune discipline.

Nel vocabolario medico, il suffisso **-ite** significa 'infiammazione acuta', il suffisso **-osi** vale 'infiammazione cronica', il suffisso **-oma** sta per 'tumore'; la base (spesso costituita da un nome greco) indica la parte del corpo soggetta a un processo morboso: *polmone* → *polmonite*, *tendine* → *tendinite*; *artro-* (dal greco *árthron* 'giuntura, articolazione') → *artrosi*, *trombo* → *trombosi*; *fibra* → *fibroma*, *neuro-* (dal greco *néuron* 'nervo') → *neuroma*.

Nel vocabolario delle scienze naturali, il suffissio **-idi** indica una famiglia di animali, il suffisso **-ini** una sottofamiglia: *cane* → *canidi*; *bove* → *bovini*. Il suffisso **-acee** indica una famiglia di piante, il suffisso **-ali** un ordine, il suffisso **-ine** una classe: *rosa* → *rosacee*; *mirto* → *mirtali*; *felce* → *filicine* (base modificata secondo il latino *filix*, genitivo *filicis* 'felce').

Nel vocabolario della mineralogia, il suffisso più diffuso per indicare un minerale è **-ite**; la base può essere costituita da un nome greco, dal nome del luogo dove è stato scoperto per la prima volta il minerale, dal nome dello scopritore ecc.: *antracite* (dal greco *ánthrax* 'carbone'), *bauxite* (dal nome della località di Les *Baux*, in Provenza), *dolomite* (dal nome del geologo D. de Gratet de *Dolomieu*).

12.1.8. L'alterazione

L'**alterazione** è un particolare tipo di suffissazione, con la quale il significato della parola di base non muta nella sua sostanza, ma soltanto per alcuni particolari aspetti (quantità, qualità, giudizio del parlante). Così, per esempio, la parola *casa* ha gli alterati *casetta*, *casona*, *casaccia* ecc., i quali designano sempre una 'casa', ma ci dicono nel contempo che si tratta di una 'casa piccola', 'grande', 'brutta' ecc.

In nessun caso l'alterazione comporta il passaggio a una categoria di parole diversa rispetto a quella della base; si hanno infatti esclusivamente trasformazioni all'interno della stessa categoria di parole: **N** → **N** (*libro* → *libretto*), **A** → **A** (*bello* → *bellino*), **V** → **V** (*cantare* → *canticchiare*).

Nel determinare l'uso degli alterati ha un ruolo fondamentale l'**affettività**, cioè la disposizione emotiva, il sentimento personale di chi parla. Tuttavia non bisogna confondere il significato **generale** e il significato **occasionale** di un alterato: il primo è valido in tutti i contesti e per tutti i parlanti, mentre il secondo dipende dalla carica affettiva che il singolo parlante può attribuire in particolari contesti a un certo alterato. Il significato generale di *casetta* è 'piccola casa'; i significati occasionali 'casa graziosa', 'casa a me cara' ecc. appartengono alla sfera dell'affettività.

Ha grande importanza la distinzione tra **alterati veri** e **alterati falsi**. I secondi, che derivano dai primi, sono parole con un significato proprio, specifico: per esempio *fantino*, *rosone*, *cavalletto*, *manette* non sono un 'piccolo fante', una 'grande rosa', un 'piccolo cavallo', delle 'piccole mani'. Si definisce **lessicalizzazione** degli alterati il processo per il quale un alterato diviene un'unità lessicale autonoma, diviene cioè una parola fornita di un significato specifico. Proprio perché sono unità lessicali autonome, questo tipo di alterati appaiono nei dizionari come vocaboli a sé stanti: troveremo quindi *corpino* con la definizione 'parte superiore dell'abito femminile', *tinello* con la definizione 'saletta da soggiorno', *paglietta* con la definizione 'cappello di paglia', *fioretto* con le definizioni 'opera buona' e 'tipo di spada'.

Per quale ragione si parla di **alterati falsi**? Il fatto è che in tutti questi casi non siamo di fronte ad alterati, ma a veri e propri derivati, cioè a parole di significato completamente diverso (nella sostanza, non soltanto in un aspetto particolare) rispetto alle parole di partenza. Rimane comunque la possibilità di usare *corpino*, *tinello*, *paglietta*, *fioretto* come **alterati veri**, di usare cioè *corpino* nel senso di 'piccolo corpo', *tinello* nel senso di 'piccolo tino', *paglietta* nel senso di 'piccola paglia', *fioretto* nel senso di 'piccolo fiore'; ma si tratta di una possibilità piuttosto remota, limitata fra l'altro dal rischio di fare confusione con i significati più comuni.

Nella produzione di alterati si ha qualche restrizione di carattere formale. In genere si evita la successione della stessa vocale nella base e nel suffisso: da *tetto* si può avere *tettino*, *tettuccio*, ma non **tettetto*; da *contadino* si può avere *contadinello*, *contadinetto*, ma non **contadinino*.

Tipi di alterati

La differenza di significato degli alterati rispetto alla base riguarda la quantità e la qualità: da una parte c'è un valore **diminutivo / accrescitivo**, dall'altra un valore **positivo / negativo**. Questi due valori non si escludono, anzi si richiamano a vicenda: alla piccolezza si riferisce la delicatezza e la gentilezza (*casuccia*, *rondinella*) oppure la debolezza e la meschinità (*donnetta*, *omiciattolo*); alla grandezza si riferisce la forza e il valore (*ragazzone*, *dottorone*) oppure la bruttezza e l'incapacità (*piedone*, *facilone*).

Distinguiamo gli alterati in due categorie principali, i **diminutivi** e gli **accrescitivi**, indicando i casi in cui si ha la prevalenza del valore di 'simpatia' (**vezzeggiativi**) o del valore di 'disprezzo' (**peggiorativi**). A parte consideriamo gli **alterati verbali**.

Alterati diminutivi

Possono essere ottenuti con i suffissi:

-ino: *mamma* → *mammina*, *minestra* → *minestrina*, *pensiero* → *pensierino*, *ragazzo* → *ragazzino*; *bello* → *bellino*, *difficile* → *difficilino*. Possiede anche due varianti con interfisso (elemento inserito tra la base e il suffisso): **-(i)cino** e **-olino**; eccone alcuni esempi: *bastone* → *bastoncino*, *libro* → *libric(c)ino*; *sasso* → *sassolino*, *topo* → *topolino*; *freddo* → *freddolino*, *magro* → *magrolino*. Nella lingua parlata appaiono anche avverbi alterati: *presto* → *prestino*, *tanto* → *tantino*, *tardi* → *tardino*. Il suffisso alterativo *-ino* è quello con il quale si ha più frequentemente il cumulo dei suffissi: *casa* → *casetta* → *casettina*, *gonna* → *gonnella* → *gonnellina*;

-etto: *bacio* → *bacetto*, *camera* → *cameretta*, *casa* → *casetta*, *lupo* → *lupetto*; *basso*

→ *bassetto*, *piccolo* → *piccoletto*. È frequente il cumulo dei suffissi: *scarpa* → *scarpetta* → *scarpettina*, *secco* → *secchetto* → *secchettino*;

-ello: *albero* → *alberello*, *asino* → *asinello*, *paese* → *paesello*, *rondine* → *rondinella*; *cattivo* → *cattivello*, *povero* → *poverello*. Vi sono le varianti con interfisso **-(i)cello** e **-erello**: *campo* → *campicello*, *informazione* → *informazioncella*; *fatto* → *fatterello*, *fuoco* → *f(u)ocherello*. Si ha spesso il cumulo di suffissi: *storia* → *storiella* → *storiellina*; *buco* → *bucherello* → *bucherellino*;

-uccio (ha valore peggiorativo o, più comunemente, vezzeggiativo): *avvocato* → *avvocatuccio*, *casa* → *casuccia*, *cavallo* → *cavalluccio*; *caldo* → *calduccio*, *freddo* → *fredduccio*. Variante di *-uccio* è **-uzzo**: *pietra* → *pietruzza*;

-icci(u)olo: *asta* → *asticci(u)ola*, *festa* → *festicciola*, *porto* → *porticciolo*. Talvolta ha anche senso peggiorativo: *donna* → *donnicci(u)ola*;

-ucolo (ha valore peggiorativo): *donna* → *donnucola*, *maestro* → *maestrucolo*, *poeta* → *poetucolo*;

-(u)olo: *faccenda* → *faccenduola*, *montagna* → *montagn(u)ola*, *poesia* → *poesiola*. Consideriamo qui anche l'alterazione con **-olo**, che si ha per lo più in combinazione con un altro suffisso: *nome* → *nomignolo*, *via* → *viottolo*, *medico* → *mediconzolo* (valore peggiorativo); per i suffissi *-iciattolo* e *-ognolo* vedi oltre;

-otto: *contadino* → *contadinotto*, *giovane* → *giovanotto*, *ragazzo* → *ragazzotto*; *basso* → *bassotto*, *pieno* → *pienotto*. Indica un animale giovane in: *aquila* → *aquilotto*, *lepre* → *leprotto*, *passero* → *passerotto*;

-acchiotto (ha valore diminutivo-vezzeggiativo): *lupo* → *lupacchiotto*, *orso* → *orsacchiotto*, *volpe* → *volpacchiotto*; *furbo* → *furbacchiotto*;

-iciattolo (ha valore diminutivo-peggiorativo): *febbre* → *febbriciattola*, *fiume* → *fiumiciattolo*, *libro* → *libriciattolo*, *mostro* → *mostriciattolo*.

Alterati accrescitivi

Possono essere ottenuti con i suffissi:

-one: *febbre* → *febbrona* (*febbrone*), *libro* → *librone*, *mano* → *manona* (*manone*); *ghiotto* → *ghiottone*, *pigro* → *pigrone*. Si ha spesso il cumulo di suffissi: *uomo* → *omaccio* → *omaccione*, *pazzo* → *pazzerello* → *pazzerellone*; talvolta il passaggio intermedio non è vivo nell'italiano di oggi: *buono* → *bonaccione*;

-acchione (ha una connotazione ironica): *frate* → *fratacchione*, *volpe* → *volpacchione*; *furbo* → *furbacchione*, *matto* → *mattacchione*;

-accio (ha valore peggiorativo): *coltello* → *coltellaccio*, *libro* → *libraccio*, *voce* → *vociaccia*; *avaro* → *avaraccio*. Variante di *-accio* è **-azzo**: *amore* → *amorazzo*, *coda* → *codazzo*;

-astro (ha valore peggiorativo quando la base è costituita da un nome, mentre ha valore attenuativo quando la base è costituita da un aggettivo): *medico* → *medicastro*, *poeta* → *poetastro*, *politico* → *politicastro*; *bianco* → *biancastro*, *dolce* → *dolciastro*, *rosso* → *rossastro*.

Al pari degli aggettivi in *-astro*, esprimono una qualità attenuata (soprattutto riferita ai colori) anche altri alterati aggettivali, formati con i suffissi **-iccio**, **-igno**,

-ognolo, **-occio**: *bianco* → *bianchiccio*, *rosso* → *rossiccio*, *sudato* → *sudaticcio*; *aspro* → *asprigno*, *giallo* → *gialligno*; *amaro* → *amarognolo*, *azzurro* → *azzurrognolo*, *verde* → *verdognolo*; *bello* → *belloccio*, *grasso* → *grassoccio*.

Alterati verbali

L'alterazione **V** → **V** produce verbi frequentativi, diminutivi e accrescitivi; il suffisso alterativo serve a indicare un **aspetto** (v. 7.0.) del verbo di base: ripetizione, intermittenza, assenza di continuità, saltuarietà, attenuazione.
Gli alterati verbali possono essere ottenuti con i suffissi:

-(er/ar)ellare: *bucare* → *bucherellare*, *giocare* → *giocherellare*, *saltare* → *saltellare* (→ *saltarellare*), *trottare* → *trotterellare*;

-ettare, **-ottare**: *fischiare* → *fischiettare*, *piegare* → *pieghettare*, *scoppiare* → *scoppiettare*; *parlare* → *parlottare*;

-icchiare, **-acchiare**, **-ucchiare**: *cantare* → *canticchiare*, *dormire* → *dormicchiare*, *lavorare* → *lavoricchiare*; *rubare* → *rubacchiare*; *mangiare* → *mangiucchiare*.

12.2. LA PREFISSAZIONE

La **prefissazione** consiste nell'aggiungere un affisso all'inizio della base, che può essere una parola semplice (*fare* → *rifare*, *fascismo* → *antifascismo*) oppure una parola già prefissata (*decifrabile* → *indecifrabile*).
A differenza della suffissazione, o almeno di gran parte di essa, la prefissazione non comporta il mutamento di categoria; dopo l'intervento del prefisso il nome rimane nome, l'aggettivo rimane aggettivo, il verbo rimane verbo: *campionato* (N) → *precampionato* (N), *fare* (V) → *rifare* (V), *capace* (A) → *incapace* (A). Inoltre, mentre il suffisso non è mai autonomo, il prefisso può esserlo, fungendo in tal caso da preposizione o da avverbio: *avanti*, *contro*, *sopra*, *con* ecc.
Per la loro affinità consideriamo insieme i **prefissati nominali** e i **prefissati aggettivali**; successivamente esamineremo i **prefissati verbali** non parasintetici (per i parasintetici v. 12.1.1. e 12.1.2.).

12.2.1. Prefissati nominali e aggettivali

Nell'ambito dei prefissati nominali e aggettivali si distinguono tre generi di prefissi:

1. prefissi provenienti da preposizioni e avverbi;

2. prefissi intensivi;

3. prefissi negativi.

Prefissi provenienti da preposizioni e avverbi

In base al significato, distinguiamo i seguenti gruppi di prefissi:

avan(ti)-, **ante-**, **anti-**, **pre-** esprimono l'anteriorità spazio-temporale: *avancorpo*, *avantielenco*; *anteguerra*, *anteprima*; *anticamera*, *antipasto*; *preallarme*, *preavviso*, *precampionato*;

post-, **retro-** esprimono la posteriorità spazio-temporale: *postoperatorio*, *postvocalico*; *retroattivo*, *retrobottega*, *retromarcia*;

dis- esprime allontanamento (questo significato rientra nel più generale significato negativo: V. PREFISSI NEGATIVI): *dismisura*, *disfunzione*;

circum-, **anfi-**, **peri-** significato 'intorno': *circumnavigazione*, *circumvesuviano*; *anfiteatro*; *periartrite*, *pericardio*. I prefissi *anfi-* e *peri-* hanno anche un altro valore: *anfi-* significa 'da due parti' (*anfiprostilo*); *peri-* indica in astronomia il punto di maggiore vicinanza a un astro (*perielio*);

cis- significa 'al di qua': *cisalpino*, *cispadano*;

con- (*co-*, *col-*, *com-*, *cor-*), **sin-** significano 'insieme': *coabitazione*, *collaterale*, *compaesano*, *connazionale*, *correo*; *sincrono*, *sintonia*;

contro-, **contra-**, **anti-** esprimono opposizione: *controcorrente*, *controffensiva*, *controsenso*; *contraccolpo*, *contrappeso*; *antifascismo*, *antifurto*, *antigelo*;

trans-, **dia-** significano 'attraverso': *transalpino*, *transoceanico*; *diacronia*, *diascopia*;

sopra-, **sovra-**, **super-** esprimono superiorità: *soprannaturale*, *soprannumero*, *soprintendente*; *sovrabbondante*, *sovrapproduzione*, *sovrastruttura*; *supersonico*, *superuomo*, *supervisione*;

extra-, **fuori-** indicano esteriorità: *extraparlamentare*, *extrauterino*; *fuoribordo*, *fuoriprogramma*;

intra-, **entro-**, **endo-** significano 'all'interno': *intramuscolare*, *intrauterino*; *entrobordo*, *entroterra*; *endoscopio*, *endovenoso*;

inter- significa 'in mezzo': *intercostale*, *interlinea*, *interplanetario*, *interregno*. Da questo significato fondamentale si è sviluppato quello di associazione, comunanza: *interdisciplinare*, *internazionale*, *interregionale*, *intersindacale*. In molti casi si ha uno specifico valore di reciprocità: *interagente*, *intercambiabile*, *intercomunicante*, *interdipendente*;

oltre-, **ultra-**, **meta-**, **iper-** significano 'al di sopra, al di là': *oltralpe*, *oltrecortina*, *oltretomba*; *ultrarosso*, *ultrasuono*, *ultraterreno*; *metalinguaggio*, *metapsichica*; *iperspazio*, *iperuranio*;

para- indica affinità: *parapsicologia*, *parascolastico*, *parastatale*;

sotto-, **sub-**, **infra-**, **ipo-** significano 'sotto, al di sotto': *sottopassaggio*, *sottosuolo*, *sottotenente*, *sottoveste*; *subacqueo*, *subaffitto*, *subappalto*; *infrarosso*, *infrastruttura*; *ipocentro*, *ipoderma*;

vice-, **pro-** significano 'in luogo di': *vicedirettore*, *vicepresidente*, *vicesindaco*; *proconsole*, *prorettore*. Il prefisso *pro-* indica anche gli ascendenti e i discendenti nei nomi di parentela: *progenitore*, *pronipote*, *prozio*.

Prefissi intensivi

Servono ad esprimere il grado di una base nominale o aggettivale; la loro funzione, entro certi limiti, può essere considerata analoga a quella del comparativo e del superlativo. In base al significato, distinguiamo i seguenti gruppi di prefissi:

archi-, **arci-**, **extra-**, **super-**, **stra-**, **ultra-** esprimono il grado superiore di una gerarchia: *archidiocesi*; *arciprete*, *arciricco*; *extrafino*, *extralusso*; *supermercato*, *superrifinito*; *stracarico*, *stravizio*; *ultrarapido*, *ultrasinistra*;

iper-, **sur-** significano 'al più alto grado' o indicano eccesso: *ipercritica*, *ipersensibile*, *ipertensione*; *suralimentazione*;

ipo-, **sotto-**, **sub-** esprimono inferiorità: *ipocalorico*, *ipotensione*; *sottoccupazione*, *sottosviluppo*; *subnormale*;

mezzo-, **semi-**, **emi-** significano 'mezzo, a metà': *mezzaluna*, *mezzobusto* ecc. sono propriamente composti; *semiautomatico*, *seminfermità*, *seminterrato*; *emisfero*, *emiparesi*;

ben(e)-, **mal(e)-**, **eu-**, **caco-** esprimono valutazione: *beneamato*, *benpensante*; *maldicente*, *maldisposto*; *eufemismo*, *eufonia*; *cacofonia*, *cacografia*;

bi(s)- significa 'due, due volte': *bilinguismo*, *bimensile*, *biscotto*. Indica anche, in nomi di parentela, un grado più remoto: *bisnonno*; in altri casi indica un grado successivo: *biscroma*, *bisdrucciola*; talvolta ha valore peggiorativo: *bislungo*, *bistorto*.

Prefissi negativi

È un settore della prefissazione che riguarda in primo luogo gli aggettivi. Hanno valore negativo i prefissi:

in- (*il-*, *im-*, *ir-*): *illogico*, *immangiabile*, *impossibile*, *incapace*, *infedele*, *irresponsabile*. Con la nominalizzazione di questi aggettivi si ottengono sostantivi prefissati: *impossibile* → *impossibilità*, *irresponsabile* → *irresponsabilità*; sono più rari i nomi non deaggettivali: *successo* → *insuccesso*;

s-: *scontento, scortese, sleale, smisurato*. Frequenti i casi di nominalizzazione dell'aggettivo negativo: *scontento* → *scontentezza*, *scortese* → *scortesia*; sono più rari i nomi non deaggettivali: *proporzione* → *sproporzione*;

dis-: *disamore*, *disonore*; *disabitato*, *disattento*, *discontinuo*, *disonesto*. Si può avere la nominalizzazione di molti di questi aggettivi: *disattento* → *disattenzione*, *discontinuo* → *discontinuità*;

senza-, **a-** (*an-*): *senzapatria*, *senzatetto*; *amorale*, *anabbagliante*, *analfabeta*, *asociale*;

non- è produttivo nella lingua di oggi con nomi e con aggettivi; il prefissato può essere scritto in grafia unita (*nonconformista*, *nonsenso*) o, più spesso, in grafia staccata (*non aggressione*, *non intervento*; *non belligerante*, *non credente*).

12.2.2. Prefissati verbali

Nell'ambito dei prefissati verbali non parasintetici si distinguono due generi di prefissi:

1. prefissi intensivi;

2. prefissi con valore di aspetto e di modo (segnalano la ripetizione, la negazione, l'opposizione ecc.).

Per i prefissati verbali parasintetici v. 12.1.1. e 12.1.2.

Prefissi verbali intensivi

Hanno valore intensivo i prefissi:

s-: *beffeggiare* → *sbeffeggiare*, *cancellare* → *scancellare*, *trascinare* → *strascinare*;

stra-: *cuocere* → *stracuocere*, *fare* → *strafare*, *perdere* → *straperdere*, *vincere* → *stravincere*;

r(i)-: *addolcire* → *raddolcire*, *assettare* → *rassettare*, *assicurare* → *rassicurare*, *empire* → *riempire*.

Prefissi verbali con valore di aspetto e di modo

In base al significato, distinguiamo i seguenti gruppi di prefissi:

r(i)-, **r(e)-** significano 'di nuovo': *fare* → *rifare*, *scrivere* → *riscrivere*, *tentare* → *ritentare*; *inserire* → *reinserire*, *integrare* → *reintegrare*, *investire* → *reinvestire*. Vi sono varie estensioni di significato: movimento all'indietro (*rimandare, rispedire*), recupero di ciò che si è perduto (*riacquistare*, *ritrovare*), opposizione (*reagire*), reciprocità (*riamare*);

de-, **di-**, **dis-**, **s-** hanno valore negativo: *colorare* → *decolorare*, *stabilizzare* → *destabilizzare*, *vitalizzare* → *devitalizzare*; *sperare* → *disperare*; *armare* → *disarmare*, *fare* → *disfare*, *ubbidire* → *disubbidire*; *caricare* → *scaricare*, *congelare* → *scongelare*, *montare* → *smontare*;

contro-, **contra-** esprimono opposizione: *battere* → *controbattere*, *bilanciare* → *controbilanciare*; *dire* → *contraddire*, *porre* → *contrapporre*;

inter-, **(in)fra-** significano 'in mezzo'; da tale significato derivano alcune estensioni semantiche (collegamento, comunanza, reciprocità): *agire* → *interagire*, *correre* → *intercorrere*, *porre* → *interporre*, *venire* → *intervenire*; *mettere* → *(in)frammettere*, *mischiare* → *frammischiare*, *porre* → *(in)frapporre*. Insieme a *(in)fra-* consideriamo **(in)tra-** 'dentro' e **tra(s)-** 'attraverso, oltre': *mettere* → *intramettere*, *vedere* → *intravedere*; *forare* → *traforare*, *formare* → *trasformare*, *passare* → *trapassare*, *vestire* → *travestire*.

Ci sono anche altri prefissi verbali che hanno valore di aspetto e di modo; tra questi ricordiamo **a-**, **in-**, **s-**, **co(n)-** (i primi tre servono soprattutto a formare i parasintetici: v. 12.1.1. e 12.1.2.): *consentire* → *acconsentire*, *correre* → *accorrere*, *porre* → *apporre*; *mettere* → *immettere*, *mischiare* → *immischiare*, *piantare* → *impiantare*; *correre* → *scorrere*, *lanciare* → *slanciare*, *parlare* → *sparlare*; *abitare* → *coabitare*, *piangere* → *compiangere*, *vivere* → *convivere*.

12.3. LA COMPOSIZIONE

La **composizione** consiste nell'unire almeno due parole in modo da formare una parola nuova, che prende il nome di **composto** (o **parola composta**): *fermare* e *carte* → *fermacarte*, *pasta* e *asciutta* → *pastasciutta*, *cassa* e *panca* → *cassapanca*, *auto* e *strada* → *autostrada* ecc.

La creazione di parole composte è uno dei mezzi principali di cui l'italiano moderno si serve per accrescere dall'interno il proprio lessico; un tempo, invece, tale primato apparteneva alla suffissazione. La composizione delle parole si adatta particolarmente alle esigenze di sviluppo delle **terminologie tecnico-scientifiche**; si pensi per esempio ai numerosi composti con elementi greci nel linguaggio della medicina: *elettrocardiogramma*, *gastroscopia*, *arteriosclerosi*, *cancerogeno*, *otorinolaringoiatra* ecc.

I costituenti di un composto non debbono necessariamente essere due (o più) **forme libere**, come *asciuga(re)* e *mano* in *asciugamano*; possono essere anche due (o più) **forme non libere**, come *antropo-* (dal greco *ánthrōpos* 'uomo') e *-fago* (dal greco *phagêin* 'mangiare') in *antropofago* 'chi mangia carne umana'. Gli elementi greci *antropo-* e *-fago*, a differenza di *asciuga(re)* e *mano*, non si trovano mai da soli, si trovano esclusivamente in composti. Oltre a questa differenza, e al fatto che *antropo-* e *-fago* sono due **elementi colti** (greci), c'è da notare ancora un'altra diversità: nel tipo *asciugamano* si ha la successione "verbo (*asciugare*) + nome (*mano*)", mentre nel tipo *antropofago* si ha la successione inversa: "nome (*antropo-* 'uomo') + verbo (*-fago* 'mangiare')". Comunque una caratteristica fondamentale accomuna questi due composti: la frase che "sta sotto" ad entrambi ha un predicato verbale:

(qualcosa) asciuga (la) mano → *asciugamano*
(qualcuno) mangia (l') uomo → *antropofago*

In altri casi, invece, la frase che "sta sotto" al composto ha un predicato nominale; si tratta cioè di una frase con il verbo *essere* (copula):

(il) filo (è) spinato → *filospinato*
(la) cassa (è) forte → *cassaforte*

I composti del tipo di *asciugamano* e *antropofago* si chiamano **composti con base verbale**; quelli del tipo di *filospinato* e *cassaforte* si chiamano **composti con base nominale**.

12.3.1. I composti con base verbale

La frase che "sta sotto" al composto ha un predicato verbale; per esempio: *qualcosa accende* (pred. verb.) *i sigari* → *accendisigari*. Distinguiamo tre tipi di composti con base verbale:

1. Entrambi i costituenti hanno forma italiana. Diamo alcune basi verbali, accompagnandole con un esempio:

accendi-	*accendisigari*	*gira-*	*girarrosto*
attacca-	*attaccapanni*	*guarda-*	*guardaroba*
apri-	*apriscatole*	*lancia-*	*lanciafiamme*
asciuga-	*asciugamano*	*lava-*	*lavastoviglie*
aspira-	*aspirapolvere*	*porta-*	*portacenere*
batti-	*battitappeto*	*scalda-*	*scaldavivande*
copri-	*copricapo*	*spremi-*	*spremiagrumi*
ferma-	*fermacapelli*	*trita-*	*tritacarne*

2. Entrambi i costituenti hanno forma colta (si tratta in genere di elementi di origine greca). Come si è detto, mentre nel tipo precedente troviamo la successione "base verbale + nome", in questo tipo troviamo la successione inversa: “nome + base verbale” (secondo il modello dei composti greci). Vediamo alcune basi verbali, con i rispettivi significati ed esempi:

-fagia/-fago	‘mangiare’	*antropofagia, antropofago*
-filia/-filo	‘amare’	*bibliofilia, bibliofilo*
-logia/-logo	‘studiare’	*geologia, geologo*
-crazia/-crate	‘comandare’	*burocrazia, burocrate*
-fonia/-fonico	‘suonare’	*stereofonia, stereofonico*
-scopia/-scopio	‘osservare’	*telescopia, telescopio*
-grafia/-grafo	‘scrivere’	*telegrafia, telegrafo*
-patia/-patico	‘soffrire’	*cardiopatia, cardiopatico*

Spesso in questo tipo di composti appaiono elementi derivati dalle lingue moderne: in *burocrazia*, per esempio, il primo elemento è un adattamento del francese *bureau* ‘ufficio’. Inoltre il primo elemento è in vari casi un complemento di mezzo: la *dattilografia* è la ‘scrittura’ (*-grafia*) ‘per mezzo delle dita’ (*dattilo*); la *radioscopia* è l’‘osservazione’ (*-scopia*) ‘per mezzo dei raggi X’ (*radio-*) ecc.

3. La base verbale, che è il secondo elemento del composto, ha forma italiana, mentre il primo elemento ha forma colta:

auto[1]-	‘se stesso’	*autoabbronzante, autocontrollo*
auto[2]-	‘automobile’	*autoraduno, autoparcheggio*
tele[1]-	‘a distanza’	*telecomando, telecomunicazione*
tele[2]-	‘televisione’	*teleabbonato, telesceneggiato*

Si noti che *-controllo* (in *autocontrollo*), *-raduno* (in *autoraduno*), *-comunicazione* (in *telecomunicazione*) ecc. devono essere considerate basi verbali e non nominali, perché si tratta di nomi che derivano da verbi: *controllo* è un deverbale da *controllare*, *raduno* è un deverbale da *radunare*, *comunicazione* è un deverbale da *comunicare*

Vediamo qualche altro composto di questo tipo: *radioamatore*, *termoregolazione*, *aerorimorchiatore*, *motozappatrice*, *fonoregistrazione*, *elettrocoagulazione*, *fotoriproduzione*.

Per comodità di esposizione, possiamo ricordare qui anche alcuni composti analoghi, ma con base nominale anziché verbale: *autocisterna*, *autoscuola*, *autostrada*; *teleobiettivo*; *teleschermo*, *telescuola*; *cinegiornale*; *fotoromanzo*; *turbonave* ecc.

12.3.2. I composti con base nominale

La frase che “sta sotto” al composto ha un predicato nominale; si tratta cioè di una frase con il verbo *essere* (copula): *la terra è ferma* → *terraferma*. Distinguiamo i seguenti quattro tipi di composti con base nominale:

1. N + A: *terraferma*, *filospinato*, *cassaforte*, *camposanto*. L’ordine inverso (**A + N**) si ha spesso in composti con elementi italiani: *altopiano*, *biancospino*, *malafede*, *mezzogiorno*, *bassorilievo*; si ha sempre in composti con elementi colti: *neocapitalismo*, *aeroporto*, *monocolore*, *equivalenza*.

2. N + N: *cartamoneta*, *calzamaglia*. È un tipo analogo al precedente, perché il secondo **N** funziona quasi come un aggettivo. Infatti, nei composti di forma italiana (come i citati *cartamoneta* e *calzamaglia*), il secondo **N** ha funzione di determinante rispetto al primo **N**: gli elementi *-moneta* e *-maglia* “determinano” gli elementi *carta-* e *calza-*, chiariscono cioè di che tipo di carta e di maglia si tratti.

Nei composti di forma colta, come *astronautica* o *cardiochirurgia*, si ha l'ordine inverso: è il primo **N** ad avere funzione di determinante rispetto al secondo **N**; gli elementi *astro-* e *cardio-* "determinano" gli elementi *-nautica* e *-chirurgia*, chiariscono cioè di che tipo di nautica e di chirurgia si tratti.

3. Tipo il *piedipiatti*, *pellerossa*. È un tipo un po' particolare, perché presuppone un punto di riferimento esterno, diverso rispetto ai costituenti del composto (indicheremo questo nucleo esterno con X): *X ha i piedi che sono piatti → il piedipiatti*; *X ha la pelle che è rossa → il pellerossa.*

Il confronto tra i composti *pellerossa* e *filospinato* chiarisce la differenza tra i due tipi:

COMPOSTO		NUCLEO ESTERNO	PRIMO ELEMENTO	SECONDO ELEMENTO
pellerossa	=	uno che ha	pelle	rossa
filospinato	=	—	filo	spinato

Nei composti di forma italiana il determinante (*-piatti*, *-rossa*) segue il determinato (*piedi-*, *pelle-*); nei composti di forma colta si ha, anche in questo caso, l'ordine inverso (determinante + determinato): *filiforme* 'che ha forma di filo', *microcefalo* 'che ha la testa piccola'.

4. Tipo *cassapanca* (**N** + **N**) e *agrodolce* (**A** + **A**). Il composto proviene non da uno ma da due predicati nominali coordinati: *qualcosa è una cassa ed è una panca → cassapanca*; *qualcosa è agro ed è dolce → agrodolce.*

Che differenza c'è tra *calzamaglia* (tipo 2) e *cassapanca* (tipo 4)? In entrambi i casi abbiamo a che fare con un composto **N** + **N**, ma — lo abbiamo già notato — in *calzamaglia* il secondo **N** funziona quasi come aggettivo. La distinzione tra elemento determinante (*-maglia*) ed elemento determinato (*calza-*) che abbiamo fatto per il tipo 2, non potremmo farla per il tipo 4, in cui i due elementi del composto si trovano sullo stesso piano e si determinano a vicenda (la *cassapanca* è, per così dire, una cassa che è anche una panca e una panca che è anche una cassa).

Questo genere di composti serve a designare oggetti o persone che hanno due destinazioni o due funzioni: *casalbergo*, *cacciabombardiere*. Per quanto riguarda la coppia di aggettivi coordinati, ricordiamo il tipo *bianconero* 'della squadra di calcio della Juventus', *giallorosso* 'della squadra di calcio della Roma'; ricordiamo inoltre le formazioni con elementi colti del linguaggio della medicina, come *cardiovascolare* e *gastrointestinale*.

12.3.3. Prefissoidi e suffissoidi

Gli elementi formativi scientifici come *auto-*, *fono-*, *elettro-*, *tele-* e come *-fagia*, *-grafo*, *-logia*, *-patico* vengono chiamati anche, rispettivamente, **prefissoidi** e **suffissoidi**. Tale denominazione mette in evidenza che questi elementi si comportano quasi come dei prefissi e dei suffissi.

12.3.4. I conglomerati

Le associazioni di parole del tipo di *saliscendi*, *toccasana*, *fuggifuggi*, *dormiveglia* formano i cosiddetti **conglomerati**. Si tratta di veri e propri spezzoni di frase i quali, per l'uso costante e ripetuto che se ne fa, si sono fissati fino a divenire unità a sé stanti. Alcuni conglomerati possono essere scritti alternativamente in grafia congiunta o in grafia staccata: *un nonsoché / un non so che*, *un tiremmolla / un tira e molla*.

12.4. INSERTI

12.4.1. Formati vivi e formati fossili

Nelle pagine precedenti abbiamo dato un quadro generale della formazione delle parole mettendoci dal punto di vista del parlante; ci siamo quindi occupati soltanto dei **formati vivi**, cioè immediatamente riconoscibili, analizzabili, scomponibili da parte del parlante. Questi formati possono dirsi "vivi" perché si fondano su un procedimento vivo di produzione, un procedimento che tutti coloro i quali parlano italiano sono in grado di applicare: tutti, per esempio, sanno attuare le trasformazioni *forma* → *formale* → *formalizzare* → *formalizzazione*.

C'è, oltre a quello del parlante, un altro possibile punto di vista: quello dello storico della lingua. L'intervento dello storico della lingua diventa necessario, in particolare, per spiegare i formati non vivi o **formati fossili**. Si tratta di formati che il parlante non riconosce più come tali; solo lo storico della lingua riesce a riconoscerli e ad analizzarli. Per capire meglio la differenza tra i due tipi di formati, osserviamo la seguente tabella:

FORMATI VIVI (E LORO BASI)	FORMATI FOSSILI
fornaio (forno)	*febbraio*
circolazione (circolare)	*frazione*
montaggio (montare)	*lignaggio*
costiera (costa)	*ringhiera*
cestello (cesto)	*coltello*

Le parole della prima colonna hanno tutte una base viva (segnalata tra parentesi); questa base manca invece alle parole della seconda colonna: infatti solo conoscendo la storia della nostra lingua, oppure consultando un dizionario etimologico, potremo sapere che *febbraio* e *lignaggio* derivano, rispettivamente, dal lat. FEBRUARIUM e dall'antico francese *lignage*.

12.4.2. Paradigmi di derivazione

Il parlante ha coscienza del fatto che in famiglie di parole come *operare - opera - operatore - operazione - operativo - operabile*, oppure come *brutto - bruttezza - bruttura - bruttino - imbruttire*, ogni parola è associata con le altre sia dal punto di vista della forma sia dal punto di vista del significato (v. 12.0.).

Si può osservare che per la seconda di queste famiglie (*brutto - bruttezza - bruttura* ecc.) non c'è alcun dubbio che la base di partenza sia costituita da *brutto*; mentre nella prima famiglia (*operare - opera - operatore* ecc.) possiamo considerare come base sia *operare* sia *opera*.

I rapporti di derivazione che vengono a stabilirsi tra le varie parole di una stessa famiglia sono di diverso tipo; precisamente, essi seguono due schemi o **paradigmi** fondamentali:

1. il **paradigma di derivazione a ventaglio**, nel quale ciascuna trasformazione comporta il ritorno alla stessa base:

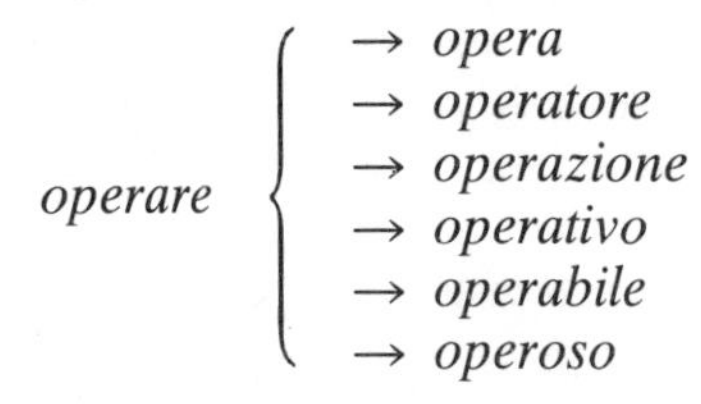

2. il **paradigma di derivazione a cumulo**, nel quale si ha una serie di trasformazioni successive:

idea → *ideale* → *idealizzare* → *idealizzazione*.

Accade spesso che in una stessa famiglia di parole questi due paradigmi siano entrambi presenti:

idea → *ideale* { → *idealizzare* { → *idealizzazione* / → *idealizzabile* } / → *idealista* → *idealistico* }

I paradigmi di derivazione ci dicono quali sono le possibilità derivative di una parola, che capacità essa ha di unirsi a determinati affissi per formare nuove parole. Inoltre, i paradigmi di derivazione ci permettono di ricostruire i vari passaggi attraverso i quali da una certa base si arriva a un suo derivato.

12.4.3. Quel diffusissimo *mini-*

Minigonna, *miniassegno*, *minicrisi*, *miniappartamento*, *minirapina*, *minislip*, *minigolf*, *minivideo*: ogni giorno siamo assediati da una folla di *mini-*. L'origine di questo prefisso è inglese: si tratta dell'abbreviazione di *mini(ature)*. La prima parola inglese servita da modello è stata *minicab*, attestata nel 1849: con *minicab* s'indicò dapprima la piccola vettura di piazza a cavallo, poi il piccolo taxi che le succedette.

La diffusione di *mini-* nella nostra lingua risale soprattutto agli anni Sessanta. Nell'inverno 1965-66 l'inglese Mary Quant lancia la *mini-skirt*, tradotta in italiano con *minigonna*. Da quel momento le neoformazioni con *mini-* si moltiplicano; si diffonde anche l'uso assoluto di mini, con il significato di 'minigonna': *portare la mini*. Inoltre *mini* può essere usato con valore di aggettivo o di avverbio: *un vestito mini*, *vestire mini* (si ricorderanno gli usi analoghi di altri due prefissi, *super-* ed *extra-*: *benzina super*, *rifiniture extra*). *Mini-* ha conosciuto perfino dei superlativi: *abito supermini*, *radio minimini*; ha trovato un contrario in *maxi-*: *maxigonna*, *maximoto*, *maxiocchiali*, *maxiconcorso*; ha avuto addirittura una consacrazione poetica: *minieffigie* (Montale, *Xenia*, II, 1).

Sono molti i settori in cui *mini-* è penetrato:

politica: *minicorrente*, *minicrisi*, *minicompromesso*;
economia: *miniausterità*, *minibilancio*, *minitassa*;
tecnica: *minilavatrice*, *minivideo*, *minimotore*;
religione: *minichiesa*, *minisinodo*, *minitonaca*;
sport: *minimarcia*, *minipiattello*, *minitennis*;
criminalità: *minidirottamento*, *miniladro*, *minirapina*.

Non mancano, soprattutto nel linguaggio dei giornali, gli esempi curiosi: *minisposo*, *minibruto*, *minigorilla* 'miniguardia del corpo', *miniavvelenatrice* (per caso procederà con piccole dosi?).

12.4.4. Tamponamenti di parole

Nell'italiano di oggi la formazione delle parole è caratterizzata da nuovi tipi e procedimenti, che riguardano soprattutto il settore della composizione.

Ha goduto di una particolare fortuna in questi ultimi anni l'**acronimia**, che consiste nel "tagliare" e nel fondere tra loro le parole (dal gr. *ákron* 'estremità' e *ónoma* 'nome'): un acronimo è per esempio *eliporto* da *eli(cottero)* e *(aero)porto*. Altri casi del genere sono: *tinto(ria)* + *lavanderia* → *tintolavanderia*; *carto(leria)* + *libreria* → *cartolibreria*, *cant(ante)* + *autore* → *cantautore*. Con il primo elemento *Conf-* abbiamo vari nomi di confederazioni: *Confcommercio* 'Confederazione del commercio', *Confindustria* 'Confederazione dell'industria', *Confesercenti* 'Confederazione degli esercenti', *Confagricoltura* 'Confederazione dell'agricoltura'. Abbastanza frequenti anche le cosiddette "parole macedonia", che derivano da più unità: *auto(mobilistico)* + *ferro(viario)* + *tranviario* → *autoferrotranviario*; *pos(tale)* + *telegra(fico)* + *(tele)fonico* → *postelegrafonico*. Un'influenza notevole nella diffusione di questo tipo di composti viene esercitata da analoghe formazioni straniere, soprattutto angloamericane; ricordiamo un termine affermatosi con la crisi economica degli anni Settanta: *stagflation*, da *stag(nation)* 'stagnazione, stasi dell'attività economica' e *(in)flation* 'inflazione'.

Il linguaggio della pubblicità fa un grande uso di simili "tamponamenti di parole": si pensi a formazioni come *ultimoda* o *digestimola* (dove gli elementi *ultima* e *moda*, *digestione* e *stimola* s'inseriscono uno nell'altro a incastro). Questi composti, con la loro stravaganza, stuzzicano la curiosità e l'attenzione del pubblico, suscitano interesse per un certo prodotto.

12.4.5. Un tipo particolare di composti: le unità lessicali superiori

In genere si definisce il lessico come 'l'insieme delle parole di una lingua'; veramente più che alle parole sarebbe meglio riferirsi alle unità di significato, comprendendo in queste ultime anche unità composte di più elementi: *macchina da scrivere*, *ferro da stiro*, *ripresa diretta*, *scala mobile*, *tavola rotonda*, *busta paga*, *libertà di parola*. A questo particolare tipo di composti si dà il nome di **unità lessicali superiori**. Che si tratti proprio di unità lessicali superiori, e non di insiemi liberi di parole, è confermato dalla stabilità della loro sequenza: la successione dei vari elementi non può essere mutata o interrotta. Mettiamo a confronto un'unità lessicale superiore e un insieme libero di parole:

UNITÀ LESSICALE SUPERIORE: *sala da pranzo*
INSIEME LIBERO DI PAROLE: *sala per ricevere ospiti*

È possibile introdurre all'interno dell'insieme libero di parole un elemento, e dire quindi: *una sala grande per ricevere ospiti*. Non è invece possibile fare la stessa cosa con l'unità lessicale superiore e dire: **una sala grande da pranzo*; bisogna dire: *una grande sala da pranzo*. Allo stesso modo non posso dire: **un ferro costoso da stiro*, **una ripresa bella in diretta*, **una tavola interessante rotonda*; debbo dire: *un costoso ferro da stiro*, *una bella ripresa in diretta*, *un'interessante tavola rotonda*.

Le unità lessicali superiori sono molto frequenti nella lingua di oggi, e interessano tutti i settori della composizione; vediamo alcuni esempi:

costo della vita, *scatto di stipendio*, *ordine di cattura*, *datore di lavoro*, *offerta di lancio*, *richiesta di congedo*, *sciopero generale*, *falsa testimonianza*, *strategia della tensione*, *conferenza stampa*, *pentola a pressione*, *pezzo da museo*, *vestito su misura*, *circolazione stradale*, *nave cisterna*, *uomo rana*, *buono benzina*, *mostra mercato*, *carro attrezzi* ecc.

Alcune unità lessicali superiori del tipo N + N possono essere scritte con il trattino: *conferenza-stampa*, *uomo-rana*, *mostra-mercato*.

Spesso un certo tipo di unità lessicale superiore diviene il modello per formazioni analoghe. Le seguenti coppie mostrano come possa essere ripreso sia il primo elemento: *stato di emergenza / stato di necessità*, *lista di attesa / lista di leva*; sia il secondo elemento: *stato di emergenza / governo di emergenza*, *lista di attesa / sala di attesa*.

12.4.6. Formazioni polemiche in *-crazia*

L'elemento formativo *-crazia* risale al greco *-kratía*, da *krátos* 'forza, potere, dominio', con il suffisso *-ía* caratteristico di molti sostantivi astratti. In italiano si trova in composti di origine dotta, derivati dal greco (*aristocrazia, democrazia*) o formati modernamente (*fisiocrazia, partitocrazia*). Il primo elemento può essere una parola vera e propria, come *merito* in *meritocrazia*, oppure un altro elemento formativo che non costituisce un'unità lessicale autonoma, come *tecno-* in *tecnocrazia*. Si hanno inoltre composti ibridi, nei quali il termine-base è un forestierismo: tipico il caso di *burocrazia*, dal francese *bureau* 'ufficio', con adattamento alla grafia e alla fonetica italiane. All'influsso di lingue straniere si devono altre formazioni con *-crazia: autocrazia* 'governo assoluto' e *plutocrazia* 'governo dei ricchi', ad esempio, sono modellate sul francese *autocratie* e sull'inglese *plutocracy*.

I composti con *-crazia* appartengono in gran parte al linguaggio politico, a cominciare da un termine di particolare importanza ideologica e culturale: *democrazia*. Il carattere fortemente polemico che contraddistingue, in generale, il linguaggio politico ha favorito lo sviluppo di un significato peggiorativo in molti composti con *-crazia*. Soffermiamoci su alcuni esempi, partendo dal Settecento per arrivare fino ai giorni nostri.

Alla fine del XVIII secolo *aristocrazia* non voleva dire più soltanto 'governo dei nobili', ma nell'uso dei giacobini divenne quasi un sinonimo di 'tirannia, dispotismo'. Un reazionario della stessa epoca, tale Ignazio Thjulen, rispondeva trasformando la parola *democrazia* in *demonocrazia* 'governo dei demoni'. Hanno un valore spregiativo *clerocrazia* 'governo del clero' e *bancocrazia* 'egemonia delle banche', due vocaboli abbastanza diffusi nell'Ottocento. Un analogo intento polemico è alla base di altre formazioni occasionali ed effimere, come *sbirrocrazia* 'governo degli sbirri' e *scrannocrazia* 'potere degli scranni', cioè 'burocrazia': il primo termine fu usato da un socialista del secolo scorso, Giuseppe Montanelli; il secondo da un giornalista della prima metà del Novecento, Giovanni Ansaldo. Si pensi anche alla *demoplutocrazia* 'plutocrazia in veste democratica', uno dei più frequenti bersagli dell'oratoria mussoliniana. O, ancora, alle creazioni recenti *partitocrazia* 'strapotere dei partiti' e *fallocrazia* 'società e comportamento di tipo maschilista'. Ultimamente si è parlato anche di *lentocrazia* 'lentezza amministrativa' e di *porcocrazia* 'governo di persone corrotte'.

La carica di aggressività di formazioni come *sbirrocrazia, porcocrazia* e simili è il prodotto di più fattori concomitanti: il significato delle basi *sbirro, porco*; la connotazione peggiorativa assunta da *-crazia*; l'imprevedibilità dell'accostamento tra due elementi così eterogenei sul piano espressivo; l'effetto psicologico di sorpresa proprio di ogni innovazione lessicale. Questo tipo di procedimenti è rappresentativo di un carattere generale del discorso polemico: la preminenza dell'affettività sul significato, del contenuto emotivo su quello strettamente informativo.

12.4.7. Deputato, deputata, deputatessa

Leggiamo sui giornali: «il ministro Tina Anselmi»; «l'addetto-stampa di palazzo Grimaldi, signora Nadia Lacoste»; «l'architetto Luciana Natoli»; «Enrica Vismara Locati, sindaco di Ossona»; «Piera Rolandi ha fatto l'avvocato presso il Foro di Lugano»; «il primo ministro britannico signora Thatcher»; «Gigliola Francescato, amministratore delegato»; «il giudice Margherita Gerunda»; «il presidente della Camera Nilde Jotti».

Col venire meno delle limitazioni che escludevano le donne da molte carriere, è sorta la necessità di creare il femminile per una serie di nomi di mestieri un tempo riservati ai soli uomini. I mutamenti sociali portano con sé incertezze e discussioni un po' in tutti i campi; l'emancipazione della donna ha sollevato tra l'altro alcuni dubbi linguistici.

Per le professioni tradizionalmente "ambigeneri" non ci sono problemi: abbiamo il *sarto* e la *sarta*, il *pittore* e la *pittrice*, il *professore* e la *professoressa*. Qualche problema invece si ha per le nuove professioni femminili, anche se ormai c'è una forte tendenza a conservare la forma maschile (cfr. gli esempi citati all'inizio). Si tratta di una specie di maschile-neutro, che viene preferito perché il femminile ha spesso una sfumatura scherzosa o spregiativa: è appunto questo il caso di *filosofessa, deputatessa, sindachessa, medichessa, avvocatessa, vigilessa*.

In genere sono le stesse donne a preferire che si mantenga il maschile. Si può ricordare, a questo proposito, un episodio di un recente film, *Una notte con vostro onore*, film tutto incentrato sui litigi tra due giudici, uno dei quali è una donna: a un certo punto l'uomo si rivolge alla collega con l'epiteto canzonatorio di *madama giudichessa*, suscitando le proteste dell'altra, che pretende di essere chiamata *signor giudice*.

Il fenomeno non riguarda soltanto i femminili in *-essa*, che pure sono i più colpiti dal processo di degradazione semantica. Qualche tempo fa una signora ha scritto ad un settimanale lamentandosi di essere stata definita in un articolo *segretaria particolare* invece che *segretario particolare*: «E così — osservava la signora — il 'segretario particolare' di un uomo politico con responsabilità di governo, se donna, diventa 'la segretaria', e si insinua nell'animo del lettore il sospetto che tra la stessa e il suo 'capo' vi possano essere rapporti non solo di lavoro» *.

In effetti, la lingua è un sistema simbolico che riflette i rapporti di forza esistenti all'interno di una società. Quando, per esempio, una mamma dice al figlio di «non fare la *femminuccia*» o anche di «fare l'*ometto*» sottintende e trasmette una precisa scala di valori: da una parte, in una luce negativa, la *femminuccia*: dall'altra, come modello di comportamento, l'*ometto*. La ricerca di una propria identità culturale spinge la donna a porsi anche il problema della lingua; qualcuno, esagerando, ha previsto la creazione di una "vocabolaria", da opporre al vocabolario maschile.

12.4.8. Manzoni e Ascoli

Una "rivoluzione copernicana" investe l'italiano del secondo Ottocento: la lingua scritta si avvicina alla lingua parlata. Per capire la portata storica di questo

* L'episodio è ricordato da J. Brunet, nella sua *Grammaire* (v. Bibliografia), vol. 5, p. 146.

processo bisogna tener presente che in Italia la comunicazione orale e familiare era rimasta per secoli dominio esclusivo dei dialetti: la gente parlava in milanese, in veneto, in napoletano, in siciliano; non esisteva un “italiano comune”, se non come lingua letteraria, studiata sui libri e usata nelle scritture da una minoranza di persone colte.

La mancanza di una norma comune; la distanza tra scritto e parlato; la conseguente povertà di registri espressivi: ecco alcuni tra i nodi centrali dell’assidua meditazione linguistica di Alessandro Manzoni. Nello sforzo di risolvere questi problemi, lo scrittore milanese pubblicò tre versioni differenti del suo capolavoro, *I Promessi Sposi*. Nell’edizione definitiva (1840) cadono forme antiquate e troppo letterarie, o anche provinciali (soprattutto lombardismi), che il Manzoni sostituisce con parole ed espressioni più vicine all’uso colloquiale e proprie del fiorentino vivo.

Il lavoro di revisione linguistica e stilistica del romanzo si accompagna a una lunga e intensa riflessione teorica, le cui idee-guida sono così riassumibili:

1. carattere sociale della lingua;
2. preminenza della lingua parlata su quella scritta;
3. primato linguistico di Firenze.

Per il Manzoni la lingua è un bene collettivo, non un patrimonio riservato a poche persone colte. La lingua letteraria rappresenta solo una parte del sistema linguistico, il quale deve adeguarsi ai bisogni comunicativi dell’intera società dei parlanti. Ne deriva, da un lato, il rifiuto del purismo, che pretende di applicare la lingua del passato alle esigenze del presente (v. 5.5.6.); dall’altro, il riconoscimento della priorità dell’uso parlato su quello scritto. Infatti, «com’è possibile una lingua senza una società che l’adopri a tutti gli usi della vita, vale a dire una società che la parli?». La base migliore per realizzare l’unità linguistica contro la molteplicità dialettale è indicata dal Manzoni nel fiorentino vivo: in quanto fiorentino, cioè lingua di grande prestigio letterario, e in quanto vivo, cioè effettivamente parlato.

Con la prosa semplice ed efficace dei *Promessi Sposi* il Manzoni diede pratica attuazione al suo ideale di una lingua «viva e vera», valida per tutti gli Italiani. Il fatto di poter contare su un così autorevole punto di riferimento — il modello indiscusso della nostra prosa moderna — favorì la fortuna delle teorie manzoniane, che ebbero una notevole influenza sulla formazione linguistica di molti Italiani. A quelle teorie s’ispirarono tra l’altro programmi e testi scolastici.

Una posizione diversa da quella del Manzoni fu sostenuta dal grande linguista Graziadio Isaia Ascoli. Questi, nel *Proemio* all’“Archivio glottologico italiano” (1873), sottolineava con particolare vigore lo stretto rapporto intercorrente tra la questione della lingua e la vita culturale del paese. Le vicende storiche non legittimano più il primato di Firenze, che non ha in Italia un ruolo di guida intellettuale paragonabile a quello svolto da Parigi in Francia. Secondo l’Ascoli è assurda, ad esempio, la pretesa dei manzoniani di far accettare dai parlanti di tutta Italia le forme solo fiorentine *novo, bono, foco* in luogo di quelle ormai “nazionali” *buono, nuovo, fuoco*. L’unificazione linguistica non sarà conseguita imponendo d’autorità una certa norma, ma risulterà da un’azione più profonda, che promuova ed estenda la circolazione della cultura, colmando il solco che divide l’*élite* intellettuale dalla rimanente popolazione.

Gli sviluppi otto-novecenteschi hanno posto sempre più in evidenza questo nesso tra questione linguistica e questione culturale, che del resto non sfuggiva allo stesso Manzoni.

13. IL LESSICO

13.0. Il **lessico** è l'insieme delle parole per mezzo delle quali i membri di una comunità linguistica comunicano tra loro: per esempio, il lessico dell'italiano, dell'inglese, del francese ecc.

Il **vocabolario** è invece un settore determinato del lessico: tutte le parole che si trovano in un autore, in un parlante, in un testo, in un ambiente, in una scienza (o tecnica) sono rispettivamente il vocabolario di quell'autore, di quel parlante, di quel testo, di quell'ambiente, di quella scienza: per esempio, il vocabolario di Montale, di quel mio amico, dei "Malavoglia", dei politici italiani, della medicina, dell'elettrotecnica ecc.

Tra il lessico e il vocabolario non c'è soltanto la differenza che corre tra il tutto e una parte del tutto. Distinguendo il lessico dal vocabolario si distinguono le unità fondamentali (e, in certo senso, ideali) della lingua dai vocaboli effettivamente usati in un determinato luogo e tempo; si distingue l'aspetto generale da quello particolare, l'aspetto sociale da quello individuale, l'aspetto essenziale da quello accessorio.

Tra il lessico e un vocabolario non vi sono barriere: posso risalire dal vocabolario di Montale al lessico dell'italiano confrontando le parole effettivamente usate dal poeta e quelle che si sarebbero potute usare al loro posto. Così facendo, compio il passaggio dal particolare al generale; viceversa passo dal generale al particolare quando considero che nell'ambito del lessico dell'italiano posso fare tante distinzioni, vedere tanti vocabolari (ma di ciò si parlerà ampiamente tra poco).

Alcune precisazioni terminologiche: contrariamente a quanto accade nel parlare comune, sarà bene distinguere tra i termini *dizionario* e *vocabolario*. Useremo il termine **dizionario** per indicare l'opera che raccoglie in modo ordinato i vocaboli di una lingua (cfr. anche il francese *dictionnaire* e l'inglese *dictionary*); useremo invece il termine **vocabolario** nel significato di 'settore determinato del lessico' (anche se nel parlare comune *vocabolario* equivale a *dizionario*).
La **lessicologia** è lo studio scientifico del lessico (nel senso che abbiamo ora precisato); il **lessicologo** è colui che compie tale studio. La **lessicografia** è invece la tecnica di composizione dei dizionari (detti anche lessici); il **lessicografo** è colui che si dedica a tale lavoro.

Qual è l'estensione, quali sono i confini del lessico di una lingua, come l'italiano, l'inglese, il francese? Non è possibile rispondere con precisione a tale domanda. Il lessico è una quantità di parole soggetta a mutare in modo considerevole a seconda della prospettiva, del punto di vista che assume chi si pone quella domanda. Anche i dizionari più "completi" (quelli che vogliono comprendere "tutto" il lessico di una lingua) si rivelano alla fine incompleti.

Ciò accade per due motivi fondamentali:

la **creatività lessicale** è pressoché infinita; la possibilità di arricchire ogni giorno di più il lessico di una lingua mediante neoformazioni ricavate da parole che già esistono nella lingua (v. 12.) o mediante la ripresa e l'adattamento di parole straniere (il cosiddetto prestito linguistico: v. 13.9.) sono fenomeni ben noti a chi conosce e usa una lingua;

d'altra parte **quali limiti** porre alla raccolta di parole che devono essere inserite in un dizionario? quel neologismo che ho letto ieri nel giornale deve essere registrato? quell'altro termine molto specialistico usato in biochimica deve essere ripreso? quale scelta bisogna fare delle parole antiquate, degli arcaismi presenti nei testi letterari? bisogna registrare tutte le varianti grafiche di una vecchia parola? tutte le varianti regionali e perfino individuali di un termine? e lasciamo da parte per ora il problema dei vari significati, delle varie accezioni, dei vari contesti che possono interessare una stessa parola.

I confini del lessico di una lingua sono incerti, fluttuanti; anche il dizionario più "completo" si approssima ad una completezza che sfugge di continuo. Diversamente il vocabolario di un autore, di un testo ecc. è definibile con precisione: tante migliaia di parole esattamente numerate, classificate, distinte.

In ogni modo, volendo fare una stima approssimativa, si è calcolato che il lessico di una lingua come il francese o l'inglese supererebbe la cifra di duecentomila unità (escludendo i nomi propri); si arriverebbe a quattrocentomila-cinquecentomila unità considerando anche i termini che fanno parte delle nomenclature tecniche. Probabilmente tali cifre valgono anche per l'italiano: con le riserve e i dubbi già espressi sulla possibilità di fare simili calcoli.

13.1. IL LESSICO E LA GRAMMATICA

Si dice che il lessico e la grammatica di una lingua sono due mondi diversi, opposti. (Con il termine grammatica s'intende qui l'insieme degli aspetti fonologici, morfologici e sintattici di una lingua.) In effetti c'è un'opposizione tra **segni lessicali** e **segni grammaticali**: i primi sono di numero indefinito, si riproducono e si espandono continuamente; i secondi invece rientrano in un numero limitato e, salvo qualche rara eccezione, non aumentano: appartengono insomma a gruppi ben determinati e circoscritti.

Se è difficile dire quante parole fanno parte del lessico dell'italiano, è invece facile fare l'inventario dei fonemi, degli articoli, delle preposizioni, delle congiunzioni, dei suffissi, dei prefissi, delle desinenze nominali e verbali, dei tempi e modi verbali, dei tipi di coordinazione e di subordinazione ecc. Insomma, le strutture fonologiche, morfologiche e sintattiche di una lingua sono, in un certo periodo storico, insiemi stabili, non modificabili e aumentabili, a differenza di quanto accade con il lessico. Mediante la formazione delle parole (v. 12.), mediante il prestito da lingue straniere posso coniare nuove parole, ma non posso inventarmi nuove forme di articolo, nuove desinenze verbali, un nuovo fonema. Mutamenti nei settori della fonologia, morfologia e sintassi avvengono nel tempo molto lentamente, gradatamente, in numero incomparabilmente inferiore rispetto ai mutamenti che riguardano il lessico.

Concludiamo dicendo che le strutture fonologiche, morfologiche e sintattiche di una lingua sono dei **sistemi chiusi**, mentre il lessico è un **sistema aperto** (cioè suscettibile ad ogni momento di variazioni e di arricchimenti).

Un'altra parentesi terminologica:

• con **parole** (o **vocaboli**) s'intendono le parole quali appaiono nelle frasi; per es.: *ragazzi*, *allegri*, *camminano*, *nelle*, *strade*, *dei*, *quartieri*, *centrali*;

• con il termine **lessema** (dal gr. *lexikón* (*biblíon*) 'libro delle parole' + il suffisso *-ema*, di *fonema*, *morfema*) s'intende invece la parola quale appare nel dizionario: *ragazzo*, *allegro*, *camminare*, *in*, *strada*, *di*, *quartiere*, *centrale*; i lessemi sono le unità del lessico; dal punto di vista del lessicografo si parla di "lemmi" (v. 13.10.2);

• con **termine** s'intende una parola che è propria di una determinata disciplina: una parola cioè che serve a definire esattamente un significato, a metterlo entro certi confini (lat. *termĭnus* 'confine').

13.2. LESSICALIZZAZIONE E GRAMMATICALIZZAZIONE

Tuttavia tra il lessico e la grammatica di una lingua non c'è una barriera invalicabile. Riflettiamo innanzi tutto su questo punto: il lessico possiede un'organizzazione grammaticale dei suoi elementi, i quali infatti si distinguono in nomi, aggettivi, verbi, avverbi ecc.; inoltre all'interno del nome si fanno varie distinzioni (nomi propri, comuni, semplici, derivati, astratti, concreti ecc.) e altrettanto accade con le altre parti del discorso.

Seconda riflessione: si possono usare elementi del lessico per un fine grammaticale e, viceversa, si possono usare strumenti della grammatica per ottenere elementi del lessico. Osserviamo intanto che i rapporti tra le parole possono essere espressi con mezzi grammaticali o con insiemi di parole. Consideriamo le due frasi:

l'azienda è in crisi per le dimissioni del direttore

l'azienda è in crisi a causa delle dimissioni del direttore

nella seconda l'insieme *a causa di* composto di "preposizione + nome + preposizione" è del tutto equivalente alla preposizione *per* della prima frase; *a causa di* è una **locuzione preposizionale** nella quale un elemento lessicale (cioè un nome) è usato per un fine grammaticale: contribuisce a sostituire una preposizione. Lo stesso fenomeno si verifica con altre locuzioni preposizionali: *ad opera di*, *da parte di* hanno un valore simile a quello della preposizione *da*; *a seguito di* può sostituire *per* o *dopo*; *in mezzo a* corrisponde a *tra*; *per mezzo di* può sostituire *con* (v. 9.9.).

Può accadere ancora che un sintagma composto di "verbo + complemento oggetto" sia in grado di sostituire un verbo semplice; per esempio: *far uso* = *usare*, *dare congedo* = *congedare*, *prendere la fuga* = *fuggire*. Qui abbiamo una costruzione grammaticale che sostituisce una parola.

Questi esempi dimostrano che esiste una sorta di interscambio tra il dominio del lessico e quello della grammatica. Tale fenomeno si vede chiaramente in una prospettiva diacronica, cioè osservando l'evoluzione della lingua. Si chiama **lessicalizzazione** il processo per il quale un insieme di elementi retti da rapporti grammaticali diventa un'unità, un qualcosa che equivale ad una sola parola: per esempio *d'un tratto*, *ora come ora* sono sintagmi che equivalgono alle parole uniche *improvvisamente*, *momentaneamente*; allo stesso modo *senza capo né coda* equivale a *inconcludente*.

Esiste poi il processo contrario: la **grammaticalizzazione**. Una parola diventa, nel corso dell'evoluzione linguistica, uno strumento grammaticale. L'attuale preposizione *mediante* era un tempo il participio presente del verbo *mediare*: *l'amico mediante* (cioè 'essendo l'amico in qualità di mediatore') è diventato *mediante l'amico*; *mediante* si è poi cristallizzato diventando una preposizione: *mediante le promesse*, *mediante gli aiuti*. Lo stesso fenomeno riguarda *durante* e *nonostante*, ex participi presenti di *durare*[1] e *ostare*; *eccetto* proviene dal lat. EXCEPTU(M), che è il participio passato di EXCIPERE; *tranne* è l'ex imperativo di *trarre* (v. 9.9.); il lat. MENTE, ablativo di MENS, MENTIS è diventato il suffisso avverbiale *-mente* (v. 8.5.1.).

Il fenomeno della grammaticalizzazione è comune a tutte le lingue: è noto che varie preposizioni e suffissi provengono da antiche parole, fornite di un contenuto semantico pieno. Dal dominio del lessico si è passati a quello della grammatica.

13.3. LIVELLI E VARIETÀ DEL LESSICO

Nel lessico di una lingua si distinguono vari livelli che possiamo rappresentare mediante alcune opposizioni:

- parole che si usano ogni giorno e in molte circostanze / parole che si usano in argomenti specialistici e in ambienti particolari;
- parole della lingua parlata / parole della lingua scritta (e soprattutto letteraria);
- parole di uso corrente / parole che appaiono invecchiate (arcaismi) o nuove (neologismi).

Sui neologismi v. 13.7. Gli **arcaismi** sono forme grafiche (*febbrajo*), fonetiche (*dimanda* 'domanda'), morfologiche (*io aveva*), sintattiche (*parlaronsi*) e soprattutto lessicali (*speme* 'speranza', *sirocchia* 'sorella') che appartengono a una fase linguistica superata. Tra gli arcaismi lessicali possono essere compresi anche gli arcaismi semantici o di significato: *parlamento*, per esempio, ha oggi un significato diverso da quello antico di 'discorso'. Gli arcaismi sono usati frequentemente nel linguaggio poetico (v. Appendice II); nel linguaggio comune sono rari e hanno un fine scherzoso.

Sono queste soltanto alcune delle possibili distinzioni; se ne potrebbero fare altre. Notiamo intanto che i termini di queste distinzioni si possono sovrapporre: per es., una parola usata in ambienti specialistici è talvolta un neologismo; una parola letteraria può essere un arcaismo ecc.

Il lessico non è un cumulo informe di parole; possiamo ordinarlo in un insieme di settori distinti in base a determinati criteri. Un criterio importante consiste nell'osservare quali rapporti intercorrono tra l'insieme dei parlanti italiani e il lessico della nostra lingua. Esistono diverse varietà d'uso del nostro lessico; tali varietà si possono ordinare in tre classi:

1. **varietà funzionali-contestuali** sono i cosiddetti linguaggi settoriali che corrispondono ad ambiti particolari specialistici; è la specificità degli argomenti che comporta una specificità nella scelta e nell'uso delle parole;

[1] Il participio di *durare* sopravvive come forma fossile nell'espressione *vita natural durante*.

2. **varietà geografiche** sono le differenze nell'uso di vocaboli le quali si riscontrano, per esempio, nei vari tipi di italiano regionale presenti nel nostro Paese (v. 1.4.).

3. **varietà sociali** sono le differenze nell'uso di vocaboli le quali distinguono tra loro le varie classi sociali di parlanti.

13.4. I LINGUAGGI SETTORIALI

Linguaggi settoriali sono, tra gli altri, il linguaggio politico, il linguaggio della pubblicità, il linguaggio sportivo, l'ampio settore dei linguaggi tecnico-scientifici (linguaggio della medicina, della fisica, della chimica, dell'economia, della sociologia, della matematica ecc.). Corrispondentemente abbiamo: il vocabolario della medicina, della fisica, della chimica ecc. Notiamo subito che all'interno di molti di questi linguaggi si possono operare altre suddivisioni (per es. il linguaggio della fisica nucleare, il linguaggio della biochimica). Ciò non deve stupire. Infatti lo sviluppo della ricerca comporta periodicamente una ridefinizione dei campi del sapere: questi vengono suddivisi e riorganizzati corrispondentemente alle nuove scoperte e all'affermarsi di nuove teorie e metodi. Nascono così nuove discipline e nuovi linguaggi.

Ma in che cosa si differenzia un **linguaggio settoriale** dalla lingua comune? Dal punto di vista del lessico, il linguaggio settoriale possiede dei vocaboli e delle espressioni che non sono possedute dalla lingua comune oppure possiede gli stessi vocaboli della lingua comune, ma li usa con un diverso e specifico significato. Per es. in quel settore particolare della meccanica che riguarda gli autoveicoli ci sono vocaboli specifici come *spinterogeno* e *tachimetro*, ma c'è anche un vocabolo della lingua comune come *cambio* che qui però viene usato con il significato specifico di 'dispositivo atto a cambiare i rapporti di trasmissione tra due organi rotanti'.

I diversi linguaggi settoriali possiedono diversi gradi di specificità (si ritiene per esempio che il linguaggio politico sia meno specifico di quello della medicina). In ogni modo vediamo quali sono le differenze che separano un vocabolo di un linguaggio settoriale da un vocabolo di un linguaggio della lingua comune:

■ il vocabolo di un linguaggio settoriale ha nel contesto di tale linguaggio un solo significato, mentre il vocabolo della lingua comune ha in genere più di un significato (polisemia: v. 4.5.3.); per esempio *cambio*, nella lingua comune ha più significati, ne ha uno soltanto quando si parla di autoveicoli; *complesso* e *rimuovere* assumono significati particolari nel campo della psicoanalisi; parole della lingua comune come *anello*, *asse*, *base*, *bottone*, *campo*, *centro* (da sole o provviste di un elemento di determinazione, cioè un aggettivo o il sintagma "*di* + nome": *campo magnetico*, *campo di forze*) possiedono valori propri in varie discipline;

■ per definire un vocabolo che appartiene ad un linguaggio settoriale dobbiamo tener conto della sua stretta integrazione con gli altri vocaboli che costituiscono il vocabolario di cui fa parte (il vocabolario della fisica nucleare, della biochimica, della genetica ecc.);

■ il vocabolo del linguaggio settoriale ha un legame molto stretto con la cosa significata: i termini tecnici sono presi da un'altra lingua e cultura insieme alle nozioni cui si riferiscono.

Per formare il vocabolario tecnico-scientifico di una nuova disciplina, tecnica o specializzazione si possono seguire tre vie principali.

1. Si può ricorrere al prestito linguistico (v. 13.9.); le lingue a cui si ricorre più frequentemente sono l'inglese (per es. nel vocabolario della fisica nucleare), il latino e il greco (vocabolario della medicina).

La lingua greca ha il vantaggio di offrire una costruzione sintetica e di godere di una tradizione ben consolidata nelle culture e nelle lingue europee; la maggior parte dei **composti greci** usati nei vocabolari tecnico-scientifici sono creazioni moderne, le quali modificano l'aspetto originario delle parole greche secondo convenzioni e adattamenti moderni (affermatisi nelle lingue francese e inglese); infatti, contrariamente alla norma del greco antico, ci sono composti di tre elementi: per es. *anemodinamometro* = *anemo* 'vento' + *dinamo* 'forza' + *-metro* 'misura'; ci sono inoltre composti ibridi: greco + latino (*aeronave*, *elettromotrice*), latino + greco (*altimetro*, *spettroscopio*), lingua moderna + greco (*burocrazia*, *filmoteca*).

2. Si può ricorrere a vari procedimenti di formazione delle parole (v. 12.); taluni suffissi e prefissi hanno avuto una particolare diffusione nei vocabolari tecnico-scientifici; per esempio, nella medicina la nomenclatura relativa alle malattie si serve spesso dei seguenti suffissi di origine greca:

SUFFISSO		NOME DELLA MALATTIA
-ite	= infiammazione acuta	*artrite*, *dermatite*, *nevrite*
-osi	= affezione cronica	*artrosi*, *dermatosi*, *cirrosi*
-oma	= tumore	*carcinoma*, *fibroma*

3. Si può dare un significato nuovo e specifico a parole che già esistono nel lessico della lingua comune o in un vocabolario tecnico già costituito.

Si è già accennato a un fatto molto importante: parole della lingua comune come *anello*, *asse*, *base*, *bottone*, *campo*, *centro*, *movimento* possono, da sole o provviste di un elemento di determinazione, acquistare significati specifici propri di diversi settori del lessico; consideriamo per esempio *campo*: si ha *campo di aviazione*, *campo sportivo*, *campo trincerato* ecc. e, a livello più specialistico: *campo di forze*, *campo magnetico*, *campo gravitazionale*, *campo vettoriale*, *campo visivo* ecc.

Al tempo stesso osserviamo che vocabolari tecnici già costituiti forniscono termini ed espressioni a vocabolari di nuova formazione; così, per esempio, una parte non indifferente della terminologia della navigazione marittima ritorna nel vocabolario dell'*aeronautica* e dell'*astronautica* (lat. NAUTA 'marinaio'); in quest'ultima ritroviamo, tra l'altro: *navigare*, *navigazione*, *navigatore*, *nave spaziale* o *astronave*, *pilota*, *equipaggio*, *traversata*, *crociera*, *cabina*, *convoglio*, *giornale di bordo*, *sonda spaziale*, *abbordare*; è questo un aspetto dell'importanza e della funzionalità della polisemia; con gli stessi vocaboli si esprimono diversi significati realizzando quella **economia di segni** che è una delle leggi fondamentali del linguaggio umano (v. 4.5.3.).

Un momento fondamentale nella formazione dei vocabolari scientifici è segnato dalla nascita delle **nomenclature**. Lo svedese Carlo Linneo (1707-1788) diede la classificazione dei tre regni della natura. Sempre nel XVIII secolo nacquero la nomenclatura della chimica e della botanica. Alla fine dell'Ottocento nacque una nuova nomenclatura anatomica.

«Linguaggi settoriali» è una denominazione ampia che comprende oltre ai linguaggi tecnico-scientifici anche altri linguaggi che non si riferiscono a discipline scientifiche: per esempio i linguaggi politico, burocratico, sportivo, pubblicitario, marinaresco ecc. I linguaggi settoriali sono detti anche **sottocodici**, denominazione questa che mette in risalto il rapporto di subordinazione rispetto al «codice» della lingua (v. 1.5.6.).

13.5. I REGIONALISMI

Le varietà regionali di italiano (v. 1.4.2.) differiscono tra loro anche nel lessico. L'*anguria* del Nord diventa *cocomero* nel Centro, *melone* o *mellone* nel Sud; in Toscana e nel Sud si ha *cacio*, nel Nord *formaggio*; alle *caldarroste* di Roma corrispondono altrove le *castagne arrostite*; il *prezzemolo* si chiama *erborino* in Lombardia e *petrosino* in Sicilia; i *lacci* delle scarpe si chiamano anche, a seconda delle regioni, *legacci*, *laccetti*, *stringhe*, *aghetti*. Questo tipo di regionalismi lessicali si chiamano anche **geosinonimi**, come dire 'sinonimi geografici': a seconda delle regioni si indica la stessa cosa con un nome diverso.

Lo studio dei **regionalismi** lessicali non è facile. Infatti ci sono vocaboli comuni a ciascuna delle quattro varietà di italiano regionale che abbiamo già distinto (settentrionale, toscana, romana, meridionale), ma poi vi sono vocaboli propri dell'italiano della Lombardia, dell'italiano dell'Emilia, dell'italiano della Sicilia ecc.

Per la varietà lombarda ricordiamo: *barbone* 'mendicante', *bigino* 'traduttore', *michetta* 'panino', *sberla* 'schiaffo'; e ancora l'abitudine di rafforzare con gli avverbi *su* e *giù* posposti verbi come *prendere*, *togliere*, *portare*: *prender su*, *toglier giù*, *portar su* ecc.; si noti ancora il tipo di negazione posposta, per esempio *crede mica* 'non crede'; e l'espressione *ala una* 'all'una, cioè alle ore tredici'.

Sono comuni a tutta la varietà settentrionale: *anguria*, *tiretto* 'cassetto', *sberla*, *balera*, *imbarcadero*.

Qualche esempio della varietà toscana: *acquaio* 'lavandino', *balocchi* 'giocattoli', *bizze* 'capricci', *cencio* 'straccio da spolvero', *figliola* 'giovane donna nubile', *sciocco* 'che sa poco di sale';

della varietà romana: *abbacchio* 'agnello di latte macellato', *burino* 'incivile', *bustarella*, *caldarroste*, *fattaccio* 'fatto di cronaca nera', *intrufolarsi* 'entrare di soppiatto', *pizzardone* 'vigile urbano', *pupo* 'bambino';

della varietà meridionale: *ciecato* 'cieco', *pittare* 'pitturare', *ritirarsi* 'rientrare in casa', *scostumato* 'maleducato', *scorno* 'vergogna', *sfizio* 'divertimento, piacere', *stagione* 'estate', *tabacchino* 'tabaccaio'; nella varietà meridionale è notevole l'uso del verbo *stare* (in luogo di *essere*) e di *tenere* (in luogo di *avere*) in vari contesti.

Abbiamo ricordato soltanto alcuni dei numerosissimi regionalismi lessicali ancora vivi in Italia. Ora aggiungiamo qualche riflessione:

[1] La grande circolazione culturale e linguistica promossa dai mezzi di comunicazione di massa e dal processo di industrializzazione del nostro Paese ha fatto sì che molti regionalismi abbiano superato le frontiere originarie diffondendosi in altre regioni o addirittura entrando nella lingua comune. Attraverso il cinema, i giornali, la televisione, il teatro, parole come *barbone*, *bustarella*, *fregare*, *intrallazzo*, *pappagallo* 'corteggiatore da strada e molesto' hanno oggi libera

circolazione in Italia; il regionalismo diventa in tal modo **variante colloquiale** e familiare: si può scegliere per es. tra *schiaffo*, *sberla* (settentrionale), *sganassone* (Roma); tra *mendicante*, *barbone* (Milano) e *pezzente* (meridionale). D'altra parte il maggiore sviluppo industriale del Nord d'Italia ha fatto sì che alcuni vocaboli settentrionali si siano diffusi attraverso il linguaggio pubblicitario diventando **termini tecnici** o quasi: è il caso di *scocca* e di *lavello*; il primo indicava in origine una parte della carrozza, ora indica 'l'insieme dell'ossatura e dei rivestimenti esterni dell'automobile'; *lavello* si è diffuso come termine specifico per indicare il lavandino delle cucine moderne, *il lavello in acciaio inossidabile*: ciò è avvenuto a spese dei concorrenti regionali *acquaio*, *lavatoio*, *lavabo*, *versatoio*, *lavandino*.

[2] I regionalismi lessicali sono in parte mutati nel corso del Novecento (per i motivi che si sono ora detti); il livellamento delle nomenclature e la **standardizzazione** degli usi linguistici procedono con l'evolversi della società italiana; pertanto i regionalismi lessicali si prestano meno dei regionalismi fonologici al fine di individuare le varietà regionali di italiano.

[3] Nonostante quanto si è detto ai punti [1] e [2] bisogna riconoscere che la differenziazione fra una regione e l'altra riguarda anche parole del lessico fondamentale come *essere/stare*, *avere/tenere*, *sapere/conoscere*, *ora/adesso*; per esempio: nell'italiano regionale del Meridione prevalgono i tipi: *Mario sta contento*; *Luigi tiene fame* (rispetto a: *Mario è contento*, *Luigi ha fame*).

[4] Vi sono parole che hanno uguale forma ma diverso significato in una data varietà regionale e nella lingua comune, per esempio: *stagione* vale 'estate' nel Sud, 'quarta parte dell'anno' nella lingua comune; *cannata* 'boccale di terracotta o di alluminio' nell'italiano di Sicilia, 'graticcio di canne' nella lingua comune. Rispetto a quest'ultima l'italiano regionale attua talvolta delle sovrapposizioni, per esempio il toscano *sciocco* assomma in sé due significati che nella lingua comune si rendono con due distinte parole: *insipido* e *sciocco*; nel Sud *fatica* corrisponde sia a *lavoro* sia a *fatica* della lingua comune. **Regionalismi semantici** sono detti quei vocaboli italiani che entrati in un dialetto e quindi nella corrispondente varietà regionale hanno assunto un significato diverso da quello originario, per esempio in Sicilia *stolto* vale 'disonesto', *esperto* vale 'scaltro'.

13.6. LE VARIETÀ SOCIALI

La diversità tra gruppi e classi sociali si riflette nella lingua. Le varietà sociali riguardano anche il lessico e dipendono da cinque fattori: l'età, il sesso, la provenienza del parlante, la classe sociale ed economica, il livello di istruzione.

1. **L'età**: i giovani parlano in modo diverso rispetto agli anziani; accolgono più facilmente neologismi e mode linguistiche (per esempio, l'uso enfatico di aggettivi come *allucinante*, *assurdo*, *bestiale*, *forte*, *mostruoso*); inoltre in determinati ambienti e situazioni i giovani possono far uso di varietà linguistiche particolari che sono caratterizzate soprattutto dal punto di vista lessicale (la lingua dei giovani, il gergo studentesco).

2. **Il sesso**: le donne parlano in modo diverso rispetto agli uomini: in particolare, attività svolte prevalentemente dalle donne (le faccende domestiche, la cura del bambino) possono comportare l'uso di particolari vocaboli ed espressioni.

3. **La provenienza del parlante**: abbiamo considerato questo fattore nel paragrafo precedente (dedicato ai regionalismi); è importante sottolineare che la situazione italiana è caratterizzata dall'interrelazione tra varianti regionali e varianti sociali.

La differenziazione sociale è rappresentata prevalentemente mediante caratteristiche locali (regionali, semidialettali, dialettali); a differenza di altri Paesi, dove si ha, per esempio, un francese popolare, un inglese popolare ben sviluppati, in Italia molte varianti lessicali possono essere considerate regionali oppure sociali a seconda della situazione: per esempio a Roma l'uso del vocabolo *anguria* invece del locale *cocomero*, se è eseguito da un settentrionale (cioè con intonazione settentrionale) sarà interpretata come un regionalismo, se è eseguito da un romano (cioè con intonazione romana o comunque senza una particolare intonazione) sarà interpretato come una scelta del parlante che vuole in qualche modo distinguersi (variante sociale).

4. **La classe sociale ed economica**: un reddito alto favorisce un'acculturazione (e quindi una conoscenza della lingua) più approfondita; al tempo stesso va ricordato che i poveri tendono ad imitare le abitudini (anche linguistiche) dei ricchi, i quali diventano agli occhi di molti dei modelli da imitare se non si vogliono subire gli effetti dell'emarginazione sociale.

5. **Il livello di istruzione**: una persona istruita conosce più parole ed espressioni; le sa usare in modo appropriato a seconda della situazione comunicativa.

Come abbiamo visto, le differenze sociali influiscono sull'uso della lingua e, in particolare, sull'uso del lessico.

I dizionari ricorrono spesso a indicazioni del livello del lessico: pop. (= popolare), fam. (= familiare), volg. (= volgare), region. (= regionale), dial. (= dialettale), non com. (= non comune), raro, ant. (= antiquato, antico), lett. (= letterario), poet. (= poetico) ecc. Si tratta di caratterizzazioni di comodo nelle quali si mescolano criteri diversi: il livello di lingua che si riferisce ad una situazione comunicativa, il livello di lingua che è proprio di un gruppo o di una classe sociale, una dimensione storica del lessico. Tali aspetti e criteri diversi vanno invece distinti.

Una varietà sociale importante e abbastanza caratterizzata dal punto di vista del lessico è l'**italiano popolare**. Ricordiamo qualche vocabolo di questa varietà sociale del nostro lessico: *arrangiarsi*, *balla* 'bugia, fandonia', *casino* o *casotto* 'confusione', *far fesso*, *fifa*, *filarsela*, *macello* 'disastro, grave disordine', *mollare* 'appioppare, desistere', *tribolare* 'patire, penare'.

13.7. I NEOLOGISMI

La linguistica moderna considera il **neologismo** (dal greco *néos* 'nuovo' e *lógos* 'parola') come il protagonista dell'evoluzione linguistica. La parola nuova è considerata come un arricchimento del lessico, che in tal modo può indicare con precisione ogni cosa, ogni concetto, ogni sfumatura del pensiero. L'insieme dei processi che servono per la formazione di parole nuove è chiamato **neologia**.

Ai giorni nostri i neologismi sono studiati senza preconcetti con strumenti di analisi adeguati; molti neologismi sono accolti senza difficoltà nella lingua comune. Un tempo le cose andavano diversamente: i puristi, i difensori della purezza della lingua, si opponevano all'uso dei neologismi: alla fine dell'Ottocento qualcuno combatteva parole ora divenute di uso comune come *ambientarsi* e *percentuale*; ma anche in tempi più recenti qualche purista ha dichiarato guerra a verbi come *decollare* 'staccarsi dal suolo' e *azionare*.

Propriamente parlando, neologismo può essere sia una parola ripresa da una lingua straniera (come per es. *camping*, *week-end* oppure *bistecca*, adattamento italiano dell'inglese *beefsteak*) sia una parola derivata da una parola già esistente in italiano (come per es. *lottizzare* da *lotto*, *prepensionamento* da *pensionamento*, *portasci* da *portare* e *sci*). Tuttavia è preferibile chiamare **prestito** un vocabolo ricavato da una lingua straniera (v. 13.9.) e chiamare **neologismo** una parola ricavata da un'altra parola italiana mediante un suffisso, un prefisso o mediante un altro procedimento ma sempre in modo tale che il parlante comune si renda conto del rapporto che intercorre tra la parola di base e la parola da essa derivata. Di questi procedimenti di formazione delle parole abbiamo parlato ampiamente nel capitolo 12; qui si vogliono dare soltanto alcuni princìpi generali sui caratteri e sulla classificazione dei neologismi.

I neologismi si possono distinguere in due categorie:

- **neologismi combinatori** sono quelli che provengono dalla combinazione di elementi della lingua (per es. *lottizzare*, da *lotto* + il suffisso *-izzare*; *prepensionamento*, da *pensionamento* e il prefisso *pre-*).

- **neologismi semantici** sono quelli che comportano un mutamento di significato anche se la forma rimane identica (per es. *orchestrare* è un verbo del linguaggio musicale che significa 'scrivere le parti dei vari strumenti che compongono l'orchestra'; però successivamente si è detto *orchestrare una campagna elettorale*, *un'azione politica* ecc.: in questi nuovi contesti *orchestrare* vale 'organizzare' ed è appunto un neologismo semantico).

Per quanto riguarda il neologismo combinatorio va detto che il parlante comune, disponendo di una parola di base ed avendo la competenza dei meccanismi della lingua, può comprendere e creare un'intera serie di neologismi combinatori; s'intende che nell'uso effettivo esistono soltanto alcune forme, le altre sono soltanto delle possibilità. Vediamo un paradigma di formazione delle parole (altri ne abbiamo visti in 12.4.2.); prendiamo come base *lotto* 'parte di un terreno che è stato diviso'; i derivati più comuni sono:

lotto → *lottizzare* → { *lottizzazione* / *lottizzatore* }

Partendo da ciascun termine di questo paradigma un parlante italiano può creare vari neologismi; per esempio, *lotto*: *neolotto*, *superlotto*; *lottizzare*: *delottizzare*, *rilottizzare*, *superlottizzare*; *lottizzazione*: *delottizzazione*, *rilottizzazione*, *antilottizzazione*, *pseudolottizzazione*; *lottizzatore*: *superlottizzatore*, *antilottizzatore* ecc. Certo alcuni di questi neologismi sono soltanto delle possibilità (perfino un po' buffe) del meccanismo della formazione delle parole. Il passaggio all'uso effettivo dipende da vari fattori: la funzionalità e la necessità del neologismo, il prestigio di cui gode l'individuo o il gruppo sociale che l'ha prodotto, il giudizio di gruppi qualificati di parlanti (o di strati più ampi della comunità di parlanti), la moda ecc. In ogni caso resta il fatto che tali neologismi sono analizzabili e comprensibili.

Un neologismo combinatorio consiste anche nel riunire insieme in un sintagma stabile due o più parole: così, per esempio, *lotta* e *classe*, vecchie parole della nostra lingua, si sono riunite per formare il neologismo *lotta di classe*. Altrettanto è accaduto per altri insiemi come *offerta di lancio*, *area di parcheggio*, *aereo a reazione*, *ripresa in diretta*, *servizio pubblico*, *tempo pieno*, *cassa integrazione* (v. 12.4.5.).

Come esempi di neologismi semantici si ricordino i termini della navigazione marittima e dell'aviazione entrati nel vocabolario dell'astronautica e le parole della lingua comune diventate termini tecnici della psicoanalisi: *navigatore spaziale*, *nave cosmica*, *pilota*; *rimuovere*, *complesso*.

13.8. COME È COMPOSTO IL LESSICO DELL'ITALIANO

Da un punto di vista storico possiamo dire che il lessico della nostra lingua è formato da tre componenti fondamentali:

1. il **fondo latino** ereditario, cioè tutte le parole di tradizione popolare e ininterrotta che ci provengono dal latino volgare; si tratta della componente più numerosa e più importante del nostro lessico; le parole più frequenti della nostra lingua, quelle che costituiscono il cosiddetto lessico fondamentale, appartengono a tale componente;

2. i **prestiti**, cioè le parole tratte da altre lingue (dalle lingue germaniche, dall'arabo, dal francese, dallo spagnolo, dall'inglese ecc.); un tipo particolare di prestito è quello ripreso per via colta dalle lingue classiche (latino e greco), cioè latinismi e grecismi;

3. le **neoformazioni** o neologismi veri e propri, cioè le parole formatesi nella nostra lingua da parole di base già esistenti mediante il meccanismo della formazione delle parole (suffissazione, prefissazione, composizione).

Oltre a queste tre componenti fondamentali possiamo considerare altri aspetti marginali del nostro lessico: l'onomatopea, che è la trasposizione in una forma linguistica arbitraria di rumori naturali e artificiali (dal vecchio *chicchirichì* al *bip-bip* del primo Sputnik); la creazione dal nulla, che ha una certa diffusione nel linguaggio pubblicitario (*Kodak* è forse l'esempio più famoso); infine le sigle, che sono pronunciate per lo più secondo il nome delle lettere, per esempio *C.L.N.* = *cielleenne*. Ma a parte questi aspetti marginali teniamo presenti le tre componenti:

LESSICO ITALIANO
- fondo latino ereditario (latino volgare)
- prestito linguistico (da altre lingue)
- neoformazioni (o neologismi veri e propri)

13.9. IL PRESTITO LINGUISTICO

Si ha prestito linguistico quando la nostra lingua utilizza e finisce per assumere un tratto linguistico che esisteva precedentemente in un'altra lingua e che non esisteva nella nostra. Questo processo di "cattura" e il tratto linguistico così "catturato" in italiano si indicano con lo stesso termine: **prestito**.

In linguistica il termine «prestito» ha un significato particolare, diverso da quello che appare nella lingua comune. La lingua che "presta" un vocabolo non ne rimane priva; la lingua che riceve il vocabolo non ha alcun obbligo di restituirlo!

Protagonisti del prestito sono innanzi tutto i vocaboli. Questi possono essere presi nella loro forma originaria (*bar*, *film*, *leader*, *équipe*, *lager*) oppure possono essere integrati alla fonologia e alla morfologia dell'italiano: per esempio *treno*, *bistecca* sono tratti dal francese *train* e dall'inglese *beefsteak*, con alcuni fonemi mutati, con l'aggiunta di una vocale finale, con l'inserimento nella categoria morfologica del genere (ignota all'inglese); così anche *ingaggiare* e *mitraglia* sono adattamenti dal francese *engager* e *mitraille*; *lanzichenecco* è un adattamento dal tedesco *Landsknecht*.

Il parlante comune riconosce soltanto il **prestito non integrato**: *bar*, *film*, *leader*, *équipe*, *lager* si distinguono per il loro aspetto esteriore dalle parole italiane. Il parlante comune non riconosce invece il **prestito integrato**: quanti sanno che *treno* e *bistecca* sono prestiti dall'inglese? Certi prestiti sono usati sia nella forma originaria sia in quella adattata: per esempio, francese *bleu* e *blu*, *gilet* e *gilè*, *paletot* e *paltò*; inglese *punch* e *ponce*, *roastbeef* e *rosbif* (o *rosbiffe*).

13.9.1. Tipi e caratteri del prestito linguistico

Un tipo particolare di prestito è il **calco**. Si distingue in due varietà principali:

- **calco semantico**: si ha quando una parola italiana assume un nuovo significato da una parola di una lingua straniera; il fenomeno si attua perché le due parole avevano in comune un significato e/o una somiglianza formale; per esempio *conforti* 'servizi domestici' ha assunto questo significato dall'inglese *comforts*, anche se la parola italiana conserva i suoi significati tradizionali; invece *autorizzare*, che un tempo significava 'rendere autorevole', ha cambiato tale significato con quello di 'permettere': ciò è accaduto per l'influsso del francese *autoriser*;

- **calco traduzione**: con materiali italiani si forma una parola composta traducendo alla lettera gli elementi di un composto di una lingua straniera; per esempio *grattacielo* riproduce l'inglese *sky-scraper* (*sky* 'cielo', *scraper* 'che gratta'); *lotta di classe* riproduce il tedesco *Klassenkampf* (*Klassen* 'classi', *Kampf* 'lotta').

Il prestito è certamente il fenomeno più importante che riguarda i contatti tra le lingue. Il prestito è in rapporto con il **bilinguismo**, che è la situazione in cui gli stessi parlanti sono portati ad usare due lingue a seconda dell'ambiente e della situazione. Il prestito dipende dal **prestigio** di una lingua e del popolo che la parla, ma può dipendere anche dal disprezzo con cui l'una e l'altro sono considerati (che i Germani fossero guardati con disprezzo dai Romani si vede dal carattere di alcuni germanismi entrati nella nostra lingua: v. 13.9.2.).

Possiamo distinguere tra **prestito di necessità** e **prestito di lusso**. Il primo si ha quando si prende la parola e insieme il referente (un oggetto, un'idea); per esempio: *patata*, parola haitiana giunta in italiano attraverso lo spagnolo; *caffè*, dal turco; *zero*, dall'arabo (la numerazione romana non possedeva lo zero); *tram*, *transistor*, *juke-box* dall'inglese. Il prestito di lusso ha un fine stilistico e di promozione sociale: serve ad evocare una civiltà, una cultura, un modo di vita considerati prestigiosi; sono prestiti di lusso per esempio *leader*, *flirt*, *baby-sitter*, *week-end*, vocaboli che potremmo sostituire con *capo*, *breve relazione amorosa*, *bambinaia*, *fine settimana*. È indubbio però che vocaboli ed espressioni inglesi talvolta fanno comodo per la loro brevità: ciò spiega la fortuna che hanno incontrato nel linguaggio giornalistico, per esempio, *boom*, *sexy, show* (gli equivalenti italiani 'periodo di intenso sviluppo economico' 'sessualmente conturbante', 'spettacolo di varietà' sono composti di varie sillabe; e quale potrebbe essere l'equivalente italiano di *sit-in*: 'raduno di dimostranti che, stando seduti per terra, occupano un luogo pubblico'?). In ogni modo la storia ci dimostra che anche il prestito di lusso può diventare elemento stabile della lingua che lo accoglie.

Il prestito può entrare attraverso la lingua scritta o attraverso il parlato. *Tunnel* è entrato attraverso la lingua scritta; si pronuncia infatti all'italiana, cioè "come è scritto": / 'tunnel /; se fosse entrato attraverso la lingua parlata si pronuncerebbe / 'tanel / che è una pronuncia vicina a quella inglese. Invece *budget*, pronunciato / 'badʒɛt / è entrato con la lingua parlata. Ci sono parole inglesi che in Italia sono pronunciate in vario modo, per esempio:

pronuncia inglese	pronunce realizzate in Italia	
flirt / flə:t /	/ flert / / flɛrt /	/ flirt /
	imitazione della pronuncia inglese	pronuncia all'italiana

Queste varianti di pronuncia dipendono da vari fattori; anche il grado di conoscenza della lingua straniera ha la sua importanza. Tuttavia bisogna ritenere che una parola straniera una volta entrata in italiano anche nella forma non assimilata (*leader*, *flirt* ecc.) è a tutti gli effetti una parola italiana: pertanto è del tutto legittima una pronuncia all'italiana. Imporre ai parlanti italiani il pieno rispetto della fonetica inglese a proposito di anglicismi ben consolidati nella nostra lingua, come *bar*, *film*, *sport*, *flirt* ecc. sarebbe ovviamente un'assurda pedanteria. Del resto è utile ricordare che in Francia i prestiti dall'inglese sono pronunciati "alla francese"; così come i prestiti dall'italiano sono pronunciati in Francia e in Inghilterra "alla francese" e "all'inglese"; per esempio il nostro termine musicale *andante*, italianismo diffuso in tutto il mondo, è pronunciato in Francia / ãdãt /, in Inghilterra / æn'dænti /.

Bisogna distinguere tra il prestito vero e proprio e ciò che non è prestito, ma **citazione** di una parola straniera. Per es., se in una corrispondenza dal Medio Oriente un giornalista ricorda con i loro nomi arabi persone, ambienti, istituzioni di quei Paesi è evidente che non si potrà parlare di prestiti: si tratta di semplici citazioni. Così come sono semplici citazioni varie parole straniere (tratte dalle lingue più varie) che si ritrovano nella nostra stampa con riferimento alla realtà di altri Paesi.

In una lingua si possono chiamare prestiti soltanto quegli elementi che sono entrati in essa dopo il suo atto di nascita. Per esempio ci sono parole che dal gruppo linguistico osco-umbro sono entrate in latino: BOS 'bue', BUFALUS 'bufalo', LUPUS 'lupo'; si tratta di prestiti dal punto di vista del latino, ma dal punto di vista dell'italiano e delle lingue romanze sono a tutti gli effetti parole latine.

Che cosa prendiamo in prestito? I nomi, in primo luogo; seguono poi, con percentuali inferiori, verbi e aggettivi (v. alcuni germanismi come *abbandonare*, *guadagnare*, *guardare*, *scherzare*; *bianco*, *guercio*, *ricco*: 13.9.2.). Il prestito di verbi e di aggettivi indica in genere una convivenza più stretta tra le due comunità linguistiche (nel nostro caso i Romani e i Germani); indica cioè una vera e propria condizione di bilinguismo. Altrettanto si deve dire per il prestito di elementi morfologici. Sono di origine germanica i suffissi: *-ingo* (*casalingo*, *ramingo*), *-ardo* (*bugiardo*, *codardo*), *-aldo* (*ribaldo*, *spavaldo*) e in parte anche *-esco*; invece *-iere* (*cavaliere*, *giardiniere*) viene dal francese; dal greco vengono *-essa* (*badessa*, *ostessa*) e, per lo più in epoca moderna, i suffissi *-ista*, *-ismo*, *-ico*; un suffisso verbale di origine greca è *-izzare*.

Esaminiamo ora alcuni esempi di prestiti entrati in varie epoche in italiano, distinguendo a seconda della lingua di origine.

13.9.2. Germanismi

Rappresentano uno dei settori più importanti quantitativamente e qualitativamente del nostro prestito linguistico. I Germani hanno dato all'italiano vocaboli "concreti", non astratti; per quanto riguarda il mondo della cultura e dello spirito i Germani sono stati discepoli dei Romani. Tra i germanismi più antichi ricordiamo *alce*, *sapone* (prima 'tintura per i capelli', poi nel significato attuale), *vanga*, *guerra* (che sostituisce il lat. BELLUM). I Goti portarono: vocaboli militari (*bando*, *guardia*, *elmo*) e domestici (*rocca*, *spola*); verbi ed aggettivi (*recare*, *smagare*, *guercio*, *schietto*). Segno di convivenza difficile è *bega*.

Le parole longobarde sono più numerose (questo popolo dominò in Italia per oltre due secoli e, a differenza dei Goti, impose ai Romani la propria organizzazione politica). Sono parole longobarde: *spiedo* (che in origine era un'arma), *sguattero* (in origine 'guardia'), *stamberga* (in origine 'casa di pietra'); bastano queste tre parole, che hanno assunto in seguito un significato meno nobile o un valore negativo, per mostrare il disprezzo con cui erano visti dai Romani gli invasori. Questi tuttavia ci hanno lasciato parole fondamentali come per esempio: *guancia*, *schiena*, *stinco*, *anca*, *ciuffo*; verbi che indicano operazioni tecniche (*imbastire*, *gualcare*); verbi comuni (*arraffare*, *graffiare*, *scherzare*, *spaccare*, *spiare*, *spruzzare*, *tuffare*); sono di origine longobarda i nomi propri *Baldo*, *Baldini*, *Baldelli*, *Berto*, *Bertini*, *Bertoni*, *Alberti*, *Albertazzi*.

I Franchi vennero in Italia quando avevano già subito un forte influsso della lingua e della cultura romanza (attraverso i discendenti degli antichi coloni romani che popolavano la Gallia). I Franchi portarono parole come: *giardino* (con pronuncia "alla francese", invece del *gardo* germanico), *bosco* (probabilmente), *dardo*, *gonfalone*, *schiera*, *tregua*, *feudo*, *barone*; portarono anche dei verbi fondamentali: *abbandonare*, *ardire*, *guadagnare*, *guardare*, *guarnire*, *guarire*; sostantivi astratti come *orgoglio* e *senno*.

Nei secoli successivi alla nascita dei volgari italiani scritti, poche parole germaniche entrarono in italiano: nel Duecento *Guelfi* e *Ghibellini*; nel Cinquecento *alabarda*, *lanzichenecco*, *brindisi*. Nel corso dell'Ottocento il tedesco diede all'italiano molti vocaboli ed espressioni che riflettono l'alto grado di sviluppo della cultura di quel Paese: si tratta di calchi come *eticità*, *lotta di classe*, *storia della cultura*.

13.9.3. Grecismi e arabismi

Oltre agli antichi prestiti passati in italiano tramite il latino (v. 1.3.7.) si devono ricordare grecismi più recenti dovuti al contatto con il mondo bizantino. Sono termini marinareschi: *galea*, *gondola*, *argano*, *molo*, *sartie*; nomi di piante: *anguria*, *basilico*, *indivia*; vocaboli che riguardano i commerci e attività commerciali (*bambagia*, *paragone*, l'assaggio dell'oro era fatto mediante la *pietra di paragone*), la casa (*androne*, *lastrico*), la vita militare e l'amministrazione (*duca*, *catasto*).

Gli Arabi hanno dominato per secoli il bacino del Mediterraneo; dall'827 al 1070 hanno occupato la Sicilia; tuttavia, a differenza dei Germani, non si fusero con le popolazioni vinte. Sono di origine araba nomi di piante e di prodotti: *arancia*, *limone*, *carciofo*, *melanzana*, *spinaci*, *zucchero*, *cotone*; vocaboli relativi al commercio (*dogana*, *fondaco*, *magazzino*, *tara*, *tariffa*) e alla navigazione (*arsenale*, *darsena*, *gomena*, *libeccio*, *scirocco*). Custodi del patrimonio culturale greco e indo-iranico, gli Arabi coltivarono e svilupparono varie discipline e tecniche: ciò è testimoniato dai numerosi arabismi riguardanti la matematica (*algebra*, *algoritmo*, *cifra*, *zero*), l'astronomia (*almanacco*, *auge* 'apogeo', *nadir*, *zenit*), l'industria e le tecniche (*alchimia*, *alambicco*, *elisir*, *canfora*, *talco*, *alcali*, *borace*), il gioco degli scacchi (*alfiere*, *scaccomatto*). Anche parole comuni come per es. *azzurro*, *facchino*, *ragazzo* vengono dall'arabo, il cui influsso sulla nostra lingua delle origini è secondo soltanto a quello esercitato dalle lingue germaniche. Alcuni arabismi hanno una lunga storia: *alchimia* e *alambicco* hanno un'origine greca; CASTRUM 'castello' e PRAECOCUUM 'frutto precoce' sono vocaboli latini entrati come prestiti nell'arabo che poi li ha esportati nelle forme *cassero* e *albicocco*. Come appare, in queste peregrinazioni le parole cambiano spesso di significato.

Arabismi entrati più tardi sono: *tazza* e *cremisi*; e ancora: *giulebbe*, *moschea*, *tafferuglio*. Nel sedicesimo secolo voci arabe, persiane e turche entrano nella nostra lingua: *alcool* (in origine 'polvere impalpabile'), *chiosco*, *divano* (in origine 'luogo delle adunanze'), *serraglio*, *sofà*, *turbante*, *sorbetto*, *caffè*.

13.9.4. L'influsso della Francia, della Provenza e della Spagna

Con la conquista di Carlomagno (774) comincia l'influsso dell'antico francese sull'italiano. I Normanni, di lingua francese, occupano per due secoli l'Italia meridionale. I pellegrinaggi, le crociate, la fondazione di ordini monastici, ma soprattutto il prestigio delle letterature francese e provenzale spiegano il passaggio in Italia di molti vocaboli d'Oltralpe.

I gallicismi (termine che comprende francesismi e provenzalismi) riguardano vari settori. La vita cavalleresca: *cavaliere*, *scudiere*, *messere*, *dama* (e *madama*), *damigello*, *lignaggio*, *adobbare*; la guerra: *arnese* 'armatura', *foraggio*, *gonfalone*, *stendardo*; abbigliamento e arredi domestici: *cotta*, *fermaglio*, *gioiello*, *cuscino*, *doppiere*; caccia: *astore*, *levriere*, *sparviere*, *veltro*; ricordiamo ancora: *derrata*, *dozzina*, *lira*, *ostello*, *passaggio* e *viaggio*. Notevole è la presenza di vocaboli astratti come *pensiero* (che sostituisce *pensamento*), *foggia*, *preghiera*, *sorta*.

I cento anni che vanno dalla pace di Cateau-Cambrésis (1559) alla pace dei Pirenei (1659) segnano il predominio della Spagna in Italia (Ducato di Milano, Stato dei Presidi, Regno di Napoli, Sicilia, Sardegna). È questo il periodo che vede entrare in Italia la maggior parte dei vocaboli spagnoli. Ma anche nei secoli precedenti la presenza aragonese (lingua catalana) nell'Italia meridionale e altri fattori avevano assicurato l'ingresso di alcuni iberismi (vocaboli spagnoli, catalani e portoghesi). *Baciamano*, *complimento*, *creanza*, *etichetta*, *sfarzo*, *sussiego*, *puntiglio* sono prestiti dallo spagnolo che riguardano la vita del bel mondo. E a tale proposito si ricorderanno anche due calchi semantici dallo spagnolo: *flemma* 'calma, lentezza' e *signore*, nel significato attuale (prima, in italiano era il titolo di colui che esercitava la *signoria* su una città). Vi sono poi termini marinareschi (*baia*, *cala*, *flotta*, *tolda*, *babordo*) e relativi alla guerra (*guerriglia*, *parata*, *zaino*, *caracollare*). Notevoli sono *marrano*, *fanfarone*, *vigliacco*, *lazzarone*.

Dal portoghese sono venuti i vocaboli *palanchino* e *catamarano*, che designano rispettivamente un tipo di portantina e un tipo d'imbarcazione.

13.9.5. I latinismi

Come abbiamo già visto (v. 1.3.7.) le parole popolari vengono dal latino volgare ed hanno una tradizione ininterrotta: il lungo uso ne ha più o meno modificato l'aspetto esteriore. Le parole dotte (o latinismi) ricompaiono nella nostra lingua dopo secoli di silenzio: alcune persone colte le hanno recuperate direttamente dalle opere scritte in latino. I latinismi sono perciò un tipo particolare di prestito: si producono all'interno di una cultura che ci è molto vicina e che per molti secoli ha proceduto parallelamente allo svolgersi della cultura italiana. A differenza delle parole popolari, i latinismi conservano più fedelmente l'originaria forma latina. Questo stacco si vede bene nei doppioni (o **allotropi**). Talvolta una stessa parola del latino ha avuto due esiti: uno popolare, l'altro dotto. Vediamo qualche esempio:

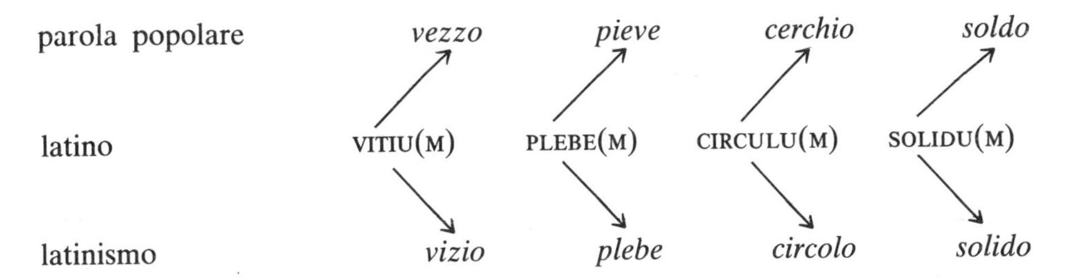

Come appare, parola popolare e latinismo differiscono per lo più anche nel significato. Ecco alcuni esempi di latinismi entrati in italiano in varie epoche:

Duecento: *scienza*, *coscienza*, *sapienza*, *specie*, *reale*, *formale*, *vivificare*;

Trecento: *repubblica*, *milite*, *esercito* (in luogo di *oste*, dal lat. HOSTEM 'nemico'), *congiuntiva*;

Quattrocento: *arbusto*, *insetto*, *pagina*, *applaudire*, *esonerare*;

Cinquecento: *arguzia*, *canoro*, *collaudare*, *erogare*;

Seicento: *antenna*, *bulbo*, *cellula*, *condominio*, *società*, *condensare*;

Settecento: *corolla*, *centripeto* e *centrifugo*; franco-latinismi e franco-grecismi: *analisi*, *coalizione*, *emozione*, *epoca*, *industria*; anglo-latinismi: *colonia* 'gruppo di stranieri che abita in una città', *esibizione*, *costituzionale*, *legislatura*, *sessione*.

Questi esempi dimostrano la grande importanza dei latinismi nella formazione del lessico dell'italiano (altrettanto va detto di altre lingue europee). Dapprima usati in ambienti di cultura, i latinismi sono poi entrati nella lingua comune sostituendo vecchie parole (per es. *esercito* in luogo di *oste*), arricchendo nuovi settori (i linguaggi tecnico-scientifici, il linguaggio politico) che avevano bisogno di nuovi termini.

Soprattutto a partire dal Settecento, molti latinismi (e grecismi) ci vengono dal francese e dall'inglese, lingue che hanno per prime ripreso questi vocaboli dalle lingue classiche diffondendoli poi in Europa. Si tratta in particolare di vocaboli che riguardano i settori della scienza e della tecnica, della filosofia, dell'economia, della politica: per questo si può parlare di un lessico europeo di carattere intellettuale.

13.9.6. La lingua francese nel Settecento

Il lessico intellettuale europeo nasce soprattutto a partire dalla seconda metà del Settecento per il diffondersi della cultura illuministica. Il centro culturale d'Europa è la Francia e il francese è la lingua in cui sono espresse le nuove idee; lingua conosciuta da tutte le persone colte, dalle classi elevate dell'intera Europa.

Vediamo quali sono le parole chiave di questo periodo. Nel secolo *dei lumi* predomina la *ragione*; si combattono il *fanatismo* e il *pregiudizio*; si confida nel *progresso*. Chi riflette è chiamato *filosofo*, un termine che durante l'Illuminismo ha un significato più ampio di quello attuale. Coloro che professano le nuove idee sono *spregiudicati* (cioè nemici del *pregiudizio*), sono *spiriti forti* e *liberi pensatori* sono anche *filantropi* e *cosmopoliti*. Accanto alla ragione si coltivano il *sentimento*, la *sensibilità*. Il pensiero tende all'*analisi*; il fine più importante è quello di *civilizzare* il mondo.

Numerosi vocaboli riguardano la politica (*patriota*, *patriottismo*, *democrazia*, *dispotismo*, *comitato*, *costituente*, *Corte di Cassazione*, *Consiglio di Stato*), l'economia (*aggiotaggio*, *conto corrente*, *monopolio*, *concorrenza*, *esportare* e *importare*: v. 13.10.3.), la moda (*ghette*, *flanella*), i cibi (*bignè*, *cotoletta*, *filetto*).

Tra i calchi traduzione ricordiamo: *belle arti*, *colpo d'occhio*, *presenza di spirito*, *sangue freddo*. Notevoli alcuni verbi come: *aggiornare*, *attivare*, *controllare*, *organizzare*, *risolvere*.

Molti termini del vocabolario politico sono latinismi che hanno preso un significato moderno in Inghilterra e in Francia: *liberale*, in latino 'generoso', indica ora colui che professa una determinata fede politica; in Italia i *prefetti* furono istituiti nel 1802 riprendendo il nome latino con il nuovo significato francese. Altri latinismi di provenienza francese e inglese sono: *conservatore*, *maggioranza*, *opposizione*, *petizione*, *radicale*. Derivati moderni da basi latine sono, per esempio: *costituzionale*, *comunismo*, *socialismo*.

13.9.7. Le parole inglesi

Durante il Settecento e l'Ottocento l'influsso dell'inglese sul nostro lessico è per lo più mediato dal francese (così può accadere che un vocabolo inglese sia pronunciato alla francese ancora all'inizio del Novecento).

Notevoli sono, tra l'altro, gli anglo-latinismi cui si è già accennato, per esempio: *adepto*, *colonia* (v. 13.9.5.), *costituzionale*, *legislatura*, *petizione*, *sessione*; *acquario*, *criterium*, *idrante*, *inflazione*, *selezione*.

Tale influsso si accresce nel Novecento, soprattutto a partire dal secondo dopoguerra, quando l'Italia è invasa da prodotti, da tecniche e da mode provenienti dagli Stati Uniti. Si dovrebbe parlare più propriamente di angloamericano, che è una varietà dell'inglese con proprie caratteristiche di pronuncia e con alcune particolarità lessicali. Gli anni del dopoguerra segnano una profonda trasformazione del nostro Paese: passaggio da un'economia agricola a un'economia prevalentemente industriale; rapida urbanizzazione; espansione economica; sviluppo delle comunicazioni di massa. A tale rinnovamento economico e sociale si adeguano vari settori del lessico (i linguaggi tecnico-scientifici, il linguaggio pubblicitario, ma anche le parole d'ordine della società dei consumi). L'inglese ha un ruolo di primo piano nel fornire vocaboli, espressioni, nomenclature, comportamenti linguistici.

Per dimostrare l'ampiezza e la varietà di tale influsso vediamo una lista meramente esemplificativa di prestiti inglesi (e/o angloamericani) non assimilati presenti attualmente nella nostra lingua; si tratta di parole entrate in varie epoche (dall'inizio del secolo scorso ai nostri giorni):

baby-sitter, bar, best-seller, bitter, (blue-)jeans, bluff, boom, budget, bulldozer, (auto)bus, camping, check-up, club, cocktail, commando, computer, container, dancing, derby, detective, ferry-boat, film, flash, flipper, flirt, folklore, gap, gin, golf, gymkana, handicap, hangar, happening, hobby, hostess, jazz, jeep, jet, juke-box, killer, leader, manager, marine, mass media, miss, motel, nurse, nylon, offset, okay, partner, plaid, playboy, poker, pullmann, pullover, quiz, racket, radar, raid, rally, record, relax, reporter, round, sandwich, sexy, show, sit-in, sketch, slip, slogan, smog, smoking, sponsor, sport, sprint, stop, suspense, test, thrilling, toast, tram(way), transistor, trust, tunnel, week-end, western, whisky, yacht.

A proposito di questi anglicismi si potrebbero fare alcune distinzioni relative:

1. alle categorie di parlanti che lo usano (per es. *bar*, *film*, *sport* sono comuni a tutti i parlanti; *killer* e *partner* ricorrono soprattutto nel linguaggio giornalistico, *show* e *quiz* nel linguaggio della televisione);

2. alla motivazione che è alla base del prestito: *bulldozer* e *offset*, per es., sono vocaboli in certa misura necessari; *baby-sitter* e *week-end* sono invece prestiti di lusso; *sit-in* e *sponsor* sono bene accetti per la brevità e il tono neutro (a proposito di quest'ultimo aspetto cfr., per es.: *l'industriale X. Y. è lo sponsor della squadra locale di calcio* con *l'industriale X. Y. è il padrino* (o *il patrocinatore*) *della squadra...*).

Molti degli anglicismi citati nel precedente elenco hanno, nell'uso comune, un sinonimo (o quasi sinonimo) italiano: *bar - caffè*, *computer - elaboratore*, *jeep - camionetta*, *killer - sicario*, *sandwich - tramezzino*: è interessante studiare in quali ambienti, in quali circostanze si preferisce l'uno o l'altro termine di ciascuna coppia. È il caso di ricordare che alcuni anglicismi sono stati sostituiti in tutto o in parte con vocaboli italiani; così per es. nel linguaggio sportivo: *fallo - foul*, *gioco di testa - heading*, *centrattacco - center forward*, *ripresa - round*, *rete - goal* (o *gol*).

La derivazione con suffissi italiani da basi inglesi indica un grado notevole di integrazione dell'anglicismo: *handicap* → *(h)andicappato*, *manager* → *manageriale*, *bar* → *barista*, *dribbling* → *dribblare*, *sponsor* → *sponsorizzare*.

Numerosi sono i calchi omonimici (si usa un vocabolo di uguale base, cioè una sorta di omonimo, nelle due lingue): *acculturazione* (*acculturation*), *automazione* (*automation*), *cibernetica* (*cybernetics*), *contattare* (*to contact*), *fissione* (*fission*), *impatto* (*impact*), *cartoni animati* (*animated cartoons*), *obiettore di coscienza* (*conscientious objector*); vi sono anche calchi traduzione: *autocoscienza* (*self-consciousness*), *grattacielo* (*sky-scraper*), *elaboratore* o *calcolatore* (*computer*), *vertice* (*summit*).

13.9.8. Il prestito interno

I nostri dialetti hanno contribuito alla formazione dell'italiano fin dai primi tempi: *arsenale* e *lido* vengono da Venezia; *scoglio*, *prua* e *darsena* da Genova; *ammainare* da Napoli; *portolano* da Palermo. Nel diciottesimo secolo la Lombardia ha dato il *calmiere*, Napoli la *lava* e la *mofeta*.

Per entrare nel lessico italiano i dialettalismi devono italianizzarsi nella forma: così *l'arzanà de' Viniziani* ricordato da Dante (*Inferno*, XXI, 7) è diventato l'*arsenale*. Nell'ultimo dopoguerra il settentrionale *imbranà* ha preso un suffisso italiano diventando *imbranato*.

In quali settori si attinge al lessico dei dialetti? Due sono le categorie principali di dialettismi:

1. i termini tecnici (prodotti regionali tipici, agricoltura, allevamento, caratteri ambientali, nomenclature di vario tipo);

2. parole espressive relative a situazioni, a costumi, ad atti che si prestano alla rappresentazione parodistica e allo scherzo.

Per quanto riguarda la prima di queste due categorie ricordiamo che già nell'Ottocento la *filanda* lombarda s'impone sul *filatoio* fiorentino: più tardi in luogo dei fiorentini *ammazzatoio*, *mezzaiolo*, *mezzeria*, *marcitoia* si preferiscono: *mattatoio* (Roma e Italia centrale), *mezzadro* e *mezzadria* (Emilia), *marcita* 'terreno irrigato anche d'inverno' (Lombardia). Abbiamo già parlato del successo dei settentrionali *lavello* e *scocca*.

Segnaliamo altri prestiti dai dialetti, distinguendo per regione: da Genova vengono: *abbaino*, *acciuga*, *mugugno*. Dalla Lombardia: *balera*, *barbone*, *brughiera*, *gorgonzola*, *grana*, *metronotte*, *panettone*, *risotto*. Dal Piemonte: *arrangiarsi* (passato nell'italiano popolare: v. 13.6.), *cicchetto* (diffuso con il gergo militare), *fonduta*, *gianduiotto* e *grissino*. Da Roma: *bocce*, *caciara*, *cocciuto*, *dritto* 'furbo', *fanatico* 'ostentatore', *pappagallo* 'corteggiatore', *pizzardone* 'metronotte'. Sono di area romanesca e napoletana: *fasullo*, *racchio*, *scippo*, *stronzo*, *tardona*. Da Napoli vengono *camorra*, *iella*, *omertà*, *spocchia*. Dalla Sicilia: *mafia* e *intrallazzo*.

13.10. INSERTI

13.10.1. Vari tipi di dizionari

Il più noto è senza dubbio il **dizionario monolingue**: serve a definire e illustrare le parole e le espressioni di una lingua. In un certo senso si oppone al **dizionario bilingue** che dà la traduzione delle parole dall'una all'altra lingua, nelle due direzioni, per esempio: francese-italiano e italiano-francese; più propriamente il dizionario bilingue dà una serie di corrispondenze tra due lingue, dal momento che il lessico dell'italiano non è esattamente sovrapponibile a quello del francese: come abbiamo già visto (1.1.5.) il lessico di una lingua non è una nomenclatura.

Vi sono vari tipi di dizionari monolingui: è molto importante distinguerli. Il **dizionario dell'uso** raccoglie la lingua di oggi: è fondamentalmente un dizionario sincronico; tuttavia, per un'esigenza didattica registra anche i vocaboli della lingua letteraria (tra l'altro, gli arcaismi più usati in prosa e in poesia) che ricorrono nei nostri classici.

Il **dizionario storico** si propone invece di accogliere l'intero patrimonio lessicale della nostra lingua: registra quindi i vocaboli e le espressioni della lingua italiana dalle origini ai nostri giorni. Tale dizionario diacronico si distingue da quello sincronico per alcuni caratteri: la maggiore estensione, la registrazione di esempi di autori delle varie epoche, la presenza di una fraseologia più ricca (fondamentale per la comprensione della lingua antica).

Un tipo particolare di opera è il **dizionario enciclopedico**: oltre alla parte lessicografica, comprende una vera e propria enciclopedia. Quest'ultima riguarda tutte quelle voci che danno la possibilità di compiere una descrizione e di fornire notizie storiche, scientifiche, artistiche. Il dizionario enciclopedico comprende anche i nomi propri (di luoghi, città, personaggi) con relativa trattazione; insomma è un dizionario di lingua e al tempo stesso una summa delle conoscenze umane in tutti i campi dello scibile.

Altri tipi di dizionario prendono in esame il lessico della nostra lingua da altri punti di vista oppure ne analizzano soltanto alcuni settori.

Il **dizionario ortofonico** e **ortografico** fornisce la corretta pronuncia e grafia di ciascuna parola; tale dizionario comprende per lo più i nomi propri italiani e una scelta di nomi propri stranieri.

Il **dizionario etimologico** ricostruisce la storia di una parola, dalla prima documentazione scritta fino ad oggi, illustrandone i mutamenti di significato e di forma avvenuti nel tempo.

Il **dizionario ideologico** (o metodico o nomenclatore) raggruppa le parole secondo il campo semantico; per esempio, alla voce *bello* si possono ritrovare: gli aggettivi *attraente*, *carino*, *grazioso*, *leggiadro*, *stupendo* ecc., i sostantivi *bellezza*, *eleganza*, *grazia*, *perfezione*, *armonia* ecc., i verbi o espressioni verbali *abbellire*, *render bello*, *dar grazia*, *ornare* ecc.; eventualmente frasi che racchiudono tali parole, modi di dire, i contrari (*brutto*, *deforme*, *imbruttire* ecc.).

Il **dizionario inverso** dispone le parole in ordine alfabetico rovesciato, per esempio: *ma*, *dama*, *madama*, *politeama*, *fama*... (nell'ordine inverso abbiamo infatti: *am*, *amad*, *amadam*, *amaetilop*, *amaf*...); il dizionario inverso serve per ritrovare facilmente parole che hanno lo stesso suffisso, per analizzare la struttura delle parole composte e per altri fini linguistici.

Il **dizionario dei sinonimi** registra i sinonimi di ciascuna parola.

Il **lessico di frequenza** dispone le parole (tratte da uno o più testi) in ordine di frequenza decrescente; per esempio ai primi posti troviamo: *il*, *di*, *a*, *essere*, *e*, *in*, *che*..., agli ultimi posti parole usate una o due volte soltanto nei testi suddetti. Anche questo è uno strumento per ricerche linguistiche.

Alcuni dizionari si propongono di analizzare un settore particolare del lessico: per esempio un linguaggio settoriale (una disciplina, una scienza, una tecnica); abbiamo così **dizionari** di politica, di agricoltura, di medicina, di elettronica ecc.

Le **concordanze**, composte manualmente o mediante un elaboratore elettronico, sono elenchi sistematici delle parole contenute in un testo (per lo più letterario) o in un autore; servono per le ricerche dei linguisti, degli storici della letteratura ecc.

13.10.2. Il dizionario e l'ideologia

Il dizionario dell'uso nasce anche da una scelta ideologica. Le definizioni delle parole, la fraseologia, gli esempi riflettono le idee, la visione del mondo del lessicografo.

A ben vedere le risposte che il dizionario dà a chi lo interroga sono al tempo stesso delle informazioni (che cosa significa, come si usa un certo vocabolo) e delle norme da attuare. Essendo un'istituzione sociale, il dizionario emana delle sanzioni: "errore", "scorretto", "meno corretto", "dirai meglio" ecc. Tutto ciò avveniva in passato in maniera esplicita; i dizionari di oggi in genere emanano sanzioni in un modo più indiretto e sfumato. In ogni modo si pensi che l'assenza di una parola equivale in alcuni casi alla sua condanna: per esempio, se l'assente è un termine del vocabolario politico può darsi che il lessicografo abbia voluto prendere le distanze rispetto all'idea politica che è espressa dal vocabolo in questione.

L'ideologia del dizionario si rivela nei suoi tabù: sessuali, ideologici, politici. I vocaboli che si riferiscono al sesso o a certe funzioni fisiologiche possono essere rifiutati con la qualifica di "volgare", "osceno". Per i termini che riflettono un'ideologia, può servire l'espediente della non assunzione, dell'allontanamento: a tal fine ci si serve di formule del tipo: "dottrina che pretende..."; "movimento di idee e di azione che afferma". I verbi *pretendere* e *affermare* segnano una distanza. È come se il lessicografo dicesse tra le righe: «Lo dicono altri, non io!».

Insomma mediante il suo **metalinguaggio**, vale a dire il linguaggio usato per descrivere il linguaggio (in questo caso per descrivere le voci o lemmi del dizionario), il lessicografo manifesta il suo giudizio, la sua presa di posizione.

Una parentesi terminologica: il **lemma** (dal greco *lêmma* 'argomento') è un termine della lessicografia che indica la parola a cui si riferisce ogni articolo del dizionario; per esempio, *amore*, *andare*, *bello*, *che*, *e* sono dei lemmi. Sotto ciascun lemma sono riunite le informazioni che lo riguardano: pronuncia, etimologia, definizione, esempi, frasi idiomatiche, sinonimi, contrari. Le diverse forme *io vado*, *tu vai*, *egli va* ecc. sono riunite sotto l'unica forma dell'infinito *andare*; i nomi e gli aggettivi hanno come lemma il singolare. **Lemmatizzare** vuol dire assegnare un lemma, far corrispondere alle singole parole (per es., le forme verbali *io vado*, *tu vai*, *egli va* ecc.) una forma di base (per es. l'infinito *andare*). I lemmi di un dizionario sono detti anche voci in esponente o entrate del dizionario; comunemente si parla di voci o parole del dizionario.

Anche nella scelta degli esempi il lessicografo manifesta la sua presenza, può suggerire al lettore idee e comportamenti. In un dizionario scritto alla fine dell'Ottocento alla voce *guerra* si possono leggere esempi di questo tipo: «La guerra non è fatta per i poltroni. Chi ha paura non vada alla guerra. Non conosce la pace e non la stima, chi provata non ha la guerra prima». E così via. Evidentemente la scelta di questi esempi rivela una mentalità non pacifista!

Il dizionario ha certamente alcuni caratteri del discorso scientifico: la coerenza, la precisione, la logicità; tuttavia è fondamentalmente un **discorso pedagogico** sul quale non si può fondare una teoria linguistica. Come accade nel discorso pedagogico, il dizionario per definire un vocabolo ricorre spesso alla parafrasi semanticamente equivalente: *bianchezza* 'l'essere, l'apparire bianco', *gentile* 'cortese, affabile', *morire* 'cessare di vivere'. Molte definizioni sinonimiche sono introdotte da un numero limitato di **definitori**: *l'essere, l'apparire* (+ un aggettivo), *il fatto di, l'azione di, l'operazione di, il carattere di, la qualità di, lo stato di*. Nel definire oggetti concreti il dizionario ricorre a definitori come *apparecchio, oggetto, strumento, minerale, pianta, insetto* ecc. Il modo di definire i vocaboli rivela i fini e le strategie messe in atto da chi scrive il dizionario. Di tutto ciò deve rendersi conto chi fa un uso assiduo e ragionato di tale strumento.

13.10.3. Come parlano gli economisti

Le pagine di un quotidiano che presentano maggiori difficoltà di comprensione per un lettore comune sono quelle dedicate ai problemi economici e finanziari. In realtà il linguaggio economico-finanziario usato ai giorni nostri è piuttosto complesso: latinismi, forestierismi, lunghi derivati, espressioni particolari. Oggi siamo abituati ai tecnicismi. Un tempo le cose andavano diversamente. Alla fine dell'Ottocento i puristi cercavano di opporsi a *tasso*, modellato sul francese *taux*, proponendo di sostituirlo con *saggio, pro, interesse, frutto*, vocaboli presenti da lungo tempo nel nostro lessico. I puristi, come accade spesso, hanno perduto la loro battaglia; oggi i tecnici (e la stampa) parlano di *tasso di sconto, di risconto, nominale, del deporto, del riporto, d'inflazione* ecc. Non solo, ma abbiamo anche vocaboli ed espressioni come *deflazione, disincentivazione, stagflazione* (o *stagflation*), i *coefficienti di aggiornamento*, la *fiscalizzazione degli oneri sociali* ecc. ecc.

Anticamente il nostro linguaggio economico-finanziario era più semplice. I mercanti e i banchieri della Firenze del Trecento traevano i loro tecnicismi dalla lingua comune, cioè caricavano di un significato particolare parole come *peggioramento* 'svalutazione', *prode* 'interesse', *ragione* 'conto', *preda* 'bene pignorato', *fine* 'quietanza', *manco* 'disavanzo', *abbattere* 'detrarre'. Il prestigio della nostra finanza era allora molto alto in Europa, tanto che alcuni nostri termini passarono in altre lingue dove sono rimasti a tutt'oggi: è questo il caso, per esempio, del francese *escompte* ed *escompter* (dall'italiano *sconto* e *scontare*) e del tedesco *Inkasso* e *Saldo*. Nel Cinquecento si diffondono in Europa altri italianismi come *banca, bancarotta, bilancio, credito*.

Nel Settecento (il secolo della rivoluzione industriale) è la volta della Francia. Vi sono alcuni vocaboli italiani che per influsso del francese acquistano un nuovo significato economico-finanziario; i più importanti calchi semantici del settore sono: *commercio, consumo, distribuzione, industria, produzione*. Vediamo in particolare uno di questi casi: prima del Settecento il latinismo *industria* significava in italiano 'operosità' in generale e ancora 'ogni sorta di traffico e di mercanzia'; poi per influsso del francese *industrie*, *industria* significherà anche da noi 'insieme di arti e di mestieri che servono a mettere in opera le materie prime'; il significato attuale di 'attività diretta alla produzione di beni e di servizi, distinta dall'agricoltura e dal commercio' si precisa con l'inglese Adam Smith (1723-1790), uno dei fondatori della moderna scienza economica.

Molti francesismi e franco-latinismi penetrano in italiano nel corso di quel secolo; tra quelli economici ricordiamo: *economia politica, economista, concor-*

renza, *importare*, *esportare* (ma i francesi *importer* ed *esporter* riprendono il significato degli inglesi *to import* e *to export*), *azione* (di una compagnia o di una società), *finanza*, *capitalista*. Per questo secolo è giusto parlare di un **vocabolario economico-finanziario europeo**: lo scambio di termini tecnici avviene tra più di un Paese; per esempio *capitalista* è un sostantivo coniato forse in Olanda, l'aggettivo *industriale* sembra essere nato dalla penna del nostro Ferdinando Galiani (1728-1787), insigne economista che scrisse in italiano e in francese.

Come si diceva all'inizio, il linguaggio economico-finanziario presente oggi in Italia si serve di parole straniere. Appaiono in primo piano vocaboli ed espressioni ripresi direttamente dall'inglese o adattati alla nostra lingua. A parte prestiti non integrati come *fixing* 'fissazione (dei prezzi)', *leasing* 'locazione (di macchinari)', *prime rate* (è l'interesse più basso che le banche fanno pagare ai loro migliori clienti), *stagflation* 'l'insieme della stagnazione e dell'inflazione economica', bisogna considerare i numerosissimi prestiti integrati. Di particolare rilievo sono i **calchi**: per esempio la *fluttuazione* e la *stagnazione* economiche riproducono l'inglese *fluctuation* e *stagnation*; altrettanto si deve dire per *linea di credito*, *bilancia dei pagamenti*, *spirale inflazionistica* ecc.; tutte espressioni che hanno alla loro origine espressioni inglesi. *Inflazione* è un anglo-latinismo: è infatti l'anglo-americano *inflation* che a sua volta riproduce il latino INFLĀTIO, -ONIS 'gonfiore'.

Per non allarmare l'opinione pubblica il linguaggio economico-finanziario si serve spesso di metafore e di eufemismi, per esempio: *lievitazione dei prezzi* (invece di *aumento*), *flessione della lira* (cioè perdita di valore), *spinta inflativa* (non *inflattiva*, invece di *inflazione*); per indicare una perdita di valore si parla anche di *assestamento* e di *contrazione*; mentre un aumento di tasse è presentato come un *ritocco*.

13.10.4. I gerghi

Si dice che la lingua serve per comunicare, ma a volte esistono lingue che sembrano voler sfuggire a questo fine. Lingue misteriose, in un certo senso, sono i gerghi. Il **gergo** è una lingua convenzionale parlata da determinate classi di persone con l'intento di intendersi tra loro ma di non farsi comprendere da estranei. È una lingua segreta, usata a scopo difensivo, ma è anche un legame che unisce gruppi di persone legate da condizioni di vita comuni (per esempio artigiani di un determinato settore, carcerati, militari ecc.). Attenzione però a non confondere i gerghi con i linguaggi settoriali (v. 13.4.).

Come nasce un gergo? Per rispondere a tale domanda dobbiamo osservare che cosa avviene ogni volta che un gruppo di persone si trova unito, per un periodo di tempo abbastanza lungo, in un ambiente nel quale si svolge una vita in comune: la scuola, il luogo di lavoro, la caserma, la prigione. Una parola, un'espressione rara, un uso linguistico assolutamente individuale assume un'estensione imprevedibile nel gruppo perché rappresenta in modo efficace una situazione alla quale tutti i componenti partecipano. La nuova invenzione, pur non avendo all'origine nulla di artificiale e di segreto, diventa tale per i non iniziati.

Accanto alla volontà di nascondere, nel gergante c'è sempre la volontà di stupire i compagni. Ingannare il nemico e stupire gli amici sono le due finalità del gergo, le quali sono presenti — sia pure con diversa intensità — nei linguaggi della malavita, dei soldati, dei mestieri, dei giovani ecc.

I gerghi sono sempre esistiti ed esistono tuttora anche in altri Paesi: in Italia ricordiamo il *furbesco*, in Spagna la *germanía* e il *calò*, in Inghilterra il *cant*, in

Germania il *Rotwelsch*. Famoso e ben studiato è l'*argot* francese. Tra i gerghi di mestiere presenti in Italia erano tipici quelli dei pastori del Bergamasco, dei seggiolai di Gosaldo (Belluno), dei muratori di Pescocostanzo (L'Aquila).

I gerghi hanno in comune procedimenti di formazione delle parole e linee di sviluppo. I gerghi si servono largamente del prestito linguistico: attingono vocaboli da lingue straniere, dialetti, linguaggi tecnici. Nel gergo dei giovani ricorrono vari anglicismi (per es.: *freak*, *meeting* 'incontro', *speedy* 'veloce, simpatico'); nell'argot parigino ritroviamo *flic* 'agente di polizia' (dal tedesco *Fliege* 'mosca') e *mec* 'capo' (dall'italiano gergale *mecco*); nell'antico furbesco italiano *cera* 'mano' e *arto* 'pane' vengono dal greco.

L'aspetto originale della parola viene spesso alterato mediante strani suffissi o con tagli, aggiunte, sostituzioni: nell'antico furbesco italiano *di qua* e *di là* erano diventati *di quaserna*, *di laserna*; oggi *carabiniere* diventa *caramba* o *caruba*; nel linguaggio giovanile *professore* si accorcia in *prof* o *profio*.

La metafora interviene spesso nelle formazioni gergali: le braccia, le mani, la bocca dell'uomo diventano i *tentacoli*, i *ganci*, le *zampe*, la *ventosa*. L'immagine diventa descrittiva: le *fangose* 'scarpe' ricordano per analogia la *bianchina* 'neve' dell'antico furbesco.

Soprattutto nei gerghi della malavita il contributo dei dialetti appare in primo piano: il meridionale *alliccasapuni* 'leccasapone' significa 'coltello', il romanesco *sparacio* 'asparago' è l'agente di custodia, che in altre parti d'Italia è chiamato: *bassot*, *pulé*, *maton*, *sbiro*, *gatto*.

Espressioni gergali note in tutta Italia sono: *angelo custode* 'poliziotto', *bucarsi* 'drogarsi' e tre espressioni che indicano gradi o gerarchie di mafiosi: *coppola storta*, *capo bastone* e *uomo di panza*.

Non si deve dimenticare che il gergo è usato spesso in ambienti e circostanze diverse da quelle originarie. Voci ed espressioni gergali, quando sono introdotte nella conversazione ordinaria, servono per un fine stilistico. In varie epoche la nostra lingua letteraria ha assunto termini ed espressioni dai gerghi per ricavarne espressività e colore. Dal teatro del Rinascimento ai romanzi di Emilio Gadda (1893-1979) i gerghi hanno circolato nel nostro mondo letterario.

13.10.5. Il linguaggio della psicanalisi

Nel parlare comune, vocaboli che alle origini erano propri della psicanalisi e della psicologia, come per es. *isteria, nevrastenia, psicopatico, paranoia*, hanno assunto significati generici e vaghi. I giornali parlano di «scene di isteria» provocate nel giovane pubblico dall'esibizione di un noto cantante americano; l'automobilista che impreca contro il traffico è un *isterico* o magari uno *psicopatico*. Ciascuno di questi vocaboli indica invece una particolare malattia per lo specialista, il quale per esempio distingue accuratamente vari tipi di *isteria*.

Quando si addentrò nei misteri della psiche, Sigmund Freud (1856-1939) dovette risolvere un problema linguistico: dotare la nuova scienza di una terminologia chiara e adeguata. Il grande maestro creò molti neologismi; altri ne crearono i suoi discepoli: per es. ad A. Adler risale il *complesso d'inferiorità*, a K. Jung l'*estroversione* e l'*introversione*. Anche questi sono vocaboli che l'uomo della strada usa spesso in modo improprio.

Quali caratteri ha il linguaggio della psicanalisi? Anche qui ritroviamo un fenomeno di cui si è già parlato (v. 13.4.): vocaboli della lingua comune e vocaboli già esistenti in altri settori vengono ripresi con nuovi e specifici significati: *carica*, *condensazione, energia, tensione.* Dalla chimica è ripresa l'*ambivalenza* e la *sublimazione.* Fra il mondo del teatro e la psicanalisi vi sono rapporti anche linguistici: nei suoi scritti Freud fa uso spesso dei vocaboli *maschera, ruolo, scena*; inoltre è noto che il *complesso di Edipo* si riferisce al famoso mito trattato da Sofocle; anche l'opera di Shakespeare ha ispirato lo studio di alcuni complessi psichici.

I termini tedeschi sono stati resi in italiano con il procedimento del calco (v. 13.9.1.); per es. *Verdrängung* fu reso in un primo tempo con *respingimento, repressione*, poi con *rimozione*, vocabolo che prima di allora aveva soltanto un significato "fisico". Per tradurre dal tedesco si è fatto un largo uso di latinismi: per es. *inconscio* e *pulsione*. Tuttavia, a partire dall'ultimo dopoguerra, la psicanalisi americana ha preso il sopravvento. Conseguentemente molti anglicismi e calchi dall'inglese sono entrati nel linguaggio della psicanalisi.

Infine un piccolo problema: si dice *psicoanalisi* o *psicanalisi*? La prima denominazione risale al termine tedesco usato da Freud: *Psychoanalyse* (gli Inglesi lo imitarono con la forma *psychoanalysis*). I Francesi invece, dopo qualche incertezza, preferirono la forma con la vocale contratta: *psycanalyse.* Da noi il termine usato dai cultori della disciplina è *psicoanalisi*; invece i non specialisti preferiscono la forma *psicanalisi.*

13.10.6. La semiotica

La semiotica è lo studio scientifico dei segni linguistici e non linguistici. Tali segni sono posti in un quadro di riferimento, alla formazione del quale hanno contribuito varie discipline: linguistica, filosofia, psicologia, antropologia, sociologia ecc. Gli studiosi hanno diviso il campo della semiotica in tre settori:

1. la pragmatica, che studia l'uso dei segni da parte degli uomini;
2. la semantica, che studia il rapporto tra il simbolo e il suo referente;
3. la sintassi che studia i rapporti dei simboli tra loro.

Nel suo *Corso di linguistica generale* Saussure parla di «una scienza che studia la vita dei segni nel quadro della vita sociale»; aggiunge che tale scienza «potrebbe formare una parte della psicologia sociale e, di conseguenza, della psicologia generale; noi la chiameremo semiologia (dal greco *sēmeîon* 'segno')». Fin dai tempi di Saussure la linguistica, e in particolare lo studio linguistico del significato (la semantica dei linguisti), ha dimostrato di poter risolvere molti problemi della semiotica.

Quando si dice che «tutto è comunicazione» si vuole ricordare che l'attività fondamentale dell'uomo è quella di produrre dei segni, che sono di varia natura (suoni, tracce grafiche, immagini, uso di suppellettili, comportamenti ecc.). Si sono studiati tra l'altro codici non verbali come per es. il «sistema della moda» (gli abiti come elementi del "linguaggio" dell'abbigliamento), la pubblicità e il cinema.

Come abbiamo visto, il linguista Saussure usa il termine *semiologia*, mentre il filosofo americano Ch. S.S. Peirce (1839-1914), uno dei fondatori della nuova disciplina, e Ch. Morris (1901), altro insigne studioso, fanno uso del termine *semiotica.* La proposta di attribuire a ciascuno di questi due termini un valore diverso, si può considerare fallita. Umberto Eco, uno dei maggiori studiosi italiani di semiotica, ha osservato che si tratta di «una distinzione terminologica che non conserva un senso unitario nei vari autori che la usano».

13.10.7. Il linguaggio dell'informatica

Le tecnologie recentissime, nate per lo più negli Stati Uniti, hanno mantenuto gran parte delle loro terminologie in lingua inglese. I motivi di questo fatto sono facilmente intuibili: il primato economico e tecnico-scientifico del Paese di origine; le necessità del commercio e dello scambio d'informazioni su scala mondiale; la comodità di riprendere termini che si sono già diffusi latamente e rapidamente senza porsi il problema (spesso difficile) di una traduzione plausibile e chiara; la tendenza dell'inglese a fare un largo uso (anche nei linguaggi settoriali) di parole brevi, quindi comode da usare.

Alcuni termini dell'informatica appaiono difficilmente traducibili: per es. *bit*, abbreviazione di *bi(nary) (digi)t* 'cifra binaria' è una parolina breve e precisa: una traduzione italiana sarebbe scarsamente "economica" e forse poco chiara. La stessa cosa vale per *byte*: potremmo dire *gruppo di posizioni binarie*; ma il confronto di una parola costituita di quattro lettere (una sola sillaba nella pronuncia /bait/) e un insieme di quattro parole è di per sé eloquente. I linguaggi scientifici vogliono termini equivalenti, non glosse; altrimenti è meglio conservare il termine straniero.

Nel formare i linguaggi scientifici l'inglese si vale spesso di parole molto comuni, alle quali viene attribuito un nuovo e specifico significato. Vediamo alcuni esempi tratti dal settore che stiamo esaminando:

NELLA LINGUA COMUNE		NEL LINGUAGGIO DELL'INFORMATICA
buffer	'paraurti'	'memoria intermediaria'
bus	'autobus'	'particolare circuito per collegare diverse unità di un calcolatore'
chip	'pezzetto' cfr. anche *chips* 'patatine fritte'	'circuito miniaturizzato'
flag	'bandiera'	'informazione usata per segnalare una particolare condizione'

Come abbiamo visto (v. 13.4.), anche i nostri linguaggi settoriali ricorrono spesso a parole comuni. Galileo fu un iniziatore di tale tradizione: egli fece uso di parole popolari, come *àncora, bilancetta, candore, pendolo*, per indicare oggetti e concetti scientifici. Tra le espressioni usate nel moderno linguaggio dell'informatica possiamo ricordare: *nutrire l'elaboratore con nuovi programmi, dialogare con il computer, simulare gli effetti di un'esplosione nucleare*.

L'altra via da percorrere nella formazione delle terminologie tecnico-scientifiche comporta l'uso di parole di origine greca e latina. Lungo tale via l'italiano e l'inglese s'incontrano. L'italianizzazione di molti termini dell'informatica non è difficile: *analyzer - analizzatore, interface - interfaccia, microprocessor - microprocessore*. Talvolta si italianizzano, mediante un suffisso, verbi che sarebbe meglio tradurre: *(to) list - listare, (to) process - processare* (c'è una collisione con il nostro verbo 'giuridico'), *(to) randomize - randomizzare*; le alternative possibili sono: *stampare* (su tabulatrice), *elaborare, casualizzare*.

Tuttavia, sfogliando i dizionari ci si rende conto della inadeguatezza dei termini finora proposti per tradurre due vocaboli fondamentali dell'informatica: *hardware*: 'apparecchiature, strumentazione, strumentario, parte rigida, componenti fisiche, componenti di base, componenti macchina'; *software*: 'programmeria, programmario, componenti modificabili, insieme di programmi'.

Come accade spesso nei linguaggi tecnici, un termine generale come *informati-*

ca è collegato con altri termini generali relativi ad altri settori tecnologici, sia dal punto di vista concettuale sia dal punto di vista formale. L'*automatica* è 'l'insieme di metodologie e di tecnologie che si occupano dei processi di automazione'; l'*informatica* è propriamente 'l'insieme di metodologie e di tecnologie che si occupano della rappresentazione di oggetti, fenomeni, processi, mediante dati (numerici, alfabetici o, in generale, simboli) e di operazioni su di esse'; la *telematica* è l'applicazione dell'informatica alle telecomunicazioni. Lo stesso collegamento concettuale e formale appare nel campo della *robotica*, disciplina che riguarda 'le tecnologie di progettazione, costruzione e impiego dei robot'; la *burotica* — il termine è tratto da *buro(cratico)* incrociato con *(informa)tica* — riguarda 'l'applicazione dell'automazione agli uffici'; infine la *monetica* riguarda 'l'applicazione dell'automazione alle operazioni bancarie'*.

13.10.8. Francesismi recenti

Ai giorni nostri l'inglese è certamente la lingua che esporta il maggior numero di vocaboli nel nostro Paese; tuttavia anche il francese conserva una notevole posizione nel campo del prestito linguistico. È opportuno mettere in luce due aspetti:

1. il francese, soprattutto in passato, è stato il tramite principale per l'ingresso degli anglicismi in italiano; tale funzione, sebbene molto ridotta, sussiste anche ai nostri giorni;

2. oggi, mentre l'inglese ci fornisce molti vocaboli non adattati, i prestiti dal francese — data la maggiore vicinanza di questa lingua all'italiano — sono di solito accolti in Italia in forme adattate alla nostra lingua.

Negli ultimi decenni il francese ha contribuito all'estensione del nostro lessico soprattutto nei settori della politica e dei rapporti sociali. In ciò si vede il proseguimento di una tendenza viva nel passato: dalla rivoluzione francese all'età napoleonica e oltre (v. 13.9.6.). Per quanto riguarda l'Ottocento ricorderemo che *sciovinismo* deriva dal fr. *chauvinisme*, tratto nel 1831 dal nome di Nicolas Chauvin, un soldato che diventò famoso per il suo eccessivo e ingenuo patriottismo; nella seconda metà del secolo ci è giunto il *franco tiratore*, dal fr. *franc tireur*: il significato di 'cecchino' è stato sostituito, a partire dal 1951, da un significato politico: 'deputato che nelle votazioni alla Camera si dissocia dalle direttive del proprio partito o gruppo'.

Veniamo a tempi più recenti: al 1968. Il famoso "maggio" parigino ha diffuso in Italia il *gruppuscolo* (il fr. *groupuscule* è stato formato sul modello di *corpuscule* e *minuscule*). Oltre a formare parole nuove, il francese di quegli anni riprende parole già esistenti con nuovi significati: per es. *pluralisme* e *partecipation*; questa è l'origine del significato squisitamente politico del nostro *pluralismo* (cfr. anche *pluralista* e *pluralistico*) e della nostra *partecipazione*. Anche le espressioni *qualità della vita* e *filosofia del disimpegno* sono nate in Francia. E così ancora *tiers monde* e *croissance zéro* sono state subito tradotte in italiano: *terzo mondo* (quindi *terzomondista* e *terzomondismo*) e *crescita zero*. Grande fortuna ha avuto anche *détente* (letteralmente 'allentamento') nel vocabolario politico: l'inglese ha accol-

---

* Queste ultime definizioni sono tratte dall'Introduzione di A. Ruberti al volume, *Tecnologia domani*, Roma-Bari, Laterza, 1985, pp. VIII-IX.

to questo vocabolo nella forma originaria; noi l'abbiamo reso con *distensione* (fin dall'inizio degli anni Cinquanta).

Permissivo e *permissivismo* esprimono un atteggiamento diverso dalla tolleranza: quest'ultimo vocabolo comprende in sé un'idea di lassismo che la *società permissiva* vuole sostituire con un'ideologia precisamente orientata. L'aggettivo *permissif* è attestato in francese nel 1970 e, come spiega il Larousse, proviene da un linguaggio particolare: «in psicologia si dice di una persona o di un sistema che rifiuta il principio dell'interdizione e della sanzione»; ovviamente anche la *société permissive* è nata in Francia.

Passando al linguaggio economico ricorderemo che *recessione* e *rilancio* riproducono il francese *récession* e *relance*. Un esempio di calco semantico si ha con *quadro*, vocabolo che ha aggiunto ai suoi significati quello di 'dirigente che svolge mansioni di direzione, organizzazione o di controllo': tale arricchimento semantico è avvenuto per influsso diretto del fr. *cadre*. Un caso analogo è quello di *paniere*: il significato di 'insieme di prodotti di largo consumo e di servizi in base ai quali viene calcolato l'indice del costo della vita' viene dal fr. *corbeille*, che è appunto il paniere in senso proprio e in senso figurato. Di *terziario* e di *terziarizzazione* si è già parlato (v. 1.6.8.). Possiamo quindi concludere con *riciclaggio* (dal fr. *recyclage*), un vocabolo che dall'originario settore della chimica (il *riciclaggio* dell'acqua) si è esteso a quello della cultura e dell'economia: il *riciclaggio* degli insegnanti, come dei petrodollari.

13.10.9. Guerra agli anglicismi

La Francia ha dichiarato guerra agli anglicismi. Dall'inizio degli anni Settanta operano delle "commissions de terminologie", formatesi nell'ambito dei Ministeri con la partecipazione di esperti, linguisti e funzionari. Lo scopo è quello di arricchire il lessico del francese in vari e specifici settori: dall'economia alle tecniche per l'estrazione del petrolio, dagli audiovisivi ai lavori pubblici, dal commercio estero alla difesa, dalla fisica nucleare all'astronautica.

Vediamo due esempi di anglicismi tecnici felicemente sostituiti. *Software* (che in Italia non ha ancora trovato un'adeguata traduzione) è stato rimpiazzato con *logiciel*, un derivato di *logique* "logica". *Didacticiel* ha sostituito l'inglese *courseware* (o *teachware*): si tratta del *software* specializzato per l'insegnamento.

Non tutti i neologismi imposti dalle "commissions de terminologie" appaiono validi: alcuni peccano di genericità, altri sono forse troppo arzigogolati. Tuttavia la soluzione francese viene incontro all'esigenza di tradurre nella propria lingua i numerosi anglicismi presenti nelle terminologie tecniche del nostro tempo. Forse qualcosa del genere si potrebbe fare anche in Italia.

14. FONOLOGIA

14.0. La linguistica moderna distingue la fonetica dalla fonologia:

la **fonetica** analizza e classifica i suoni del linguaggio o foni (dal greco *fōnḗ* 'voce, suono') nel loro aspetto fisico o fisiologico, utilizzando anche vari strumenti;

la **fonologia** o **fonematica** studia invece l'organizzazione e la funzione dei foni nella struttura di una determinata lingua (per questo è detta anche **fonetica strutturale** o **funzionale**).

In altri termini, la fonologia s'interessa dei suoni distintivi di una lingua, di quei suoni cioè al cui cambiamento corrisponde un cambiamento di significato (come, per esempio, nella serie *c*are, **d***are*, **f***are*, **m***are*, **p***are*, **r***are* ecc.). Tali unità distintive si chiamano **fonemi**.

I fonemi vengono rappresentati nella scrittura per mezzo di segni grafici, o **grafemi** (le lettere dell'alfabeto: *a*, *b*, *c*, *d*, *e*, *f*, *g* ecc.). L'**ortografia**, dal greco *orthós* 'corretto' e *grafía* 'scrittura', è appunto 'il modo corretto di scrivere in una determinata lingua'. L'ortografia ci dice se dobbiamo usare una lettera dell'alfabeto piuttosto di un'altra, e ci dice anche se dobbiamo usare una maiuscola o una minuscola, un accento, un apostrofo, un certo segno d'interpunzione ecc.

L'unità di una determinata lingua esige l'unità della scrittura, che è più facilmente realizzabile di quella della pronuncia. Per questo motivo, le norme ortografiche sono in generale molto rigorose: salvo rarissime eccezioni, un qualunque enunciato della lingua italiana si scrive in una maniera e in quella sola. Le trasgressioni a tali norme non sono certo punite dal codice penale, ma non danno a chi le compie una buona fama, e possono venire anzi considerate un vero e proprio simbolo di inferiorità culturale e sociale. Chi scrivesse una frase come questa:

***o** studiato per un'**h**anno nella migliore s**q**uola di **r**oma,*

o anche un'altra frase con errori meno clamorosi, difficilmente supererebbe un esame o vincerebbe un concorso.

14.1. I FONI E I FONEMI

Partiamo da un caso concreto: la *m* della parola *mare*. Si ha l'individuazione del **fono** (che si pone per convenzione tra parentesi quadre: [m]) quando si considera il piano fisico del linguaggio, e si definisce quindi [m] una consonante occlusiva bilabiale sonora. Si ha invece l'individuazione del **fonema** (che si pone, sempre per convenzione, tra barre oblique: /m/) quando si passa a riconoscere il valore distintivo di /m/, in opposizione a tutti gli altri fonemi di una lingua. Le parole *care*, *dare*, *fare*, *pare*, *rare* ecc. si distinguono tra loro e rispetto alla parola *mare* solo per la diversa consonante iniziale: diremo quindi che /k/, /d/, /f/, /p/, /r/, /m/ ecc. sono altrettanti fonemi dell'italiano; sono cioè le unità fonologiche minime della nostra lingua, ciascuna dotata di valore distintivo e oppositivo rispetto a tutte le altre. Se un sostantivo maschile che significa 'distesa d'acqua salata' (*mare*) si differenzia dall'infinito di un verbo che significa 'consegnare, porgere' (*dare*) o dal femminile plurale di un aggettivo che significa 'non comune, insolito' (*rare*), ciò si deve al potere che ha il fonema /m/ di opporsi ai fonemi /d/ e /r/.

14.1.1. Varianti combinatorie e varianti libere

Quando parliamo di foni o suoni normali del linguaggio, ci serviamo di una convenzione necessaria per rappresentare schematicamente una realtà molto più varia e complessa. La fonetica sperimentale e la stessa pratica della lingua insegnano che le possibili realizzazioni di uno stesso fono sono pressoché infinite, e variano con il variare del sesso, dell'età, della cultura, della regione geografica e dell'ambiente sociale di provenienza del parlante, delle sue caratteristiche e condizioni fisiche, persino del suo umore. È noto, per esempio, che una persona psichicamente depressa articola i suoni in maniera diversa rispetto a un'altra in stato normale o euforico. Diverse realizzazioni fonetiche si registrano del resto anche in uno stesso individuo, secondo che sia calmo o arrabbiato, allegro o triste, stanco o riposato; oppure secondo che parli con un familiare o con uno sconosciuto o con una persona molto importante o in pubblico, e così via.

Non si può inoltre trascurare l'influenza esercitata su un suono del linguaggio dai suoni vicini, precedenti o seguenti; in alcuni casi questa influenza diviene particolarmente sensibile e produce variazioni di notevole rilievo. Se pronunciamo le parole *vento* e *vengo*, facendo attenzione specialmente alle diverse posizioni della lingua, ci accorgeremo che le due /n/ sono, dal punto di vista fonetico, molto differenti tra loro: quella di *vento* è infatti una *n* dentale, mentre quella di *vengo* è una *n* velare. Non abbiamo però a che fare, in questo caso, con dei fonemi, ma con dei semplici foni, perché nella lingua italiana non esiste alcuna coppia di parole che si distinguano solo per avere una *n* dentale [n̪] opposta a una *n* velare [ŋ], come invece accade in inglese. Sostituendo ad esempio la *n* dentale dell'inglese *tin* / tin / 'stagno' con una *n* velare si ottiene una parola di significato diverso: *ting* / tiŋ / 'tintinnio'. In inglese dunque i foni [n] e [ŋ] hanno valore distintivo e corrispondono ai due fonemi /n/ e /ŋ/; nella nostra lingua, al contrario, quegli stessi foni [n] e [ŋ] non hanno valore distintivo, ma sono semplici varianti di un medesimo fonema /n/. Più precisamente, si tratta di **varianti combinatorie** o **di posizione** (o anche **allofoni**, dal greco *állos* 'altro' e *fōnḗ* 'suono'), determinate dal contesto in cui il suono si trova: abbiamo cioè una *n* dentale [n̪] davanti a dentale (la [t] della parola *vento*) e una *n* velare [ŋ] davanti a velare (la [g] della parola *vengo*), per un fenomeno meccanico di anticipazione della qualità del suono successivo.

Accanto alle varianti combinatorie si devono considerare le cosiddette **varianti libere**, che sono realizzazioni fonetiche individuali, dovute a difetti di pronuncia o a particolari abitudini dei singoli parlanti: è questo il caso della *r* uvulare [ʀ], meglio conosciuta come *r* francese. Anche le varianti libere, al pari delle varianti combinatorie, non costituiscono unità distintive (fonemi): infatti, sia che pronunciamo le parole *raro*, *errore*, *orario*, *irrorare* ecc. con tutte [r], sia che le pronunciamo invece con tutte [ʀ], realizzeremo sempre lo stesso significato.

14.2. I FONEMI DELL'ITALIANO

Nell'italiano, come in quasi tutte le lingue del mondo, i suoni utilizzano l'aria nella fase di espirazione. L'aria, uscita dai polmoni, s'incanala nella trachea e passa quindi nella laringe, dove incontra un primo ostacolo: le **corde vocali**. Si tratta di due spesse pieghe muscolo-membranose con margini liberi, che possono trovarsi in due diverse posizioni:

- **posizione aperta**: l'aria passa attraverso la glottide, che è la zona libera compresa tra le corde vocali, senza alcuna modificazione, dando luogo a una **consonante sorda**, come /p/, /t/, /k/ ecc.;
- **posizione accostata**: le corde vocali, per l'azione meccanica dell'aria in uscita, entrano in vibrazione producendo un'onda sonora; hanno origine in tal modo le **consonanti sonore** (/b/, /d/, /g/ ecc.) e le **vocali** (/a/, /e/, /i/ ecc.).

Dopo aver superato le corde vocali, l'aria esce attraverso le cavità orale e nasale. Si determina a questo punto un'altra distinzione importante: quella tra articolazioni **orali** e articolazioni **nasali**. Nel primo caso il velo palatino (cioè la parte posteriore, mobile, del palato, che termina con l'ugola) si solleva e si appoggia alla parete posteriore della faringe, chiudendo così l'accesso alla cavità nasale; in modo che l'aria può uscire solo attraverso la bocca. Nel secondo caso, il velo palatino è abbassato e l'aria penetra anche nella cavità nasale.
La differenza tra sorde e sonore, orali e nasali, è fondamentale perché permette l'opposizione tra fonemi altrimenti identici: /p/, /t/, /k/ si distinguono rispettivamente da /b/, /d/, /g/ solo perché i primi sono sordi, i secondi sonori; allo stesso modo /d/ e /b/ si distinguono rispettivamente da /n/ e /m/ solo perché i primi sono orali, i secondi nasali (infatti quando abbiamo il raffreddore, non essendo in grado di articolare perfettamente i suoni nasali, tendiamo a pronunciare *do* invece di *no*, *babba* invece di *mamma* ecc.). Per questo si dice che sordità e sonorità, oralità e nasalità sono altrettanti **tratti distintivi** dei fonemi.

14.2.1. Le vocali

La divisione più comune dei suoni linguistici, secondo il modo d'articolazione, è quella tra **vocali** e **consonanti**. Se l'aria può uscire dalla cavità orale, o dalla cavità orale e nasale insieme, senza che si frapponga al suo passaggio alcun ostacolo, abbiamo una **vocale**; se invece il canale orale è chiuso o semichiuso in un certo punto, che cambia di caso in caso, si ha una **consonante**.

I fonemi vocalici dell'italiano sono sette:

1. /a/: la lingua si abbassa sul fondo della bocca, dando luogo al massimo grado di apertura del canale orale (è questa la vocale che il medico ci fa pronunciare quando vuole vederci la gola);

2. /ɛ/ = *e* aperta di *bene*, *leggo*, *testa*, *zero*: la lingua si solleva e si avvicina al palato duro, avanzando rispetto alla posizione della /a/;

3. /e/ = *e* chiusa di *metto*, *rete*, *sera*, *vela*: la lingua si accosta al palato in un punto ancora più anteriore;

4. /i/: è l'ultima delle vocali anteriori, che si articola con un ulteriore sollevamento e avanzamento della lingua;

5. /ɔ/ = *o* aperta di *forte*, *nove*, *trovo*, *zona*: le labbra si restringono, mentre la lingua si solleva e si avvicina al velo palatino, retrocedendo rispetto alla posizione della /a/;

6. /o/ = *o* chiusa di *dove*, *molto*, *sono*, *volo*: aumentano l'arrotondamento e l'avanzamento delle labbra, mentre la lingua retrocede ulteriormente;

7. /u/: si raggiunge il massimo grado di arrotondamento e di avanzamento delle labbra; la lingua giunge fino al limite posteriore del palato duro.

Sulla base di questa descrizione, possiamo raggruppare le vocali nel cosiddetto **triangolo vocalico**, nel quale si distinguono tre vocali anteriori (o palatali): i, e, ɛ; una vocale centrale: a; tre vocali posteriori (o velari): ɔ, o, u. Si distinguono inoltre tre vocali **aperte**: ɛ, a, ɔ, e le altre (i, e, o, u), che sono **chiuse**.

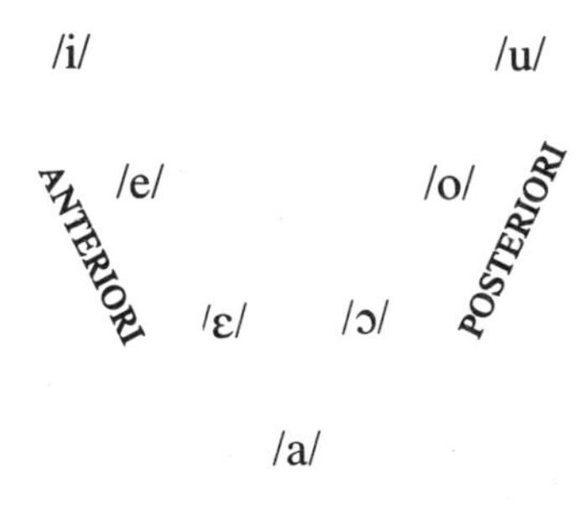

Dal triangolo vocalico ricaviamo le seguenti definizioni:

/a/ = vocale centrale di massima apertura;
/ɛ/ = vocale anteriore o palatale aperta (*e* di *zèro*);
/e/ = vocale anteriore o palatale chiusa (*e* di *réte*);
/i/ = vocale anteriore o palatale di massima chiusura;
/ɔ/ = vocale posteriore o velare aperta (*o* di *nòve*);
/o/ = vocale posteriore o velare chiusa (*o* di *sóno*);
/u/ = vocale posteriore o velare di massima chiusura.

Queste definizioni si riferiscono naturalmente al sistema fonologico italiano; in altre lingue si possono trovare tipi vocalici diversi: nel portoghese, per esempio, vi sono vocali sorde, il francese ha vocali orali e vocali nasali, mentre l'italiano possiede solo vocali sonore e orali.

14.2.2. Le consonanti

Si ha una consonante quando il canale orale è chiuso o semichiuso, in un certo luogo e in un certo modo, da uno dei seguenti organi, o anche da più d'essi contemporaneamente: la lingua, le labbra, i denti, il palato, il velo palatino.

Secondo il **luogo d'articolazione**, cioè secondo il punto in cui uno di tali organi si frappone alla corrente d'aria che sale dai polmoni, le consonanti si distinguono in **bilabiali**, **labiodentali**, **dentali**, **alveolari**, **prepalatali**, **palatali** e **velari**. Così, quando articoliamo una bilabiale (/p/ o /b/), accostiamo tra loro le labbra; quando articoliamo una labiodentale (/f/ o /v/), il labbro inferiore si accosta agli incisivi superiori, ecc.

Secondo il **modo d'articolazione** le consonanti si distinguono in **occlusive**, **costrittive** e **affricate**.

Le **occlusive** determinano un'occlusione, una chiusura del canale: pronunciando una /p/ o una /b/, chiuderemo per un attimo le labbra; nel caso di /t/ e /d/ la chiusura avviene a livello dei denti, e così via.

Le **costrittive** provocano invece una costrizione, un restringimento del canale, come quando articoliamo una /s/, e l'apice della lingua si avvicina agli alveoli dell'arcata dentaria superiore. Esse si dividono in:

- **spiranti** (come la /f/ o la /s/), così chiamate per il fruscio che producono;
- **vibrante** (la /r/), in cui è l'apice della lingua ad entrare in vibrazione;
- **laterali** (come la /l/), con l'aria che passa ai lati della lingua.

Le **affricate**, infine, sono articolazioni intermedie tra le occlusive e le costrittive e, sebbene vengano percepite dall'orecchio umano come un unico suono, foneticamente possono dirsi costituite da un'occlusiva e da una costrittiva strettamente fuse tra loro: la *z* sorda di *zio*, per esempio, è il risultato di /t/ + /s/.

È possibile accorgersi di tale composizione doppia con un registratore, facendo scorrere in senso inverso il nastro inciso con la parola *zio*, o con altre parole in cui compaia una *z* sorda: si percepirà in questo modo il suono /st/.

Oltre che dal luogo e dal modo di articolazione, le consonanti vengono individuate da due ulteriori tratti distintivi, sui quali ci siamo già soffermati: ci riferiamo al carattere orale o nasale del fono e alla presenza o assenza di vibrazione delle corde vocali, che determina presenza o assenza di sonorità.

Uno schema riassuntivo di tutti i fonemi consonantici dell'italiano è nella tabella di pag. 384. Vediamo ora singolarmente le consonanti dell'italiano con i loro rispettivi nomi. Daremo, nell'ordine, questi elementi:

1. il fonema, secondo le norme di trascrizione dell'A.P.I. (l'*Association Phonétique Internationale* 'Associazione Fonetica Internazionale', un sodalizio di linguisti fondato nel 1886, con sede attuale in Londra, che ha elaborato un sistema di trascrizione in grado di rappresentare i suoni di tutte le più importanti lingue del mondo);

2. la lettera (grafema) o le lettere dell'alfabeto italiano usate nella scrittura corrente per indicare quel fonema;

3. la sua definizione fonetica;

4. almeno un esempio di parola italiana in cui il fonema compare;

5. la trascrizione fonologica di tale parola, sempre secondo le norme dell'A.P.I.; il segno ' precede la sillaba su cui cade l'accento (*sillaba tonica*).

FONEMA	GRAFEMA	DEFINIZIONE FONETICA	ESEMPIO	TRASCRIZIONE FONOLOGICA
/p/	p	occlusiva bilabiale sorda	*palla*	/'palla/
/b/	b	occlusiva bilabiale sonora orale	*bello*	/'bɛllo/
/m/	m	occlusiva bilabiale sonora nasale	*mare*	/'mare/
/t/	t	occlusiva dentale sorda	*tela*	/'tela/
/d/	d	occlusiva dentale sonora orale	*donna*	/'dɔnna/
/n/	n	occlusiva dentale sonora nasale	*nero*	/'nero/
/ɲ/	gn	occlusiva nasale palatale	*gnocchi*	/'ɲɔkki/
/k/	c (+ *a*, *o*, *u*)	occlusiva velare sorda	*casa*	/'kasa/
	ch (+ *e*, *i*)		*chilo*	/'kilo/
	q (+ *ua*, *ue*, *ui*, *uo*)		*quadro*	/'kwadro/
/g/	g (+ *a*, *o*, *u*)	occlusiva velare sonora	*gatto*	/'gatto/
	gh (+ *e*, *i*)		*ghiro*	/'giro/
/ts/	z	affricata alveolare sorda	*zio*	/'tsio/
/dz/	z	affricata alveolare sonora	*zero*	/'dzɛro/
/tʃ/	c (+ *e*, *i*)	affricata prepalatale sorda	*cera*	/'tʃera/
/dʒ/	g (+ *e*, *i*)	affricata prepalatale sonora	*giro*	/'dʒiro/
/f/	f	costrittiva spirante labiodentale sorda	*fare*	/'fare/
/v/	v	costrittiva spirante labiodentale sonora	*vedo*	/'vedo/
/s/	s	costrittiva spirante alveolare sorda	*sera*	/'sera/
/z/	s	costrittiva spirante alveolare sonora	*smontare*	/zmon'tare/
/ʃ/	sc (+ *e*, *i*)	costrittiva prepalatale sorda	*scena*	/'ʃɛna/
	sci (+ *a*, *o*, *u*)		*sciame*	/'ʃame/
/r/	r	costrittiva alveolare vibrante	*rana*	/'rana/
/l/	l	costrittiva alveolare laterale	*luna*	/'luna/
/ʎ/	gl (+ *i*)	costrittiva palatale laterale	*gli*	/ʎi/
	gli (+ *a*, *e*, *o*, *u*)		*taglio*	/'taʎʎo/

Come si vede, in molti casi le denominazioni delle varie consonanti sono piuttosto lunghe e complicate. Proprio per ovviare a queste difficoltà, alcune consonanti vengono solitamente definite in modo più semplice e rapido:

Schema riassuntivo di tutti i fonemi consonantici dell'italiano

Modo di articolazione		Posizione delle corde vocali → / Movimento del velo palatino ↓	LUOGO DI ARTICOLAZIONE: Bilabiali		Labiodentali		Dentali		Alveolari		Prepalatali		Palatali		Velari	
			SORDE	SONORE	SORDE	SONORE	SORDE	SONORE	SORDE	SONORE	SORDE	SONORE	SORDE	SONORE	SORDE	SONORE
OCCLUSIVE		ORALI	p	b			t	d							k	g
OCCLUSIVE		NASALI		m				n						ɲ		
AFFRICATE		ORALI							ts	dz	tʃ	dʒ				
COSTRITTIVE	SPIRANTI	ORALI			f	v			s	z	ʃ					
COSTRITTIVE	VIBRANTE	ORALI								r						
COSTRITTIVE	LATERALI	ORALI								l				ʎ		

■ la *s* sorda /s/ e la *s* sonora /z/, per esempio, si indicano come **sibilanti sorda** e **sonora**;

■ la /ʃ/ prende il nome di **sibilante palatale**, la /ɲ/ di **nasale palatale**, la /ʎ/ di **laterale palatale**;

■ la /r/ e la /l/ vengono chiamate nel loro insieme **liquide**, con un termine tradizionale usato già dai grammatici antichi; individualmente, esse sono invece designate coi nomi di **vibrante** e **laterale**.

Le consonanti, quando si trovano in posizione intervocalica, possono realizzarsi come **tenui** (o **brevi** o **scempie**) oppure come **intense** (o **lunghe** o **doppie**);

fato	*fatto*
eco	*ecco*
tufo	*tuffo*
camino	*cammino*
copia	*coppia*
caro	*carro*

La scrittura alfabetica rende male queste diverse realtà: nelle parole *fato* e *fatto* non abbiamo rispettivamente una sola /t/ o due /t/ pronunciate di seguito, ma una /t/ pronunciata con minore o maggiore energia articolatoria, che determina una minore o maggiore durata del suono.

14.3. LE SEMICONSONANTI E I DITTONGHI

Prendono il nome di **semiconsonanti** quei foni per produrre i quali il canale orale, attraverso cui passa l'aria espirata, si stringe più che per le vocali chiuse; ne risulta un suono intermedio tra quello delle vocali e quello delle consonanti. L'italiano possiede la semiconsonante **palatale** /j/, detta *jod*, e la semiconsonante **velare** o labiovelare /w/, detta *uau*.

Le semiconsonanti compaiono esclusivamente nei **dittonghi**, che sono unità sillabiche formate da una *i* o da una *u* senza accento e da una vocale con o senza accento:

SEMICONSONANTE	DITTONGO	ESEMPIO
/j/	*ia*	*piano*
	ie	*ieri*
	io	*piove*
	iu	*chiudi*
/w/	*ua*	*guado*
	ue	*guerra*
	uo	*uomo*
	ui	*guida*

I dittonghi *ia*, *ie*, *io*, *iu* e *ua*, *ue*, *uo*, *ui*, nei quali la semiconsonante precede la vocale, sono dittonghi **ascendenti** (si chiamano così perché in essi la sonorità aumenta passando dal primo al secondo elemento). Si parla invece di dittonghi **discendenti** quando è la vocale a precedere la *i* o la *u*, come nei gruppi *ai* (*fai*), *ei* (*sei*), *oi* (*poi*) e *au* (*Mauro*), *eu* (*pneumatico*), in cui la sonorità diminuisce passando dal primo al secondo elemento.

La *i* e la *u* dei dittonghi discendenti vengono chiamate **semivocali**, per distinguerle dalle semiconsonanti *i* /j/ e *u* /w/ dei dittonghi ascendenti. Le prime, infatti, sono più vicine delle seconde al suono vocalico, e possono anzi considerarsi delle semplici *varianti di posizione* (v. 14.1.1.) dei fonemi /i/ e /u/.

L'unione della *i*, della *u* (sempre atone) e di una qualsiasi altra vocale, generalmente accentata, dà luogo al **trittongo**: s**uoi**, g**uai**, **aiuo**le.

Quando due vocali, pur essendo contigue, non formano un dittongo, si parla di **iato**, da una parola latina che significa 'apertura, distacco'. C'è iato, per esempio:

- quando non ci sono né la *i* né la *u*: *pa-ese*, *corte-o*;
- quando la *i* o la *u* sono accentate: *spi-a*, *pa-ura* (e *spi-are*, *pa-uroso*, perché derivati da parole che hanno l'accento sulla *i* e sulla *u*);
- dopo il prefisso *ri-*: *ri-unione*, *ri-avere* (perché continua a sentirsi una certa separazione tra i due elementi della formazione, il prefisso *ri-* e le basi *unione* e *avere*; così pure in *bi-ennio* o *tri-angolo*).

14.3.1. I dittonghi mobili

I **dittonghi mobili** sono due, *uò* /wɔ/ e *iè* /jɛ/, e si chiamano in questo modo perché perdono le semiconsonanti *u* /w/ e *i* /j/ quando l'accento si sposta su un'altra sillaba, e si riducono quindi a *o* ed *e*. Vediamo per esempio le seguenti coppie di parole:

uò	**o**
muovere	*movimento*
suono	*sonoro*
scuola	*scolaro*
buono	*bontà*
muore	*morivano*

iè	**e**
piede	*pedestre*
lieve	*levità*
pietra	*petroso*
Siena	*senese*
siede	*sedevano*

Ma le cose non vanno sempre così. Anzi, c'è da moltissimo tempo nella nostra lingua la tendenza a rendere il dittongo mobile sempre meno mobile, e a conservare quindi *uò* e *iè* anche nelle forme in cui non erano previsti.

Ecco alcuni degli esempi più significativi di questa "riduzione di mobilità".

- Le parole composte e gli stessi avverbi in *-mente* conservano spesso il dittongo: *buongiorno*, *buongustaio*, *fuoribordo*, *fuoruscito*; *lietamente*, *ciecamente*, *nuovamente*.
- I verbi *nuotare*, *vuotare*, *abbuonare* 'togliere un debito' hanno in tutta la coniugazione *uo* (*nuotiamo*, *vuotiamo*, *abbuoniamo*, *nuotava*, *vuotava*, *abbuonava*, *nuotò*, *vuotò*, *abbuonò* ecc.), per evitare ogni possibile ambiguità con le forme

corrispondenti di *notare*, *votare*, *abbonare* 'contrarre un abbonamento' (*notiamo*, *votiamo*, *abboniamo* ecc.).

■ L'influenza di alcuni vocaboli molto comuni ha fatto mantenere il dittongo anche nei derivati: *fieno* → *fienile*, *fiero* → *fierezza*, *pieno* → *pienezza*, *schietto* → *schiettezza*, *piede* → *piedistallo*, *fuori* → *fuorché*. I superlativi *novissimo*, *bonissimo* sono in netta minoranza d'uso rispetto ai concorrenti *nuovissimo*, *buonissimo*.

■ Anche per *allietare*, *chiedere*, *lievitare*, *mietere*, *risiedere* una radicata tradizione parla a favore del dittongo in tutte le forme (*allietava*, *chiedeva*, *lievitava*, *mieteva*, *risiedeva* ecc.): anzi, *levitare* 'sollevarsi in aria fisicamente, contro le leggi della gravità' ha ormai un significato diverso da *lievitare*, che indica il fermentare, il gonfiarsi della pasta.

C'è stato insomma uno sfruttamento semantico della differenza tra forme con dittongo e senza: da un lato abbiamo *nuoto*, *lievita*, dall'altro *noto*, *lèvita*. La forma senza dittongo si è affermata anche in altri casi: cfr. ad esempio *arròto*, *arròta*, *arròtano* da *arrotare*.

14.4. L'ALFABETO

L'insieme dei segni grafici, detti anche **grafemi**, con i quali s'indicano i fonemi di una determinata lingua si chiama **alfabeto**, con una parola che deriva dalle prime due lettere dell'alfabeto greco: *alfa* (α) e *beta* (β), corrispondenti alle nostre *a* e *b*. Una formazione simile si ha nell'equivalente latino *abecedarium* (divenuto il nostro *abbecedario*) o nell'italiano *abbiccì*, che derivano rispettivamente dalle prime quattro lettere dell'alfabeto latino (i latini davano a *b* e *c* il nome di *be* e *ce*) e dalle prime tre di quello italiano.

La scrittura alfabetica deve essere distinta da quella **ideografica** (o **pittografica**), in cui ciascun segno (o **ideogramma**, o **pittogramma**) è simbolo di una cosa, di un'azione, di un'idea. Il mondo antico ha conosciuto diversi sistemi di scrittura: molto in generale si può parlare di un'evoluzione dalla primitiva fase ideografica, attraverso sistemi misti, nei quali accanto agli ideogrammi si trovano segni con valore fonetico, come nella scrittura geroglifica degli antichi Egizi, fino a sistemi sillabici, dove ciascun segno rappresenta non un solo suono ma un'intera sillaba, come nella scrittura cuneiforme degli Assirobabilonesi. Dal sistema sillabico si è quindi passati a un sistema alfabetico puro.

14.4.1. Le lettere dell'alfabeto italiano

Le lettere dell'alfabeto italiano sono ventuno, e possono scriversi con caratteri maiuscoli o minuscoli; eccole tutte, disposte nell'ordine tradizionale, ciascuna con il proprio nome:

A a	B b	C c	D d	E e	F f	G g	H h
a	*bi*	*ci*	*di*	*e*	*effe*	*gi*	*acca*
I i	L l	M m	N n	O o	P p	Q q	R r
i	*elle*	*emme*	*enne*	*o*	*pi*	*qu*	*erre*
S s	T t	U u	V v	Z z			
esse	*ti*	*u*	*vu* o *vi*	*zeta*			

I nomi delle lettere dell'alfabeto sono solitamente di genere femminile: si dice, per esempio, *dalla a alla zeta*, sottintendendo la parola *lettera* oppure anche le parole *vocale* e *consonante*, che sono tutt'e tre di genere femminile; allo stesso modo diciamo la *e*, la *effe*, la *gi*, la *qu*, la *erre*, la *ti* ecc. Tuttavia è abbastanza comune anche l'uso del maschile: *mettiamo i puntini sugli i* (o *sulle i*).

14.5. GRAFEMI E FONEMI

In teoria ci dovrebbe essere una corrispondenza perfetta tra i segni del sistema ortografico e i suoni del sistema fonologico, tra **grafemi** e **fonemi**: ci dovrebbe essere cioè quel tipo di corrispondenza che i matematici chiamano biunivoca, nel senso che ogni segno dovrebbe rappresentare costantemente un solo suono, e ogni suono dovrebbe essere costantemente rappresentato da un solo segno.

Ma le cose non stanno proprio in questo modo, e anche in italiano, dove l'ortografia è abbastanza funzionale, soprattutto se confrontata con quella di altre lingue, come l'inglese o il francese, non esiste un'assoluta corrispondenza tra suoni e segni.

Le frequenti incoerenze tra pronuncia e scrittura si spiegano, in generale, con la rapida evoluzione della lingua, e soprattutto della pronuncia, mentre la scrittura resiste in forme più o meno cristallizzate, per forza d'abitudine o per rispetto della tradizione.

Nel caso specifico delle lingue romanze, e quindi dello stesso italiano, si devono considerare le difficoltà che esse incontrarono nello sforzo compiuto per adattare l'alfabeto latino ai nuovi suoni affermatisi nel corso dell'evoluzione storica.

Così, per esempio, il latino classico conosceva soltanto il *c* velare /k/, e pronunciava quindi *Cicero* /'kikero/ o *centum* /'kɛntum/; successivamente questo fonema /k/, rimasto intatto davanti ad *a*, *o*, *u*, si modificò davanti a *e*, *i*, diventando in tale posizione *c* palatale /tʃ/, come nelle parole italiane *Cicerone* /tʃitʃe'rone/ e *cento* /'tʃɛnto/. In italiano pertanto un solo grafema *c* serve a rappresentare due diversi fonemi /k/ e /tʃ/; mentre un solo fonema /k/ viene rappresentato da due diversi grafemi: *c* davanti ad *a*, *o*, *u* (*casa* /'kasa/, *cosa* /'kɔsa/, *scusa* /'skusa/), *ch* davanti a *e*, *i* (*cheto* /'keto/, *chino* /'kino/).

Le maggiori incertezze del nostro alfabeto riguardano appunto quei grafemi, come *e*, *o*, *c*, *g*, *s*, *z*, *sc*, *gl*, che possono rappresentare ciascuno due suoni diversi; su di essi soffermeremo particolarmente la nostra attenzione.

14.5.1. I due suoni, aperto e chiuso, delle vocali *e*, *o*

Quando non sono accentate, le vocali *e*, *o* hanno costantemente il suono chiuso /e/, /o/; quando invece vi cade sopra l'accento, hanno ora il suono chiuso ora quello aperto /ɛ/, /ɔ/. Nella scrittura il suono chiuso si può contrassegnare con un accento acuto(´), quello aperto con un accento grave ( ):

pésca in alto mare	/'peska/
pèsca sciroppata	/'pɛska/
bótte di vino	/'botte/
bòtte da orbi	/'bɔtte/

La pronuncia aperta o chiusa della *e* e della *o* assume particolare importanza nei casi in cui costituisce l'unico elemento distintivo tra parole di significato diverso, ma uguali nella scrittura: i cosiddetti **omografi** (dal greco *homòs* 'uguale' e *gráfō* 'scrivo'). Eccone alcuni esempi:

è (aperta)	**é** (chiusa)
accètta (da accettare)	*accétta* (ascia)
affètto (bene, amore)	*affétto* (da affettare)

dètti	(da dare)	*détti*	(motti)
èsse	(lettera dell'alfabeto)	*ésse*	(pronome personale)
lègge	(da leggere)	*légge*	(norma)
mènte	(da mentire)	*ménte*	(facoltà intellettuale)
mènto	(da mentire)	*ménto*	(parte del volto)
tèma	(argomento)	*téma*	(da temere)
vènti	(plurale di vento)	*vénti*	(numerale)

ò (aperta)		ó (chiusa)	
còlto	(da cogliere)	*cólto*	(istruito, dotto)
còrso	(della Corsica)	*córso*	(da correre)
fòro	(piazza)	*fóro*	(buco)
fòsse	(plurale di fossa)	*fósse*	(da essere)
mòzzo	(parte della ruota)	*mózzo*	(mozzato; giovane marinaio)
pòrci	(maiali)	*pórci*	(da porre)
pòse	(atteggiamenti)	*póse*	(da porre)
scòrta	(da scortare)	*scórta*	(da scorgere)
sòrta	(genere)	*sórta*	(da sorgere)
vòlto	(da volgere)	*vólto*	(viso)

Non esistono regole per stabilire quando la *e* e la *o* toniche hanno suono aperto e quando, invece, hanno suono chiuso. Nei casi dubbi è necessario ricorrere al dizionario. Soltanto per alcuni gruppi di parole è possibile dare indicazioni di carattere generale.

La *e* tonica è generalmente chiusa:

- in tutti gli avverbi in *-ménte* (*veraménte*, *solaménte*);
- negli infiniti dei verbi in *-ére* (*temére*); nelle desinenze del futuro semplice (*vedrémo*, *vedréte*), dell'imperfetto indicativo e congiuntivo (*sapéva*, *chiedéssi*), sempre per quanto riguarda i verbi della seconda coniugazione;
- nelle parole uscenti in *-éccio* (*mangeréccio*); *-éggio* (*passéggio*); *-ése* (*paése*); *-ézza* (*tristézza*); *-ménto* (*comménto*) e nei diminutivi in *-étto*, *-étta* (*librétto*, *casétta*).

La *e* tonica è generalmente aperta:

- nel dittongo *iè* (*piède*, *pièno*), a meno che non sia inserito in suffissi che vogliono la *e* chiusa (*vecchiétto*, *doppiézza*);
- nei gerundi e nei participi presenti della seconda e della terza coniugazione (*partèndo*, *sapiènte*); nella prima persona singolare e nella terza persona, singolare e plurale, del condizionale presente e del passato remoto debole in *-ètti* (*dovrèbbe*, *stèttero*);
- nelle parole uscenti in *-èllo*, *-èlla* (*ombrèllo*, *pagèlla*); *-ènza* (*assènza*); *-èrio*, *-èria* (*sèrio*, *misèria*); *-èstro*, *-èstre* (*maldèstro*, *equèstre*); *-èzio*, *-èzia* (*scrèzio*, *facèzia*).

La *o* tonica è generalmente chiusa:

- nelle parole uscenti in *-óce* (*velóce*); *-ógna* (*vergógna*); *-óio* (*corridóio*); *-óndo*, *-ónda* (*tóndo*, *spónda*); *-ónte* (*pónte*); *-óso* (*faticóso*); *-pósto* (*dispósto*); *-zione* (*nazióne*).

La *o* tonica è generalmente aperta:

- nel dittongo *-uò* (*cuòre*), a meno che non sia inserito in suffissi che vogliono la *o* chiusa (*affettuóso*);
- in molte parole sdrucciole di origine dotta (*astròlogo*, *stenògrafo*, *termòmetro*);
- è sempre aperta quando si trova in fine di parola ed è accentata (*però*, *tornerò*).

14.5.2. Le lettere *c* e *g*

Le lettere *c* e *g* hanno suono **velare** (/k/, /g/) davanti alle vocali *a*, *o*, *u* e davanti ad altra consonante:

casa /'kasa/, *corvo*, *cubo*, *clava*; *gabbia* /'gabbja/, *gomitolo*, *guglia*, *grave*.

Hanno suono **palatale** (/tʃ/, /dʃ/) davanti ad *e*, *i*:

cena /'tʃena/, *cima*; *gesto* /'dʒɛsto/, *giro*.

Per indicare una *c* o una *g* palatale davanti ad *a*, *o*, *u*, si inserisce tra la consonante e la vocale una *i*, che in questo caso ha solo una funzione grafica e non viene pronunciata:

camicia /ka'mitʃa/, *bacio*, *ciurma*; *giacca* /'dʃakka/, *gioco*, *giusto*.

Per indicare una *c* o una *g* velare davanti ad *e*, *i*, si inserisce tra la consonante e la vocale un'*h*:

bacheca /ba'kɛka/, *chiave*; *ghepardo* /ge'pardo/, *ghinea*.

14.5.3. Le lettere *s* e *z*

Le lettere *s* e *z* rappresentano ciascuna due suoni, uno **sordo** (/s/, /ts/), come in *sera* e *zio*, uno **sonoro** (/z/, /dz/), come in *rosa* e *zero*.

Per quanto concerne la *s*, in molti casi è possibile stabilire esattamente il suono sordo o sonoro, seguendo alcune avvertenze.

La *s* sorda

La *s* si pronuncia sorda (/s/):

- all'inizio di parola davanti a vocale: *sale* /'sale/, *seme*, *sigaro*, *sono*, *sugo*; quindi anche, in generale, nei derivati e nei composti in cui il secondo elemento cominci per *s* + vocale: *caposaldo* /kapo'saldo/, *girasole*, *presupporre*, *risolvere*. Una serie di vecchi derivati e composti, non più sentiti come tali, hanno però la *s* sonora: *deserto* /de'zɛrto/, *presumere*, *filosofo*;
- all'inizio o nel corpo della parola, quando la *s* è seguita dalle consonanti sorde *c*, *f*, *p*, *q*, *t*: *scala* /'skala/, *sfatto*, *trasporto*, *squadra*, *stile*;
- nel corpo della parola quando la *s* è preceduta da un'altra consonante: *corsa* /'korsa/, *denso*, *falso*, *psicologia*; o anche quando è doppia: *gesso* /'dʃɛsso/, *rissa*, *tosse*;
- nelle parole uscenti in *-ése* e in *-óso*: *inglese* /in'glese/, *maggese*, *curioso* /ku'rjoso/, *geloso*; e nei derivati: *curiosità*, *gelosia*. Ci sono però alcune parole in *-ése* che si pronunciano con *s* sonora: *cortese* /kor'teze/, *francese*, *marchese*, *paese*, *palese*, *pavese*, con i relativi derivati;
- nelle terminazioni verbali del passato remoto e del participio passato in *-ési*, *-éso*, *-ósi*, *-óso*: *accesi* /a'ttʃesi/, *accese*, *accesero*, *acceso*; *rosi* /'rosi/, *roso* /'roso/ (da *rodere*). Però si ha *s* sonora in *lesi* /'lezi/, *-o* (da *ledere*), e quindi pure in *illeso*.

La *s* sonora

La *s* si pronuncia sonora (/z/):

- all'inizio o nel corpo della parola, davanti alle consonanti sonore *b*, *d*, *g*, *l*, *m*, *n*, *v*, *z*: *bisbigliare* /bizbi'ʎʎare/, *disdetta*, *sgorgare*, *slavo*, *bismuto*, *snaturare*, *sragionare*, *sveglia*;
- nei sostantivi in *-esimo*, *-esima*: *battesimo* /ba'ttezimo/, *cresima* /'krɛzima/; e degli aggettivi numerali in *-èsimo*: *trentesimo* /tren'tɛzimo/, *millesimo*;
- nelle parole dotte in *-asi* (*crasi* /'krazi/, *stasi*), in *-esi* (*genesi* /'dʒɛnezi/, *mimesi*), in *-isi* (*crisi* /'krizi/, *dialisi*), in *-osi* (*apoteosi* /apote'ɔzi/, *nevrosi*);
- nelle parole comincianti per *es-* + vocale: *esaltare* /ezal'tare/, *esito*, *esule*, *esofago*, *esempio*;

• nei verbi che al passato remoto e al participio passato escono in *-usi*, *-uso*, *-isi*, *-iso*: *illusi* /i'lluzi/, *illuso*, *divisi* /di'vizi/, *diviso*. Ma *chiusi* /'kjusi/, *chiuso*, *risi* /'risi/, *riso* hanno la sorda;
• più in generale, quando la *s* è tra due vocali: *base* /'baze/, *caso*, *mese*, *musica*, *rosa*, *uso*, *viso*. Ma numerose parole, anche comunissime, hanno la *s* sorda in posizione intervocalica: *casa* /'kasa/, *cosa*, *così*, *naso*, *Pisa*, *pisello*, *raso*, *riposo*, *riso*, *susina*.

Per quanto riguarda il doppio suono, sordo o sonoro, della lettera *z*, non esiste una regola valida in tutti i casi. Per essere precisi, bisognerebbe applicare due leggi della grammatica storica, secondo cui la *z* sorda (/ts/) deriva da una consonante sorda latina (come *marzo* da MARTIUM) o, più raramente, da *z* germanica (*zaffo* da *zapfo*) o da *s* araba (*zucchero* da *sukkar*); mentre la *z* sonora (/dz/) deriva da una consonante sonora latina (come *orzo* da HORDIUM), da *z* greca (*zona* da *zṓnē*) o, in pochi casi, da *z* araba (*zafferano* da *za'farān*) o persiana (*bazar*). Ma queste sono regole difficili da applicare; ecco qualche consiglio che sarà più facile mettere in pratica.

La *z* sorda

La *z* si pronuncia sorda (/ts/):

• davanti ai gruppi vocalici *ia*, *ie*, *io* (quasi sempre): *spezia* /'spɛttsja/, *grazie*, *spazio*;
• dopo la *l*: *alzare* /al'tsare/, *calza*, *filza* ecc. Ma hanno *z* sonora *Belzebù* /beldze'bu/, *elzeviro* e varie altre parole;
• nelle seguenti terminazioni: *-anza* (*abbondanza* /abbon'dantsa/); *-enza* (*influenza* influ'ɛntsa/); *-ezza* (*bellezza* /be'llettsa/); *-izia* (*giustizia* /dʒu'stittsja/); *-ónzolo* (*mediconzolo* /medi'kontsolo/); *-òzzo*, *òzza* (*gargarozzo* /garga'rɔttso/, *carrozza* /ka'rrɔttsa/); *-uzzo* (*animaluzzo* /anima'luttso/); *-zione* (*nazione* /na'ttsjone/); *-ziare* (*deliziare* /deli'ttsjare/).

La *z* sonora

La *z* è invece sonora (/dz/):

• quando è scritta scempia tra due vocali (ma non sempre, e comunque non nei casi visti in precedenza); *azalea* /adza'lɛa/, *azoto*, *ozono*;
• nel suffisso *-izzare*: *civilizzare* /tʃivili'ddzare/, *fraternizzare*, *organizzare*, e nei derivati *-izzatore*, *-izzazione*: *civilizzatore*, *civilizzazione*.

In parole di nuova introduzione, o antiche ma non comuni, c'è la tendenza a pronunciare sonora ogni *z* iniziale.

La *z* in genere non si scrive doppia, pur essendo sempre rafforzata nella pronuncia, quando è seguita da *i* e da un'altra vocale (*vizio* /'vittsjo/, *grazia* /'grattsja/); il raddoppiamento davanti a vocale viene segnalato nella scrittura solo nei derivati di parole con due *z* (come *pazzia* da *pazzo*; o, nella coniugazione verbale, *spazziamo* da *spazzare*).

14.5.4. I digrammi

Digramma è una parola che deriva dal greco *dís* 'due volte' e *grámma* 'lettera'; indica appunto l'uso di due diversi grafemi per rappresentare un solo fonema. I digrammi dell'italiano sono sette:

1. *gl*; 2. *gn*; 3. *sc*; 4. *ch*; 5. *gh*; 6. *ci*; 7. *gi*.

Abbiamo già parlato di *ch*, *gh*, *ci*, *gi* a proposito delle lettere *c* e *g*; vediamo ora come si comportano i restanti digrammi: *gl*, *gn* e *sc*.

Il digramma *gl* /ʎ/

Per formare un digramma, *gl* deve essere seguito dalla vocale *i*:

gli /ʎi/, *egli* /'eʎʎi/, *figli* /'fiʎʎi/, *togli* /'tɔʎʎi/, *agli* /'aʎʎi/.

Dagli esempi e dalle rispettive trascrizioni fonetiche è possibile rilevare che il fonema /ʎ/, rappresentato nella scrittura dal digramma *gl*, in posizione intervocalica si presenta sempre rafforzato.

Se manca la *i*, *gl* conserva la pronuncia velare /g/ + liquida /l/: *glaciale* /gla'tʃale/, *globo* /'glɔbo/, *deglutire* /deglu'tire/, *gloria* /'glɔria/. In alcuni casi anche *gl* seguito da *i* non forma digramma: *glicine* si pronuncia /'glitʃine/, non /'ʎitʃine/, e così pure *negligenza* /negli'dʒɛntsa/, *ganglio*, *glicerina*, *geroglifico*.

Si deve distinguere tra *gl* + *i* finale di sillaba, come in *degli*, *mogli*, che è un vero e proprio digramma, e il gruppo *gli* che incontriamo in tutti gli altri casi: *foglia* /'fɔʎʎa/, *miglio* /'miʎʎo/, *sceglie* /'ʃeʎʎe/ ecc. In queste parole, infatti, la *i* non si pronuncia e si ha quindi un **trigramma**, cioè una successione di tre grafemi (*g*, *l*, *i*) per indicare un solo fonema (/ʎ/).

Il digramma *gn* /ɲ/

Mentre *gl* forma un digramma soltanto quando precede la vocale *i*, e neppure in tutti i casi (*figli* /'fiʎʎi/ ma *gloria* /'glɔria/ e *glicerina* /glitʃe'rina/), *gn* è digramma davanti a tutte le vocali:

gnocco /'ɲɔkko/, *degnare* /de'ɲɲare/, *segnetto* /se'ɲɲetto/, *magnifico* /ma'ɲɲifico/, *regnò* /re'ɲɲɔ/, *ognuno* /o'ɲɲuno/.

Come si può vedere dalle trascrizioni fonetiche, il fonema /ɲ/, al pari del precedente /ʎ/, quando si trova tra due vocali è sempre rafforzato.

Il digramma *sc* /ʃ/

Indica il suono sibilante palatale che troviamo in parole come:

scendere /'ʃendere/, *fasciare* /fa'ʃʃare/, *pesce* /'peʃʃe/, *uscio* /'uʃʃo/ ecc.

Nei casi in cui dopo *sc* vi sia una *i*, bisogna distinguere, come già per *gl*/*gli*, tra un vero e proprio digramma e un trigramma *sci*, indicanti entrambi il fonema /ʃ/:

- in *sciroppo* /ʃi'rɔppo/, *sciare* /ʃi'are/ la *i* si pronuncia, e abbiamo quindi un digramma *sc*;
- si ha invece un trigramma *sci* in *lasciare* /la'ʃʃare/, *sciogliere* /'ʃɔʎʎere/, *biscia* /'biʃʃa/, in cui la *i* è puro segno grafico e non viene pronunciata.

Tra due vocali anche *sc*, come *gl* e *gn*, indica sempre un suono rafforzato.

Il rafforzamento avviene pure nelle parole con i digrammi *gl*, *gn*, *sc* in posizione iniziale, quando siano precedute da una parola terminante per vocale, purché non ci sia pausa nella pronuncia: *e gli* /e 'ʎʎi/, *uno gnocco* /'uno 'ɲɲɔkko/, *io scendo* /'io 'ʃʃendo/.

14.5.5. La lettera *q(u)*

La lettera *q* /k/ è seguita sempre dalla semivocale *u* /w/ e poi dalle vocali *a*, *e*, *i*, *o*: *quadro* /'kwadro/, *questo*, *qui*, *quota*.

Il suono rappresentato da questa lettera è del tutto uguale a quello della *c* velare: *qu* corrisponde cioè a *cu*.

Il rafforzamento di *q(u)* viene indicato con la grafia *cq(u)*: *acqua* /'akkwa/, *nacqui*, *tacque*; viene però indicato con *qq(u)* in *soqquadro* 'scompiglio'.

Queste differenze di scrittura non sono né logiche né economiche, dal momento che non corrispondono a differenze di pronuncia; ma illogico e antieconomico è in generale l'uso di questo grafema *q*, che in teoria potrebbe essere sempre sostituito da *c(u)*. Anche in questo caso, però, una radicata tradizione di scrittura prevale su un criterio strettamente fonetico.

14.5.6. La lettera *h*

La lettera *h* non rappresenta un suono ma è soltanto un segno grafico. Il suo compito più importante è quello di formare i digrammi *ch* e *gh*, con i quali si indicano i suoni velari /k/, /g/ delle lettere *c*, *g* dinanzi alle vocali *e*, *i*:

poche /ˈpɔke/, *pochi* /ˈpɔki/, *righe* /ˈrige/, *righi* /ˈrigi/.

Si usa inoltre in alcune interiezioni (*ah*, *oh*, *ahi*, *ohi*, *ahimè*, *ohimè*, *ahinoi*), e nella prima, seconda, terza personale singolare e nella terza plurale del presente indicativo del verbo *avere* (*ho*, *hai*, *ha*, *hanno*), per influenza del verbo latino *habere*, e con lo scopo di distinguere queste voci verbali da altre parole (*o*, *ai*, *a*, *anno*).

In quest'ultimo caso alcuni vorrebbero sostituire all'*h* l'accento, e scrivere perciò: *ò*, *ài*, *à*, *ànno*. Ma le forme con l'*h* rimangono largamente preferite dagli scriventi, anche perché hanno alle loro spalle una lunga e autorevole tradizione. Anticamente l'*h*, soprattutto quella di origine etimologica (derivata cioè dalle corrispondenti parole latine), era molto più frequente di oggi: si scriveva per esempio *homo* e *honore* in ossequio al latino *homo* e *honos*, *-oris*. Nel Cinquecento anche l'Ariosto prese a difendere l'*h* etimologica, giungendo ad affermare, paradossalmente, che chi leva l'*h* all'*homo* non si riconosce uomo, e chi la leva all'*honore* non è degno di onore.

14.6. LE LETTERE STRANIERE

Alle ventuno lettere che abbiamo già elencato se ne devono aggiungere altre cinque: *j* (i lunga) e *k* (cappa), che nell'ordine alfabetico seguono la *i*; *w* (doppio vu), *x* (ics) e *y* (ipsilon o i greca), che nell'ordine alfabetico seguono la *v*. Queste lettere possono trovarsi in scritture del passato o, più spesso, in parole straniere.

J, j

Fino al principio di questo secolo, la *j* veniva usata in italiano per indicare la *i* semiconsonantica (*jeri*, *guajo*) o la doppia *i* del plurale (*vizj*, *dubbj*). Oggi la *j* semiconsonantica si è mantenuta solo in alcuni nomi propri, all'inizio di parola (*Jugoslavia*, *Jacopo*, ma anche *Iugoslavia*, *Iacopo*), e in alcuni cognomi (come *Ojetti*). Quando la *j* si trova in parole di origine inglese va pronunciata come una *g* palatale (/dʒ/): *jeep* /dʒip/, *jet* /dʒɛt/.

K, k

Corrisponde a una *c* velare. Si usa in abbreviazioni, come *kg* 'chilogràmmo', *km* 'chilòmetro', *kw* 'chilowàtt', e in parole di origine straniera, come *folklore* /folˈklore/, *kimono*, *go-kart*, *kermesse*. I forestierismi meno recenti possono trovarsi anche adattati alla grafia italiana: *folclore*, *chimono*.

W, w

La *w* si ha in parole che ci vengono dall'inglese e dal tedesco. Nella pronuncia si deve distinguere la *w* tedesca, che ha il suono della *v* italiana (*wagneriano*

/vagne'rjano/), dalla *w* inglese, che ha il suono della nostra *u* semiconsonantica (*week-end* /'wik 'ɛnd/, *sandwich* /'sɛndwitʃ/).

X, x

La *x* indica il nesso di velare + sibilante /ks/; è dunque un grafema che rappresenta due fonemi pronunciati in rapida successione: una *c* velare (/k/) e una sibilante (/s/). Si trova in qualche forestierismo (*taxi* /'taksi/, per il francese /ta'ksi/), in qualche nome proprio o cognome straniero e nei loro derivati italiani (*Marx*, *marxismo*), nelle parole che cominciano con i prefissi di origine greca *xeno-*, *xero-*, *xilo-* (*xenofobo*, *xerocopia*, *xilofono*). Si può anche rappresentare con due grafemi distinti (*cs*): *ics*, *clacson*.

Y, y

La *y* si trova in forestierismi come *brandy* /'brɛndi/, *yoga*, *derby*, nei quali ha lo stesso valore del grafema italiano *i*.

14.7. LA SILLABA

Prende il nome di **sillaba** un fonema o un gruppo di fonemi che si articola in modo distinto e autonomo, con una sola emissione di voce. La sillaba è pertanto la più piccola tra le combinazioni foniche in cui possono considerarsi divise le parole, e in cui effettivamente si dividono ogniqualvolta sia necessario farlo, alla fine di un rigo, per andare a capo.

Per formare una sillaba è sempre necessaria la presenza di una vocale. Le sillabe che terminano in vocale si dicono **aperte** o **libere** (per es. le quattro sillabe di *te-le-fo-no*); quelle che terminano con una consonante si dicono **chiuse** o **implicate** (per es. le prime tre di *im-por-tan-za*).

Le parole composte da un'unica sillaba, che può essere anche una sola vocale, si chiamano **monosillabi** (dal greco *mónos* 'uno solo'); quelle di più sillabe **polisillabi** (dal greco *polýs* 'molto'). I polisillabi si dividono a loro volta in **bisillabi**, **trisillabi**, **quadrisillabi** ecc.

14.7.1. La divisione in sillabe

In fin di riga non si possono spezzare le parole arbitrariamente, ma si deve conservare integra l'unità della sillaba: per questo è necessario conoscere e rispettare le norme che regolano la **divisione in sillabe**. Vediamole:

- una vocale iniziale di parola, seguita da una sola consonante, fa sillaba a sé: *a-nima*, *e-resia*, *i-sola*, *o-livo*, *u-ranio*;

- le consonanti semplici (non rafforzate né unite con altre consonanti) fanno sillaba con la vocale che segue: *vo-le-re-mo*, *li-mo-na-ta*, *se-re-ni-tà*, *no-ti-fi-ca-re*;

- le consonanti doppie si dividono tra le due sillabe: *at-ter-rare*, *pez-zet-tino*, *am-mat-tire*, *os-ses-sione*. In questo gruppo si può far rientrare anche *-cq(u)-*: *ac-qua*, *ac-quisto*, *tac-qui*, *nac-que*;

- gruppi di due o tre consonanti diverse tra loro fanno sillaba con la vocale seguente se possono venire a trovarsi in principio di parola: *a-bra-sivo*, *ca-tra-me*, *pule-dro*, *mi-cro-bo*, *ma-gro* (in italiano abbiamo infatti parole che cominciano con *br-*: *brano*, *brina*; con *tr-*: *treno*, *trave*; con *dr-*: *drastico*, *dritto*; con *cr-*: *cresta*, *crine*; con *gr-*: *grasso*, *grotta*). Allo stesso modo si comporta la cosiddetta *s* impura, cioè la *s* seguita da una o più consonanti: *e-sclu-do*, *ma-sti-no*, *ve-spro*;

- nei gruppi di due o tre consonanti diverse tra loro che non possono trovarsi in principio di parola, la prima consonante va con la vocale precedente, l'altra o le altre con la vocale della sillaba che segue: *a-rit-me-tica*, *tec-ni-ca*, *pal-ma*, *um-bro*, *para-dig-ma*, *sub-do-lo*, *per-pe-tra-re*, *a-nam-ne-si*, *im-por-to* (non vi sono infatti parole italiane, a parte alcune che riproducono integralmente voci di altre lingue, comincianti per *tm-*, *cn-*, *lm-*, *mbr-*, *gm-*, *bd-*, *rp-*, *mn-*, *mp-*);

- sono indivisibili i dittonghi e i trittonghi, mentre due vocali in iato possono essere divise: *pau-sa* ma *pa-u-ra*, *pio-ve* ma *pi-o-lo*, *pian-ta* ma *vi-a-le*. Per eliminare ogni possibilità d'errore è sufficiente non andare mai a capo con una vocale, e dividere quindi in fin di riga *pau-ra* come *pau-sa*, *pio-lo* come *pio-ve*, *via-le* come *pian-ta*;

- digrammi e trigrammi non si dividono mai: *se-gno*, *de-gli*, *fa-scia*, *pe-sce*, *mi-glio*.

L'apostrofo in fin di riga è ammesso, e viene anzi usato abitualmente da alcuni giornali. In generale si tende però a preferire una divisione *sul-l'albero* a una *sull'-albero* o, a maggior ragione, a una *sullo-albero*: infatti il tipo *sul-l'albero* ha il vantaggio, nei confronti del secondo tipo (*sull'-albero*), di conservare l'integrità della sillaba, e, nei confronti del terzo tipo (*sullo-albero*), di rispettare l'uso normale e l'effettiva volontà di chi scrive.

14.8. L'ACCENTO

Quando pronunciamo una parola (per esempio *finestra*) la voce si ferma con maggiore intensità su una sillaba (*fi***ne***stra*), e in particolare sulla vocale in essa contenuta (*fin***e**stra): su di esse cade l'**accento**. La sillaba e la vocale accentate si chiamano **toniche**; le altre sillabe e le altre vocali si chiamano **atone**.

In italiano le parole sono per la gran maggioranza **piane** o **parossitone**, cioè accentate sulla penultima sillaba:

sete, *canto*, *passare*, *nazione*, *cavalleria*, *intermezzo*, *andrai*.

L'accento può inoltre cadere sull'ultima sillaba (parole **tronche** o **ossitone**: *virtù*, *caffè*, *sarò*), sulla terzultima (parole **sdrucciole** o **proparossitone**: *mobile*, *celebre*, *risero*), raramente sulla quartultima (parole **bisdrucciole**: *scivolano*). In alcune forme verbali composte con pronomi enclitici l'accento può cadere sulla quintultima (parole **trisdrucciole**: *recitamelo*).

Si deve distinguere tra l'**accento tonico**, proprio di ogni parola (a parte quei monosillabi che nella pronuncia si appoggiano alla parola seguente o a quella precedente: v. 14.11.3), e l'**accento grafico**, che si usa solo in certi casi nella scrittura in corrispondenza dell'accento tonico. Quindi tutte le parole hanno un accento tonico, ma solo alcune hanno anche l'accento grafico.

I segni usati dall'ortografia italiana per indicare la vocale tonica di una parola sono ´ per l'**accento acuto**, che si mette sulla *e* sulla *o* chiuse, e ` per l'**accento grave**, che si mette sulla *e* e sulla *o* aperte e sulle altre tre vocali.

Dunque, l'accento acuto serve a indicare un suono chiuso, mentre l'accento grave serve a indicare un suono aperto. Per questo alcuni preferiscono usare l'accento acuto anche sulla *i* e sulla *u*, in quanto si tratta di vocali più chiuse delle altre. Ma c'è pure chi, al contrario, tende a semplificare e usa un solo accento, quello grave, in tutti i casi (anche sulla *e* e sulla *o* chiuse).

È obbligatorio segnare l'accento:

- sulle parole tronche di due o più sillabe: *sarò*, *caffè*, *libertà*, *colibrì*;
- sui monosillabi con dittongo ascendente: *già*, *può*, *giù*, *ciò*, *più* (ma *qui* e *qua* si scrivono senza accento);
- in altri monosillabi, per distinguerli da parole uguali nella pronuncia (gli **omofoni**, dal greco *homós* 'uguale' e *fōnḗ* 'suono') o nella scrittura (gli **omografi**, dal greco *homós* 'uguale' e *grafḗ* 'scrittura'), ma di significato diverso:

dà (verbo)	*da* (preposizione)
dì (nome)	*di* (preposizione)
è (verbo)	*e* (congiunzione)
là (avverbio)	*la* (articolo)
lì (avverbio)	*li* (pronome)
né (congiunzione)	*ne* (pronome)
sé (pronome)	*se* (congiunzione)
sì (affermazione)	*si* (pronome)
tè (nome)	*te* (pronome)

Quando il pronome *se* è seguito da *stesso* e *medesimo*, l'accento grafico è facoltativo; in questo caso, infatti, non è possibile confonderlo con *se* congiunzione.

Quando cade all'interno di parola, l'accento di regola non trova espressione grafica. Tuttavia ci sono dei casi in cui una parola può avere due significati diversi a seconda di dove cade l'accento: si tratta ancora dei cosiddetti **omografi**, termini che non si distinguono per come vengono scritti ma per come vengono pronunciati:

princìpi	*prìncipi*
turbìne	*tùrbine*
ancóra	*àncora*
tendìne	*tèndine*
compìto	*còmpito*
subìto	*sùbito*
ambìto	*àmbito*
seguìto	*séguito*

In questi casi si può indicare dove cade l'accento; è bene farlo se ci sono effettive possibilità di confusione.

L'**accento circonflesso** (ˆ) è oggi poco usato. Si può trovare qualche volta nel plurale dei nomi e aggettivi in *-io*, specialmente con valore distintivo: *principî* (da *principio* e non da *principe*), *varî* (da *vario* e non da *varo*). Ma oggi si tende, anche in questi casi, a ricorrere ad altre soluzioni (v. NOME, 4.4.2.); molto spesso si scrive semplicemente *principi* e *vari*, affidando la comprensione del significato al contesto.

14.9. LE MAIUSCOLE

Nella scrittura si usano normalmente le lettere **minuscole**. Le **maiuscole** si adoperano all'inizio di parola, solo in alcuni casi:

- quando si comincia a scrivere e dopo ogni punto fermo: *Ieri faceva molto freddo. Oggi il tempo è migliorato*;
- all'inizio di un discorso diretto: *« Dove vai? » « A casa »*;
- dopo il punto interrogativo e il punto esclamativo. Se le domande o le esclamazioni sono più d'una, o comunque se sono strettamente collegate a quello che segue, si può anche usare la lettera minuscola: *Lo conosci? Chi è?* oppure *Lo conosci? chi è?*; *Roba da matti! Non me lo sarei mai aspettato!* oppure *Roba da matti! non me lo sarei mai aspettato*;
- in tutti i nomi propri di persona, nei cognomi, nei soprannomi, nei nomi geografici, di vie o di piazze: *Luigi*, *Maria*, *Rossi*, *Italia*, *Perù*, *Milano*, *Vienna*, *Via Veneto*, *Piazza Indipendenza* ecc.;
- nei nomi di enti, società, istituzioni: *Alitalia*, *Senato*, *Università*;
- nei titoli: *I Promessi Sposi* (o *I promessi sposi*), *Corriere della Sera*;
- nei nomi di feste: *Natale*, *Pasqua*;
- nei nomi di secoli e di periodi storici: *il Cinquecento*, *il Rinascimento*;
- nei nomi che indicano gli abitanti di una città o di un paese: *i Fiorentini*, *gli Olandesi* (gli aggettivi corrispondenti si scrivono con l'iniziale minuscola: *i musei fiorentini*, *i fiori olandesi*);
- nei nomi che indicano alcune alte cariche: *il Presidente della Repubblica*;
- nelle personificazioni: *Amore*, *Libertà*, *Giustizia*.

I nomi dei mesi e dei giorni della settimana si scrivono generalmente con la lettera minuscola: *aprile*, *sabato*.

L'uso della maiuscola o della minuscola dipende spesso dal modo in cui chi scrive "sente" una certa parola. Una diversa grafia (per esempio *Papa* / *papa*) può rispecchiare un diverso punto di vista. Si spiega così l'uso delle **maiuscole reverenziali** nelle lettere: *Nel ringraziarLa, porgo a Lei e alla Sua Signora distinti saluti*. Oggi questo uso è assai meno frequente di un tempo, e sa di affettazione; continua ad essere molto comune solo nella corrispondenza commerciale.

14.10. LA PUNTEGGIATURA

La **punteggiatura** serve a indicare le pause tra le frasi o tra le parti che compongono una stessa frase, a esprimere rapporti di coordinazione e di subordinazione, a suggerire il tono del discorso. Un uso appropriato della punteggiatura (chiamata anche **interpunzione**) è quindi importante non solo dal punto di vista sintattico, ma anche dal punto di vista stilistico ed espressivo.

I segni di punteggiatura sono: il punto (**.**), la virgola (**,**), il punto e virgola (**;**), i due punti (**:**), il punto interrogativo (**?**), il punto esclamativo (**!**), i puntini di sospensione (**...**), le virgolette (**« »** o **" "**), il trattino (**-**), l'asterisco (*****). Abbiamo poi le parentesi tonde **( )**, le parentesi quadre **[ ]** e la sbarretta **/**.

Il punto

Il **punto** (o **punto fermo**) indica una pausa lunga e si mette generalmente alla fine di una frase. Se tra due frasi o tra due gruppi di frasi c'è uno stacco molto netto, dopo il punto si va a capo e si comincia un nuovo **capoverso** (al quale si può dare maggiore evidenza lasciando uno spazio bianco all'inizio del rigo). Viene usato anche in abbreviazioni, come *ecc.* 'eccetera', *v.* 'vedi', *cfr.* 'confronta'.

La virgola

Indica una pausa breve. I suoi impieghi sono molti e complessi: si usa nelle enumerazioni (*Claudio, Luca, Maurizio* o *Claudio, Luca e Maurizio*), negli incisi (*si tratta, lasciamelo dire, di un ottimo lavoro*), tra la proposizione principale e vari tipi di subordinate (*se viene lui, non vengo io*).

Il punto e virgola

Indica una pausa intermedia tra quella lunga segnata dal punto e quella breve segnata dalla virgola. Può dividere, per esempio, due o più frasi collegate tra loro, ma troppo estese per essere delimitate da una semplice virgola: *solo allora, per la prima volta, mi accorsi della sua presenza; lì per lì mi sembrò impossibile che si trattasse proprio di lui, e stentai a riconoscerlo; poi, guardandolo meglio, non ebbi più alcun dubbio.*

I due punti

Introducono un discorso diretto, un'enumerazione, una spiegazione. In alcuni casi hanno lo stesso valore di una congiunzione subordinante (causale): *prendi l'ombrello: piove* = *prendi l'ombrello perché piove.*

Il punto interrogativo

Indica il tono ascendente dell'interrogazione diretta; si usa perciò alla fine di una domanda: *che stai facendo?*

Il punto esclamativo

Indica il tono delle esclamazioni, e in genere delle frasi che esprimono meraviglia, gioia, dolore ecc.: *ah!*; *stupendo!*; *che paura mi hai fatto!*

I puntini di sospensione

Indicano il tono sospeso, il discorso lasciato a metà (per reticenza, per convenienza, per un sottinteso allusivo ecc.): *a buon intenditor...* (è tralasciata la seconda parte del proverbio *a buon intenditor poche parole*).

Le virgolette

Delimitano un discorso diretto o una citazione. Talvolta vengono usate per dare evidenza a una o più parole, per sottolinearne un particolare significato, per metterne in rilievo la stranezza: *il valore "politico" dell'opera d'arte*, *le "convergenze parallele"* (in questi casi sono più comuni i segni " ", mentre nei discorsi diretti e nelle citazioni sono più comuni i segni « »).

Il trattino

Unisce due parole che vengano occasionalmente collegate: *dizionario italiano-latino e latino-italiano*. Si usa anche in alcuni composti: *auto-analisi* (ma *autocritica*, senza trattino, perché qui la composizione è del tutto affermata e stabile). In fine di riga, viene adoperato quando è necessario andare a capo dividendo una parola (a questo scopo si può anche usare, invece del trattino, il segno =).

Due trattini lunghi (detti anche **lineette**) sono talvolta impiegati con una funzione analoga a quella delle virgolette, per delimitare il discorso diretto: — *Come stai?* — *gli chiesi*.

L'asterisco

Può avere diversi valori. Nella linguistica, si fanno precedere da un asterisco forme, parole, frasi non attestate o non grammaticali: **correggizione*, **il vecchia amici*.

Le parentesi tonde

Delimitano le parole che si vogliono isolare in un discorso. Quando, nel punto in cui si apre la parentesi, la frase richiede un segno d'interpunzione, questo viene posto appena chiusa la parentesi: *mi rimproverò (e me lo meritavo); poi non mi rivolse più la parola*.

Le parentesi quadre

Sono usate talvolta per racchiudere parole o frasi che non fanno parte del testo, ma sono inserite per maggior chiarezza: *il re* [Carlo Alberto] *concesse la Costituzione*.

La sbarretta

Separa un verso dall'altro, quando non si va a capo: *Si sta come / d'autunno / sugli alberi / le foglie* (Ungaretti). Viene usata talvolta per indicare un rapporto di contrapposizione o di complementarità: *il binomio materia/spirito*. Negli ultimi anni si è diffusa, soprattutto nel linguaggio scientifico, la congiunzione copulativo-disgiuntiva **e/o**: *una raccolta di saggi storici e/o filosofici*, ad esempio, conterrà alcuni saggi d'interesse sia storico sia filosofico, altri d'interesse solo storico e altri ancora d'interesse solo filosofico.

14.11. LA FONETICA SINTATTICA

Quando parliamo, non pronunciamo le varie parole che compongono il nostro discorso separate le une delle altre, ma le uniamo più o meno strettamente fra loro, seguendo una certa intonazione e un certo ritmo, scandito dagli accenti tonici. Si producono così quei fenomeni che i linguisti chiamano di **fonetica sintattica**, perché dipendono da particolari incontri di fonemi all'interno della frase. I più importanti di questi fenomeni sono l'**elisione**, il **troncamento**, il **raddoppiamento fonosintattico**.

14.11.1. L'elisione

L'**elisione** è la caduta della vocale atona finale di una parola di fronte alla vocale iniziale della parola successiva; nella scrittura si indica con l'**apostrofo (')**.

L'elisione è normale con gli articoli *una*, *lo*, *la*, con le preposizioni articolate composte con *lo*, *la*, con gli aggettivi (usati al singolare) *quello* e *bello*:

un'asta, *un'attrice*, *l'oste*, *l'erba*, *sull'uscio*, *dall'Africa*, *nell'interno*, *quell'uomo*, *bell'esemplare*.

Gli si elide solo davanti a *i*: *gl'Italiani* (più frequentemente *gli Italiani*). *Le* normalmente non si elide (v. ARTICOLO, 3.1.1.).

Si ha spesso l'elisione con *di*: *d'inverno*, *d'astuzia*, *d'amore e d'accordo*, *d'oro*; mentre *da* non si elide mai: *da udire*, *da oggi*, *da amici*, *da Empoli*, *da invitare* (vanno considerate a parte alcune locuzioni avverbiali: *d'altronde*, *d'ora in poi*, *fin d'allora*; v. anche altre formule fisse dello stesso genere, come *tutt'altro* e *senz'altro*).

14.11.2. Il troncamento

Il troncamento è la caduta della parte finale di una parola. A differenza dell'elisione, che si può avere soltanto quando la parola successiva comincia per vocale, il troncamento si può avere anche quando la parola che segue comincia per consonante, purché non si tratti di *s* preconsonantica (*s* impura), *z*, *gn*, *x*, *ps*:

un tavolo, *bel posto*, ma *uno stivale*, *bello zaffiro*.

Perché si possa avere un troncamento è necessario inoltre che la vocale finale sia atona e che sia preceduta la *l*, *r*, *n* e (raramente) *m*:

a caval donato, *suor Teresa*, *nessun amico*.

Il troncamento può essere **vocalico** o **sillabico**: può cadere cioè la sola vocale finale, come in *cuor di leone*, *buon ragazzo*, o l'intera sillaba finale, come in *fra Cristoforo*, *quel signore*.

Il troncamento si ha con *uno* e *alcuno*, *nessuno*, *ciascuno*: *un albero*, *alcun modo*, *nessun operaio*, *ciascun abito*. Si ha anche con *buono* (*buon anno*) e con *quello* seguito da consonante (*quel viale*). È normale pure con *bello*, *grande*, *santo* seguiti da consonante: *bel giovane*, *gran casa*, *san Francesco*; è frequente con *tale* e *quale*: *un tal individuo, qual è*. Si troncano anche *frate* e *suora* davanti a nomi propri: *fra Luigi*, *suor Maria*.

In genere non si ha troncamento al plurale: *buon uomo* ma *buoni uomini*.

Nessun segno grafico indica il troncamento. Solo in pochi casi il troncamento viene indicato con l'apostrofo: *po'* (*poco*) e *di'*, *fa'*, *va'*, *sta'*, *da'* (forme dell'imperativo dei verbi *dire*, *fare*, *andare*, *stare*, *dare*).

Un accorgimento pratico per distinguere quando sia necessario mettere l'apostrofo (elisione) e quando no (troncamento) è questo: si ha troncamento, e perciò non ci vuole l'apostrofo, quando la parola, così accorciata, può essere posta davanti a un'altra parola che cominci per consonante; altrimenti si ha elisione, e ci vuole l'apostrofo. Per esempio: *qual era* (perché si dice *qual buon vento*), *buon onomastico* (perché si dice *buon compleanno*); ma *pover'uomo* (perché non si può dire *pover dottore*), *bell'orto* (perché non si può dire *bell mobile*). Attenzione anche al genere maschile o femminile: *buon uomo* ma *buon'anima* (perché non si può dire *buon bambina*).

14.11.3. Enclitiche e proclitiche

Alcuni monosillabi tendono ad appoggiarsi, nella pronuncia, alla parola che segue (**proclitiche**) o a quella che precede (**enclitiche**).

Sono particelle **proclitiche** gli articoli, le preposizioni, alcuni pronomi e avverbi (*mi*, *ti*, *si*, *ci*, *vi*, *ne*).

Quando pronunciamo una sequenza articolo-nome (per esempio, *il cane*), non c'è alcun intervallo tra le due parole (/il'kane/): la parola "forte", tonica, attrae a sé la parola "debole", atona. Anche un aggettivo monosillabico può essere proclitico: *bel cane* /bɛl'kane/.

Alcune di queste particelle monosillabiche si trovano anche dopo la parola forte: in tal caso si parla di **enclitiche**. A differenza di quanto accade con le proclitiche, l'ortografia tiene conto dell'unità tra la parola che porta l'accento e l'enclitica: si scrive infatti *vederci*, *sapendolo*, *dimmi*, *stacci* (con raddoppiamento della consonante dopo parola tronca: v. 14.11.4).

Tutti i monosillabi atoni possono essere proclitici, ma solo le particelle pronominali e avverbiali (anche in coppia: *ditemelo*, *andiamocene*) possono essere enclitiche.

14.11.4. Il raddoppiamento fonosintattico

Il **raddoppiamento** (o **rafforzamento**) **fonosintattico** è il fenomeno per cui determinate consonanti iniziali di parola, quando nella frase vengono a trovarsi di seguito a determinate parole uscenti in vocale, si pronunciano come se fossero scritte doppie; per esempio: *a casa* /a'kkasa/, *tra loro* /tra'lloro/.

Il raddoppiamento fonosintattico si ha:

- dopo tutte le parole che portano l'accento scritto (polisillabi tronchi e monosillabi tonici): *mangiò tutto* /man'dʒɔ 'ttutto/ di contro a *mangio tutto* /'mandʒo 'tutto/; *è vero* /'ɛ 'vvero/; *già fatto* /'dʒa 'ffatto/; *né questo né quello* /'ne 'kkwesto 'ne 'kkwello/;
- tutti i monosillabi tonici, anche se non portano l'accento scritto: *ho fame* /'ɔ 'ffame/; *sto bene* /'stɔ 'bbɛne/; *ha*, *sta*, *so*, *sa*, *va*, *gru*, *re*, *blu* ecc.;
- alcuni monosillabi atoni (per esempio *a*, *che*, *ma*, *tra*, *se*, *o*, *chi*): *a Milano* /a mmi'lano/, *che fai* /ke'ffai/, *ma no* /ma'nnɔ/, *tra poco* /tra'ppɔko/, *se vuoi* /se'vvwɔi/, *qui o lì* /'kwi o 'lli/, *chi viene* /ki 'vvjɛne/ ecc.

Il raddoppiamento fonosintattico si chiama così perché è un fenomeno di fonetica sintattica: viene infatti determinato dall'accostamento, all'interno della frase, di alcune parole che producono rafforzamento con altre parole che iniziano per consonante. Un caso particolare è la pronuncia sempre rafforzata, a prescindere dalla parola che precede, della *d* di *Dio*. Una precisazione importante: il raddoppiamento fonosintattico è un fenomeno tipico della Toscana e dell'Italia centro-meridionale in genere; non si ha, invece, nel Settentrione, dove si tende a pronunciare come tenui tutte le consonanti.

L'ortografia moderna tiene conto del raddoppiamento fonosintattico solo quando le due parole si scrivono unite: *cosiddetto*, non *cosidetto*; *soprattutto*, non *sopratutto* (ma *innanzitutto*, con una sola *t*, perché dopo *innanzi* non si ha raddoppiamento fonosintattico); *sopravvento*, *contraccolpo*, *contravvenzione*, *contrapporre*, *dillo*, *vacci*, *chicchessia*, *appena*, *accanto*, *appresso*, *frattanto*, *davvero*, *lassù*, *neppure*, *sebbene*, *ovvero*, *ossia* ecc.

14.12. INSERTI

14.12.1. La fonematica contrastiva

Una delle maggiori difficoltà che s'incontrano nello studio di una lingua straniera consiste nell'apprendere la pronuncia dei suoni linguistici presenti in quella lingua. Per tale motivo ci sembra utile proporre un confronto tra i suoni linguistici dell'italiano e i suoni linguistici dell'inglese.

Naturalmente si tratta di un confronto molto rapido: una trattazione più ricca di particolari (e pertanto più convincente) occuperebbe un intero volume. Per chi studia a scuola un'altra lingua straniera (francese, tedesco ecc.) il confronto andrà fatto tra questa lingua e l'italiano.

Come abbiamo visto (v. 14.1.), i suoni linguistici si distinguono in **foni** (l'aspetto fisico, materiale) e in **fonemi** (l'aspetto distintivo, funzionale). Nel confrontare l'italiano con l'inglese si terranno presenti:

1. innanzi tutto le differenze che dipendono dalla presenza di fonemi diversi nelle due lingue;

per esempio il sistema vocalico dell'inglese è molto diverso da quello italiano: diverso è il numero dei fonemi vocalici nelle due lingue; inoltre nessuno dei fonemi vocalici italiani ha gli stessi tratti distintivi di quelli inglesi. Consideriamo un solo fonema vocalico inglese /ʌ/: si definisce come vocale posteriore avanzata, semi-aperta, rilassata, non arrotondata (cfr. *cup* /kʌp/ 'tazza'); in alcune sue realizzazioni /ʌ/ assomiglia un po' alla nostra /a/, vocale di massima apertura ed unica centrale (tutti gli altri caratteri, che sono importanti per il sistema vocalico inglese, non lo sono per il sistema vocalico italiano); quindi /a/ e /ʌ/ sono due fonemi diversi;

2. le differenze che riguardano la realizzazione fonetica dei fonemi che le due lingue hanno in comune: si tratta di differenza di *allofoni* (dal gr. *állos* 'altro' e *fōnḗ* 'suono');

per esempio le dentali /t/ e /d/ in italiano sono realizzate come apico-dentali (l'apice della lingua poggia sui denti); in inglese invece sono realizzate come apico-alveolari (l'apice della lingua poggia sugli alveoli): cfr. la differenza tra l'it. *timo* / timo / e l'inglese *team* /ti:m/; abbiamo due allofoni (apico-dentale e apico-alveolare) dello stesso fonema /t/; nota infatti che nelle due trascrizioni si usa questo stesso segno.

Confrontare i fonemi e gli allofoni di due lingue vuol dire fare della **fonematica contrastiva**. È quello che facciamo ora per l'italiano e per l'inglese. Proprio ai fini di questo confronto i fonemi sono stati disposti con un criterio diverso rispetto a quello usato nelle tabelle di 14.2.1. e 14.2.2.

Nota bene: i fonemi dell'inglese che non hanno corrispondenza in italiano appaiono inquadrati da una linea continua; i fonemi dell'inglese che hanno corrispondenza in italiano ma sono realizzati (dal punto di vista fonetico-articolatorio) in modo notevolmente diverso (sono cioè degli allofoni) appaiono inquadrati da una linea tratteggiata. Le due tabelle sono tratte da A. M. Mioni, *Fonematica contrastiva*, Bologna, Pàtron, 1973, pp. 43 e 155.

INGLESE ITALIANO

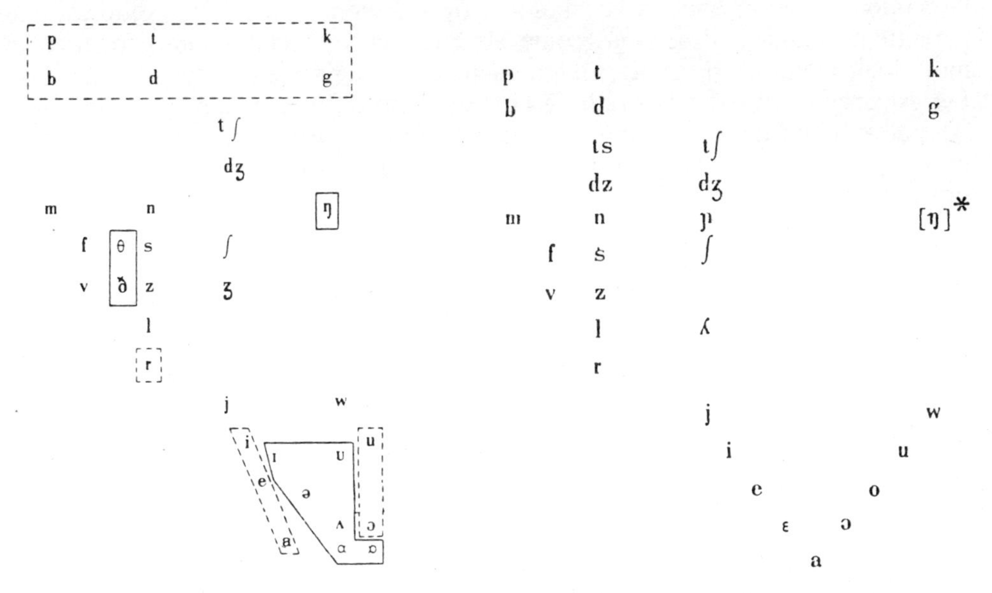

Come appare, l'inglese possiede alcuni fonemi ignoti all'italiano. Nelle consonanti troviamo: la nasale velare /ŋ/, per es. *ting* /tiŋ/ 'tintinnio' (in it. la nasale velare esiste soltanto come variante combinatoria del fonema /n/); le fricative interdentali sorda /θ/ e sonora /ð/, per es. *thin* /θin/ 'sottile' e *this* /ðis/ 'questo'. Quanto si è detto può dare un'idea della diversità e della complessità del sistema fonologico inglese.

La pronuncia di una lingua straniera si apprende ovviamente dalla viva voce di chi possiede tale lingua. Una prima indicazione, sia pure approssimativa, può venire dai moderni dizionari bilingui, nei quali dopo ciascun lemma della lingua straniera è posta la relativa trascrizione secondo le norme dell'alfabeto fonetico internazionale (A.P.I.).

14.12.2. Lingua inglese in bocca italiana

La non corrispondenza tra grafia e pronuncia nella lingua inglese e la distanza che separa la fonetica inglese da quella italiana sono le due cause principali che spiegano perché gli Italiani pronunciano "male" le parole inglesi importate nella nostra lingua. Possiamo distinguere intanto tra:

[1] vocaboli pronunciati "all'italiana", vale a dire secondo la corrispondenza grafia - pronuncia della nostra lingua, per es.: *bus* /bus/ invece di /bʌs/, *shampoo* /'ʃampo/ invece di /ʃæm'pu/, *watt* /vat/ invece di /wɔt/, *quiz* /kwitts/ invece di /kwiz/;

[2] vocaboli nella pronuncia dei quali cerchiamo di avvicinarci alla pronuncia originale: *boom* /bum/ invece di /buːm/, *budget* /'baddʒet/ invece di /'bʌdʒit/, *flirt* /flɛrt/ invece di /fləːt/, *handicap* /'ɛndikap/ invece di /'hændikæp/.

* In italiano la nasale velare (cfr. per es. *anca*) non è un fonema (come in inglese) ma un allofono; pertanto è stato messo tra parentesi quadrate.

In genere i vocaboli [1] sono entrati in Italia attraverso la lingua scritta, mentre i vocaboli del tipo [2] ci sono giunti attraverso la lingua parlata. Tuttavia non facciamoci illusioni: anche i vocaboli del tipo [2] non sono affatto compresi dai parlanti la lingua inglese: ma, come abbiamo visto, l'adattamento fonetico e morfologico dei forestierismi è un fenomeno comune a tutte le lingue (v. 13.9.1.). Per esigenze commerciali la radio e la televisione diffondono pronunce del tipo [1]: per esempio il nome di due noti detersivi *ace* e *dash* suona /atʃe/ e /daʃ/; la pronuncia corretta /eis/ e /dæʃ/ porterebbe fuori strada i consumatori del prodotto.

La pronuncia di tipo [2] potrebbe essere definita "di compromesso", vale a dire una via di mezzo tra le due lingue. In tale pronuncia "di compromesso" le vocali inglesi sono sostituite con le vocali italiane foneticamente più vicine, per es.: /ə/ > /e/, /ʌ/ > /a/, /æ/ > /ɛ/. Vari dittonghi inglesi sono eliminati: *baby* è pronunciato /bebi/ oppure /bɛbi/ invece del corretto /ˈbeibi/; *show* è pronunciato /ʃo/ invece di /ʃou/.

La difficoltà per gli Italiani di far terminare una parola con una consonante "pura" fa sì che a tale consonante sia aggiunta spesso una *e* tenue, vale a dire /ə/, vocale che è presente non soltanto in inglese e in francese, ma anche in napoletano. Pertanto *pop* e *film* sono pronunciati in Italia /poppə/ e /filmə/ invece di /pɔp/ e /film/. Tale vocale incerta può diventare una vera e propria *e*. Questa è l'origine di forme come *filme, ponce* (da *punch*), *rosbiffe* (da *roast-beef*), le quali si sono fissate anche nella grafia.

Una delle maggiori difficoltà per gli Italiani che studiano la lingua inglese è costituita dalle parole che si scrivono allo stesso modo (o quasi) nelle due lingue (si tratta per lo più di latinismi), ma che si pronunciano in modo diverso. Vediamone qualche esempio, distinguendo tra diversa pronuncia delle vocali e delle consonanti:

ITALIANO	INGLESE	PRONUNCIA DELLA PAROLA INGLESE
altare	*altar*	/ˈɔːltə*/
falso	*false*	/fɔːls/
data	*date*	/deit/
totale	*total*	/ˈtoutl/
occupato	*occupated*	/ˈɔkjupaid/
cemento	*cement*	/siˈment/
zero	*zero*	/ˈziərou/
oceano	*ocean*	/ˈouʃən/
segnale	*signal*	/signl/
entusiastico	*enthusiastic*	/inˌθjuːziˈæstik/.

Un altro errore frequente consiste nell'accentare tutte le parole inglesi sulla prima sillaba. Questa è la posizione in cui cade l'accento nella maggior parte delle parole inglesi; tuttavia ciò non accade sempre. Due anglicismi che si usano frequentemente in Italia sono male accentati: *self-control* e *suspense* /ˈsɛlf ˈkɔntrol/, /ˈsaspens/ sono pronunce "all'italiana"; la vera pronuncia è /ˈselfkənˈtroul/, /səsˈpens/.

Concludendo. In caso di dubbi è bene ricorrere ad un dizionario bilingue moderno: le parole inglesi sono accompagnate da una trascrizione fonematica secondo le norme dell'Alfabeto Fonetico Internazionale. L'importanza di tale alfabeto, adottato nella presente grammatica, è fuori dubbio. Chi vuole imparare una buona pronuncia è avvertito.

14.12.3. Virgola, punto e virgola, due punti

In alcuni casi, per sottolineare un certo stacco tra una frase e la successiva, per dare maggiore precisione al nostro discorso, è opportuno ricorrere al punto e virgola piuttosto che alla semplice virgola. Ad esempio, quando si collegano due frasi di una certa ampiezza con *infatti* appare spesso insufficiente la pausa breve segnalata dalla virgola; scriveremo dunque:

si pensa che il tuo progetto, almeno in questo momento, non sia realizzabile; *infatti, sebbene presenti alcuni vantaggi, richiede un investimento iniziale troppo elevato*.

Invece che dal punto e virgola, potremmo far precedere *infatti* dai due punti, per mettere in rilievo che la seconda frase rappresenta un chiarimento della prima. Potremmo anche ricorrere al punto, qualora preferissimo una sintassi spezzata, dai contorni netti e decisi. È invece del tutto sconsigliabile, in un contesto del genere, l'uso della virgola, che appiattirebbe l'articolazione complessiva del periodo.

Osserviamo la punteggiatura del seguente brano, soffermando in particolare l'attenzione sull'impiego che in esso viene fatto delle virgole (poste dentro un cerchio) e dei punti e virgola (posti dentro un quadrato):

Il sabato pomeriggio mi piace passeggiare per le vie del centro [;] *trovo molto rilassante il fatto di non avere particolari impegni per il giorno successivo* (,) *la tanto attesa domenica* (,) *e poi c'è il vantaggio dei negozi aperti: si possono guardare le vetrine* (,) *confrontare i prezzi* (,) *eventualmente fare degli acquisti. Purtroppo la maggior parte della gente la pensa allo stesso modo* (,) *e questo crea alcuni inconvenienti: un gran traffico per le strade* [;] *lunghe file nei negozi* [;] *un certo nervosismo dei commessi* (,) *che* (,) *mentre tutti vanno tranquillamente a spasso* (,) *devono lavorare più degli altri giorni*.

Negli elenchi che spesso seguono i due punti, si può adoperare la virgola se ciascun elemento di cui si compone l'elenco è breve e non ha a sua volta virgole al proprio interno:

c'è il vantaggio dei negozi aperti: si possono guardare le vetrine, confrontare i prezzi, eventualmente fare degli acquisti.

È invece meglio ricorrere al punto e virgola se qualcuno degli elementi di cui si compone l'elenco è lungo e ha una o più virgole al proprio interno:

questo crea alcuni inconvenienti: un gran traffico per le strade; lunghe file nei negozi; un certo nervosismo dei commessi, che, mentre tutti vanno tranquillamente a spasso, devono lavorare più degli altri giorni.

Un'abile strategia delle pause, rappresentate nella scrittura per mezzo dei segni d'interpunzione, rende più nitido ed efficace il nostro discorso. A volte l'uso intelligente della punteggiatura permette di snellire il periodo, di eliminare una congiunzione, di sostituire una struttura subordinativa con una coordinativa (v. 11.2.). Si confrontino, ad esempio, queste frasi:

è stanco perché ha fatto una lunga passeggiata	*è stanco: ha fatto una lunga passeggiata*
arrivò in ufficio quando gli impiegati erano usciti	*arrivò in ufficio; gli impiegati erano usciti*

Nella colonna di destra il rapporto di causalità e il rapporto di tempo si deducono dallo stesso significato delle frasi, senza ricorrere alle congiunzioni subordinative *perché* e *quando*. Si noti che mentre il punto e virgola suggerisce un intervallo generico, i due punti servono ad introdurre una spiegazione.

14.12.4. Italianismi in Europa

Nel XVII secolo la musica italiana ebbe successo in Francia. Nel 1646 l'opera fu introdotta a Parigi dal cardinale Mazzarino. Nel francese entrò allora l'italianismo *opéra*, che è vivo tuttora con il significato appunto di 'opera musicale'. Il vocabolo autoctono corrispondente *œuvre*, dal lat. OPERA, ha un significato più generale: *se mettre à l'œuvre* 'mettersi all'opera', *œuvre littéraire, artistique* 'opera letteraria, artistica'. Più tardi altri termini musicali italiani passeranno i confini installandosi stabilmente in francese e in altre lingue europee: *adagio, allegro, allegretto, andante, forte, fortissimo, piano, pianissimo, presto, prestissimo*; e ancora: *aria, ariette, bravo* (come esclamazione per applaudire gli attori), *cantatrice, contralto, soprano, scénario*.

Non soltanto nel campo musicale la nostra lingua ha contribuito alla formazione del lessico francese. Nel Trecento troviamo *alarme* 'allarme', *ambassade* 'ambasciata', *ambassadeur* 'ambasciatore'; nel secolo successivo: *banque* 'banca' e *banqueroute* 'bancarotta'. A tale proposito giova osservare che, grazie alla prestigiosa finanza italiana di quei tempi, vocaboli come *bilancio, tariffa, numero, zero* si diffusero in varie lingue europee. Nel Cinquecento la Francia accolse vocaboli fondamentali come *campagne* (anche nel significato militare) e *cavalier* (che fece concorrenza al francese *chevalier*) e vocaboli relativi alle arti: *arcade, balcon, baldaquin* 'baldacchino', *balustrade* 'balaustra', *belvédère, bronze, campanile, estampe* 'stampa', *faïence* 'maiolica' (dal nome della città di Faenza) ecc. Particolare curioso: la famosa *baguette*, quel sottile e lungo filone di pane che è uno dei simboli della cucina francese, è la nostra *bacchetta*. Anche i dialetti italiani hanno dato il loro contributo: *céléri* 'sedano' viene dal lombardo *seleri; polichinelle* riproduce il napoletano *polecenella*.

Perfino nei secoli XVIII e XIX, che segnano il predominio culturale e linguistico della Francia in Europa, non mancano italianismi di rilievo come: *cicérone* 'guida turistica', *dilettante* 'appassionato di musica', *piano* 'pianoforte', *pittoresque* 'pittoresco', *protagoniste*; e ancora *confetti* 'coriandoli' e *fantasia* 'gioco equestre di cavalieri arabi'. All'inizio del nostro secolo l'italianismo *ferroviaire* risolve un delicato problema linguistico: dare un aggettivo al francese *chemin de fer* 'ferrovia'. Alla fine dell'Ottocento il vocabolo *maffia* (ahinoi!) era noto anche in Francia. La nostra cucina è presente con: *spaghetti, ravioli, espresso, pizza*. Un italianismo serio, di origine ecclesiastica, è *aggiornamento*: proviene dal famoso Concilio Vaticano II voluto da Giovanni XXIII.

Attraverso la Francia o direttamente dall'Italia numerosi vocaboli italiani si sono diffusi nelle lingue europee. Ricordiamo, per es., *soldato*: fr. *soldat*, sp. *soldado*, ted. *Soldat*; *colonnello*: fr. *colonel*, ingl. *colonel*, sp. *coronel*; *facciata*: fr. *façade*, sp. *fachada*; *piedistallo*: fr. *piédestal*, ingl. *pedestal*; accanto al fr. *balcon* ricordiamo l'ingl. *balcony*. Il tedesco, oltre al vocabolo autoctono *Geige*, conosce *Violine*, un italianismo importato nel Seicento. In vari periodi il tedesco è stato il tramite di vocaboli italiani entrati nelle lingue della penisola balcanica: così per es. l'ungherese ha avuto *kupola* e *opera*.

APPENDICI

APPENDICE I
LA RETORICA

1. Origini e funzioni

La **retorica** — dal latino *rhetorica (ars)*, traduzione del greco *rhētorikḗ (téchnē)* — è l'arte del parlare e dello scrivere secondo regole, stabilite per la prima volta nell'antica Grecia e poi sviluppatesi successivamente nella cultura romana, medievale ed umanistica.

Oggi nell'uso comune il vocabolo *retorica* è adoperato spesso, con valore negativo, per indicare un modo di esprimersi artificioso, ornato, ampolloso, ma privo di contenuti validi; un modo di esprimersi capace spesso di sedurre il pubblico con il suo aspetto esteriore.

In realtà la retorica è stata per secoli un elemento fondamentale dell'educazione dell'uomo. Infatti è stata concepita come arte di persuadere, di convincere: un obiettivo di primaria importanza per l'oratore, l'uomo politico, l'avvocato, il diplomatico e, in generale, per chi ha una vita pubblica. Al tempo stesso la retorica è stata considerata come "arte del bello scrivere", essenziale quindi per prosatori e poeti.

Ai giorni nostri, dopo un periodo di oblio, la retorica — vista secondo nuove prospettive, arricchita di nuovi metodi e tecniche — torna ad essere considerata come un aspetto di base della razionalità umana. Infatti già gli antichi si erano resi conto che accanto alla logica della dimostrazione (propria della filosofia, che tende alla ricerca della verità) c'è una logica dell'argomentazione (propria della retorica, che ricerca argomenti non certi né evidenti, ma soltanto probabili). Insomma da una parte c'è un discorso specialistico, formalizzato, settoriale, proprio di ciascuna disciplina: un discorso che ricerca la verità. Dall'altra c'è la comunicazione retorica che, rivolgendosi ad uomini in carne ed ossa, deve far leva sui loro sentimenti, sui loro gusti, sulle loro abitudini: tutte cose che spesso non sono né logiche, né razionali, ma che hanno il potere — come si dice — di muovere il mondo.

Con un esempio vediamo la differenza che corre tra un discorso vero e un discorso probabile. Se io dico: — due più due fa quattro — questa è un'affermazione evidente in sé, che non ha bisogno di dimostrazioni; infatti si fonda su certi principi (quelli dell'aritmetica) che sono accolti come veri da tutti. Se invece dico: — la difesa della natura è un dovere per noi italiani — asserisco qualcosa che può essere accettabile soltanto se sono state accolte certe premesse, le quali non sono verità inconfutabili, ma soltanto opinioni. Se voglio che la mia affermazione sulla difesa della natura sia accolta dal mio interlocutore, devo convincere quest'ultimo con argomenti ben presentati, con un discorso ben costruito e solido, devo far leva sui suoi sentimenti oltre che sul suo raziocinio: insomma devo ricorrere alla retorica.

Secondo i Greci e i Romani la retorica ha tre fini: *docēre* 'insegnare', cioè fornire argomenti razionalmente validi; *movēre* 'muovere' i sentimenti; *delectare* 'dare diletto' a chi ascolta.

Gli antichi distinguevano tre categorie generali dell'oratoria: la **giudiziale** (quella che si usa nei tribunali, per difendere o per accusare), la **deliberativa** (quella che si usa nelle assemblee, per procurarsi i voti, per combattere un avversario), la **epidittica** (quella che serve per celebrare personaggi vivi o morti, quella che si usa nelle cerimonie: dal greco *epideíknymi* 'dimostrare'). A ben vedere si tratta di categorie valide ancora oggi: l'attività forense, la vita parlamentare, l'elogio di una persona o di un prodotto (la moderna pubblicità) sono aspetti fondamentali della nostra società.

Gli antichi distinguevano ancora sette generi che esprimevano altrettante finalità della retorica: consigliare, sconsigliare, lodare, biasimare, accusare, difendere, biasimare.

Inoltre la retorica veniva tradizionalmente divisa in cinque parti:

1. l'**inventio** 'invenzione': la ricerca delle "cose", degli argomenti che devono essere usati da chi parla e da chi scrive;

2. la **dispositio** 'disposizione': l'ordine in cui devono essere disposti gli argomenti; per es. l'ordine può essere "naturale", cioè normale dal punto di vista logico oppure può essere "artificiale", cioè organizzato in modo da sorprendere, stupire chi ci ascolta;

3. la **elocutio** (dal latino *loqui* 'parlare'): l'espressione delle idee mediante le figure del linguaggio; cioè scegliere le parole e il modo di combinarle (per certi aspetti, si tratta dell'insegnamento più importante della retorica);

4. l'**actio** 'dizione, recitazione' (dal lat. *agĕre* 'agire'): per chi parla in pubblico è molto importante il modo di pronunciare il proprio discorso, sono molto importanti gli atteggiamenti, i gesti; questi fattori sono tornati di grande attualità nel nostro tempo quando la televisione (e gli altri mezzi di registrazione per audio e/o per video) hanno reso possibile la trasmissione a distanza della voce e dell'immagine;

5. la **memoria**: il tenere a mente le cose che si debbono dire; un aspetto importante per gli oratori del passato; meno importante per l'oratore di oggi, che può giovarsi di vari mezzi per conservare testimonianze, documenti, dati ecc. ecc.

2. Le figure retoriche

Alla base della retorica tradizionale (dall'antichità al Settecento) ci sono le figure, vale a dire le particolari forme espressive usate dai poeti e dai prosatori per innalzare lo stile, per rendere "diverso" il loro dire rispetto al parlare di ogni giorno.

Veramente le figure sono degli schemi universali presenti nella mente dell'uomo: si ammette, per es., che la metafora non è soltanto una figura del linguaggio, ma una forma di pensiero, uno strumento della nostra conoscenza che ci permette di ordinare le nostre esperienze.

Al tempo stesso le figure si ritrovano anche nel parlare di ogni giorno: ad ogni momento, senza accorgercene facciamo uso di metafore, di metonimie, di iperboli ecc. Adattando alle circostanze una celebre battuta di un personaggio di Molière, ciascuno di noi potrebbe dire: — Da quando ho imparato a parlare faccio uso della retorica, e non lo sapevo! — Dal canto suo, Du Marsais, uno studioso francese del Settecento, disse argutamente che si usano più figure retoriche in un giorno di mercato che in tanti anni di ricerche sulla retorica.

L'identificazione e la **catalogazione** delle figure è stato uno dei problemi di base degli studiosi di retorica, dall'antichità al Settecento. Tradizionalmente si distinguono le seguenti categorie di figure:

figure di dizione: per le quali si modifica la forma delle parole (apocope, aferesi, sincope ecc.);

figure di elocuzione: riguardano la scelta delle parole più adatte (sinonimi, epiteti, asindeto, polisindeto ecc.);

figure di ritmo: riguardano gli effetti fonici che si ottengono mediante la ripetizione di fenomeni, sillabe, parole ecc.: allitterazione, onomatopea ecc;

figure di costruzione: si riferiscono all'ordine delle parole nella frase: anafora, chiasmo, iperbato, zeugma ecc;

figure di significato o tropi: concernono il cambiamento del significato delle parole: metafora, metonimia, sineddoche, antonomasia ecc;

figure di pensiero: riguardano l'idea e l'immagine che appare in una frase: apostrofe, esclamazione, iperbole, litote, reticenza ecc.

Come appare, la retorica tradizionale ha studiato concetti, principi, schemi formali che saranno oggetto di analisi in vari settori della linguistica moderna: semantica, sintassi, stilistica, linguistica testuale ecc. Va aggiunto che le figure della retorica sono servite come punto di riferimento per varie discipline: la linguistica, la logica, la psicoanalisi, la critica letteraria.

Naturalmente vi sono anche classificazioni moderne delle figure retoriche: classificazioni condotte secondo concezioni e metodi di analisi diversi da quelli tradizionali. Per es., un gruppo di studiosi ha operato una distinzione fra: modificazioni di parole o di elementi della parola dal punto di vista del significante (**metaplasmi**); modificazioni che riguardano la struttura della frase (**metatassi**); le modificazioni che riguardano il significato delle parole (**metasememi**); modificazioni che riguardano il valore complessivo della frase (**metalogismi**).

Qui di seguito, in ordine alfabetico, sono elencate le figure retoriche più comuni, con spiegazioni ed esempi.

Afèresi

Caduta di una vocale o di una sillaba all'inizio di una parola: *limosina* 'elemosina', *verno* 'inverno'.

Allegoria

Espressione, discorso o racconto che, oltre al senso letterale, ha un significato più profondo e nascosto. Non sempre l'allegoria è di facile comprensione: vi sono, ad esempio, passi allegorici della *Divina Commedia* che si prestano a diverse interpretazioni.

Esempi famosi di allegoria si hanno nelle favole, i cui protagonisti sono per lo più animali che parlano e agiscono come uomini e ne rappresentano qualità e difetti. In una celebre favola di Esopo, quella delle formiche che mettono da parte il grano per l'inverno mentre le cicale pensano solo a cantare, l'allegoria segue questo schema fondamentale:

MONDO DEGLI ANIMALI	MONDO DEGLI UOMINI
formiche	uomini laboriosi e previdenti
cicale	uomini dediti ai piaceri e incuranti del futuro
grano raccolto dalle formiche	risparmio, sicurezza raggiunta attraverso il lavoro
canto delle cicale	feste, giochi, divertimenti
inverno	momento difficile della vita, al quale è necessario essere preparati

Allitterazione

È la ripetizione degli stessi suoni sia all'inizio di due o più parole successive sia, meno comunemente, all'interno di esse: «Di me medesmo meco mi vergogno» (*Petrarca*); «Sentivo un fru fru fra le fratte» (*Pascoli*).

Amplificazione

Procedimento di accentuazione espressiva che consiste nell'usare diverse formulazioni linguistiche, in genere sinonimiche, per indicare un solo concetto: «Tu solo il Santo, Tu solo il Signore, Tu solo l'Altissimo» (*preghiera*).

Anacolùto

È il susseguirsi, in uno stesso enunciato, di due diverse costruzioni, di cui la prima non si lega sintatticamente con la seconda. L'anacoluto rappresenta quindi una frattura nell'ordine sintattico della frase: «Quelli che muoiono, bisogna pregare Iddio per loro» (*Manzoni*); «un religioso che, senza farvi torto, val più un pelo della sua barba che tutta la vostra» (*Manzoni*).

Come procedimento stilistico, l'anacoluto è usato per riprodurre l'immediatezza del linguaggio parlato, o per dare maggiore forza espressiva al discorso.

Anadiplòsi

È la ripresa — all'inizio di un enunciato — di una o più parole che si trovano alla fine dell'enunciato precedente: «Ma passavam la selva tuttavia, / La selva, dico, di spiriti spessi» (*Dante*).

Anàfora

È la ripetizione di una o più parole all'inizio di enunciati successivi: «Per me si va nella città dolente, / Per me si va nell'etterno dolore, / Per me si va tra la perduta gente» (*Dante*).

Anàstrofe

Inversione dell'ordine normale di parole o sintagmi posti in successione: «un dolce di morir desìo» (*Petrarca*). Può considerarsi una varietà dell'*iperbato* (v.).

Anfibologia

Discorso o espressione interpretabile in due modi diversi; carattere semanticamente ambiguo di un enunciato. L'anfibologia può dipendere dal lessico, dato che molti vocaboli hanno più significati (v. *gioco di parole*); ma generalmente si parla di anfibologia con riferimento alla struttura sintattica e in particolare alla collocazione delle parole: *cercasi un cameriere in grado di lavare i piatti e una cameriera* (dove *una cameriera* può sembrare l'oggetto di *lavare* invece che di *cercasi*); *Nicola vede mangiare una gallina* (non è chiaro se Nicola veda qualcuno che mangia una gallina o se vede una gallina che mangia).

Antitesi

Consiste nel contrapporre due parole o espressioni di significato opposto: *mangiare per vivere, non vivere per mangiare* (questa frase è anche un esempio di chiasmo); «Pace non trovo, e non ho da far guerra; / temo, e spero; e ardo, e son un ghiaccio; / e volo sopra il cielo, e giaccio in terra; / e nulla stringo, e tutto 'l mondo abbraccio» (*Petrarca*), dove vi è antitesi tra *pace* e *guerra, temo* e *spero, ardo* e *sono un ghiaccio, volo* e *giaccio, cielo* e *terra, nulla* e *tutto il mondo.*

Antonomàsia

È la sostituzione di un nome proprio con un nome comune o, inversamente, di un nome comune con un nome proprio. In particolare si ha antonomasia quando si indica una persona celebre con il suo nome proprio, ma con il suo appellativo più noto: *l'Astigiano* per l'Alfieri, *il segretario fiorentino* per Machiavelli, *l'eroe dei due mondi* per Garibaldi, *il Salvatore* o *il Redentore* per Gesù Cristo, il *Divino poeta* per Dante; o, viceversa, quando si indica con il nome proprio di un personaggio o di un luogo famoso persone e cose che possiedono le stesse qualità: *essere un Adone* o *una Venere* (= 'un uomo o una donna di eccezionale bellezza'); *fare il Don Giovanni, il Casanova* (= 'il conquistatore, il seduttore'); *che Babilonia!* (= 'che confusione').

Apòcope

Caduta di uno o più fonemi alla fine di una parola: *se'* 'sei', *i'* 'io', *farem* 'faremo', *passar* o *passaro* 'passarono'. Non si confonda l'apocope con l'**elisione**, in cui la caduta della vocale finale di una parola si ha solo davanti a un'altra parola cominciante per vocale: *l'erba* (ma *la casa*).

Bisticcio

Vedi *paronomàsia*.

Brachilogia

Forma di brevità espressiva consistente nel sopprimere un elemento del discorso che risulta comune a due o più proposizioni: *non andrò al mare né in montagna, ma in campagna* (non viene ripetuto, dopo le congiunzioni *né* e *ma*, il verbo *andrò*). Vedi *ellissi*.

Calembour (/francese kalã'buʀ/)

Vedi *gioco di parole*.

Catacrèsi

Vedi *metafora*.

Chiasmo

È la disposizione inversa, incrociata, di elementi concettualmente e sintatticamente paralleli:

«Ovidio		è il terzo	e	l'ultimo è		Lucano» (*Dante*)
soggetto	+	predicato	/	predicato	+	soggetto
A		B		B		A

Un altro esempio famoso: «Le donne, i cavallier, l'arme, gli amori» (*Ariosto*), dove il rapporto tra i primi due termini («Le donne, i cavallier») è ribaltato negli altri due («l'arme, gli amori»).

Climax o gradazione

È una successione di parole che hanno significati progressivamente più intensi (*climax ascendente*) o progressivamente meno intensi (*climax discendente*).

Esempi di climax ascendente: *vado*, *corro*, *volo*; «Tu duca, tu signore e tu maestro» (*Dante*); «La terra ansante, livida, in sussulto, / Il cielo ingombro, tragico, disfatto» (*Pascoli*).

Un esempio di climax discendente (o *anticlimax*): *vorrei un letto, una sedia, un cantuccio dove riposare.*

Dittologia sinonimica

Vedi *endiadi.*

Ellissi

Consiste nel sottintendere qualche elemento della frase che può essere ricavato dal contesto: *A che ora parte il treno? - Alle nove*, dove è sottinteso *il treno parte.*

Endìadi

Sostituzione di una sequenza nome + aggettivo o nome + complemento con una sequenza di due nomi uniti da una congiunzione: *colpire qualcuno con la spada e il ferro* 'con la spada di ferro'. Si distingue dalla **dittologia sinonimica**, che consiste nell'usare due sinonimi (o quasi sinonimi) per amplificare un concetto: «Solo e pensoso i più deserti campi / vo mesurando a passi *tardi e lenti*» (*Petrarca*).

Ènfasi

Sottolineatura, intensificazione espressiva ottenuta collocando in una posizione di particolare rilievo una o più parole all'interno di una proposizione, oppure una proposizione all'interno di una frase: *tu, hai visto bene com'è andata, tu!* (si noti il doppio *tu*, in principio e in fine di frase); *quello che pensi davvero: solo questo voglio sapere.*

Enjambement (/francese ãʒãbəˈmã/)

Si ha quando, in una poesia, la frase non si conclude alla fine del verso, ma continua nel verso seguente: «Vagar mi fai co' miei pensier su l'orme / che vanno al nulla eterno; e intanto fugge / questo reo tempo, e van con lui le torme / delle cure onde meco egli si strugge» (*Foscolo*).

Epèntesi

Aggiunta di una vocale o di una consonante non etimologiche all'interno di una parola per facilitarne la pronuncia; così nelle parole *inverno* e *Genova* si è avuta l'epentesi della *n* e della *v* rispetto al latino HIBERNU(M) e GENUA(M); in *lanzichenecchi* si hanno due vocali epentetiche (*i* ed *e*) rispetto al tedesco *Landscknecht.*

Epìfora o epìstrofe

È la ripetizione di una o più parole alla fine di enunciati successivi: «ché 'n quella croce lampeggiava *Cristo*, / sì ch'io non so trovare essemplo degno; / ma chi prende sua croce e segue *Cristo*, / cor mi scuserà di quel ch'io lasso, / vedendo in quell'albor balenar *Cristo*» (*Dante*).

Epìtesi (o Paragòge)

Aggiunta di una vocale o di una sillaba non etimologiche alla fine di una parola, in genere per facilitarne la pronuncia. È un fenomeno largamente attestato nell'italiano antico; oggi si ritrova nella pronuncia popolare o dialettale di alcune parole che terminano in consonante: *autobusse* 'autobus', *icchese* 'ics' (dove oltre all'epitesi si ha anche l'epentesi), *none* 'no', forme diffuse nell'Italia centro-meridionale.

Eufemismo

Consiste nel sostituire un'espressione troppo cruda o realistica con un'altra equivalente ma attenuata: così, invece di *è morto*, si preferisce *è passato a miglior vita, non è più con noi, ha cessato di vivere, ha finito di tribolare, se n'è andato in cielo, si è spento, è scomparso* ecc. Altri esempi di eufemismo sono: *è in stato interessante* per 'è incinta', *cribbio* per 'Cristo', *le estremità* per 'i piedi', *donna di facili costumi* per 'prostituta'.

Gioco di parole (o Calembour)

Figura fondata sull'equivoco fonico (v. *paronomasia*) o semantico (v. *anfibologia*); s'incontra spesso nel linguaggio pubblicitario: *firma la forma* (pubblicità di un formaggio); *cancellati tutti i voli* (pubblicità di un insetticida; non si tratta quindi di 'voli di aeroplani' ma di 'voli di zanzare').

Hýsteron próteron

Rovesciamento dell'ordine naturale (logico, cronologico) di due o più parole, sintagmi, proposizioni: *sogna, s'addormenta e va a letto.*

Ipàllage

Consiste nell'attribuire a una parola ciò che si riferisce a un'altra parola della stessa frase: «il divino del pian silenzio verde» (*Carducci*), dove «verde» si lega sintatticamente a «silenzio» ma idealmente a «pian» («silenzio verde» è inoltre un esempio di sinestesia).

Ipèrbato

Consiste nell'invertire la disposizione ordinaria degli elementi di una frase: «Oh! belle agli occhi miei tende latine» (*Tasso*); «Ma già il ben pettinato entrar di nuovo / Tuo damigello i' veggo» (*Parini*).

Ipèrbole

È un'espressione esagerata, per eccesso o per difetto: *è un secolo che ti aspetto*; *esco a fare due passi*; *muoio di fame*; *non si sveglia nemmeno con le cannonate*; *vado e torno in un secondo*; *te l'ho ripetuto mille volte*; « Piangea, tal ch'un ruscello / Parean le guancie » (*Ariosto*).

Ironia

È il parlare in modo che si intenda il contrario di quello che si dice: *hai lavorato molto oggi!*, a chi non ha fatto nulla tutto il giorno. Un'ironia di particolare asprezza è detta **sarcasmo**.

Litòte

Consiste nell'esprimere un concetto negando il suo contrario, con un'attenuazione del pensiero che tende a far capire più di quanto non si dica: *un uomo non intelligente*, cioè stupido; *una spesa non indifferente*, cioè notevole; « Don Abbondio non era certo un cuor di leone » (*Manzoni*), per dire che era un pavido, un vile.

Metafora

Consiste nel trasferire il significato di una parola o di un'espressione dal senso proprio ad un altro figurato, che abbia col primo un rapporto di somiglianza. Tradizionalmente è considerata una similitudine abbreviata in cui manca qualsiasi elemento che introduca il paragone: *Mario è una volpe* (cioè 'Mario è furbo come una volpe'); *piovevano proteste da tutte le parti*; *avere le mani bucate*; *gli abissi della coscienza*; *una nuova stella del cinema*; « il crin s'è [= è] un Tago e son due Soli i lumi », verso del poeta barocco Artale, che paragona i capelli dell'amata al fiume Tago (per la loro fluenza) e i suoi occhi a due Soli (per la loro luminosità); « ognuno manda da una balza / la sua cometa per il ciel turchino » (*Pascoli*), dove « cometa » sta per 'aquilone'.

Metafore molto comuni, non più avvertite come tali, sono *collo della bottiglia*, *piede del tavolo*, *denti della sega*, *dorso di una montagna*, *lingua di fuoco* ecc.; in questi casi l'uso metaforico dei termini *collo*, *piede*, *dente*, *dorso*, *lingua* serve a colmare una lacuna della lingua, cioè la mancanza di una parola specifica. Questa particolare forma di metafora prende il nome di **catacrèsi**.

Metonìmia

È la sostituzione di un termine con un altro che abbia col primo un rapporto di contiguità. Anche la metonimia, come la metafora e la sineddoche, opera uno spostamento di significato. I tipi più comuni di metonimia sono quelli in cui si indica:

— l'effetto per la causa: « talor lasciando... le sudate carte » (*Leopardi*), dove « sudate (carte) » sta per 'studio che fa sudare sui libri';

— la causa per l'effetto: « ma nell'orecchio mi percosse un duolo » (*Dante*), dove « duolo » sta per 'lamenti provocati dal dolore';

— il contenente per il contenuto: « cittadino Mastai, bevi un bicchiere » (*Carducci*), 'ossia il vino contenuto nel bicchiere';

— l'autore per l'opera: *hanno messo all'asta un Picasso*, cioè 'un quadro di Picasso';

— l'astratto per il concreto: *la storia dell'umanità*, anziché 'la storia degli uomini';

— il concreto per l'astratto: *essere pieno di bile*, che equivale a 'essere pieno di rabbia'.

Omotelèuto

Identità della parte finale di due o più parole: *andò*, *lo cercò*, *non lo trovò*. La **rima** è un tipo particolare di omoteleuto.

Ossìmoro (o Ossimòro)

Consiste nell'accostare parole di significato contrario; è quindi una particolare forma di antitesi, in cui i due termini contraddittori sono associati in un'unica espressione: *un silenzio eloquente*, *un oscuro chiarore*, *amaro piacere*; «Oh fortunati i miei dolci martiri» (*Tasso*).

Paragòge

Vedi *epitesi*.

Paranomàsia

È l'accostamento di due parole simili per suono: *non c'è pane senza pena; un onore che è un onere*; «tra gli scogli parlotta la maretta» (*Montale*).

Se le parole accostate presentano uguale suono ma diverso significato, si ha un'altra figura retorica chiamata **bisticcio**: «Apre la porta e porta inaspettata guerra» (*Tasso*).

Pastiche (/francese pa'stiʃ/)

Letteralmente 'pasticcio'; accostamento di materiali linguistici diversi per origine e livello espressivo, in genere a fini di parodia (cfr. ad esempio il latino maccheronico di Folengo).

Perifrasi o circonlocuzione

Consiste nel sostituire un termine con una sequenza di parole che abbiano lo stesso significato. La perifrasi è usata per chiarire un concetto, per evitare un termine troppo tecnico, per attenuare eufemisticamente la crudezza di una parola, per rendere più solenne l'espressione ecc.: *verso di sei piedi*, invece del più tecnico 'esapodia'; *è mancato all'affetto dei suoi cari*, invece del più crudo 'è morto'. Ecco due perifrasi adoperate da Dante per indicare solennemente Dio: «Colui che governa ogni cosa», «La gloria di Colui che tutto muove».

Pleonasmo

Espressione non necessaria, ridondante: *ha il* suo *cappello nella* sua *mano; a me quel libro non* mi *è piaciuto.*

Poliptòto

Ripetizione della stessa parola in diverse forme e funzioni: *era, è e sarà sempre così*; «Cred'io ch'ei credette ch'io credesse» (*Dante*).

Preterizione

Si ha quando si dichiara di non voler dire qualcosa che intanto viene detta, o per lo meno accennata: *non ti dico che noia quella conferenza*; «Risparmio al lettore i lamenti, le condoglianze, le accuse, le difese, i "voi sola potete aver parlato", e i "non ho parlato", tutti i pasticci insomma di quel colloquio». (*Manzoni*).

Prolèssi

Anticipazione di un elemento della frase, ad esempio del pronome dimostrativo: *questo vorrei che tu lo chiarissi meglio.*

Pròstesi

Aggiunta per ragioni eufoniche (cioè di bella pronuncia) di una vocale non etimologica all'inizio di parola: *in ispecie, per iscritto* (prostesi di *i*, su cui v. 3.6.6.).

Reticenza

Consiste nell'interrompere una frase, lasciando però intendere ciò che non si dice. La reticenza si rappresenta graficamente con i puntini di sospensione: *se lo fai un'altra volta... beh, mi hai capito!*; «La parte, sì piccola, i nidi / nel giorno non l'ebbero intera. / Né io...» (*Pascoli*), dove «Né io...» significa 'nemmeno io ho avuto la mia parte nella vita'.

Sarcasmo

Vedi *ironia*.

Similitudine

È un confronto, un paragone introdotto da *come, simile a, più di, sembra* ecc.: *ti sei bagnato come un pulcino*; «L'Isonzo scorrendo / mi levigava / come un suo sasso» (*Ungaretti*); «Lucevan gli occhi suoi più che una stella» (*Dante*).

Sincope

Caduta di uno o più fonemi all'interno di una parola: *spirto* 'spirito', *opre* 'opere', *tòrre* 'togliere'.

Sinèddoche

Al pari della metafora e della metonimia, è una figura di trasferimento semantico. Consiste nell'estendere o nel restringere il significato di una parola; ciò si ottiene indicando:

— la parte per il tutto: *il mare è pieno di vele*, cioè di barche a vela; «Per te sollevi il povero / Al ciel, ch'è suo, le ciglia» (*Manzoni*), dove «le ciglia» sta per 'gli occhi';

— il tutto per la parte: *ha gli occhi celesti* (in realtà è celeste solo l'iride);

— il genere per la specie: *i mortali* = 'gli uomini'; *il felino* = 'il gatto';

— la specie per il genere: *in questa casa il pane non è mai mancato* (*il pane* = 'il cibo, quanto è necessario per vivere');

— il singolare per il plurale: *il cane* (= 'i cani') *è un animale fedele*; *l'inglese* (= 'gli inglesi') *è un tipo compassato*;

— il plurale per il singolare: *non guastarti con gli amici* (*con gli amici* = 'con un particolare amico');

— la materia di cui è fatto un oggetto per l'oggetto stesso: *un marmo di Fidia*, cioè una statua di marmo scolpita da Fidia; «nella destra ha il ferro ancora» (*Metastasio*), dove «ferro» sta per 'spada'.

Sinestesìa

Consiste nell'associare in un'unica espressione parole che si riferiscono a sfere sensoriali diverse: «Là, voci di tenebra azzurra» (*Pascoli*), dove «voci» appartiene al campo delle sensazioni uditive, «(tenebra) azzurra» a quello delle sensazioni visive.

Ecco un esempio di sinestesia complessa, ottenuta accostando tre parole che riguardano altrettanti campi sensoriali: «fredde luci / parlano» (*Montale*), dove «fredde» appartiene al campo delle sensazioni termiche, «luci» a quello delle sensazioni visive, «parlano» a quello delle sensazioni acustiche.

Tòpos (plurale **tòpoi**)

Termine greco, che in retorica significa 'luogo comune, motivo ricorrente, stereotipo'. I *topoi* sono temi, immagini o espressioni convenzionali che caratterizzano le opere appartenenti a determinati gruppi di scrittori o generi letterari (ad esempio i *topoi* arcadici della vita pastorale, i *topoi* romantici dei paesaggi notturni e desolati ecc.).

Traslato (o **Tropo**)

Figura semantica, che consiste nell'uso estensivo o metaforico di un vocabolo (v. *metafora, metonimia, sineddoche*).

Tropo

Vedi *traslato*.

Zèugma

Si ha quando uno stesso termine è riferito a due o più termini, mentre potrebbe connettersi con uno solo di essi: « Parlare e lacrimar vedrai insieme » (*Dante*), dove « vedrai » si adatta bene a « lacrimar » ma non a « parlare », perché le parole non si possono vedere.

3. La retorica e il linguaggio della pubblicità

Come abbiamo detto all'inizio di questo capitolo, la retorica con le sue figure e i suoi schemi fa parte della nostra vita quotidiana. Il linguista Jakobson (v. 1. 6. 3) ha affermato che la metafora (che è un trasferimento per similarità) e la metonimia (che è un trasferimento per contiguità) sono i due poli intorno ai quali si svolge il linguaggio, così come altri sistemi di segni.

La **metafora** e la metonimia sono all'origine di molti mutamenti di significato. È a causa di una metafora che il latino PAPILIŌNEM, accusativo di PAPILIO,-ONIS, passa dal significato di 'farfalla' a quello di 'padiglione' (v. 1. 3. 7.). I linguaggi scientifici si servono spesso della metafora per formare le loro terminologie: così, per esempio, il vocabolo SATĔLLES,-LITIS che in latino significava 'accompagnatore' (del principe) fu usato poi nel Seicento per indicare 'il corpo celeste che gira intorno ad un pianeta'. Ai giorni nostri il *satellite artificiale* è quel 'congegno creato dall'uomo e lanciato nello spazio in modo che descriva un'orbita intorno alla Terra o ad un altro corpo celeste'.

Sempre in virtù della metafora vari termini dell'aeronautica sono stati prestati all'astronautica: *atterrare*, *decollare*, *paracadute*. Ma l'astronautica, sempre sfruttando le metafore, ha attinto vocaboli dalla navigazione marittima (*abbordare*, *crociera*, *sonda*) e perfino dal mondo dell'automobile (*parcheggio*, *sbandare*): v. 13.

Il moderno linguaggio della pubblicità fa un largo uso delle figure retoriche. Osserviamo i seguenti slogan:

La moglie che ama suo marito lo cambia spesso (pubblicità di abiti confezionati per uomo)

Da noi non si batte un chiodo (pubblicità di una fabbrica di mobili, per la fabbricazione dei quali si usano incastri e colla, ma non chiodi; c'è un gioco di parole con l'espressione « non battere un chiodo » che significa 'non aver lavoro, non aver nulla da fare'.

Ognuna di queste frasi si fonda su un doppio senso, su una possibilità di un duplice riferimento: la retorica serve per attirare l'attenzione del pubblico, cioè per far comperare il prodotto che viene reclamizzato.

La pubblicità è un discorso persuasivo che ha per fine l'aumento dei consumi. Dotata di proprie tecniche, diffusa dai moderni mezzi di comunicazione di massa, questa nuova retorica si differenzia da quella tradizionale per lo sviluppo di quelli che si potrebbero definire "i valori nascosti della parola". Il linguaggio pubblicitario diventa il veicolo di emozioni, di falsi ragionamenti, di argomenti che hanno soltanto l'apparenza della logica. Per convincere ad acquistare un prodotto la pubblicità si allontana dai modi della comunicazione normale, lascia filtrare delle allusioni che agiscono sul subcosciente del consumatore.

La pubblicità si vale di esche linguistiche, nelle quali le figure retoriche hanno la loro parte. Per esempio si accostano aggettivi e nomi che normalmente non vanno insieme: *gusto morbido*, *sapore alto*, *vermut soffice*. Vi sono poi espedienti grafici che hanno un valore simbolico: il *Wafer frrriabilissimo* (dove la ripetizione della "r" imita il rumore che si fa quando si mastica un biscotto che è per l'appunto friabile), il *Cafffè con tre effe* (dove si allude a un sapore particolarmente gustoso).

I giochi di parole che appaiono frequentemente nel linguaggio pubblicitario (v. i due slogan citati poco fa) distruggono espressioni fatte, modi di dire comuni nella nostra lingua. In tal modo si ottiene un effetto comico e, al tempo stesso, si costringe chi legge o ascolta a riflettere sulla lingua, a smontare i congegni di cui la frase è composta. Riprendendo lo slogan già citato prima *Da noi non si batte un chiodo*, osserviamo che il contesto che lo accompagna (l'immagine e altre frasi esplicative) ci dà una seconda interpretazione della frase. Insomma il gioco consiste nel prendere una frase fatta e, senza modificarne la forma, dare la possibilità di leggerla al tempo stesso in senso figurato (*non si batte un chiodo* = 'non si lavora') sia in senso letterale (*non si batte un chiodo* = 'non si fa uso di chiodi').

Lo studio del linguaggio pubblicitario costituisce un'esperienza interdisciplinare molto interessante: il linguista, il semiologo, lo psicologo e il sociologo hanno molte cose da dire sugli slogan che ci circondano.

APPENDICE II
POESIA E METRICA

1. Alle origini della nostra lingua poetica

La lingua della poesia è nata in Italia prima di quella della prosa. È nata in Sicilia alla corte di Federico II (1194-1250), un ambiente di raffinata e multiforme cultura.

La lingua in cui scrivono i nostri primi poeti è un **siciliano illustre**. Dal dialetto parlato nelle città di Messina e di Palermo, attraverso una complessa elaborazione stilistica, si era passati ad una lingua dotta, ricca di latinismi (v. 1.3.7.) e di provenzalismi, ricca di quegli ornamenti retorici che erano adatti ad esprimere la raffinata ideologia dell'amore cortese diffusa allora in tutte le corti d'Europa. I poeti della corte di Federico II sono persone colte che conoscono sia il latino (la lingua della cultura in quel secolo e nei secoli che verranno) sia la poesia provenzale. Non meraviglia dunque che caratteri linguistici e stilistici del latino e del provenzale entrino nella nuova lingua poetica che si va formando.

Questa lingua poetica ha certo una fonetica siciliana (cfr., per esempio: *diri* 'dire', *valùri* 'valore', *mi riturnu* 'mi ritorno', *omu* 'uomo', *billici* 'bellezza'), ma accoglie, per necessità di rima e per quella libertà di forme che è proprio di ogni lingua poetica, caratteri di diversa provenienza. Per far rimare *còri* con *amùri* 'amore' si sostituiva quest'ultima forma con *amòri*, forma latineggiante e al tempo stesso provenzaleggiante. Per far rimare *pènu* 'io peno' con *plinu* (o *chinu*) 'pieno' si sostituivano queste ultime forme con il latinismo *plenu*. Dal provenzale si prendevano vari vocaboli con i suffissi *-anza*, *-enza* e *-ore*: *beninanza* 'benessere', *valenza* 'valore', *dulzuri* 'dolcezza'.

Per queste vie, il dialetto originario si modifica: abbandona i tratti più fortemente dialettali, assume forme interregionali e prestiti (v. 13. 9.), soprattutto dal latino e dal provenzale. Si sviluppa un vocabolario astratto capace di esprimere l'ideologia dell'amore cortese.

Come ogni lingua letteraria, questo siciliano illustre accoglie una varietà di forme concorrenti: varianti fonetiche (*amùri* accanto ad *amòri*) e morfologiche (*aiu* 'ho', forma siciliana, accanto a *ho*), sinonimi di vario aspetto e natura: insomma tutta una ricchezza di forme che rappresenta un distacco, uno scarto rispetto alla lingua di ogni giorno. I metri e le rime costringono a disporre i componenti della frase secondo una successione diversa da quella presente nella lingua comune. L'intento estetico appare allora prevalente: è nata una nuova lingua della poesia.

Chi ascolta o legge un testo poetico è costretto a riflettere sugli aspetti formali di tale testo. Il linguista Jakobson ha detto che l'attenzione, la cura posta nel messaggio in quanto tale costituisce la **funzione poetica** del linguaggio (v. 1.6.4.).

La poesia dei Siciliani ebbe una grande fortuna negli ambienti colti delle varie regioni d'Italia. In Toscana fu tradotta in forme linguistiche toscane e divenne il modello dei primi poeti di quella regione.

Le circostanze e i modi che caratterizzano l'affermarsi di una lingua poetica sono simili anche presso altre civiltà e in altri momenti storici. Quando una parlata locale si trasforma in lingua poetica (o, più generalmente, letteraria) avvengono gli stessi fenomeni che abbiamo riscontrato nel siciliano illustre: livellamento delle forme locali, arricchimento di forme mediante l'imitazione di altre lingue di cultura, sviluppo del lessico astratto, sviluppo di varianti fra loro concorrenti, sviluppo degli aspetti retorici e ritmici della lingua.

La lingua della poesia si distingue dalla lingua comune perché possiede propri caratteri formali e perché ha propri canali di diffusione. Entrando in ambienti colti, la lingua poetica è imitata e discussa, diventa un modello di scrittura e di comportamento. Soprattutto alle origini della nostra letteratura, leggere un testo poetico è un fatto che distingue la persona colta, il nobile, il potente, il ricco rispetto agli umili.

Poiché vuole distinguersi dal comune, dal quotidiano, da ciò che è sulla bocca di tutti, la lingua della poesia cerca ogni via per ornare, nobilitare il discorso. Pertanto fa uso di arcaismi, che hanno una grande importanza nella poesia tradizionale (v. 13.3.), di forme rare, di vocaboli ripresi da altre lingue, di neologismi (v. 13.7.), di particolari strutture sintattiche.

I poeti dimostrano una grande sensibilità per i valori fonici della parola. Dante, che è giustamente considerato "il padre della lingua italiana", escludeva dalla lirica d'amore parole che egli considerava "aspre" nel suono (come *greggia* e *cetra*), o che considerava "puerili" (come *mamma* e *babbo*).

Dalla ricerca di una lingua più appropriata, di un suono più armonioso, di un ritmo del verso più adatto alle immagini evocate dipendono le correzioni, talvolta assai laboriose, che alcuni dei nostri maggiori poeti hanno apportato ai loro testi. Basterà ricordare l'esempio del Petrarca, dell'Ariosto e del Leopardi.

1.1. La lingua di Dante

Nella *Commedia* sono presenti diversi stili, ciascuno adatto ad una particolare situazione espressiva. Nel quarto canto dell'*Inferno* per celebrare i grandi spiriti dell'antichità, Dante si serve di latinismi pieni di decoro: *aura*, *turbe*, *infanti*, *viri*, *mercedi*, *spiriti magni*. Il **latinismo** (v. 1.3.7.) serve quindi per innalzare lo stile, per renderlo più adatto ai nobili argomenti trattati.

Invece altrove, per rappresentare personaggi e scene crudamente realistici, Dante fa uso di parole ed espressioni "plebee" come quelle che ricorrono nel canto XXVIII dell'*Inferno* (il canto dei seminatori di discordie). Quando tocca argomenti scientifici Dante adopera termini ed espressioni tecniche come: *sangue perfetto*, *virtute informativa*, *digesto*, *coagulando*, *organar*, *generante* (*Purgatorio*, canto XXV).

Sono questi soltanto alcuni esempi della grande varietà di stili presente nella *Commedia*. In quest'opera s'incontrano doppioni morfologici (*diceva* / *dicea*, *vorrei* / *vorria*, *tacque* / *tacette*), forme italiane (*manicare* e *manducare*, *vendicare*) che si alternano con forme francesizzanti (*mangiare*, *vengiare*) e con latinismi (*padre* / *patre*, *madre* / *matre*, *specchio* / *speculo*). Nella *Commedia* appaiono anche neologismi come *inmiarsi* 'entrare in me' e *insusarsi* 'andare su, innalzarsi'. Per questa ricchezza di invenzioni e di forme fra loro concorrenti Dante si distingue dal Petrarca, il quale nella lirica fa uso di una lingua più sobria e attentamente selezionata.

In effetti la lingua poetica di Dante, proprio per la sua originalità e per la ricchezza delle sue realizzazioni, non poté essere un modello unitario e facilmente imitabile per i poeti delle generazioni successive. Questo compito spettò invece al Petrarca, che iniziò una tradizione di forme poetiche di grande fortuna e di lunga durata nella storia della nostra letteratura.

1.2. Verso un nuovo linguaggio poetico

Dal Rinascimento fino al secolo scorso, il linguaggio della poesia si sviluppa essenzialmente sulla linea tracciata dai grandi modelli del passato (in primo luogo il Petrarca), talvolta con originalità di accenti, più spesso con stanca ripetitività. È con il Romanticismo che questo linguaggio comincia ad entrare in crisi. I poeti della nuova scuola danno inizio a un processo di trasformazione e di ammodernamento che investe sia le forme sia i contenuti. Decade il principio d'imitazione, decadono pure i vecchi generi letterari e gli schemi metrici tradizionali. Si fa sempre più limitato l'impiego di arcaismi come *augello* 'uccello', *duolo* 'dolore', *speme* 'speranza', che anzi in certi casi vengono usati in tono scherzoso o con intenti di parodia (per esempio da Gozzano). Soprattutto nel nostro secolo la poesia si avvicina alla prosa e al parlato, ricorrendo a regionalismi, a forme colloquiali, a tecnicismi, a forestierismi, a frasi prive di verbo (è il cosiddetto « stile nominale », su cui v. 7.14.1., con un esempio dal *Notturno* di D'Annunzio).

Alcuni studiosi hanno parlato del fondamentale **antilirismo** della poesia contemporanea, o comunque di un lirismo diverso, radicato in esperienze reali. Uno dei maggiori poeti italiani del Novecento, Eugenio Montale, nella sua famosa composizione *I limoni* (1921), contrappone le proprie scelte tematiche e lessicali, a base di semplici *fossi*, *pozzanghere*, *canne*, *orti*, *limoni*, alle scelte tematiche e lessicali di quelli che definisce con ironia « poeti laureati », i quali « si muovono soltanto fra le piante / dai nomi poco usati: bossi ligustri e acanti ». I limoni sono qui il simbolo di una poesia fatta di cose e parole quotidiane:

> Ascoltami, i poeti laureati[1]
> si muovono soltanto fra le piante
> dai nomi poco usati: bossi ligustri o acanti.
> Io, per me, amo le strade che riescono[2] agli erbosi
> fossi dove in pozzanghere
> mezzo seccate agguantano i ragazzi
> qualche sparuta anguilla:
> le viuzze che seguono i ciglioni,
> discendono tra i ciuffi delle canne
> e mettono negli orti, tra gli alberi dei limoni.

---

1. *laureati*: coronati di alloro (dal lat. *laurus*), come si usava fare nel mondo classico.
2. *riescono*: sboccano.

2. La metrica

Nella poesia, a differenza di quanto accade nella prosa, la successione delle parole obbedisce non soltanto a un criterio di organizzazione grammaticale, ma anche a un criterio ritmico: nella poesia greca e latina il **ritmo** si fondava sulla quantità sillabica delle parole, cioè sull'alternanza di sillabe brevi e sillabe lunghe (*metrica quantitativa*); nella poesia moderna, invece, si fonda sull'alternanza di sillabe toniche e sillabe atone (*metrica accentuativa*).

Elemento fondamentale della poesia è il **verso**, che consiste in un insieme di parole caratterizzato da un certo numero di sillabe e da un certo ritmo.

La **metrica** studia la struttura ritmica e la tecnica compositiva dei versi.

2.1. Il numero delle sillabe nel verso

I versi prendono il nome dal numero delle sillabe che li costituiscono:

trisillabo o **ternario**: 3 sillabe
quadrisillabo o **quaternario**: 4 sillabe
quinario: 5 sillabe
senario: 6 sillabe
settenario: 7 sillabe
ottonario: 8 sillabe
novenario: 9 sillabe
decasillabo: 10 sillabe
endecasillabo: 11 sillabe

I versi con un numero superiore di sillabe sono chiamati *versi doppi*, perché risultano dall'accoppiamento di due versi semplici. I più importanti sono il **senario doppio** o **dodecasillabo** e il **settenario doppio**, detto anche *verso martelliano* dal nome del poeta settecentesco Pier Jacopo Martelli che per primo ne fece uso nelle sue tragedie.

Nel computo delle sillabe di un verso bisogna tener conto di alcuni fenomeni. Quando una parola finisce per vocale e la parola successiva comincia per vocale, si ha generalmente la fusione delle due vocali in una sola sillaba; si parla in questo caso di **sinalèfe**:

pur/ lo/ sof/fer/**ma al**/ li/mi/tar/ di/ Di/te (*Foscolo*)
1 2 3 4 5 6 7 8 9 10 11

Il contrario della sinalefe è la **dialèfe**, che consiste nella pronuncia separata e in due distinte sillabe della vocale finale di una parola e della vocale iniziale della parola seguente. La dialefe è di regola quando entrambe le vocali sono in posizione tonica, o è in posizione tonica soltanto la prima:

In/co/min/**ciò**/ **a**/ far/si/ più/ vi/va/ce (*Dante*)
1 2 3 4 5 6 7 8 9 10 11

Quando due vocali si trovano una dopo l'altra all'interno di una parola, possono essere considerate come un'unica sillaba anche se non formano un dittongo; si ha in tal caso la **sinèresi**:

Dis/se: **Bea** /tri/ce,/ loda/ di/ **Dio** / ve/ra (*Dante*)
1 2 3 4 5 6 7 8 9 10 11

Fenomeno opposto alla sineresi è la **dièresi**; si tratta della pronuncia separata e in due distinte sillabe di due vocali consecutive in corpo di parola che ordinariamente formano un dittongo. La dieresi può essere segnalata con due puntini scritti sopra la prima delle due vocali:

un/ maz/zo/lin/ di/ ro/se e/ di/ **vï/o**/ le 1 2 3 4 5 6 7 8 9 10 11	(*Leopardi*)

Per contare le sillabe di un verso occorre tener presente — oltre alle sinalefe, dialefe, sineresi, dieresi — anche l'accentazione della parola finale del verso:

- se la parola è **piana** (cioè ha l'accento sulla penultima sillaba), il verso ha l'esatto numero di sillabe che è indicato dal suo nome (11 se è un endecasillabo, 10 se è un decasillabo ecc.);
- se la parola è **sdrucciola** (cioè ha l'accento sulla terzultima sillaba), il verso ha una sillaba in più di quelle indicate dal nome (12 se è un endecasillabo, 11 se è un decasillabo ecc.);
- se la parola è **tronca** (cioè ha l'accento sull'ultima sillaba), il verso ha una sillaba in meno di quelle indicate dal nome (10 se è un endecasillabo, 9 se è un decasillabo ecc.).

Esemplifichiamo quanto detto con tre versi settenari della famosa ode manzoniana *Il cinque maggio*:

da/to il/ mor/tal/ so/**spì**/ro 1 2 3 4 5 6 7	(verso settenario piano: 7 sillabe)
stet/te/ la/ spo/glia im/**mè** /mo/re 1 2 3 4 5 6 7 8	(verso settenario sdrucciolo: 8 sillabe)
la/ ter/ra al/ nun/zio/ **stà** 1 2 3 4 5 6	(verso settenario tronco: 6 sillabe)

Il verso tipico italiano è piano, perché piane sono per la maggior parte le parole della nostra lingua; si spiega, in tal modo, come sul verso piano sia fondata la denominazione sillabica dei vari tipi di versi.

2.2. La collocazione degli accenti ritmici

Ogni verso ha una particolare struttura accentuativa che si conclude con l'ultima sillaba tonica: un endecasillabo, ad esempio, ha l'accento più importante sulla decima sillaba, un decasillabo sulla nona, un novenario sull'ottava, e così via.

Per la collocazione degli altri accenti non esistono regole rigide: in generale possiamo dire che l'accentazione dei versi con un numero pari di sillabe (*versi parisillabi*) segue uno schema ritmico costante, mentre l'accentazione dei versi con un numeuro dispari di sillabe (*versi imparisillabi*) è molto più varia. Vediamo ora, per ciascun tipo di verso, su quali sillabe cadono con maggior frequenza gli *accenti ritmici*, cioè quegli accenti che determinano il ritmo del verso:

TIPI DI VERSO	SILLABE SU CUI CADONO GLI ACCENTI RITMICI	ESEMPI
trisillabo	2ª sillaba	fon/**tá** /na 2 ma/**lá** / ta 2 (*Palazzeschi*)
quadrisillabo	1ª e 3ª sillaba	**rús**/sa/ **ró**/co (*Pascoli*) 1 3
quinario	1ª e 4ª sillaba 2ª e 4ª sillaba	**qué**/sta/ mia/ **cé**/tra (*Fusinato*) 1 4 A/ **té**/ Ve/**né**/zia (*Fusinato*) 2 4
senario	2ª e 5ª sillaba	Fra/**tél**/li/ d'I/**tá**/lia (*Mameli*) 2 5
settenario	1ª e 6ª sillaba 1ª, 4ª e 6ª sillaba 2ª e 6ª sillaba 3ª e 6ª sillaba 4ª e 6ª sillaba	**Quán**/to/ scam/pa/nel/**lá**/re (*Pascoli*) 1 6 **sóf**/fri/ com/**bát**/ti e/ **pré**/ghi 1 4 6 (*Manzoni*) e/ **mól**/le/ si/ ri/**pó**/sa (*Parini*) 2 6 che/ pur/ **dián**/zi/ lan/**guí**/a (*Parini*) 3 6 che/ le/ tue/ **tén**/de/ **spié**/ghi 4 6 (*Manzoni*)
ottonario	3ª e 7ª sillaba	Bel/le/ **ró**/se/ por/po/**rí**/ne 3 7 (*Chiabrera*)
novenario	2ª, 5ª e 8ª sillaba	no/**tá**/va in/ un'/**ál**/ba/ di/ **pér**/la 2 5 8 (*Pascoli*)
decasillabo	3ª, 6ª e 9ª sillaba	a/ si/**nì**/stra/ ri/**spón**/de u/no/ **squíl**/lo 3 6 9 (*Manzoni*)

TIPI DI VERSO	SILLABE SU CUI CADONO GLI ACCENTI RITMICI	ESEMPI
endecasillabo	6ª e 10ª sillaba	Le/ don/ne, i/ ca/val/**liér**,/ l'ar/me, (6) gli a/**mó**/ri (10) (*Ariosto*)
	4ª, 8ª e 10ª sillaba	è/ co/me un/ **giór**/no/ d'al/le/**gréz**/- (4, 8) za/ **pié**/no (10) (*Leopardi*)
	4ª, 7ª e 10ª sillaba	Per/ me/ si/ **vá**/ nel/l' et/**tér**/no/ (4, 7) do/**ló**/re (10) (*Dante*)

2.3. La rima

Una caratteristica importante, ma non essenziale, della poesia è la **rima**, cioè l'identità tra la parte finale di due parole a cominciare dalla vocale accentata: div**íno**/argent**íno**, piac**évole**/preg**évole**, abb**áglio**/trav**áglio**, gioc**óndo**/t**óndo**.

Se l'identità non si realizza pienamente, ma è limitata alle sole vocali, si ha l'**assonanza**: am**ó**r**e**/s**ó**l**e**, v**í**n**o**/r**í**s**o**; se invece è limitata alle sole consonanti, si ha la **consonanza**: pá**lc**o/só**lc**o, cé**st**o/mó**st**o.

La rima lega di solito parole poste in fine di verso:

la terra sacra a genti empie rit**olse**
in cui già Cristo di morir si d**olse**. (*Tasso*)

Talvolta la rima è tra l'ultima parola di un verso e una parola che si trova all'interno del verso seguente; in questo caso si parla di **rima interna** o **rimalmezzo**:

Passata è la temp**esta**:
odo augelli far f**esta**, e la gallina... (*Leopardi*)

Le rime possono essere disposte secondo vari schemi; in particolare si possono avere:

- **rime baciate**, quando due versi consecutivi rimano fra loro (AA-BB-CC...):

Nella torre il silenzio era già **alto**. A
Sussurravano i pioppi del Rio S**alto**. A
I cavalli normanni alle lor p**oste** B
Frangean la biada con rumor di cr**oste**. B (*Pascoli*)

- **rime alternate**, quando il 1° verso rima col 3°, col 5° ecc., cioè con gli altri versi dispari; e il 2° verso rima col 4°, col 6° ecc., cioè con gli altri versi pari (AB-AB-AB...):

Un dì, s'io non andrò sempre fugg**endo** A
di gente in gente, me vedrai sed**uto** B
su la tua pietra, o fratel mio, gem**endo** A
il fior de' tuoi gentili anni cad**uto**. B (*Foscolo*)

■ **rime incrociate**, quando il 1° verso rima col 4° e il 2° col 3° (AB-BA):

Movesi il vecchierel canuto e bi**anco** A
del dolce loco ov'à sua etàforn**ita** B
e da la famigliuola sbigott**ita** B
che vede il caro padre venir m**anco**. A (*Petrarca*)

■ **rime incatenate**, quando, in una serie di versi a gruppi di tre (le *terzine*), il 1° verso della prima terzina rima col 3°, il 2° rima col 1° e col 3° della seconda terzina, e così via a catena per tutte le terzine (ABA-BCB-CDC...: è lo schema delle terzine della *Divina Commedia*):

Nel mezzo del cammin di nostra v**ita** A
mi ritrovai per una selva osc**ura** B
ché la diritta via era smarr**ita.** A

Ah quanto a dir qual era è cosa d**ura** B
esta selva selvaggia e aspra e f**orte** C
che nel pensier rinova la pa**ura**! B (*Dante*)

Vi sono poi numerosi altri schemi che variano i precedenti quattro fondamentali: ad esempio, si possono avere le **rime ripetute**, in cui il 1° verso rima col 4°, il 2° col 5°, il 3° col 6° (ABC-ABC); le **rime invertite**, in cui il 1° verso rima col 6°, il 2° col 5°, il 3° col 4° (ABC-CBA).

Se i versi mancano di rima, si dice che sono **versi sciolti**:

All'ombra de' cipressi e dentro l'urne
confortate di pianto è forse il sonno
della morte men duro? Ove più il Sole
per me alla terra non fecondi questa
bella d'erbe famiglia e d'animali,
e quando vaghe di lusinghe innanzi
a me non danzeran l'ore future... (*Foscolo*)

I versi sciolti non vanno confusi con i **versi liberi**, caratteristici della poesia contemporanea, i quali non solo non hanno rima, ma rifiutano ogni schema sillabico e ritmico prefissato:

Qui
non si sente
altro
che il caldo buono. (*Ungaretti*)

2.4. La strofa

Generalmente i versi sono raggruppati in una struttura ritmica che prende il nome di **strofa** (o **strofe**). L'organizzazione della strofa non sempre è rigorosa e immutabile: le poesie di Ungaretti, Montale e di altri autori del nostro secolo sono composte di **strofe libere**, regolate soltanto dalla particolare intenzione espressiva del poeta. Ma fino all'Ottocento le strofe erano per lo più costituite da un numero fisso di versi con schemi di rime definiti e costanti. Queste strofe, dette **regolari**, assumono varie denominazioni in base al numero di versi che contengono:

distico: 2 versi
terzina: 3 versi
quartina: 4 versi
sestina: 6 versi
ottava: 8 versi

Il **distico** presenta la rima baciata:

O cavallina, cavallina st**orna** A
che portavi colui che non rit**orna**... A (*Pascoli*)

La **terzina** ha la rima incatenata; è il metro caratteristico della poesia didascalica e allegorica, a cui appartiene anche la *Divina Commedia* di Dante:

Lo giorno se n'andava, e l'aere br**uno** A
toglieva li animai che sono in t**erra** B
da le fatiche loro; e io, sol **uno**, A

m'apparecchiava a sostener la gu**erra** B
sì del cammino e sì de la piet**ate**, C
che ritrarrà la mente che non **erra**. B (*Dante*)

I versi della **quartina** sono per lo più a rima alternata o incrociata:

I cipressi che a Bolgheri alti e schi**etti** A
van da San Guido in duplice fil**ar**, B
quasi in corsa giganti giovin**etti** A
mi balzarono in contro e mi guard**ar**. B (*Carducci*)

Lo so: non era nella valle **fonda** A
suon che s'udia di palafreni and**anti**: B
era l'acqua che giù dalle still**anti** B
tegole a furia percotea la gr**onda**. A (*Pascoli*)

La **sestina** ha i primi quattro versi a rima alternata e gli altri due a rima baciata:

Io non son della solita vacch**etta**, A
né sono uno stival da contad**ino**. B
E se paio tagliato con l'acc**etta**, A
chi lavorò non era un ciabatt**ino**: B
mi fece a doppie suole e alla scudi**era**, C
e per servir da bosco e da rivi**era**. C (*Giusti*)

L'**ottava** ha i primi sei versi a rima alternata e gli ultimi due a rima baciata; è il metro della poesia narrativa e in particolare dei poemi epico-cavallereschi, come l'*Orlando Furioso* di Ludovico Ariosto e la *Gerusalemme liberata* di Torquato Tasso:

Intanto Erminia infra l'ombrose pi**ante** A
d'antica selva dal cavallo è sc**orta**, B
né più governa il fren la man trem**ante**, A
e mezza quasi par tra viva e m**orta**. B
Per tante strade si raggira e **tante** A
il corridor ch'in sua balìa la p**orta**, B
ch'al fin da gli occhi altrui pur si dil**egua**, C
ed è soverchio ormai ch'altri la s**egua**. C (*Tasso*)

2.5. Tipi di componimenti poetici

Le strofe si raggruppano a loro volta in strutture metriche più ampie. Nella lirica italiana i principali componimenti poetici sono: la ballata, la canzone, il sonetto, il madrigale, l'ode.

La ballata

La ballata o canzone a ballo, così chiamata perché destinata al canto e alla danza, è formata da una o più strofe, dette **stanze**, e da un ritornello, detto **ripresa**, che veniva cantato all'inizio della ballata e poi ripetuto dopo ogni stanza.

La stanza della ballata comprende due parti: la prima parte è divisa in due **piedi** (o **mutazioni**), con uguale numero di versi e uguale tipo di rime; la seconda parte, detta **volta**, ha una struttura metrica analoga a quella della ripresa.

I versi usati più comunemente nella ballata sono endecasillabi misti a settenari; le rime possono essere disposte in vario modo, ma è di regola che l'ultimo verso della volta rimi con l'ultimo verso della ripresa.

Diamo l'esempio di una ballata di Dante:

Ripresa		Ballata, i' vo' che tu ritrovi Am**ore**	A
		e con lui vade a madonna dav**ante**	B
		sì che la scusa mia, la qual tu **cante**,	B
		ragioni poi con lei lo mio sign**ore**.	[A]
Stanza	I° PIEDE	Tu vai, ballata, sì corteseme**nte**	C
		che senza compagn**ia**	D
		dovresti avere in tutte parti ard**ire**:	E
	2° PIEDE	ma se tu vuoli andar sicuram**ente**	C
		ritrova l'Amor pr**ia**,	D
		ché forse non è bon senza lui g**ire**	E
	VOLTA	però che quella che ti dee aud**ire**,	E
		sì com'io credo, è ver di me adir**ata**:	F
		se tu di lui non fossi accompagn**ata**,	F
		leggeramente ti faria disn**ore**.	[A]

La canzone

La canzone è formata da un numero variabile di strofe o stanze (per lo più 5 o 7). Ogni stanza comprende due parti: la prima parte, detta **fronte**, è divisa in due **piedi** con uguale numero di versi e uguale tipo di rime; la seconda parte, detta **coda** o **sirma**, può rimanere indivisa (come nelle canzoni del Petrarca), o può dividersi in due parti dette **volte**.

Spesso la canzone è chiusa da un **congedo**, consistente in una stanza più breve con struttura metrica ripresa dalla coda.

I versi della canzone sono generalmente endecasillabi misti a settenari; le rime possono essere disposte in vario modo, ma è di regola che il primo verso della coda, detto **diesi**, rimi con l'ultimo verso della fronte.

Ecco un esempio di stanza con piedi e coda (senza volte), che fa parte di una famosa canzone del Petrarca:

Fronte	I° PIEDE	Chiare, fresche e dolci **acque**	A
		ove le belle m**embra**	B
		pose colei che sola a me par d**onna**	C
	2° PIEDE	gentil ramo ove pi**acque**	A
		(con sospir mi rim**embra**)	B
		a lei di fare al bel fianco col**onna**,	[C]
Coda	DIESI	erba e fior che la g**onna**	[C]
		leggiadra rico**verse**	D
		co l'angelico s**eno**;	E
		aer sacro, ser**eno**	E
		ove Amor co' begli occhi il cor m'ap**erse**;	D
		date udienza insi**eme**	F
		e le dolenti mie parole estr**eme**.	F

Il sonetto

Il sonetto, nella sua forma tipica, è composto di quattordici versi endecasillabi raggruppati in due quartine a rima alternata o incrociata e in due terzine a rima varia.

Ecco un esempio foscoliano:

Quartine	Né più mai toccherò le sacre sp**onde**	A
	ove il mio corpo fanciulletto gi**acque**,	B
	Zacinto mia, che te specchi nell'**onde**	A
	del greco mar da cui vergine n**acque**	B
	Venere, e fèa quelle isole fec**onde**	A
	col suo primo sorriso, onde non t**acque**	B
	le tue limpide nubi e le tue fr**onde**	A
	l'inclito verso di colui che l'**acque**	B
Terzine	cantò fatali, ed il diverso es**iglio**	C
	per cui bello di fama e di svent**ura**	D
	baciò la sua petrosa Itaca Ul**isse**.	E
	Tu non altro che il canto avrai del f**iglio**,	C
	o materna mia terra; a noi prescr**isse**	E
	il fato illacrimata sepolt**ura**.	D

Il madrigale

Il madrigale è formato da due o tre terzine seguite da uno o due distici. I versi sono endecasillabi; le rime delle terzine possono essere variamente disposte, mentre i distici sono a rima baciata. Ecco un esempio del Sacchetti:

Terzine	Sovra la rima d'un corrente fi**ume**	A
	Amor m'indusse, ove cantar sent**ia**,	B
	sanza saver onde tal voce usc**ia**;	B
	la qual tanta vaghezza al cor mi d**ava**	C
	che 'nverso il mio Signor mi mossi a d**ire**,	D
	da cu' nascesse sì dolce dis**ire**.	D
	Ed egli a me come pietoso s**ire**	D
	la luce volse, e dimostrommi a d**ito**	E
	donna cantando, che sedea sul l**ito**,	E
Distico	dicendo: — Ell'è de le Ninfe di Di**ana**,	F
	venuta qui d'una foresta str**ana**.	F

L'ode

L'ode non segue uno schema metrico costante: il poeta è libero di scegliere un particolare tipo di strofa, a cui però deve rimanere fedele per tutto il componimento. L'ode prende il nome di **inno** se ha contenuto patriottico o religioso.

Diamo un esempio di ode del Parini:

Torna a fiorir la r**osa**	A
che pur dianzi langu**ia**;	B
e molle si rip**osa**	A
sopra i gigli di pr**ia**.	B
Brillano le pup**ille**	C
dí vivaci scint**ille**.	C

La guancia risorg**ente**	D
tondeggia nel bel v**iso**.	E
e quasi lampo ard**ente**	D
va saltellando il r**iso**	E
tra i muscoli del l**abro**	F
ove riede il cin**abro**...	F

Spesso l'ode fu composta secondo il metro dei classici: è questo il caso dell'**ode saffica** (dal nome della poetessa greca Saffo), la cui strofa è formata da tre endecasillabi e da un quinario. Eccone un esempio ancora del Parini:

Te il mercadante, che con ciglio asci**utto**	A
fugge i figli e la moglie ovunque il chi**ama**	B
dura avarizia nel remoto fl**utto**,	A
Musa, non **ama**.	B
Né quei, cui l'ama ambiziosa **rode**	C
fulgida cura, onde salir più ag**ogna**;	D
e la molto fra il dì temuta fr**ode**,	C
torbido s**ogna**.	D

GLOSSARIO

Avvertenza

Questo breve glossario spiega alcuni termini della linguistica moderna. Molti dei termini che seguono sono stati già utilizzati e spiegati al momento stesso del loro impiego; tuttavia ci è sembrato opportuno riprenderli e riunirli qui, in ordine alfabetico, per rendere più rapida la consultazione e agevolare in tal modo la soluzione di eventuali dubbi.

All'interno di ciascuna definizione, vengono sottolineati con una riga nera *i termini che sono a loro volta definiti nel glossario.*

Acronimìa, acrònimo

L'acronimia consiste nel «tagliare» la parte finale e, rispettivamente, la parte iniziale di due parole e nel fonderne quindi le parti estreme (gr. *ákrov*) che rimangono in una nuova unità. Esempi di acronimi sono: *eliporto*, da *eli(cottero) + (aero)porto; burotica*, da *buro(crazia) + (informa)tica; bicifestazione*, da *bici(cletta) + (mani)festazione* (le *bicifestazioni* sono 'manifestazioni in bicicletta' promosse dal movimento politico dei «verdi»).

Afasìa

Perdita parziale o totale della capacità di usare o di comprendere la lingua, dovuta per lo più a lesioni cerebrali.

Affisso

Termine con cui vengono indicati nel loro insieme i *prefissi* e i *suffissi*: ad esempio, il prefisso *ri-* di *rifare* e il suffisso *-zione* di *operazione* sono due affissi.

Allòfono

Gli allofoni sono varianti di uno stesso *fonema*. Ogni fonema può essere realizzato secondo un numero imprecisato di allofoni, che dipendono dalla posizione in cui il fonema si trova o da particolari abitudini dei parlanti. A differenza dei fonemi, gli allofoni non sono unità distintive, non servono a differenziare il significato delle parole (cfr. 14.1.1.).

Allòtropo

1) Variante formale di una parola: ad esempio *pronuncia/pronunzia, diedi/detti*. 2) Vocabolo che ha la stessa etimologia di un altro, ma forma e significato differenti: ad esempio *plebe/pieve, vizio/vezzo*.

Anàfora, anafòrico

In linguistica, l'*anafora* è la ripresa di un elemento del discorso (detto *antecedente*), realizzata spesso mediante un pronome. L'anafora è un rinvio all'indietro: in «Maria non *la* conosco» *la* è un pronome anaforico. Quando si ha un rinvio in avanti, si parla invece di **catafora**: in «non *la* conosco, Maria» *la* è un pronome **cataforico**.

Arbitrarietà del segno linguistico

In un *segno* linguistico, il rapporto che intercorre tra il *significante* e il *significato* non ha una motivazione, ma è arbitrario: il concetto espresso dalla parola *cane* non ha alcun rapporto necessario con la sequenza di *fonemi* /'kane/, com'è provato dalle diverse denominazioni nelle varie lingue (*cane, chien, dog* ecc.). Riconoscere l'arbitrarietà della lingua significa riconoscere il suo carattere convenzionale: le lingue sono convenzioni che i membri di una società utilizzano al fine di comunicare. Solo in pochi casi il *segno* linguistico non è del tutto arbitrario, ma è invece relativamente motivato: per esempio, nelle onomatopee (*tic-tac, chicchirichì*) o nei derivati (*benzinaio* da *benzina*).

Atti linguistici

Sono l'oggetto di studio della *linguistica pragmatica*. In particolare si distingue tra: 1) **atto locutivo**, che consiste semplicemente nel proferire un enunciato fornito di senso e di una struttura grammaticale; 2) **atto illocutivo**, che consiste nel fare un'azione dicendo qualcosa (se dico «giuro di dire la verità» faccio anche l'azione di giurare); 3) **atto perlo-**

cutivo, che è tale da provocare un effetto sull'ascoltatore (ad esempio una domanda determinerà una risposta, una minaccia può influire sul comportamento ecc.).

Bilinguismo

Compresenza in un parlante o in un gruppo di parlanti di due codici linguistici diversi: *il bilinguismo italiano-tedesco nel Trentino-Alto Adige*. Quando una comunità di parlanti possiede due varietà linguistiche alle quali sono assegnati ruoli sociali differenziati (per es., una varietà serve per parlare in pubblico di argomenti come la politica, la filosofia, ecc. e l'altra serve per la conversazione tra amici o parenti), si parla più propriamente di **diglossia**. Un caso tipico di diglossia si ha quando coesistono nel parlante il dialetto nativo e la lingua comune, appresa a scuola.

Catàfora, catafòrico

V. *anafora, anaforico*.

Codice

Qualsiasi sistema di segni destinato a rappresentare e a trasmettere informazioni da un emittente a un ricevente: *codice linguistico*, quello che è alla base della comunicazione verbale.

Competenza / esecuzione

Nella grammatica generativo-trasformazionale, la *competenza* è la capacità che ogni parlante possiede di comprendere e produrre potenzialmente tutte le frasi di una determinata lingua: *la competenza del parlante nativo*, 'la conoscenza della lingua di chi è nato e cresciuto in un certo paese'. Si dà il nome di *esecuzione* alle reali manifestazioni della competenza dei parlanti, cioè alle frasi prodotte. La coppia *competenza / esecuzione* corrisponde alla coppia *langue / parole* degli strutturalisti.

Composto

Si chiama *composto* o *parola composta* l'unità lessicale risultante dalla fusione di almeno due unità lessicali diverse: ad esempio *portamonete* da *porta(re)* e *monete, cassapanca* da *cassa* e *panca*.

Connettivi

Si definiscono *connettivi* quegli elementi che realizzano la coesione di un testo: dalle congiunzioni a certi avverbi (*allora, appunto, insomma*) a una serie di espressioni tipiche soprattutto del parlato (*figùrati, guarda, ti dirò* ecc.).

Connotazione

V. *denotazione / connotazione*.

Con-testo / co-testo

Alcuni linguisti distinguono tra il *con-testo* e il *co-testo*: il primo è il contesto extralinguistico, la situazione comunicativa; il secondo è il contesto linguistico, ciò che precede o segue un certo enunciato. Così, ad esempio, la deissi fa riferimento al con-testo, mentre l'anafora e la catafora fanno riferimento al co-testo.

Coreferente, coreferenza

Si chiamano *coreferenti* quelle parole o espressioni che hanno lo stesso referente, che si riferiscono cioè alla stessa realtà. Per esempio, nella frase *Emilio guarda se stesso nello specchio*, il soggetto *Emilio* e il complemento oggetto *se stesso* designano la stessa persona: sono quindi coreferenti. La coreferenza si attua soprattutto per mezzo dei pronomi.

Costituenti immediati

V. *distribuzionalismo*.

Co-testo

V. *con-testo / co-testo*.

Deissi, deittici

Si chiama *deittico* ogni elemento della lingua capace di «indicare» alcuni aspetti spaziali o temporali: sono deittici, per esempio, i pronomi dimostrativi *questo*, *quello* o gli avverbi di luogo e di tempo *qui, lì, ieri, oggi*. La deissi equivale a un gesto di indicazione: alla domanda *quale vuoi?* posso rispondere con un deittico (il pronome dimostrativo *questo*) o con un semplice gesto (indice puntato, cenno del capo).

Denotazione / connotazione

La denotazione è il significato fondamentale di una parola, quello che si trova descritto nei dizionari. La connotazione è invece il contenuto emotivo, l'alone di suggestioni che caratterizza in certi casi una parola. Per esempio, la parola *casetta* significa, sul piano denotativo, 'piccola casa'; sul piano connotativo può significare 'la mia casa', 'casa graziosa (e non necessariamente piccola)', 'la casa cui sono più affezionato' ecc.

Diacronia, diacronico

In linguistica, il termine *diacronia* è usato per indicare l'evoluzione nel tempo di una lingua. La linguistica diacronica studia i processi di sviluppo di una lingua, ne ricostruisce la storia, istituendo confronti tra le varie fasi. Ad essa si oppone la linguistica sincronica, che studia il funzionamento di una lingua in una determinata fase del suo sviluppo, senza considerare i rapporti tra questa fase e le fasi precedenti o successive.

Diglossia

V. *bilinguismo*.

Discorso indiretto libero

V. *indiretto libero (discorso)*.

Distribuzionalismo

Corrente della linguistica moderna fondata negli Stati Uniti da L. Bloomfield (1887-1949). Il distribuzionalismo, noto anche come **strutturalismo americano**, ha goduto di una notevole fortuna tra il 1930 e il 1950, prima che si affermasse l'indirizzo *generativo-trasformazionale*. Bloomfield e i suoi seguaci si propongono una descrizione puramente «formale» delle *strutture* linguistiche, senza considerare fattori quali il soggetto parlante, la situazione comunicativa, lo stesso significato degli enunciati. Il procedimento di analisi più tipico del distribuzionalismo consiste nella scomposizione della frase in **costituenti immediati** (su cui v. 2.1.3.). I costituenti della frase individuati dall'analisi vengono quindi classificati in base alla loro *distribuzione*, cioè alla loro capacità di combinarsi per formare insiemi più complessi. Per esempio gli aggettivi (A) sono le parole che si combinano con i nomi (N) nelle costruzioni N + A (*cielo sereno*), N + *essere* + A (*il cielo è sereno*) ecc. Il distribuzionalismo mira per questa via a rifondare su nuove basi le categorie tradizionali della grammatica.

Distribuzione

Posizione combinatoria, insieme dei contesti nei quali un elemento linguistico può trovarsi. V. *distribuzionalismo*.

Enunciato

Qualsiasi combinazione di parole, sintatticamente e semanticamente compiuta, emessa da uno o più parlanti. Un enunciato può essere formato da una sola frase o dall'unione di più frasi; la fine dell'enunciato è segnalata da una pausa-silenzio, che generalmente si indica nella scrittura con il punto.

Enunciazione

Il processo che genera l'*enunciato*. In tale processo il parlante afferma la sua presenza, si pone in un certo rapporto con l'interlocutore, manifesta un determinato atteggiamento nei riguardi del *messaggio* che egli stesso produce. La **teoria dell'enunciazione** considera la lingua come un agire (v. *atti linguistici*).

Esecuzione

V. *competenza / esecuzione*.

Etnolinguistica

Branca della linguistica moderna che studia le interrelazioni tra la lingua e la cultura (in senso antropologico ed etnologico). Lo sviluppo nei diversi *sistemi* linguistici di particolari strutture, terminologie e organizzazioni semantiche viene messo in rapporto con la visione del mondo propria di ciascun popolo. Si è accertato, ad esempio, che ogni lingua possiede una nomenclatura relativa ai colori diversa da quella di altre lingue.

Fonema

V. *fono / fonema*.

Fonetica / fonologia

La fonetica studia i suoni del linguaggio, o *foni*, nel loro aspetto fisico, utilizzando anche vari strumenti; la fonologia (detta anche *fonematica*) studia invece i suoni distintivi di una lingua, o *fonemi*, quei suoni cioè al cui cambiamento corrisponde un cambiamento di significato.

Fono / fonema

I suoni linguistici possono essere considerati nel loro aspetto fisico o nel loro aspetto funzionale. Si ha l'individuazione del fono (che si pone per convenzione tra parentesi quadre: [m], [t] ecc.) quando si considera il piano fisico del linguaggio, e si definisce per esempio [m] una consonante occlusiva bilabiale sonora. Si ha invece l'individuazione del fonema (che si pone per convenzione tra barre oblique: /m/, /t/ ecc.) quando si passa a considerare la funzione specifica, il valore distintivo di /m/, /t/ ecc. I fonemi sono le più piccole unità distintive della lingua, al cui cambiamento corrisponde un cambiamento di *significato* (come nella serie *c-are, d-are, f-are, m-are, p-are, r-are* ecc.).

Fonologia

V. *fonetica / fonologia*.

Frase nominale

V. *nominale (frase)*.

Funzioni del linguaggio

V. 1.6.4.

Generativo-trasformazionale (Grammatica)

Teoria linguistica elaborata da N. Chomsky tra il 1950 e il 1970 circa, che considera la *grammatica* come un insieme di regole di *trasformazione* le quali generano ogni possibile frase della lingua partendo da un numero limitato di frasi di base (v. anche *struttura profonda / struttura superficiale*). La teoria di Chomsky ha avuto e continua ad avere una grandissima influenza sulla linguistica contemporanea.

Gergo

Lingua convenzionale, parlata da un gruppo più o meno ristretto di persone con l'intento di non farsi intendere dagli estranei e di marcare l'appartenenza al gruppo stesso: *il gergo militare, studentesco, della malavita*; si possono inoltre ricordare i *gerghi di mestiere*, come quello dei pastori del Bergamasco o dei seggiolai di Gosaldo (Belluno), o anche il lombardesco dei muratori di Pescocostanzo (L'Aquila).

Glossemàtica

Concezione linguistica fondata dal danese L. Hjelmslev (1899-1965) in seno al circolo linguistico di Copenaghen. La glossematica, sulla scia dello *strutturalismo* di Saussure, considera il *segno* linguistico come una realtà autonoma, da analizzare in base ai rapporti che stabilisce con gli altri segni linguistici all'interno del *sistema*. Il **glossèma** è la più piccola entità linguistica portatrice di un significato.

Grafema

La più piccola unità distintiva della scrittura; le lettere dell'alfabeto, ad esempio, sono dei grafemi.

Grammatica

Sui vari significati del termine *grammatica* v. 1.6.2.

Grammatica generativo-trasformazionale

V. *generativo-trasformazionale (grammatica)*.

Idiolètto

L'insieme degli usi linguistici propri di un determinato parlante. La nozione di idioletto implica che la lingua varia non solo in rapporto alla regione geografica, alla classe sociale e alla situazione comunicativa, ma anche in rapporto all'uso individuale.

Idiomatica (Locuzione)

Espressione, costrutto tipici di una certa lingua, il cui significato complessivo non può essere dedotto dall'analisi dei singoli componenti: cfr. ad esempio l'italiano *fare l'indiano* o l'inglese *how do you do?*

Illocutivo (Atto)

V. *atti linguistici*.

Indiretto libero (Discorso)

Nozione utilizzata soprattutto nell'analisi dei testi narrativi moderni, per indicare che il discorso del personaggio è riportato dall'autore in forma indiretta, mantenendo però alcuni caratteri tipici della forma diretta. Si veda ad esempio il seguente passo dell'*Esclusa* di Pirandello: «– Oh Dio, Paolo, che t'è successo? –. Niente. In una stanza della conceria, al buio, qualcuno (e forse a bella posta!) s'era dimenticato di richiudere la ... come si chiama...? sì... la caditoia, ecco, sull'assito, ed egli, passando patapumfete! giù». La risposta del personaggio è riportata in forma indiretta, ma conservando esitazioni e moduli propri del parlato: *Niente; la ... come si chiama?; ecco; patapumfete! giù*, ecc. Il discorso indiretto libero costituisce una struttura alternativa rispetto al discorso diretto o indiretto ed ha essenzialmente lo scopo di vivacizzare lo stile.

Interfisso

Nei derivati, elemento inserito tra la parola-base e il suffisso: ad esempio *libricino* si compone di una base *libr(o)*, di un interfisso *-ic-* e di un suffisso *-ino*.

Iperònimo

Vocabolo il cui significato include il significato di altri vocaboli, detti **iponimi**. Ad esempio *albero* è iperonimo di *quercia* o *pino*, ha un significato più esteso, si riferisce a un numero maggiore di enti rispetto a *quercia* o *pino*. Analogamente *italiano* è iperonimo (cioè più generale) rispetto a *lombardo*; è invece iponimo (cioè più specifico) rispetto a *europeo*.

Ipònimo

V. *iperònimo*.

Italiese

Linguaggio caratterizzato dalla mescolanza di vocaboli e costrutti italiani e inglesi, tipico di settori quali la pubblicità o la tecnologia. Il suffisso *-ese* deriva dal termine *giornalese*, traduzione dell'ingl. *journalese* 'linguaggio giornalistico'; tale suffisso è stato poi applicato ad altre parole (*burocratese, sindacalese, sinistrese*), sempre con un'intenzione peggiorativa. *Italiese* è sentito da molti come un acronimo di *itali(ano)* e *(ingl)ese*.

Langue / parole (francese /lãg/, /pa'ʀɔl/)

Coppia di termini contrapposti, che solitamente non si traducono, perché gli equivalenti italiani (*lingua* e *parola*) non ne rendono con precisione il significato. Questa la definizione di F. De Saussure, che introdusse la coppia: «La *langue* è un insieme di convenzioni necessarie adottate dalla società per permettere l'uso della facoltà del linguaggio da parte degli individui. Con *parole* si indica l'atto dell'individuo che realizza la sua facoltà per mezzo di quella convenzione sociale che è la *langue*». La *langue* è una convenzione sociale, la *parole* è la realizzazione individuale di questa convenzione. Si può dire che la *langue* corrisponde al codice di una lingua, mentre la *parole* corrisponde al concreto messaggio dei singoli parlanti, i quali utilizzano quel codice con un certo margine di libertà individuale.

Lessema

Monema lessicale, unità del lessico; con il termine *lessema* s'intende spesso la parola quale appare nel dizionario: *automobile, giovane, camminare, per, anche, sicuro* sono lessemi.

Lessico

Sul significato del termine *lessico* v. 13.0.

Lessicografia

Tecnica per la compilazione dei dizionari.

Lessicologia

Studio scientifico del lessico di una lingua.

Linguaggio settoriale

V. 13.4.

Linguistica pragmatica

V. *pragmatica (linguistica).*

Linguistica testuale

V. *testuale (linguistica).*

Locutivo (Atto)

V. *atti linguistici.*

Locuzione idiomatica

V. *idiomatica (locuzione).*

Messaggio

Atto di comunicazione, che avviene tra un emittente e un ricevente i quali utilizzano un codice comune.

Metalinguaggio

Linguaggio sul linguaggio, linguaggio usato per descrivere il linguaggio: frasi come «che cosa intendi per *anziano*?» «intendo che ha superato i sessant'anni» sono esempi di espressioni metalinguistiche (infatti hanno lo scopo di chiarire il significato di un elemento linguistico: la parola *anziano*). Il *metalinguaggio di un dizionario* è l'insieme dei termini e delle formule usati in un dizionario per descrivere e per definire i vocaboli.

Monema

La più piccola unità linguistica dotata di *significato*: nella voce verbale *prendono*, ad esempio, abbiamo un monema lessicale o *lessema prend-* e un monema grammaticale o *morfema -ono*.

Morfema

Monema grammaticale, unità morfologica: in *cant-eremo* il morfema *-eremo* sta ad indicare il modo (indicativo), il tempo (futuro), la persona (prima plurale) del *lessema cant-*.

Morfologia

È lo studio delle forme che le parole – distinte in categorie o parti del discorso: verbo, nome, aggettivo ecc. – assumono nella flessione (coniugazione per il verbo, declinazione per il nome, l'aggettivo ecc.). Poiché lo studio delle forme è collegato allo studio delle funzioni che le parole hanno nella frase, la morfologia interagisce spesso con la *sintassi*: in questo caso si parla di *morfosintassi.*

Morfosintassi

Studio unitario delle varie forme e delle varie funzioni che le parole assumono nella frase (v. anche *morfologia* e *sintassi*).

Nominale (Frase, Stile)

La *frase nominale* è la frase priva di verbo: ad esempio «niente di nuovo» oppure «tasse, altri aumenti» (titolo di giornale). Per *stile nominale* s'intende una serie di fenomeni che vanno dalla mancanza del verbo (frase nominale) alla sua trasformazione in sostantivo (v. *nominalizzazione*).

Nominalizzazione

Trasformazione di un *sintagma* verbale in *sintagma* nominale: ad esempio «è necessario che tutti collaborino» → «è necessaria la collaborazione di tutti».

Parole (francese /pa'ʀɔl/)

V. *langue / parole.*

Performativo

Nella *linguistica pragmatica* si dicono *performativi* (cioè 'esecutivi') gli *enunciati* e, in particolare, i verbi che sono il compimento, non la semplice descrizione di un fatto. Frasi come «lo prometto» o «ti battezzo» differiscono da frasi come «leggo il giornale» o «parto domani»: queste ultime «descrivono» l'atto di leggere o di partire, mentre le precedenti «realizzano» l'atto di promettere o di battezzare.

Perlocutivo (Atto)

V. *atti linguistici.*

Polisemia

La proprietà di un *segno* linguistico di avere più *significati.*

Pragmatica (Linguistica)

La linguistica pragmatica o **pragmalinguistica**, nata in Germania negli anni

Settanta, considera il parlare come un modo di agire e si propone l'analisi degli atti linguistici compiuti dai parlanti. Nella descrizione di tali atti linguistici è necessario tener conto delle intenzioni espresse o recondite, delle credenze e delle aspettative del parlante, delle convenzioni proprie di una certa comunità, della situazione comunicativa ecc.

Prefisso

Morfema che compare all'inizio di parole derivate da altre parole: ad esempio *ri-* in *rifare, dis-* in *disabitato, anti-* in *antigelo* sono prefissi.

Prefissoide

Primo elemento formativo di composti scientifici: ad esempio *tele-* in *televisione* o *elettro-* in *elettrotecnica* sono prefissoidi.

Pronominalizzazione

Sostituzione di un nome con un pronome. La pronominalizzazione è il procedimento più importante per attuare la connessione delle frasi in un testo. Per esempio, due frasi come: 1) *il centravanti tira la palla verso il portiere*, 2) *il portiere blocca la palla*, possono essere collegate per mezzo di pronomi: *il centravanti tira la palla verso il portiere, che la blocca,* dove il pronome relativo *che* sostituisce *il portiere* e il pronome personale *la* sostituisce *la palla*.

Prosodìa

Insieme delle caratteristiche di una lingua riguardanti l'accento, l'intonazione e la durata dei fonemi. Accento, intonazione e durata sono detti anche **tratti soprasegmentali** perché «si sovrappongono» ai fonemi, che costituiscono i «segmenti» minimi dell'enunciato. Ad esempio, la differenza di significato tra l'affermazione *dorme* e l'interrogazione *dorme?* è realizzata esclusivamente mediante una diversa intonazione: cioè mediante un tratto prosodico o soprasegmentale.

Referente, referenza

Il referente è la realtà, concreta o astratta, cui una parola si riferisce: ad esempio le parole *tavolo, bambino, virtù, intelligenza* designano i referenti 'tavolo', 'bambino', 'virtù', 'intelligenza'. La referenza è l'operazione con la quale il parlante collega le varie parole ai rispettivi referenti; tale operazione è alla base del linguaggio.

Segno

Segnale, simbolo, elemento che serve a rappresentare ed esprimere qualcosa. Il *segno linguistico* è costituito dall'unione arbitraria (v. *arbitrarietà del segno linguistico*) di un significante e di un significato.

Sèma

La più piccola unità di significato. I sèmi sono tratti (o componenti) semantici, i quali combinandosi tra loro formano il significato di una parola; le differenze di significato tra le parole sono dovute alla loro diversa «composizione sèmica», cioè alla presenza o all'assenza di determinati sèmi. Per esempio, la differenza di significato della parola *bambino* rispetto alla parola *bambina* è data dal sèma /maschio/ opposto al sèma /femmina/; rispetto alla parola *uomo* è data dal sèma /infantile/ opposto al sèma /adulto/; rispetto alla parola *cucciolo* è data dal sèma /umano/ opposto al sèma /animale/. Pertanto /maschio/, /infantile/, /umano/ sono sèmi o tratti semantici propri della parola *bambino*.

Semantica

Parte della linguistica che studia il significato delle parole.

Semiologia

Scienza che si occupa dello studio dei segni, della loro natura, produzione, interpretazione ecc. La semiologia studia non solo i segni linguistici, ma ogni tipo di segno: simboli religiosi, forme di cortesia, segnali militari, linguaggio poetico ecc.

Settoriale (Linguaggio)

V. 13.4.

Significante / significato

Nell'analisi di F. De Saussure, il segno linguistico è costituito dall'unione di un concetto (significato) e di un'immagine acustica (significante): per esempio dal concetto di 'albero' e dall'insieme dei suoni che formano la parola *albero*. Il rapporto tra significante e significato non è motivato, ma è frutto di una convenzione (v. *arbitrarietà del segno linguistico*). Non si confonda il referente (la cosa «albero») con il significato (il concetto di «albero»).

Sincronia, sincronico

In linguistica, il termine *sincronia* è usato per indicare uno stato di lingua considerato nel suo funzionamento in un dato momento del tempo: un'indagine sincronica sulla lingua contemporanea, per esempio, analizzerà il funzionamento della lingua di oggi, escludendo la prospettiva storica (non viene considerato, cioè, il rapporto tra la lingua di oggi e quella del passato). V. anche i termini opposti *diacronia, diacronico*.

Sintagma

Unità sintattica di livello inferiore alla frase, risultante dalla combinazione di due o più unità lessicali e grammaticali: per esempio, la frase *il treno sta partendo* è costituita dal sintagma nominale *il treno* (articolo + nome) e dal sintagma verbale *sta partendo* (verbo + verbo).

Sintassi

Parte della grammatica che studia le funzioni delle parole nella frase e le regole in base alle quali le parole si combinano in frasi.

Sistema

La lingua costituisce un sistema, i cui elementi si trovano in rapporto gli uni con gli altri. In particolare, per gli strutturalisti la lingua è un *sistema di sistemi*, poiché in essa interagiscono più sistemi: un *sistema fonologico*, uno *morfologico*, uno *sintattico*, uno *lessicale*. *Sistema di segni* è un'espressione equivalente a *codice*. V. anche *struttura, strutturalismo linguistico*.

Sociolètto

L'insieme delle varietà di lingua usate dai membri di una stessa classe sociale. L'appartenenza a una determinata classe influenza la formazione linguistica di un individuo in vari modi: in particolare, attraverso la maggiore possibilità di accesso all'istruzione.

Sociolinguistica

Settore della linguistica che studia i rapporti tra la lingua e la società. In particolare, la sociolinguistica studia per quali ragioni e in quali modi la lingua cambia nelle diverse situazioni sociali.

Soprasegmentali (Tratti)

V. *prosodia*.

Sottocodice

Codice particolare interno al *codice* generale della lingua; è in pratica sinonimo di «linguaggio settoriale»: *il sottocodice politico, il sottocodice burocratico* 'il linguaggio della politica, della burocrazia'.

Stile nominale

V. *nominale (frase, stile)*.

Stilèma

Elemento caratteristico, tratto distintivo dello stile di uno scrittore o di un testo.

Struttura

L'organizzazione degli elementi di un *sistema* linguistico, l'insieme delle relazioni tra tali elementi. V. *strutturalismo linguistico*.

Struttura profonda/struttura superficiale

Nella *grammatica generativo-trasformazionale* la struttura superficiale di una frase è la frase così come appare; la struttura profonda è la matrice della frase. Le strutture profonde generano le strutture superficiali, attraverso alcune regole di *trasformazione*. La distinzione tra strutture superficiali e strutture profonde consente di spiegare frasi ambigue come *ho visto mangiare un coniglio*, alla cui base può esserci sia *ho visto (qualcuno) mangiare un coniglio* sia *ho visto un coniglio mangiare (qualcosa)*. L'ambiguità è dovuta al fatto che la stessa struttura superficiale deriva da due strutture profonde diverse.

Strutturalismo americano

V. *distribuzionalismo*.

Strutturalismo linguistico

Teoria linguistica che ha il suo punto di partenza nel *Corso di linguistica generale* di F. De Saussure, pubblicato nel 1916. Alla base dello strutturalismo linguistico ci sono i concetti di *struttura* e di *sistema*: la lingua costituisce un *sistema* in cui tutte le parti sono legate da un rapporto di solidarietà e di dipendenza reciproca; la *struttura* del *sistema* è la sua organizzazione interna. «La dottrina strutturalista insegna la predominanza del sistema sugli elementi, mira a cogliere la struttura del sistema attraverso i rapporti degli elementi e mostra il carattere organico dei cambiamenti cui la lingua è soggetta» (E. Benveniste).

Suffisso

Morfema che compare alla fine di parole derivate da altre parole: ad esempio *-aio* in *giornalaio, -zione* in *operazione, -izzare* in *lottizzare* sono suffissi.

Suffissoide

Secondo elemento formativo di *composti* scientifici: ad esempio *-logia* di *sociologia* o *-iatra* di *odontoiatra* sono suffissoidi.

Teoria dell'enunciazione

V. *enunciazione*.

Testo

Unità linguistica che si compone di più frasi, le quali hanno in comune lo stesso tema generale e la stessa situazione comunicativa. In un testo le frasi sono spesso collegate tra loro anche dal punto di vista formale, per esempio mediante i pronomi (v. *pronominalizzazione*). La nozione di testo è stata introdotta nella linguistica al fine di spiegare alcuni fenomeni che si realizzano in un contesto più ampio della frase.

Testuale (Linguistica)

Indirizzo della linguistica moderna sviluppatosi negli ultimi decenni. L'attività linguistica consiste non di frasi isolate, ma di insiemi di frasi, le quali sono connesse tra loro sul piano semantico e/o sintattico; di qui l'esigenza di prendere in considerazione un'unità superiore alla frase: il *testo*. La linguistica testuale studia appunto l'organizzazione interna dei testi, la loro coerenza semantica e coesione sintattica. Essa rivolge inoltre la sua attenzione a quei presupposti comunicativi che sono esterni al testo, ma che appaiono indispensabili per interpretarlo correttamente (v. 1.1.13).

Transfràstico

Che oltrepassa i limiti della singola frase, che riguarda le relazioni sintattiche e semantiche intercorrenti tra le varie frasi di un *testo*: *analisi transfrastica*; *rapporto, collegamento transfrastico*.

Trasformazione

Nella *grammatica generativo-trasformazionale*, il processo che genera le frasi di una lingua, «trasformando» la *struttura profonda* (la matrice della frase) in *struttura superficiale* (la frase come appare).

BIBLIOGRAFIA

Rinviamo ad alcuni saggi che rappresentano un approfondimento degli argomenti di linguistica esposti negli inserti:

ACCADEMIA DELLA CRUSCA, *La lingua italiana in movimento*, Firenze, presso l'Accademia, 1982.

BECCARIA, GIAN LUIGI (a cura di), *I linguaggi settoriali in Italia*, Milano, Bompiani, 1973.

BRUNET, JACQUELINE, *Grammaire critique de l'italien*, Paris, Université de Paris VIII-Vincennes, 1978-1983 (in corso di pubblicazione; sono usciti finora sei volumi: 1. Il plurale; 2. L'articolo; 3. Il possessivo; 4. Il dimostrativo, i numerali, gli indefiniti; 5. Il genere; 6. L'aggettivo).

BRUNI, FRANCESCO, *L'italiano. Elementi di storia della lingua e della cultura*, Torino, UTET, 1984.

DARDANO, MAURIZIO, *La formazione delle parole nell'italiano di oggi*, Roma, Bulzoni, 1978.

DE MAURO, TULLIO, *Storia linguistica dell'Italia unita*, Bari, Laterza, 1970[2].

MIGLIORINI, BRUNO, *Storia della lingua italiana*, Firenze, Sansoni, 1978[5].

ROHLFS, GERHARD, *Grammatica storica della lingua italiana e dei suoi dialetti*. 3 voll.: *Fonetica. Morfologia. Sintassi e formazione delle parole*, trad. ital., Torino, Einaudi, 1970[2].

SABATINI, FRANCESCO, *L'«italiano dell'uso medio»: una realtà tra le varietà linguistiche italiane*, in G. Holtus e E. Radtke (a cura di), *Gesprochenes Italienisch in Geschichte und Gegenwart*, Tübingen, Narr, 1985, pp. 154-184.

SERIANNI, LUCA, *Il problema della norma linguistica dell'italiano*, in «Annali dell'Università per stranieri di Perugia» (in corso di stampa).

TAGLIAVINI, CARLO, *Le origini delle lingue neolatine*, Bologna, Pàtron, 1969[6].

TEKAVČIĆ, PAVAO, *Grammatica storica dell'italiano*. 3 voll.: *Fonematica. Morfosintassi. Lessico*, Bologna, Il Mulino, 1980[2].

Per il necessario collegamento tra la grammatica e il lessico si tengano presenti le seguenti opere:

BATTISTI, CARLO e ALESSIO, GIOVANNI, *Dizionario etimologico italiano*, 5 voll., Firenze, Barbera, 1950-1957.

CORTELAZZO, MANLIO e ZOLLI, PAOLO, *Dizionario etimologico della lingua italiana*, Bologna, Zanichelli, 1979-1985 (pubblicati i primi 4 voll., fino alla lettera R compresa).

DARDANO, MAURIZIO, *Nuovissimo dizionario della lingua italiana*, 2 voll., Roma, Curcio, 1982.

Dizionario enciclopedico italiano, 12 voll., Roma, Istituto della Enciclopedia Italiana, 1970. Supplemento, 1974. Secondo Supplemento, 1984.

Grande dizionario della lingua italiana, fondato da S. Battaglia e diretto da G. Bárberi Squarotti, Torino, UTET, 1967-1984 (pubblicati i primi 12 voll., fino alla parola *perezare*).

Il Nuovo Zingarelli. Vocabolario della lingua italiana di Nicola Zingarelli, 11ª ed. a cura di M. Dogliotti e L. Rosiello, Bologna, Zanichelli, 1983.

Si veda inoltre la rivista «Lingua nostra» (Sansoni, Firenze), che contiene spesso articoli dedicati all'italiano di oggi. Vari temi riguardanti la lingua contemporanea sono stati al centro di convegni organizzati dalla Società di linguistica italiana (SLI): cfr. gli atti pubblicati dall'editore Bulzoni di Roma.

INDICE ANALITICO

B

C

D

E

F

G

H

I

J

K

L

M

N

O

P

Q

R

S

T

U

V